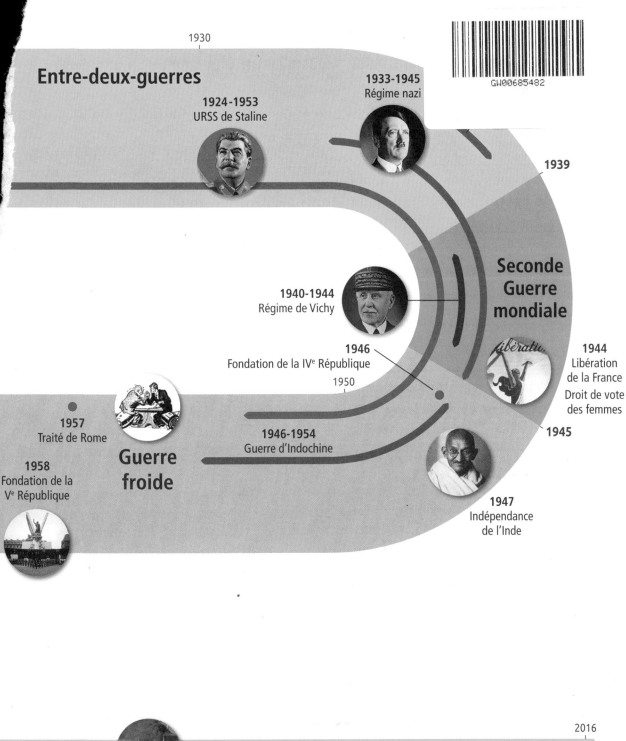

**Entre-deux-guerres**

**1930**

**1924-1953**
URSS de Staline

**1933-1945**
Régime nazi

**1939**

**Seconde
Guerre
mondiale**

**1940-1944**
Régime de Vichy

**1946**
Fondation de la IVᵉ République

**1950**

**1944**
Libération
de la France

Droit de vote
des femmes

**1945**

**1957**
Traité de Rome

**1946-1954**
Guerre d'Indochine

**Guerre
froide**

**1958**
Fondation de la
Vᵉ République

**1947**
Indépendance
de l'Inde

**2016**

**Le monde d'aujourd'hui**

**2015** ●
Attentats
à Paris

**2001**
Attentats à New York et Washington

**2001-2014**
Guerre d'Afghanistan

# Un manuel et un site à votre service

**Sur le site collegien.nathan.fr/hg3,** retrouvez de nombreuses ressources pour vous accompagner toute l'année !

Enregistrez ce lien dans les favoris de votre navigateur Internet et prenez l'habitude de le consulter régulièrement !

▎ Tous les **liens vers les vidéos et les sites** présentés dans le manuel

▎ Plus de **80 exercices interactifs** pour vérifier vos connaissances

▎ Tous les **fonds de carte** et les **frises vierges** pour réviser

▎ **Des outils interactifs** : frises chronologiques et cartes mentales à compléter

▎ Tous les textes du manuel **disponibles dans une version spécialement adaptée aux élèves DYS**

## Les pages Apprendre à apprendre pour réviser chez soi !

Apprendre, tout le monde en est capable ! Il suffit juste de trouver les bonnes méthodes et de créer les bons outils. Ces pages vont vous aider à comprendre comment vous mémorisez le mieux vos leçons.

Pour commencer, rendez-vous sur le site Nathan et effectuez le test proposé !

Avez-vous plutôt une mémoire visuelle, auditive, corporelle ? Ce test vous permettra de mieux connaître votre type de mémoire, et donc votre manière d'apprendre !

# Histoire
# Géographie
## Enseignement moral et civique

**3e** CYCLE 4

Nouveau programme 2016

## Histoire

### Sous la direction de

**Sébastien Cote**
Agrégé d'histoire
Lycée Joffre, Montpellier (34)

**Anne-Marie Hazard-Tourillon**
Agrégée d'histoire
Académie de Créteil

### Relecture pédagogique :

**Caroline Normand**

### Par

**Joëlle Alazard-Fontbonne**
Agrégée d'histoire
Lycée Faidherbe, Lille (59)

**Guillaume Gicquel**
Agrégé d'histoire-géographie
Lycée Paul-Éluard, Saint-Denis (93)

**Jean-Marcel Guigou**
Certifié d'histoire-géographie
Lycée Germaine-Tillion, Le Bourget (93)

**Samuel Kuhn**
Agrégé d'histoire-géographie
Lycée de la Versoie,
Thonon-les-Bains (74)

**Delphine Lécureuil**
Agrégée d'histoire
Lycée Jules-Guesde, Montpellier (34)

**Caroline Normand**
Certifiée d'histoire-géographie
Collège Louis-Issaurat, Créteil (94)

**Catherine Pidutti**
Agrégée d'histoire
Lycée Edgar-Quinet, Paris (75)

**Grégoire Pralon**
Certifié d'histoire-géographie
Collège Beaumarchais, Paris (75)

**Claire Quincy**
Agrégée d'histoire
Lycée Jules-Guesde, Montpellier (34)

## Géographie

### Sous la direction de

**Armelle Fellahi**
Agrégée d'histoire
Académie de Rennes

**Patrick Marques**
Agrégé d'histoire-géographie
Collège Pierre-Brossolette, Bruz (35)

### Relecture pédagogique :

**Lisa Adamski**
Agrégée d'histoire-géographie
Collège Barbara, Stains (93)

### Par

**Sandrine Calvez**
Certifiée d'histoire-géographie
Collège Jean-Monnet, Janzé (35)

**Emmanuelle Hamez-Thieuw**
Certifiée d'histoire-géographie
Collège Paul-Verlaine, Béthune (62)

**Pascal Jézéquel**
Agrégé d'histoire-géographie
ESPE de Créteil - UPEC (93)

**Marie-Pierre Saulze**
Certifiée d'histoire-géographie
Collège François-Truffaut, Betton (35)

**Valérie Willemet**
Certifiée d'histoire-géographie
Collège Paul-Sébillot, Matignon (22)

## Enseignement moral et civique

### Sous la direction de

**Anne-Marie Hazard-Tourillon**
Agrégée d'histoire
Académie de Créteil

**Arlette Heymann-Doat**
Professeure émérite de droit public
à l'université de Paris-Sud

### Par

**Maria Aeschlimann**
Agrégée d'histoire
Collège François-Truffaut, Asnières (92)

**Annie Lambert**
Agrégée d'histoire-géographie

**Éric Zdobych**
Agrégé d'histoire-géographie
Collège Jacques-Offenbach,
Saint-Mandé (94)

 Nathan

# À la découverte de votre manuel

## Ouvertures de chapitre

- Une petite « frise de cycle » pour replacer le chapitre étudié dans les apprentissages des cycles 3 et 4.
- Deux grandes images pour entrer dans le thème.
- Une anecdote pour interpeller les élèves.

## Je me repère (en histoire)

- La frise chronologique du chapitre et une petite frise pour se situer dans le programme.
- Les grands repères du chapitre (cartes, schémas...).
- Des questions pour se repérer dans le temps et dans l'espace.

## Je découvre

- Un travail sur documents qui propose **2 itinéraires différenciés** (questions de prélèvement, bilan à rédiger, exposé à préparer, carte mentale à compléter...).

## J'enquête

- Des propositions de **tâches complexes** avec une consigne et un « Coup de pouce ».
- Des **missions à mener en équipes**.

## D'hier à aujourd'hui (en histoire)

- Des documents et un questionnaire pour **comprendre que le passé éclaire le présent**.

© Nathan 2016 - 25, avenue Pierre de Coubertin - 75013 Paris. ISBN : 978-2-09-171897-2

## Études de cas (en géographie)

- Des **études de cas** avec des **itinéraires différenciés** : prélèvement d'informations ou réalisation d'un schéma, d'une carte mentale...

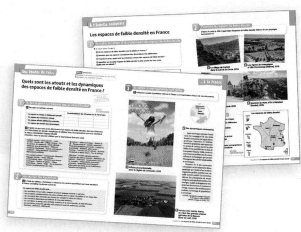

## Des études de cas... à la France

- Une activité pour **mettre en perspective** les études de cas et **changer d'échelle**.
- Des cartes pour **changer d'échelle**.

## Parcours

- **Des parcours en lien avec les nouveaux programmes** : Parcours Arts et culture (PEAC), Parcours Citoyen.

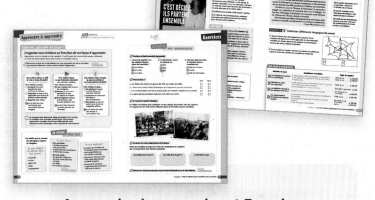

## Leçon

- Un cours simple, accessible.
- Un schéma de synthèse.

## Apprendre à apprendre et Exercices

- Des pages pour apprendre sa leçon, vérifier et mobiliser ses connaissances.
- Des pages « **brevet** » pour s'entraîner.
- Un « **bilan de compétences** » pour faire le point sur les compétences acquises ou à perfectionner.

# Histoire

**Partie 1**

## L'Europe, un théâtre majeur des guerres totales (1914-1945)

### Chapitre 1

**Civils et militaires dans la Première Guerre mondiale** ........ 16

Je me repère ........................................................ 18
Je découvre Les combattants dans la guerre :
la bataille de la Somme (1916) ................................ 20
J'enquête (TÂCHE COMPLEXE) : Les civils
dans la guerre totale ........................................... 22
Parcours arts Créer en temps de guerre :
l'artisanat des tranchées ....................................... 24
Je découvre Le génocide
du peuple arménien (1915-1916) ............................ 26
J'enquête (TÂCHE COMPLEXE) La Révolution russe (1917) ....... 28
■ Leçon ........................................................... 30
■ Apprendre à apprendre ...................................... 32
■ Exercices ...................................................... 33
Brevet ........................................................... 34

### Chapitre 2

**Démocraties et expériences totalitaires (1919-1939)** ........ 36

Je me repère ........................................................ 38
J'enquête (TÂCHE COMPLEXE) L'URSS de Staline,
un régime totalitaire ........................................... 40
Je découvre L'arrivée au pouvoir des nazis :
des élections à la dictature (1933) ........................... 42
J'enquête (EN ÉQUIPES !) L'Allemagne nazie,
un régime totalitaire raciste et antisémite .............. 44
Je découvre Le Front populaire en France (1936) :
des réformes démocratiques et sociales ................ 46
■ Leçon ........................................................... 48
■ Apprendre à apprendre ...................................... 50
■ Exercices ...................................................... 51
Brevet ........................................................... 52

### Chapitre 3

**La Seconde Guerre mondiale, une guerre d'anéantissement** ........ 54

Je me repère ........................................................ 56
Je découvre Violences de masse
et guerre d'anéantissement ................................... 58
J'enquête (TÂCHE COMPLEXE) Les génocides
des populations juives et tziganes ........................ 60

Je découvre Les résistances
au nazisme en Europe .......................................... 62
D'hier à aujourd'hui Auschwitz, du centre
de mise à mort au lieu de mémoire ........................ 64
■ Leçon ........................................................... 66
■ Apprendre à apprendre ...................................... 68
■ Exercices ...................................................... 69
Brevet ........................................................... 70

### Chapitre 4

**Régime de Vichy, Collaboration et Résistance en France (1940-1944)** ........ 72

Je me repère ........................................................ 74
J'enquête (EN ÉQUIPES !) Vichy,
un régime antirépublicain ..................................... 76
J'enquête (TÂCHE COMPLEXE) Le régime de Vichy
dans la Collaboration .......................................... 80
Je découvre La France libre :
résister depuis l'Europe et le monde ..................... 82
Je découvre Une figure de résistante :
Lucie Aubrac ...................................................... 84
■ Leçon ........................................................... 86
■ Apprendre à apprendre ...................................... 88
■ Exercices ...................................................... 89
Brevet ........................................................... 90

**Partie 2**

## Le monde depuis 1945

### Chapitre 5

**La guerre froide, un monde bipolaire (1947-1989)** ........ 92

Je me repère ........................................................ 94
Je découvre La guerre froide,
un conflit d'un nouveau genre .............................. 96
J'enquête (TÂCHE COMPLEXE) Le mur de Berlin,
symbole de la guerre froide .................................. 98
Je découvre La crise de Cuba (1962) .................... 100
Parcours arts Le cinéma,
instrument de l'idéologie américaine .................. 102
■ Leçon ......................................................... 104
■ Apprendre à apprendre .................................... 106
■ Exercices .................................................... 107
Brevet ......................................................... 108

## Chapitre 6

### Indépendances et construction de nouveaux États — 110

Je me repère ........................................... 112

Je découvre L'indépendance de l'Inde (1947) : entre négociations et affrontements .................... 114

Je découvre Guerre et décolonisation, l'Indochine française (1946-1954) ..................... 116

J'enquête (TÂCHE COMPLEXE) Qu'est-ce que le Tiers Monde ? .. 118

Leçon ............................................ 120

Apprendre à apprendre ........................... 122

Exercices ....................................... 123

Brevet ......................................... 124

## Chapitre 7

### Affirmation et mise en œuvre du projet européen depuis 1945 — 126

Je me repère ........................................ 128

Je découvre Le traité de Maastricht, une étape décisive pour l'Europe (1992) ............. 130

Leçon ............................................ 132

Apprendre à apprendre ............................ 134

Exercices ....................................... 135

Brevet ......................................... 136

## Chapitre 8

### Enjeux et conflits dans le monde après 1989 — 138

Je me repère ....................................... 140

D'hier à aujourd'hui Les attentats du 11 septembre 2001 ............................... 142

Je découvre La guerre en Afghanistan, une guerre internationale (2001-2014) ............. 144

Je découvre La rivalité entre les États-Unis et la Chine .......................................... 146

Leçon ............................................ 148

Apprendre à apprendre ............................ 150

Exercices ....................................... 151

Brevet ......................................... 152

## Partie 3

### Françaises et Français dans une République repensée

## Chapitre 9

### Refonder la République et la démocratie (1944-1947) — 154

Je me repère ....................................... 156

J'enquête (TÂCHE COMPLEXE) Sortir de la guerre et du régime de Vichy ............................... 158

Je découvre Les valeurs de la Résistance et la refondation de la République ...................... 160

D'hier à aujourd'hui La place des femmes dans la vie politique depuis 1944 ..................... 162

Leçon ............................................ 164

Apprendre à apprendre ............................ 166

Exercices ....................................... 167

Brevet ......................................... 168

## Chapitre 10

### La Ve République de 1958 aux années 1980 — 170

Je me repère ....................................... 172

Je découvre L'année 1958, naissance de la Ve République ............................ 174

J'enquête (EN ÉQUIPES !) Le président de la République, 1958-1988 ....................................... 176

J'enquête (TÂCHE COMPLEXE) L'élection de François Mitterrand en 1981 ..................... 180

Leçon ............................................ 182

Apprendre à apprendre ............................ 184

Exercices ....................................... 185

Brevet ......................................... 186

## Chapitre 11

### La société française des années 1950 aux années 1980 — 188

Je me repère ....................................... 190

J'enquête (TÂCHE COMPLEXE) Les années 1970, la décennie féministe ............................... 192

Je découvre L'immigration algérienne en France des années 1950 aux années 1970 .............. 194

Je découvre Le chômage et la société française dans les années 1980 ............................. 196

Parcours arts Mai 1968, la jeunesse en révolte vue par les affiches ................................ 198

Leçon ............................................ 200

Apprendre à apprendre ............................ 202

Exercices ....................................... 203

Brevet ......................................... 204

# Géographie

**Partie 1**

## Dynamiques territoriales de la France contemporaine

### Chapitre 12

**Les aires urbaines, géographie d'une France mondialisée** 210

Étude de cas L'aire urbaine de Lyon ...................... 212

Étude de cas (TÂCHE COMPLEXE) L'aire urbaine de Paris,
une métropole mondiale................................... 216

Des études de cas... à la France
Comment les villes influencent-elles le territoire
français ? .................................................. 218

Cartes Des territoires français
sous influence urbaine.................................... 220

■ Leçon .................................................... 222

■ Apprendre à apprendre .............................. 224

■ Exercices ............................................... 225

Brevet .................................................... 226

### Chapitre 13

**Les espaces productifs et leurs évolutions** 228

Étude de cas Montpellier Méditerranée Métropole,
un espace industriel innovant .......................... 230

À l'échelle nationale Les espaces productifs
industriels................................................ 232

Étude de cas Le Grand Ouest, un espace
agricole productif......................................... 234

À l'échelle nationale Les espaces productifs
agricoles .................................................. 236

Étude de cas Le parc Astérix,
un espace touristique dynamique....................... 238

À l'échelle nationale Les espaces productifs
de services ............................................... 240

Des études de cas... à la France
Quelles évolutions connaissent les espaces
productifs français ? ..................................... 242

■ Leçon .................................................... 244

■ Apprendre à apprendre .............................. 246

■ Exercices ............................................... 247

Brevet .................................................... 248

### Chapitre 14

**Les espaces de faible densité et leurs atouts** 250

Étude de cas Les Cévennes,
des espaces ruraux dynamiques .......................... 252

Étude de cas (TÂCHE COMPLEXE) Val d'Isère,
une station très attractive ............................... 254

Des études de cas... à la France Quels sont les
atouts et les dynamiques des espaces de faible
densité en France ? ....................................... 256

À l'échelle nationale Les espaces de faible densité
en France ................................................. 258

■ Leçon .................................................... 260

■ Apprendre à apprendre .............................. 262

■ Exercices ............................................... 263

Brevet .................................................... 264

Parcours arts Le *Land Art* et les espaces
de faible densité .......................................... 266

**Partie 2**

## Pourquoi et comment aménager le territoire ?

### Chapitre 15

**Aménager pour réduire les inégalités croissantes** 270

Étude de cas La ligne à grande vitesse
Sud Europe Atlantique ..................................... 272

Des études de cas... à la France Comment les
aménagements peuvent-ils réduire les inégalités
entre les territoires ? ..................................... 276

À l'échelle nationale Inégalités et aménagement
du territoire français...................................... 278

■ Leçon .................................................... 280

■ Apprendre à apprendre .............................. 282

■ Exercices ............................................... 283

Brevet .................................................... 284

**Et demain ?** Les enjeux d'un aménagement de
proximité : l'écoquartier de l'Union près de Lille .... 286

Parcours citoyen Notre-Dame-des-Landes
et son projet d'aéroport .................................. 286

## Chapitre 16

**Aménager les territoires ultramarins français** ........... 292

**Cartes** Les territoires ultramarins de la France ..... 294

**Je découvre** Les territoires ultramarins :
entre unité et diversité ..................................................... 296

**Je découvre** Les territoires ultramarins
dans leur espace régional ................................................ 298

**Étude de cas** (TÂCHE COMPLEXE) Aménager la route
du littoral sur l'île de La Réunion ................................... 300

■ **Leçon** ................................................................................ 302

■ **Apprendre à apprendre** ............................................... 304

■ **Exercices** ......................................................................... 305

**Brevet** ................................................................................ 306

**Partie 3**

## La France et l'Union européenne

## Chapitre 17

**L'Union européenne :
un « nouveau territoire »** ............................................... 310

**Je découvre** L'Union européenne :
un territoire d'appartenance original ........................... 312

**Je découvre** L'UE, un territoire de contrastes ........ 314

**Étude de cas** Les Pyrénées, de la frontière
au territoire transfrontalier ............................................ 316

**Cartes** La France dans l'Union européenne ........... 320

■ **Leçon** ................................................................................ 322

■ **Apprendre à apprendre** ............................................... 324

■ **Exercices** ......................................................................... 325

**Brevet** ................................................................................ 326

## Chapitre 18

**La France et l'Europe dans le monde** ........... 328

**J'enquête** (TÂCHE COMPLEXE) L'influence culturelle
de la France et de l'Europe dans le monde .......... 330

**Je découvre** L'influence géopolitique de la France
et de l'Union européenne dans le monde ............. 332

**J'enquête** (TÂCHE COMPLEXE) L'influence économique
de la France et de l'Union européenne
dans le monde ................................................................ 334

**Cartes** L'influence de la France et de l'UE
dans le monde ................................................................ 336

■ **Leçon** ................................................................................ 338

■ **Apprendre à apprendre** ............................................... 340

■ **Exercices** ......................................................................... 341

**Brevet** ................................................................................ 342

**Parcours arts** Le rayonnement du cinéma français
à l'international ................................................................. 344

---

## Le site de la collection

■ Retrouvez sur le site **collegien.nathan.fr/hg3** tous les liens vers les vidéos et
de nombreuses ressources complémentaires (fonds de cartes, exercices interactifs...),
signalés par ce picto dans le manuel  site élève
⬇ exercices interactifs

# Enseignement moral et civique

**Chapitre 19**

**La citoyenneté française et européenne** 348

**Parcours arts** Les symboles de la citoyenneté française ............................................................ 350

Je découvre Le 14 Juillet : la fête nationale ......... 352

Je découvre Une République laïque ...................... 354

Je découvre Être citoyen, des droits et des devoirs.............................................................. 356

**Parcours citoyen** Les principes et les symboles de la citoyenneté européenne............................... 358

J'enquête **EN ÉQUIPES !** S'engager dans la vie politique et sociale ........................................................... 360

■ **Leçon** ..................................................... 362

■ **Exercices** ................................................ 363

**Brevet** ...................................................... 364

**Chapitre 20**

**La République française, une démocratie** 366

Je me repère .............................................. 368

J'enquête **EN ÉQUIPES !** Les élections en France .......... 370

**Parcours arts** *Liberté* de Paul Éluard, 1942........... 372

J'enquête **TÂCHE COMPLEXE** Quelles sont les étapes du parcours d'une loi ?.................................... 374

Je découvre Médias et opinion publique .............. 376

Semaine de la presse et des médias ................... 378

Je découvre L'usage d'Internet dans la vie politique .......................................... 380

■ **Leçon** ..................................................... 382

■ **Exercices** ................................................ 383

**Brevet** ...................................................... 384

**Chapitre 21**

**La Défense nationale** 388

Journée Défense et citoyenneté .......................... 390

Je découvre Les relations entre les citoyens et la Défense nationale ...................................... 392

J'enquête **TÂCHE COMPLEXE** L'engagement de la France en Afrique : l'opération Barkhane......................... 394

J'enquête **EN ÉQUIPES !** France, Europe, monde : les engagements de la Défense française ............ 396

**Parcours arts** Le monument des enfants pour la paix à Hiroshima, 1958.............................. 398

■ **Leçon** ..................................................... 400

■ **Exercices** ................................................ 401

**Brevet** ...................................................... 404

## Brevet – Méthode

### En histoire

■ Je m'approprie et j'utilise un lexique spécifique.................................. 34

■ J'utilise mes connaissances pour expliquer un document ........................................... 52

■ J'identifie un document et son point de vue particulier ............70, 124

■ J'écris pour structurer ma pensée, mon savoir, pour argumenter........ 90, 153, 187

■ Je mets en relation les faits d'une période................................... 108

■ J'extrais des informations pertinentes, je les classe et je les hiérarchise................136

■ Je confronte deux documents............ 152, 186

■ Je justifie l'interprétation d'un document...168

■ Je m'initie aux techniques d'argumentation 204

### En géographie

■ J'exerce mon esprit critique...................... 226

■ Je confronte deux documents...................248

■ J'écris pour argumenter ...........................249

■ Je confronte des documents, je dégage des points de vue et je les éclaire.............264

■ Je porte un regard critique sur un document.....................................284

■ J'extrais des informations pertinentes, je les classe et je les hierarchise...............306

■ J'identifie le point de vue particulier d'un document..........................................326

■ Je comprends le sens général d'un document......................................342

### En EMC

■ Je définis un mot de vocabulaire...............364

■ Je confronte des documents .....................384

■ Je trouve les informations pour répondre à une question..........................................386

■ Je lis et j'explique une caricature ............ 404

# Mes outils pour apprendre

## Mes repères

- **Textes de référence** ........................ 406

- **Lexique** ........................ 419

- **Atlas** ........................ 429
  Le langage cartographique ........................ 429
  La construction de l'Union européenne ........... 430
  Les inégalités de revenus dans l'UE ............... 430
  Relief et climat de l'Europe ...................... 431
  Les densités de population en France ............ 432
  Le relief de la France ........................ 433
  Les régions de la France ........................ 434
  Les études de cas du manuel ................... 435

## Mon cahier de compétences

- Je me repère dans le temps ............... 410
- Je me repère dans l'espace ................ 411
- Je raisonne comme un-e géographe . 412
- Je m'informe dans le monde du numérique .................. 413
- J'analyse et je comprends un document ........................ 414
- Je pratique différents langages .......... 415
- Je m'exprime à l'oral et à l'écrit ......... 416
- Je coopère et je mutualise : le travail en équipes .................. 417
- Je réalise une tâche complexe .......... 418

## Apprendre à apprendre

### En histoire

- J'organise mes révisions en fonction de ma façon d'apprendre ...................... 32
- Je révise en construisant un tableau de synthèse ..................... 50
- Je réalise un plan détaillé du chapitre ........ 68
- J'apprends à réaliser une carte mentale ..... 88
- Je réalise une capsule vidéo ...................... 106
- J'apprends en réalisant une infographie ..... 122
- J'apprends en réalisant une affiche .......... 134
- J'apprends à réaliser une carte mentale numérique ................ 150
- Je révise en équipe ........................ 166
- Je réalise en équipe une émission de radio ........................ 184
- Je réalise un livret illustré .................... 202

### En géographie

- J'apprends, en réalisant un carnet de révision ........................ 224
- Je révise en équipe ........................ 246
- J'apprends en réalisant une carte mentale ........................ 262
- J'apprends en m'enregistrant ................ 282
- J'apprends à organiser mes révisions pour le Brevet ........................ 304
- J'apprends en créant des jeux ................ 324
- Je fabrique mes outils de révision : l'affiche ........................ 340

# Histoire–Géographie

## Programme de 3e • Bulletin officiel spécial n°11, 26 novembre 2015

| Compétences travaillées | Domaines du socle |
|---|---|
| → Se repérer dans le temps : construire des repères historiques | 1, 2, 5 |
| → Se repérer dans l'espace : construire des repères géographiques | 1, 2, 5 |
| → Raisonner, justifier une démarche et les choix effectués | 1, 2 |
| → S'informer dans le monde du numérique | 1, 2, 3 |
| → Analyser et comprendre un document | 1, 2 |
| → Pratiquer différents langages en histoire et en géographie | 1, 2, 5 |
| → Coopérer et mutualiser | 2, 3 |

# Histoire

### Thème 1

**L'Europe, un théâtre majeur des guerres totales (1914-1945)**

- Civils et militaires dans la Première Guerre mondiale.
- Démocraties fragilisées et expériences totalitaires dans l'Europe de l'entre-deux-guerres.
- La Deuxième Guerre mondiale, une guerre d'anéantissement.
- La France défaite et occupée. Régime de Vichy, collaboration, Résistance.

### Thème 2

**Le monde depuis 1945**

- Indépendances et construction de nouveaux États.
- Un monde bipolaire au temps de la guerre froide.
- Affirmation et mise en œuvre du projet européen.
- Enjeux et conflits dans le monde après 1989.

### Thème 3

**Françaises et Français dans une République repensée**

- La Ve République, de la République gaullienne à l'alternance et à la cohabitation.
- Femmes et hommes dans la société des années 1950 aux années 1980 : nouveaux enjeux sociaux et culturels, réponses politiques.

# Géographie

### Thème 1

**Dynamiques territoriales de la France contemporaine**

- Les aires urbaines, une nouvelle géographie d'une France mondialisée.
- Les espaces productifs et leurs évolutions.
- Les espaces de faible densité (espaces ruraux, montagnes, secteurs touristiques peu urbanisés) et leurs atouts.

### Thème 2

**Pourquoi et comment aménager le territoire ?**

- Aménager pour répondre aux inégalités croissantes entre territoires français, à toutes les échelles.
- Les territoires ultramarins français : une problématique spécifique.

### Thème 3

**La France et l'Union européenne**

- L'Union européenne, un nouveau territoire de référence et d'appartenance.
- La France et l'Europe dans le monde.

→ Le programme intégral est disponible sur le site collegien.nathan.fr/hg3

# Enseignement moral et civique

**Programme de 3ᵉ • Bulletin officiel spécial n°6, 25 juin 2015**

## La sensibilité : soi et les autres

**❶ Identifier et exprimer en les régulant ses émotions et ses sentiments.**

**❷ S'estimer et être capable d'écoute et d'empathie.**

**❸ Se sentir membre d'une collectivité.**

1 – Exprimer des sentiments moraux à partir de questionnements ou de supports variés et les confronter avec ceux des autres (proches ou lointains).

2 – Comprendre que l'aspiration personnelle à la liberté suppose de reconnaître celle d'autrui.

3/a – Comprendre la diversité des sentiments d'appartenance civiques, sociaux, culturels, religieux.

3/b – Connaître les principes, valeurs et symboles de la citoyenneté française et de la citoyenneté européenne.

## Le droit et la règle : des principes pour vivre avec les autres

**❶ Comprendre les raisons de l'obéissance aux règles et à la loi dans une société démocratique.**

**❷ Comprendre les principes et les valeurs de la République française et des sociétés démocratiques.**

1/a – Expliquer les grands principes de la justice (droit à un procès équitable, droit à la défense) et leur lien avec le règlement intérieur et la vie de l'établissement.

1/b – Identifier les grandes étapes du parcours d'une loi dans la République française.

2 – Définir les principaux éléments des grandes déclarations des Droits de l'homme.

## Le jugement : penser par soi-même et avec les autres

**❶ Développer les aptitudes à la réflexion critique : en recherchant les critères de validité des jugements moraux ; en confrontant ses jugements à ceux d'autrui dans une discussion ou un débat argumenté.**

**❷ Différencier son intérêt particulier de l'intérêt général.**

1/a – Expliquer les différentes dimensions de l'égalité, distinguer une inégalité d'une discrimination.

1/b – Comprendre les enjeux de la laïcité (liberté de conscience et égalité des citoyens).

2/a – Reconnaître les grandes caractéristiques d'un État démocratique.

2/b – Comprendre que deux valeurs de la République, la liberté et l'égalité, peuvent entrer en tension.

## L'engagement : agir individuellement et collectivement

**❶ S'engager et assumer des responsabilités dans l'école et dans l'établissement.**

**❷ Prendre en charge des aspects de la vie collective et de l'environnement et développer une conscience citoyenne, sociale et écologique.**

1 – Expliquer le lien entre l'engagement et la responsabilité.

2/a – Expliquer le sens et l'importance de l'engagement individuel ou collectif des citoyens dans une démocratie.

2/b – Connaître les principaux droits sociaux.

2/c – Comprendre la relation entre l'engagement des citoyens dans la cité et l'engagement des élèves dans l'établissement.

2/d – Connaître les grands principes qui régissent la Défense nationale.

# Le nouveau brevet

BO n° 14 du 8 avril 2016

## La nouvelle épreuve du brevet

- **Le diplôme national du brevet est décerné aux candidats ayant obtenu un nombre total de points au moins égal à 350 sur 700.** Ce total correspond :
  – au contrôle continu (400 points) ;
  – ajoutés à ceux obtenus par les notes des épreuves de l'examen final (300 points).

### ❶ Le contrôle continu 400 points

Il correspond à l'évaluation des 8 composantes du socle commun de compétences, de connaissances et de culture. Ces points vous seront attribués lors du dernier conseil de classe de la classe de 3e.

### ❷ L'examen final 300 points

**L'examen final comporte 3 épreuves obligatoires. Chaque épreuve est notée sur** 100 points.

- **une épreuve orale** qui porte sur l'un des projets que vous aurez réalisés dans le cadre des EPI du cycle 4, du parcours avenir, du parcours citoyen ou du parcours d'éducation artistique et culturelle (PEAC) ;
- **une épreuve écrite** qui porte sur les programmes de **français, histoire, géographie et enseignement moral et civique** ;
- **une épreuve écrite** qui porte sur les programmes de **mathématiques, physique-chimie, sciences de la vie et de la Terre et technologie.**

## L'épreuve écrite de français, histoire, géographie et enseignement moral et civique
### 100 points

▶ **Durée de l'épreuve :** 5 heures

▶ Elle s'appuie sur des **documents** relevant à la fois du programme de français, d'histoire, de géographie et d'enseignement moral et civique. Tout ou partie des questions portent sur une **thématique commune**.

▶ **Structure de l'épreuve**

- **Première partie** (3 heures) – **Analyse et compréhension de textes et de documents, maîtrise de différents langages**
  Elle porte sur des documents d'histoire, de géographie, d'enseignement moral et civique, de français ou artistiques.
  **Elle comporte 2 périodes :**
  - **Période 1** Histoire, géographie, enseignement moral et civique (2 heures)
  - **Période 2** Français (1 heure)

- **Deuxième partie** (2 heures) – **Français**
  Rédaction d'un texte long.

## L'épreuve en histoire, géographie et enseignement moral et civique

Elle dure **2 heures** et comporte **3 exercices obligatoires.**

▶ **Exercice 1. Analyser et comprendre des documents** 20 points

- L'exercice porte sur **1 ou 2 document(s) d'histoire ou de géographie** : texte, photographie, carte, affiche... Vous devez **répondre à des questions ou à une consigne.**

▶ **Exercice 2. Maîtriser différents langages pour raisonner et utiliser des repères historiques ou géographiques** 20 points

- Vous devez répondre à une question d'histoire ou de géographie sous la forme d'un **texte structuré, de longueur adaptée.**

- Éventuellement, un exercice met en jeu **un autre langage** : vous devez réaliser un croquis, un schéma, une frise chronologique...

▶ **Exercice 3. Mobiliser des compétences relevant de l'enseignement moral et civique** 10 points

- Une problématique d'**enseignement moral et civique** vous est posée à partir d'une situation pratique. Vous devez **répondre à une ou plusieurs questions**, qui peuvent s'appuyer sur un ou deux documents.

# Préparer le brevet avec votre manuel

## À la fin de chaque chapitre d'histoire, de géographie et d'EMC, retrouvez 2 pages entièrement consacrées au brevet

➡️ **Un sujet guidé** pour vous aider à préparer l'épreuve

**Voir sommaire des méthodes p. 8**

**EXERCICE 1** → Histoire-Géographie

### Analyser et comprendre des documents

- Les questions pour travailler le document
- Une méthode pour travailler une compétence spécifique

*Voir sommaire des méthodes p. 8*

**EXERCICE 2** → Histoire-Géographie

### Maîtriser différents langages pour raisonner et utiliser des repères

- Une consigne accompagnée de conseils pour vous aider dans la rédaction de votre réponse
- Éventuellement, un 2ᵉ exercice sur un autre langage (frise en histoire, croquis, schéma ou carte à compléter en géographie)

**EXERCICE 3** → EMC

### Mobiliser des compétences relevant de l'enseignement moral et civique

- Les questions sur des documents portant sur un thème d'EMC
- Une méthode pour travailler une compétence spécifique

*Voir sommaire des méthodes p. 8*

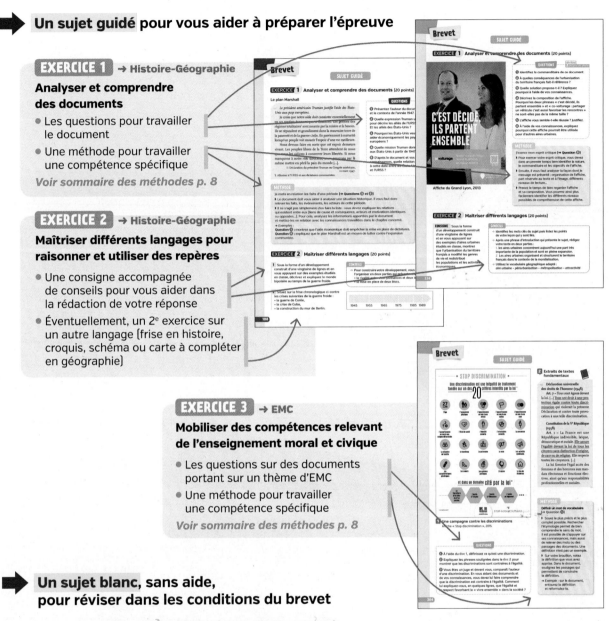

➡️ **Un sujet blanc**, sans aide, pour réviser dans les conditions du brevet

## RENDEZ-VOUS

**sur le site Nathan collegien.nathan.fr/hg3 pour préparer le brevet !**

➡️ Des **fiches méthode** détaillées (analyser une image de propagande, répondre à une consigne...)

➡️ Des **exemples de sujets rédigés**

# Histoire

*Verdun*, huile sur toile de Félix Vallotton, 114 x 146 cm, 1917.
Paris, musée de l'Armée.

F. VALLOTTON

# 1 Civils et militaires dans la Première Guerre mondiale

→ **Comment la Grande Guerre (1914–1918) a-t-elle bouleversé les États et les sociétés ?**

**Au cycle 3, au CM2**

J'ai étudié des traces des guerres mondiales et j'ai compris pourquoi il s'agissait d'un conflit d'une ampleur nouvelle.

**Ce que je vais découvrir**

Je vais étudier les différents types de violences infligées aux combattants, mais aussi aux populations civiles. Je vais comprendre pourquoi cette guerre est d'une violence nouvelle.

**1 La violence de guerre s'exerce contre les populations civiles**

Occupée par les Allemands d'août 1914 à octobre 1918, la ville se trouve au cœur des combats, ravagée par les bombardements alliés comme par les destructions allemandes.

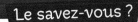

Le pigeon, ancêtre du drone ? Les premières photographies aériennes des zones de combat ont été prises par des pigeons équipés d'appareils photographiques, dressés pour réaliser des clichés.

**2** **La guerre met à l'épreuve les soldats dans des batailles d'un nouveau genre**

Durant la guerre, les soldats s'abritent dans des tranchées et s'affrontent au cours de grandes batailles, comme celle de Verdun, entre février et décembre 1916.

Combattants français à Verdun, 1916.

# La Première Guerre mondiale (1914–1918)

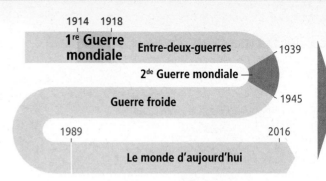

1914    1918
**1re Guerre mondiale**    Entre-deux-guerres    1939
2de Guerre mondiale    1945
**Guerre froide**
1989    2016
**Le monde d'aujourd'hui**

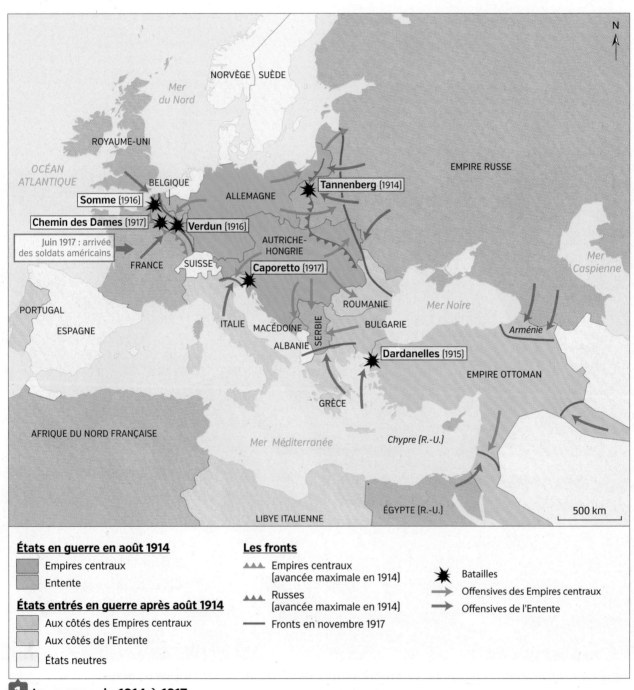

**1** La guerre de 1914 à 1917

### États en guerre en août 1914
- Empires centraux
- Entente

### États entrés en guerre après août 1914
- Aux côtés des Empires centraux
- Aux côtés de l'Entente
- États neutres

### Les fronts
- ▲▲▲ Empires centraux (avancée maximale en 1914)
- ▲▲▲ Russes (avancée maximale en 1914)
- ── Fronts en novembre 1917
- ✳ Batailles
- → Offensives des Empires centraux
- → Offensives de l'Entente

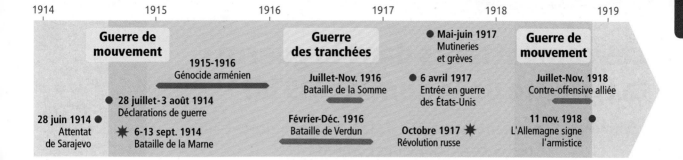

| 1914 | 1915 | 1916 | 1917 | 1918 | 1919 |
|------|------|------|------|------|------|

**Guerre de mouvement**

**Guerre des tranchées**

**Guerre de mouvement**

**1915-1916**
Génocide arménien

● **Mai-juin 1917**
Mutineries
et grèves

**Juillet-Nov. 1916**
Bataille de la Somme

**Juillet-Nov. 1918**
Contre-offensive alliée

● **28 juillet-3 août 1914**
Déclarations de guerre

● **6 avril 1917**
Entrée en guerre
des États-Unis

**28 juin 1914** ●
Attentat
de Sarajevo

✴ **6-13 sept. 1914**
Bataille de la Marne

**Février-Déc. 1916**
Bataille de Verdun

**Octobre 1917** ✴
Révolution russe

**11 nov. 1918** ●
L'Allemagne signe
l'armistice

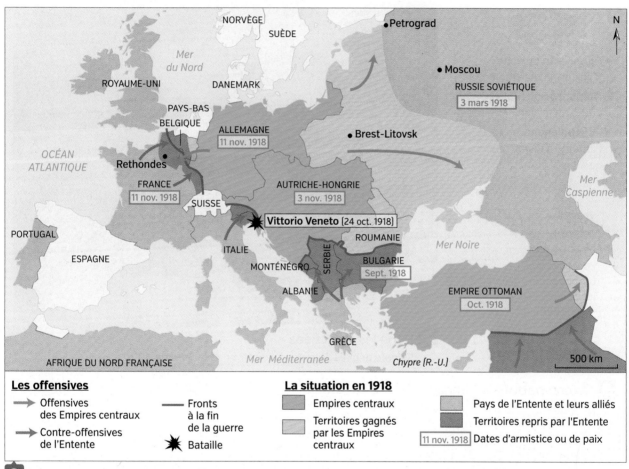

**Les offensives**

➡ Offensives
des Empires centraux

➡ Contre-offensives
de l'Entente

── Fronts
à la fin
de la guerre

✴ Bataille

**La situation en 1918**

▭ Empires centraux

▭ Territoires gagnés
par les Empires
centraux

▭ Pays de l'Entente et leurs alliés

▭ Territoires repris par l'Entente

▭ 11 nov. 1918 Dates d'armistice ou de paix

**2** La guerre en 1918

---

**VOCABULAIRE**

▸ **Empires centraux**
Coalition de l'Empire allemand,
de l'Autriche-Hongrie, de l'Empire
ottoman et du royaume de
Bulgarie, opposés à l'Entente.

▸ **Entente (les Alliés)**
Coalition formée par la France,
le Royaume-Uni et la Russie
tsariste. L'Italie rejoint cette
coalition en 1915.

▸ **Guerre des tranchées**
Phase de la guerre où les combattants
s'abritent dans des lignes creusées
dans le sol et plus ou moins fortifiées
pour se protéger. Elle s'oppose
à la **guerre de mouvement**.

▸ **Mutinerie**
Révolte des soldats contre l'autorité
militaire (généralement refus
de combattre).

**QUESTIONS**

▸ **Je me repère dans
le temps et dans l'espace**

❶ Quels États composent
l'Entente ? Les Empires
centraux ?

❷ Où sont localisés
les principaux fronts ?

❸ Identifiez les phases
de la guerre avec des
repères chronologiques.

# Les combattants dans la guerre : la bataille de la Somme (1916)

**Question clé** Comment la bataille de la Somme incarne-t-elle la violence extrême des combats ?

### INFOS

- **Durée de la bataille :**
1er juillet–18 novembre 1916.
- **Nombre de victimes :**
plus d'un million.
- **Pays vainqueurs :**
l'Entente a gagné
quelques kilomètres.

### VOCABULAIRE

▶ **Tranchée**
Fossé protégé par des
barbelés dans lequel
les soldats vivent et
combattent.

**1** **Dans les tranchées**
Soldats anglais au repos sur le front de la Somme, 1916.

**2** **Un combattant britannique écrit à sa famille**

> *Le 30 juin 1916.*
>
> *Cher Père,*
> *Je t'écris juste ces quelques mots que tu recevras si quelque chose m'arrive durant les jours prochains[1].*
> *Le Hun[2] va connaître les feux de l'enfer au cours des prochaines heures[3] et demain nous sortirons de la tranchée, en espérant passer quelques heures joyeuses à pourchasser du Boche[4]. Je suis absolument certain que je m'en tirerai mais si l'imprévisible survient, je reposerai en sachant que j'aurai fait mon devoir et qu'aucun ne peut en faire davantage.*
> *Au revoir, mes meilleurs vœux vous accompagnent,*
> *Percy.*

**1.** Il est tué
le 1er juillet 1916.

**2.** Hun : peuple nomade
originaire d'Asie centrale
auquel on prête une
grande cruauté.

**3.** Les attaques sont
préparées par d'intenses
bombardements.

**4.** L'Allemand (péjoratif).

■ Lettre de Percy G. Boswell, sous-lieutenant au régime d'infanterie légère du Yorkshire au service du roi d'Angleterre.

## 3 L'enfer du bombardement

*Ces lignes ont été écrites sur le front, au plus près des combats.*

Je suis au centre du tonnerre. Il faut boucher ses oreilles pour entendre sa propre voix. [...] L'éclat strident des instruments[1] trop proches déchire en lambeaux agressifs et coupés les uns des autres l'orage symphonique déchaîné. [...]

On a la sensation d'être au milieu d'une usine géante dont le travail ne s'arrête jamais. La tôle et le fer retentissent, des marteaux tapent sur des clous, à coups réguliers, avec des intervalles de repos. [...] Des sifflements, des piaulements, des râles, des bruits de rails, de trolleys[2], de trains, des souffles sourds, vrombissants, crissants, haletants, coupent et traversent le tumulte, comme si des courroies de transmission gigantesques déroulaient dans l'espace, en lui distribuant sa force, les plaintes et les glissements de l'acier.

■ Élie Faure, *La Sainte Face*, Éditions Georges Crès et Cie, 1917.

1. Pièces d'artillerie (canons, etc.).
2. Véhicule pour le transport en commun des voyageurs.

## 4 Beaumont-Hamel, un champ de bataille dévasté

On devine les ruines de l'église, entièrement détruite par les bombardements.

Beaumont-Hamel (Somme), novembre 1916.

## 5 Le bilan humain

| | Armée allemande | Armée britannique | Armée française | Total |
|---|---|---|---|---|
| **Morts et disparus** | 170 100 | 206 282 | 66 688 | 443 070 |
| **Blessés** | 267 222 | 213 372 | 135 879 | 616 473 |
| **Total** | 437 322 | 419 654 | 202 567 | 1 059 543 |

Alain Denizot, *La Bataille de la Somme*, Tempus, 2006.

## Activités

**Question clé** — Comment la bataille de la Somme incarne-t-elle la violence extrême des combats ?

### ITINÉRAIRE 1

▶ **Je comprends le sens général des documents**

❶ Où et quand se déroule la bataille de la Somme ? Qui oppose-t-elle ?

❷ **Doc 1 à 4.** Que nous apprennent ces documents sur les conditions de la bataille ?

❸ **Doc 2.** Quels sont les différents éléments qui poussent ce soldat à combattre ?

❹ **Doc 3 à 5.** Comment ces documents traduisent-ils les effroyables conditions des combats ?

▶ **J'argumente à l'écrit**

❺ Soldat au cours de la bataille de la Somme, vous écrivez une lettre à votre famille dans laquelle vous expliquez la violence des combats.

**OU**

### ITINÉRAIRE 2

▶ **J'argumente à l'oral**

Réalisez un exposé de 5 minutes sur la bataille de la Somme, afin de répondre à la question clé à l'oral.

**MÉTHODE**

1. Décrivez les photographies.
2. Relevez dans les textes ce qui montre la violence des combats.
3. Expliquez comment les textes permettent de mieux comprendre les photographies.
4. Effectuez le bilan humain de la bataille en comparant les pertes des différentes armées.
5. Soyez précis : chiffres, lieux, auteurs des témoignages.

**SOCLE** Compétences
▶ **Domaine 1** : J'écris pour construire mon savoir et communiquer
▶ **Domaine 5** : Je me pose des questions à propos d'une situation historique

# Les civils dans la guerre totale

## CONSIGNE

Journaliste américain envoyé en Europe au printemps 1918, vous écrivez un article sur l'implication des populations européennes dans la guerre depuis 1914. Votre article s'appellera « Les civils européens à l'épreuve de la guerre totale ».

## VOCABULAIRE

▶ **Arrière**
Terme désignant les populations qui ne prennent pas part aux opérations militaires mais qui sont soumises à l'effort de guerre.

▶ **Guerre totale**
Conflit armé mobilisant toutes les ressources (économiques...) de l'État et toutes les catégories de sa population.

▶ **Propagande**
Ensemble des pratiques (affiches presse...) visant à encadrer une société pour la convaincre de la supériorité d'une idéologie ou d'une politique.

### 1 Des civils victimes de la guerre

*Les événements rapportés se déroulent à Lille, sous occupation allemande, en 1916.*

Les vivres sont de plus en plus rares, nous aurons pour dîner du pain et du riz, n'ayant pas trouvé autre chose [...]. Enfin, pour compléter, les Allemands font partir dans d'autres pays occupés des familles entières. [...] Pour les empêcher de se révolter, on installe des mitrailleuses dans les rues et, en attendant le départ, on les enferme dans l'église et les écoles. [...] Chaque jour des soldats allemands (vingt par maison) baïonnette au canon arrivent dans un quartier vers trois heures du matin, font lever tout le monde et emmènent des hommes, mais surtout des femmes et des jeunes filles de vingt à trente-cinq ans, pour les conduire on ne sait où.

■ « Tableau des événements particuliers et journaliers de Maria Degrutère », dans Annette Becker (dir.), *Journaux de combattants et civils de la France du Nord dans la Grande Guerre*, Presses universitaires du Septentrion, 2015.

### 2 La mobilisation des écoliers

En morale et en instruction civique : la patrie, l'amour de la patrie, le devoir militaire, les qualités du soldat, obéissance, courage, patience, bonne humeur, le devoir des civils, travail, économie, versement de l'or, souscriptions aux emprunts, aux Bons de la défense nationale[1], ont été illustrés par des faits d'actualité[2]. Le récit des souffrances endurées par les malheureuses populations des pays occupés, les dévastations de l'ennemi ont ému les enfants qui comprennent toute la reconnaissance qu'ils doivent à nos soldats et à nos alliés. [...]

Dans l'enseignement du français, les textes de dictée, les morceaux de récitation [...] ont été empruntés aux événements de la guerre actuelle, ou de la guerre de 1870. Les enfants ont écrit à leur père mobilisé.

■ Enquête auprès des instituteurs, réponse de l'instituteur du Mesge, 29 avril 1917, Archives de la Somme.

1. Autre forme d'emprunt auprès des civils.
2. Les instituteurs prennent des exemples du quotidien.

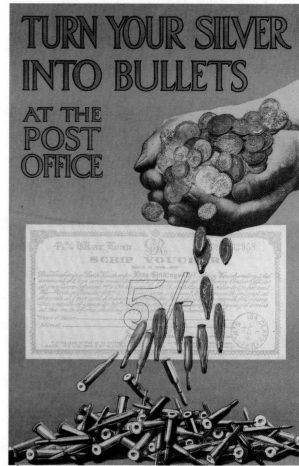

### 3 La propagande en temps de guerre

Pour continuer les combats et soutenir les dépenses militaires, les États encouragent les civils à prêter leur argent.

« Transformez votre argent en balles » : affiche d'emprunt britannique, 1914-1918.

**4** **La mobilisation de l'arrière**

Ouvrières allemandes dans une usine de munitions, 1916.

EMPRUNT
DE LA
DÉFENSE
NATIONALE

on les aura
les boches

GRAINE DE POILU

PATRIOTIC
1143

**5** **Les enfants mobilisés par la propagande**

Carte postale éditée pendant la Première Guerre mondiale. On remarque, en arrière-plan, une affiche appelant les Français à prêter leur argent. [→ doc 3]

**6** **Le découragement des civils en 1917**

C'est aujourd'hui une lassitude qui confine au découragement et qui a pour cause bien moins les restrictions apportées à l'alimentation publique et les difficultés d'approvisionnement que la déception causée par l'échec de l'offensive de nos armées en avril[1], le sentiment que des fautes militaires ont été commises, que des pertes élevées ont été subies sans profit appréciable, que tout effort nouveau serait sanglant et vain. [...] Les propos tenus par les soldats venant du front sont en grande partie la cause de cet affaissement moral de la population [...].

Dans les villes [...] les ouvriers, les gens du peuple s'indignent de la longueur de la lutte, supportent impatiemment la cherté croissante de la vie, s'irritent de voir les gros industriels de la région travaillant pour la guerre faire des profits considérables. [...] Influencés par la révolution russe[2], ils rêvent déjà de comités d'ouvriers et de soldats, et de révolution sociale.

■ Rapport du préfet de l'Isère au ministre de l'Intérieur, Grenoble, 17 juin 1917.

**1.** Les Français subissent de lourdes défaites, notamment celle du Chemin des Dames.
**2.** En février 1917 (voir p. 28-29).

**COUP DE POUCE**

site élève
✦ méthode

Pour rédiger votre article, vous présenterez :
▸ les difficultés de la vie des civils en temps de guerre et les contestations ; [→ Doc 1 et 6]
▸ la mobilisation des civils par la propagande ; [→ Doc 2, 3 et 5]
▸ la contribution des civils à l'économie de guerre. [→ Doc 3 et 4]

# Créer en temps de guerre : l'artisanat des tranchées

**Question clé** Comment l'artisanat des tranchées a-t-il aidé les hommes à tenir durant la guerre ?

**1** **Poilu fabriquant une bague (Champagne, 1916)**
Entre les combats, les soldats renouent avec leur passé de civils et se détendent en confectionnant des objets divers.

**INFOS**

Au cours de la guerre, des poilus fabriquent des **objets avec des matériaux de récupération**.
Ces objets pouvaient être **destinés aux familles, à l'arrière** et rappellent alors aux civils les réalités quotidiennes de la guerre.

**VOCABULAIRE**

▶ **Poilus**
Nom donné aux combattants français lors de la Première Guerre mondiale.

*mémo* **ART**

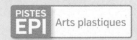
**PISTES EPI** Arts plastiques

## Techniques

▶ L'essentiel des objets est fabriqué avec des douilles d'obus, casques ou boîtes de conserve pour le métal, morceaux de bois, cuir, corde et tissu. Les combattants trouvent parfois du matériel dans des maisons abandonnées.

▶ Les hommes **rivalisent d'ingéniosité** pour peindre, sculpter, couper avec les outils des tranchées (couteaux, marteaux, pinces).

▶ Les thèmes peuvent être **patriotiques** (célébration de la patrie, du courage des soldats) ou **religieux** (pour les plus croyants).

## Mémoire

▶ L'artisanat des tranchées connaît un grand **succès auprès des civils**.

▶ Ces créations donnent souvent lieu à des **ventes** dont les profits sont reversés aux poilus, aux blessés ou aux veuves et aux orphelins.

▶ Les **musées** de la Première Guerre mondiale comme le musée de Péronne (www.historial.org) conservent ces objets. Ces productions sont aussi, encore aujourd'hui, détenues par des **particuliers** qui en ont hérité ou les ont achetées.

## 2 Exemples d'objets nés de l'artisanat des tranchées

**a.** Cafetière réalisée par un soldat britannique lors de la bataille de la Somme, 1917.

Le soldat a gravé « Souvenir de la Somme, 1917 ».

Obus gravé.

Le laurier témoigne de la victoire sur l'ennemi allemand.

Cartouches.

La statuette de Jésus a été récupérée.

Douille de grenade britannique.

**b.** Casque britannique peint, figurant la mairie de Péronne détruite, 1917.

**c.** Vase, 1918.

Boîte de masque à gaz français.

Deux inscriptions de part et d'autre : « Le violon d'un poilu » et « souvenir de tranchée ».

**d.** Crucifix, Somme, 1917.

**e.** Violon, Somme, 1918.

## QUESTIONS

### Je décris les œuvres et en explique le sens

❶ **Doc 2.** Décrivez ces œuvres (date, créateur, thème).

❷ **Doc 2.** Que ressentez-vous devant ces objets ? Lequel préférez-vous ? Pourquoi ?

❸ **Doc 1 et 2.** Pourquoi l'artisanat des tranchées s'est-il développé ?

❹ **Doc 1 et 2.** Pourquoi cette forme d'art nous permet-elle aujourd'hui de mieux connaître le quotidien des soldats ?

### Je coopère et je mutualise

❺ À deux, choisissez l'un des objets proposés.

▶ L'un d'entre vous imagine un texte dans lequel le poilu parle de l'objet qu'il a fabriqué, de ses motivations.

▶ Votre camarade invente un texte où un membre de la famille du soldat parle de cet objet, remis lors d'une permission.

## Je découvre

**SOCLE** Compétences
▶ **Domaine 1** : Je combine les informations implicites et explicites de mes lectures
▶ **Domaine 2** : J'élabore des outils personnels de travail

# Le génocide du peuple arménien (1915–1916)

**Question clé** Pourquoi et comment le génocide des Arméniens est-il mis en œuvre ?

## Chronologie

| | |
|---|---|
| **Novembre 1914** | Entrée en guerre de l'Empire ottoman aux côtés de l'Allemagne. |
| **Janvier 1915** | Défaite ottomane à Sarikamich face aux Russes. Rendus responsables, les soldats arméniens sont massacrés. |
| **Avril 1915** | Déportation de centaines d'Arméniens et extermination massive au cours de l'été. |
| **1918** | Le génocide des Arméniens représente 1 million de morts. |

### VOCABULAIRE

▶ **Déportation**
Déplacement forcé de populations pour des motifs raciaux ou politiques.

▶ **Génocide**
Extermination programmée d'un peuple en raison de ses origines ou de sa religion. Le génocide des Arméniens a été reconnu par l'ONU en 1985 et par la France en 2001.

## 1 Se débarrasser d'un ennemi intérieur

*Extraits de l'entretien entre Enver Pacha, ministre ottoman de la Guerre, et le pasteur allemand Richard Lepsius, en 1915.*
**R. Lepsius :** Plus de 100 000 hommes ont déjà pris le chemin de l'exil. On ne parle officiellement que d'un changement de domicile. [...]
**E. Pacha :** L'Allemagne a la chance de ne posséder aucun ennemi intérieur ou du moins presque pas d'ennemi de cette sorte. Mais supposons le cas où, en d'autres conditions, elle renfermerait de véritables ennemis intérieurs [...] n'approuveriez-vous pas tous les moyens, quels qu'ils soient, auxquels il faudrait avoir recours pour délivrer du danger interne votre nation engagée dans un terrible combat ? [...]
**R. Lepsius :** Vous voulez fonder un nouvel empire, Excellence. Mais le cadavre du peuple arménien reposera sous ses fondations. [...] Ne saurait-on trouver un moyen pacifique, même aujourd'hui encore ?
**E. Pacha :** La paix ne peut exister entre l'homme et le microbe de la peste.

■ Franz Werfel, *Les Quarante Jours de Musa Dagh*, Albin Michel, 1936.

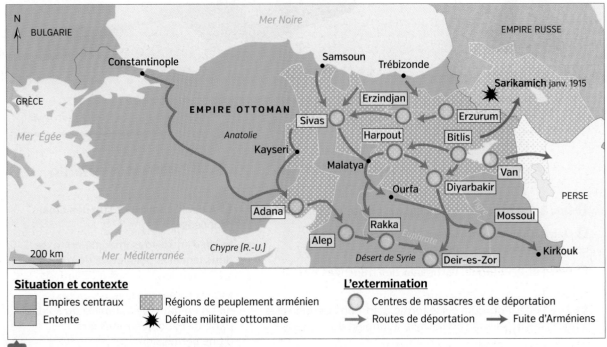

**Situation et contexte**
▨ Empires centraux
▨ Entente
▨ Régions de peuplement arménien
✸ Défaite militaire ottomane

**L'extermination**
○ Centres de massacres et de déportation
→ Routes de déportation
→ Fuite d'Arméniens

## 2 Les lieux du génocide arménien

## 3 Un témoignage sur le génocide

*Leslie Davis est consul américain. Il adresse en juillet 1915 plusieurs rapports à Henry Morgenthau, ambassadeur des États-Unis à Constantinople.*

La semaine dernière, on a entendu les rumeurs les mieux fondées faisant état de la menace d'un massacre. À mon avis, il fait peu de doute qu'il y en a un de prévu.

On a néanmoins trouvé une autre méthode pour détruire la race arménienne. Il ne s'agit de rien moins que de la déportation de toute la population arménienne [...]. Tous doivent être expulsés, entreprise probablement sans précédent dans l'histoire. [...]

Une déportation générale de ce genre dans ce pays signifie une mort progressive et peut-être plus horrible pour presque tous.

■ Leslie A. Davis, *La Province de la mort*, traduction d'Anne Terre, Éditions Complexe, 1994.

## 4 La déportation de populations arméniennes

Colonne de déportés arméniens encadrés par des soldats, 1915.

## 5 L'agonie d'un peuple

Au mois de juillet 1915, nous vîmes un jour, un long convoi de nos compatriotes arméniens, conduits par les gendarmes. Ils étaient au moins 5 000, pour la plupart des femmes, des vieillards, des enfants [...]. Le lendemain notre compagnie reçut l'ordre de traverser la montagne, on nous recommanda de ne pas oublier nos pelles et nos pioches [...].

À peine arrivés sur les hauteurs du défilé, nous aperçûmes une foule compacte ; c'étaient les déportés arméniens que nous avions vus la veille, mais cette fois ils étaient entourés par des « brigands » turcs et kurdes [...]. Je ne me sens ni la patience, ni la force de vous décrire cette orgie de sang car ce qui se passa sous nos yeux fut horrible [...]. On nous ordonna d'enterrer immédiatement les corps et de faire disparaître les traces de sang.

■ *Le Livre bleu du gouvernement britannique concernant le traitement des Arméniens dans l'Empire ottoman, 1915-1916*, Payot, 1987.

## Activités

**Question clé** Pourquoi et comment le génocide des Arméniens est-il mis en œuvre ?

### ITINÉRAIRE 1    ou    ITINÉRAIRE 2   site élève ↓ coup de pouce

▶ **J'extrais des informations pertinentes pour répondre à des questions**

❶ **Doc 1.** Pourquoi le gouvernement ottoman décide-t-il, pendant la guerre, d'exterminer les minorités arméniennes ?

❷ **Chrono et doc 2.** Où et quand le génocide du peuple arménien a-t-il lieu ?

❸ **Doc 3.** Quelles mesures prises contre les Arméniens alarment le consul américain Leslie Davis ?

❹ **Doc 2 à 5.** Montrez que les différentes informations des documents prouvent qu'il s'agit bien d'un génocide.

▶ **J'utilise un lexique historique**

❺ Rédigez un paragraphe qui répondra à la question clé, en utilisant les mots suivants : *civils arméniens – massacres – déportations – gouvernement ottoman – génocide.*

▶ **Je réalise une carte mentale**

Pour répondre à la question clé, construisez une carte mentale intitulée « Le génocide des Arméniens en 1915-1916 ».

**MÉTHODE**

▶ Au centre, placez le titre : « Le génocide des Arméniens en 1915-1916 ».
▶ Tracez ensuite trois branches partant de ce titre :
– « Contexte et causes »
– « Déroulement »
– « Conséquences »

# J'enquête — TÂCHE COMPLEXE

**SOCLE** Compétences

▶ **Domaine 1** : Je maîtrise différents langages : oral, informatique
▶ **Domaine 4** : Je mène une démarche d'investigation

# La Révolution russe (1917)

## CONSIGNE

2017 est le centenaire de la Révolution russe. Pour le site Internet du collège, réalisez un enregistrement audio qui explique comment le Parti bolchevique, dirigé par Lénine, impose son pouvoir sur la Russie après la révolution de 1917. Pour préparer cet enregistrement, menez une enquête grâce aux documents.

## VOCABULAIRE

▶ **Communisme**
Idéologie qui veut la création d'une société parfaitement égalitaire, sans différence de richesse et sans propriété privée.

▶ **Parti bolchevique**
Parti politique dirigé par Lénine, dont le but est de mettre en place le communisme en Russie.

▶ **Prolétariat**
Membres les plus pauvres de la société, qui n'ont que leur force de travail pour vivre.

## Chronologie

| | |
|---|---|
| **23-28 février 1917** | Première révolution ; abdication du tsar de Russie. |
| **25 octobre 1917** | Seconde révolution, menée par le Parti bolchevique de Lénine. |
| **Janvier 1918** | Guerre civile, remportée par le Parti bolchevique en 1921. |
| **Mars 1918** | Paix entre la Russie et l'Allemagne. |

## 1 Deux révolutions successives

### a. Février 1917

Le nombre des grévistes, femmes et hommes, fut, [le 23 février], d'environ 90 000. [...] Une foule de femmes, qui n'étaient pas toutes des ouvrières, se dirigea vers l'assemblée municipale pour réclamer du pain. [...] Dans divers quartiers, apparurent des drapeaux rouges dont les inscriptions attestaient que les travailleurs exigeaient du pain, et ne voulaient plus de l'autocratie[1] ni de la guerre.

◼ Léon Trotski, *Histoire de la révolution russe*, 1930.

1. Régime autoritaire, dirigé en Russie par le tsar.

### b. Octobre 1917

La situation devenait de jour en jour plus chaotique. Les soldats, qui désertaient le front par centaines de milliers, refluaient comme une vaste marée et erraient sans but à travers tout le pays. Les paysans, fatigués d'attendre leurs terres et exaspérés par les mesures répressives du gouvernement, incendiaient les châteaux et massacraient les propriétaires terriens. Des grèves immenses secouaient Moscou, Odessa et le district minier du Donetz. Les transports étaient paralysés, l'armée mourait de faim et les grandes villes manquaient de pain.

◼ John Reed, *Dix jours qui ébranlèrent le monde*, 1919.

## 2 Le peuple russe en révolution

Manifestations de familles de soldats qui protestent contre le manque de nourriture à Petrograd, février 1917.

❶ « Nourrissez les enfants [*illisible*] de la patrie. »

❷ « Pour une augmentation des rations pour les familles des soldats qui sont les défenseurs de la liberté et de la paix populaire. »

### 3 Lénine, chef du Parti bolchevique

Discours de Lénine devant la foule des ouvriers des usines Poutilov de Petrograd, en mai 1917.

Tableau d'Isaak Brodsky, 1929, Galerie nationale, Prague.

### 4 Les premières décisions des bolcheviques au pouvoir

**a.** La grande propriété foncière est abolie immédiatement sans aucune indemnité. Les domaines des propriétaires fonciers de même que toutes les terres des nobles, de l'Église [...] passent à la disposition des soviets[1] de paysans. Les terres des simples paysans ne sont pas confisquées.

◼ *Décret sur la terre*, 26 octobre 1917.

**b.** Le gouvernement ouvrier et paysan issu de la Révolution invite tous les peuples belligérants et leurs gouvernements à entamer immédiatement des pourparlers en vue d'une paix équitable. Le gouvernement considère comme une paix équitable et démocratique [...] une paix immédiate sans annexion et sans contribution.

◼ *Décret sur la paix*, 26 octobre 1917.

**c.** Chacun sait que la presse bourgeoise est l'une des armes les plus puissantes de la bourgeoisie [...] pas moins dangereuse que les bombes et les mitrailleuses. [...] Pourront être suspendus les organes de presse qui appellent à la résistance ouverte ou à la désobéissance au gouvernement ouvrier et paysan.

◼ *Décret sur la presse*, 27 octobre 1917.

1. Assemblées créées en 1917.

### 5 Lénine justifie la dictature du prolétariat

La marche en avant, c'est-à-dire vers le communisme, se fait en passant par la dictature du prolétariat : et elle ne peut se faire autrement car il n'est point d'autres classes, ni d'autres moyens qui puissent briser la résistance des capitalistes[1] exploiteurs. [...] Il faut briser leur résistance par la force ; et il est évident que là où il y a répression, il y a violence, il n'y a pas de liberté, il n'y a pas de démocratie. [...]

C'est seulement dans la société communiste, lorsque la résistance des capitalistes est définitivement brisée, que les capitalistes ont disparu et qu'il n'y a plus de classes [...], qu'il devient possible de parler de liberté. Alors seulement deviendra possible et sera appliquée une démocratie vraiment complète, vraiment sans exception.

◼ Lénine, *L'État et la révolution*, 1917.

1. Pour les bolcheviques, la société est divisée en classes sociales, aux intérêts opposés. Les capitalistes détiennent la richesse et dominent le prolétariat.

---

**COUP DE POUCE**

Pour préparer votre enregistrement, pensez à expliquer :

▶ qui mène cette révolution, et quels sont leurs adversaires ; (→ Doc 1 à 5)

▶ quels sont leurs décisions et les moyens qu'ils emploient ; (→ Doc 1 à 4)

▶ que la révolution mène rapidement à la mise en place d'une dictature. (→ Doc 4 et 5)

*mis en œuvre = ἐκτέλεση*

# Civils et militaires dans la Première Guerre mondiale

→ **Comment la Grande Guerre (1914–1918) a-t-elle bouleversé les États et les sociétés ?**

## VOCABULAIRE

▸ **Arrière**
Terme désignant les populations qui ne prennent pas part aux opérations militaires mais qui sont soumises à l'effort de guerre. *subject*

▸ **Communisme**
Idéologie qui veut la création d'une société parfaitement égalitaire, sans différence de richesse et sans propriété privée.

▸ **Génocide**
Extermination programmée d'un peuple en raison de ses origines ou de sa religion.

▸ **Guerre totale**
Conflit armé mobilisant toutes les ressources (économiques...) de l'État et toutes les catégories de sa population.

▸ **Mutinerie**
Révolte des soldats contre l'autorité militaire (généralement refus de combattre).

▸ **Poilus**
Nom donné aux combattants français de la Première Guerre mondiale.

## A Une guerre d'une ampleur et d'une violence inédites

### 1. Longueur et extension du conflit

● En 1914, les États espèrent une guerre courte mais, après les grands assauts, les hommes s'enterrent dans les **tranchées**. **Les Alliés remportent la guerre en 1918**, aidés par les **États-Unis depuis avril 1917**.

● **70 millions d'hommes**, de tous les continents, se sont battus. **La guerre a fait plus de 9 millions de morts** et les pertes matérielles sont très importantes.

### 2. Violence des combats

*ανεπτυγμένα, developed*

● Des armes de plus en plus destructrices sont mises au point. Les obus, les grenades déciment les bataillons et les gaz font leur apparition en 1915. Les **batailles de Verdun et de la Somme** (1916) sont les symboles de cette **violence extrême des combats**.

### 3. Conditions matérielles des soldats

● Les **poilus** survivent dans des milieux **ravagés par les bombardements**, submergés par la boue, au milieu des rats et des poux, luttant contre le froid. Les hommes tiennent pour des **motifs patriotiques**, mais aussi grâce à la **camaraderie** du front (solidarité, entraide, quelques moments de détente) et par crainte de la **répression**. *καταβολή*

## B Des civils victimes de guerre

### 1. Bombardements et occupation

● Les **bombardements des villes** terrifient les populations. Certaines régions sont occupées par l'ennemi. La population est obligée de travailler pour l'adversaire. Dans certaines régions occupées, des milliers de civils sont envoyés dans des **camps de travail** ou des **camps d'internement** (Belgique, Nord-Est de la France). *κράτηση*

### 2. Le génocide du peuple arménien

● Entre 1915 et 1916 se déroule le **génocide** des Arméniens dans l'Empire ottoman. Minorité chrétienne déjà victime de persécutions, ils sont accusés de complicité avec l'ennemi russe. **Plus d'un million d'Arméniens** sont déportés, internés dans des camps et exécutés.

## C Mobiliser toute la population

### 1. Des sociétés entièrement tournées vers la guerre

● Alors que le conflit s'enlise, **chaque État engage ses économies** dans la **guerre totale**. La production massive d'armement est assurée par l'**arrière**. Les **femmes**, et parfois les **travailleurs coloniaux**, sont mobilisés dans les usines. Pour financer cette guerre, les États ont recours aux **emprunts** (auprès de leur population et des États-Unis).

● Les États engagés dans la guerre doivent veiller au « **moral** » des militaires comme des civils. Les **lettres des soldats sont surveillées**, la **presse est censurée**, la **propagande** est intense : tous doivent rester mobilisés dans l'effort de guerre.

### 2. Refus, grèves et Révolution russe

● En 1917, l'offensive du Chemin des Dames sacrifie les hommes en vain : des **mutineries** éclatent, sévèrement réprimées. Des **grèves** et des **revendications pacifistes** apparaissent à l'arrière, après trois ans de mobilisation.

● Dans ce contexte, l'État tsariste est renversé en Russie. Les **bolcheviques**, au pouvoir en **octobre 1917**, signent un traité de paix en mars 1918. Ils instaurent une **dictature** pour construire un régime **communiste**.

## Je retiens autrement

### La Première Guerre mondiale (1914-1918)

#### Les violences au front

- Nouvelles **armes meurtrières** (obus, gaz, mitrailleuses).
- Augmentation du nombre de **morts** et de **blessés**.
- Choc psychologique, guerre d'usure.

#### Les violences à l'arrière

- Dans les zones occupées, **civils pillés**, condamnés aux **travaux forcés, violentés**.
- **Femmes** particulièrement exposées.
- **Génocide des Arméniens** dans l'Empire ottoman.

#### Une guerre totale

- 70 millions de soldats **mobilisés** (Européens, peuples des colonies, Américains).
- **Économie de guerre** : production d'armes, emprunts, travail des femmes.
- **Propagande**.

#### Les lendemains de la guerre

- Un bilan très lourd : **9 millions de morts, 6 millions d'invalides**.
- 1917 : **révolutions russes** ; premier régime communiste.
- L'Europe est déclassée ; les États-Unis apparaissent comme une grande puissance.

# Apprendre à apprendre

## Comment apprendre ma leçon ?

### J'organise mes révisions en fonction de ma façon d'apprendre

Apprendre, tout le monde en est capable ! Il suffit juste de trouver les bonnes méthodes et créer les bons outils. Pour cela, il faut se connaître mieux.

Retrouvez un quiz sur le site Nathan qui vous permettra de mieux connaître votre type de mémoire, et donc votre manière d'apprendre !  site élève · lien vers le test

**Si je retiens mieux ce que je vois et écris, j'ai plutôt une mémoire visuelle.**

Pour réviser, je peux…
- ➡ **Souligner** les mots importants dans ma fiche de révision.
- ➡ **Organiser** ce que je dois apprendre sous forme de **schéma, carte mentale**.
- ➡ **Regarder** des vidéos.

❗ Je ne dois pas trop surcharger mes documents (textes, images).

**Si je retiens mieux ce que j'entends, j'ai plutôt une mémoire auditive.**

Pour réviser, je peux…
- ➡ **Lire à haute voix** la leçon, les consignes…
- ➡ **Répéter** à une autre personne ce que j'ai appris et compris.
- ➡ **M'enregistrer** lorsque je lis la leçon, puis écouter plusieurs fois.

❗ Je dois faire attention au bruit qui peut me déranger.

**Si je retiens mieux lorsque je suis en activité et en mouvements, j'ai plutôt une mémoire corporelle.**

Pour réviser, je peux…
- ➡ **Me déplacer** lorsque je révise (dans ma chambre, dehors).
- ➡ **Apprendre** en associant des idées à des mouvements.
- ➡ **Reproduire** ce que j'ai appris sous forme de **maquette, affiche**…

❗ Je ne reste pas assis des heures si je ne retiens rien.

 **Le cerveau nous réserve de belles surprises,** il est capable de s'adapter aux nouvelles expériences. Vous pouvez apprendre à travailler d'une façon différente de votre habitude et ainsi développer votre capacité de mémorisation.

## Je révise chez moi

● **Je vérifie que je connais les principaux repères du chapitre.**

### Je sais définir et utiliser dans une phrase :
- ▶ tranchée
- ▶ arrière
- ▶ génocide
- ▶ poilu
- ▶ propagande

### Je sais situer :
- ▶ **Sur une frise :**
  - – l'entrée en guerre des États-Unis ;
  - – le génocide des Arméniens ;
  - – la Révolution russe.
- ▶ **Sur une carte :**
  - – les grandes offensives du front ouest (Somme, Verdun) ;
  - – les Alliés ;
  - – les Empires centraux.

site élève · fond de carte et frise

### Je sais expliquer :
- ▶ pourquoi les combats de la Première Guerre mondiale sont caractérisés par une violence nouvelle.
- ▶ pourquoi le rôle des civils s'est avéré déterminant pendant la guerre.
- ▶ pourquoi et comment le génocide des Arméniens a été mis en œuvre.

## Je vérifie mes connaissances

**1** J'indique la (les) bonne(s) réponse(s).

**1.** Comment appelle-t-on les soldats français dans les tranchées ?

   [a] Les barbus.

   [b] Les velus.

   [c] Les poilus.

**2.** La Révolution russe se déroule en :

   [a] 1915.

   [b] 1918.

   [c] 1917.

**3.** L'Empire ottoman dans la Première Guerre mondiale est :

   [a] allié de la France.

   [b] neutre.

   [c] allié de l'Allemagne.

**2** Vrai ou faux ?

| | Vrai | Faux |
|---|---|---|
| **a.** Les États-Unis entrent en guerre dès 1914 aux côtés des Alliés. | ☐ | ☑ |
| **b.** Lénine est le chef du Parti bolchevique qui s'empare *(prendre violemment)* du pouvoir en Russie. | ☑ | ☐ |
| **c.** Les munitionnettes sont de nouveaux types de munitions utilisés par les soldats. | ☑ | ☐ |
| **d.** Le génocide des Arméniens fait plus d'un million de morts. | ☑ | ☐ |

*femmes qui travaillent dans les usines*

**3** Je raconte à partir d'images.

Je rédige une phrase pour expliquer ce que chaque document, issu du chapitre, m'a appris sur les civils et les militaires dans la Première Guerre mondiale.

a.

b.

**4** Je classe les mots importants de la leçon.

Dans les encadrés, je place les mots de vocabulaire du chapitre qui correspondent aux thèmes proposés.

| Les soldats dans la guerre | Les civils dans la guerre | La Révolution russe |
|---|---|---|
| *mutineries, poilus, tranchées, machine de guerre.* | *femmes, munitionnette, enfants, homme colonie, personnes innocentes* | *Lénine, Staline, bolchéviques, prolétariat, tsar, privilèges, communisme* |

**5** Retrouvez d'autres exercices sous forme interactive sur le site Nathan.

site élève
⬇ exercices interactifs

## EXERCICE 1 Analyser et comprendre des documents (20 points)

### Les mutineries de mai 1917

*Henri Charbonnier est sergent au 229e régiment d'infanterie d'Autun, affecté au service de santé. Son journal débute en avril 1916 et se termine en septembre 1917.*

**3 mai.**

Au lieu de partir au repos comme nous le pensions, nous devons remonter en ligne cette nuit pour attaquer. [...] Cette perspective n'a rien de réjouissant, et le secteur à reprendre ne connaît nul autre pareil. L'Hartmann, Verdun, la Somme etc., ne sont rien comparés à ce coin-ci. Et nos tribulations sous les marmites[1] depuis le 16, avec déjà quinze jours de tranchées, nous ont éreintés, déprimés, avec un moral épouvantable. [...] De petits groupes se forment de tous côtés, où la question de refuser de monter[2] est fortement agitée. [...]

**4 mai.**

Chaque commandant de compagnie a réuni ses hommes avant de partir afin de savoir s'il pouvait compter sur eux et, aux 17e et 19e bataillons, ce fut un non unanime qui fut la réponse de tous. Le commandant fit appeler à la 19e celui qu'il considérait comme l'instigateur et essaya de le cuisiner sur ce qui se passait en lui promettant et engageant sa parole d'honneur que nous serions relevés le soir de l'attaque et partirions au repos en camions autos. Le poilu lui répondit, que <u>depuis le début de la guerre, on nous avait tellement dit de mensonges</u> qu'il ne croyait plus à rien et qu'il ne voulait plus marcher !

■ Journal d'Henri Charbonnier,
édité par Remy Cazals, Edhisto, 2013.

1. Obus de gros calibre.
2. Monter vers le front, combattre.

### QUESTIONS

❶ Identifiez l'auteur de ce texte, et expliquez dans quel contexte il a été écrit.

❷ Quel est l'état du moral des soldats ? Comment l'expliquer ?

❸ Comment les soldats expriment-ils leur rejet des conditions de vie dans les tranchées ? Justifiez votre réponse.

❹ Expliquez le passage souligné à l'aide de vos connaissances.

### MÉTHODE

**Je m'approprie et j'utilise un lexique spécifique [→ Question ❹]**

▶ Pour expliquer un événement historique, vous devez employer les mots de vocabulaire travaillés dans le chapitre. Ils sont importants car ils permettent de décrire et d'expliquer avec précision un phénomène, une action...

▶ Sur votre brouillon, faites la liste des mots adaptés au sujet et pensez à les définir lorsque vous les utilisez.

→ *Exemple :* utilisez les termes **censure** et **propagande**.

## EXERCICE 2 Maîtriser différents langages (20 points)

**CONSIGNE** Sous la forme d'un développement construit d'une vingtaine de lignes et en vous appuyant sur des exemples vus en classe, décrivez les violences subies par les civils en Europe au cours de la Première Guerre mondiale.

**CONSEILS**

→ Vous pouvez structurer votre texte en deux parties qui montrent :
• que les civils sont mobilisés dans l'effort de guerre,
• que les civils sont victimes de cette guerre.
→ Utilisez un vocabulaire adapté :
*guerre totale – arrière – propagande – économie de guerre – travail des femmes – travailleurs coloniaux – emprunts – génocide*

## SUJET BLANC

### EXERCICE ① Analyser et comprendre des documents (20 points)

**La mobilisation des militaires
pendant la Première Guerre mondiale**

LES VAINQUEURS DE LA MARNE

Honneur et Gloire à ceux qui ont sauvé la Liberté du Monde.

19 14    19 18

FRANÇAIS        AMERICAIN

La première bataille de la Marne a lieu début septembre 1914 et permet
aux Alliés de repousser l'avancée rapide des Allemands sur Paris.
La seconde bataille de la Marne correspond au début de la contre-
offensive alliée, avec la présence des Américains, en juillet 1918.

Anonyme, 37,7 x 39,7 cm, MUCEM.

### QUESTIONS

❶ Décrivez les différentes parties de l'affiche et situez-la dans le temps et dans l'espace.

❷ Pourquoi peut-on affirmer que l'affiche célèbre l'alliance entre les États-Unis et la France ?

❸ Comment l'affiche montre-t-elle la modernisation des techniques de combat entre 1914 et 1918 ?

❹ D'après vos connaissances, cette affiche est-elle une image fidèle de la condition des soldats pendant la guerre ?

❺ D'après vos connaissances et le message de cette affiche, quel était le rôle des images de propagande pendant la Grande Guerre ?

### EXERCICE ② Maîtriser différents langages (20 points)

**CONSIGNE** Sous la forme d'un développement construit d'une vingtaine de lignes et en vous appuyant sur des exemples étudiés en classe, décrivez et expliquez les violences subies par les combattants de la Première Guerre mondiale.

## MON BILAN DE COMPÉTENCES

| Domaines du socle | Compétences travaillées | Pages du chapitre |
|---|---|---|
| **D1** Les langages pour penser et communiquer | • Je m'exprime à l'écrit et à l'oral de façon claire et organisée | Je découvre .............. p. 20-21 |
| | • J'écris pour construire mon savoir et communiquer | J'enquête .............. p. 22-23 |
| | • Je comprends le langage des Arts | Parcours Arts .............. p. 24-25 |
| | • Je combine les informations implicites et explicites de mes lectures | Je découvre .............. p. 26-27 |
| | • Je maîtrise différents langages : oral, informatique | J'enquête .............. p. 28-29 |
| **D2** Méthodes et outils pour apprendre | • Je comprends un document | Je découvre .............. p. 20-21 |
| | • J'élabore des outils personnels de travail | Je découvre .............. p. 26-27 |
| | • J'organise mon travail personnel | Apprendre à apprendre ... p. 32 |
| **D4** Les systèmes naturels et les systèmes techniques | • Je mène une démarche d'investigation | J'enquête .............. p. 28-29 |
| **D5** Les représentations du monde et de l'activité humaine | • Je me pose des questions à propos d'une situation historique | J'enquête .............. p. 22-23 |
| | • J'imagine et je réalise une production littéraire | Parcours Arts .............. p. 24-25 |

# Démocraties et expériences totalitaires (1919–1939)

→ **Pourquoi et comment les démocraties sont-elles affaiblies, alors que des régimes totalitaires s'établissent en Russie et en Allemagne ?**

### Au cycle 4, en 4e

J'ai appris que la IIIe République, encore en place dans l'entre-deux-guerres, a rassemblé les Français autour de symboles et de valeurs.

### Au cycle 4, en 3e

**Chapitre 1**

J'ai appris que la Révolution russe avait permis l'arrivée au pouvoir des bolcheviques en octobre 1917. J'ai aussi appris que l'Allemagne avait perdu la Première Guerre mondiale.

### Ce que je vais découvrir

L'Europe, après la Première Guerre mondiale, connaît des bouleversements politiques importants. *disruption, big changes*

**1** **En France, le Front populaire se mobilise**

En 1936, face à la montée de l'extrême droite antirépublicaine, une manifestation des partis de gauche est organisée. La banderole reprend le slogan du Front populaire (« le travail, la paix, la liberté ») et fait référence à la République et au drapeau tricolore, nés pendant la Révolution française.

Cette photographie paraît spontanée ; pourtant, elle est soigneusement mise en scène par Heinrich Hoffmann, photographe officiel d'Hitler.

**2 Dans l'Allemagne nazie, Adolf Hitler dirige un régime totalitaire**

Adolf Hitler avec des SA, membres du parti nazi.
Munich, 1932.

# L'Europe entre les deux guerres mondiales

| 1914 | 1918 | | 1939 |
|---|---|---|---|
| **1re Guerre mondiale** | **Entre-deux-guerres** | | |
| | 2de Guerre mondiale | | |
| | Guerre froide | | 1945 |

1989 — **Le monde d'aujourd'hui** — 2016

## RUSSIE - URSS

| 1916 | Oct. 1917 | 1920 | 21 janvier 1924 | 1930 | 1939 |
|---|---|---|---|---|---|

**Empire russe** — **La Russie puis l'URSS de Lénine** — **L'URSS de Staline**

**À partir de 1928** Régime totalitaire

**Fév.-oct. 1917** Révolutions russes

**Oct. 1917-1921** Guerre civile

● **Déc. 1922** La Russie devient l'URSS

**1929** ● Début de la collectivisation des terres

**1932-1933** Famine

**1936-1938** « Grande terreur » stalinienne

## ALLEMAGNE

| 1916 | 9 novembre 1918 | 1930 | 30 janvier 1933 | 1939 |
|---|---|---|---|---|

**Empire allemand** — **République de Weimar** — **Régime nazi**

**30 janvier 1933** ● Hitler nommé chancelier

● **28 juin 1919** Traité de Versailles

**Octobre 1929** ● Crise économique mondiale

● **1935** Lois antisémites de Nuremberg

**9-10 novembre 1938** ● Nuit de cristal (violences antisémites)

## FRANCE

| 1916 | 1920 | 1930 | 1939 |
|---|---|---|---|

**IIIe République**

**Mai 1936-avril 1938** Front populaire

Programme du Front populaire **Janvier 1936** ●

● **28 juin 1919** Traité de Versailles

**Octobre 1929** ● Crise économique mondiale

**6 février 1934** ● Manifestations des ligues d'extrême droite à Paris

Accords de Matignon **Juin 1936** ●

**Juin 1936-juin 1937** Gouvernement de Léon Blum

## BIOGRAPHIES

### Joseph Staline (1879-1953)
▶ Membre du parti communiste de l'URSS, il prend progressivement le pouvoir à partir de la mort de Lénine en 1924.
▶ Il fait de l'URSS une dictature et instaure un régime totalitaire à partir de 1928.

### Adolf Hitler (1889-1945)
▶ Fondateur du parti nazi (NSDAP), il profite des crises des années 1930 pour arriver légalement au pouvoir en janvier 1933.
▶ Il fait de l'Allemagne une dictature et instaure un régime totalitaire antisémite.

### Léon Blum (1872-1950)
▶ Dirigeant français du parti socialiste (SFIO), il organise le rassemblement des partis de gauche dans le Front populaire.
▶ Après la victoire aux élections de mai 1936, il prend la tête du gouvernement.

established

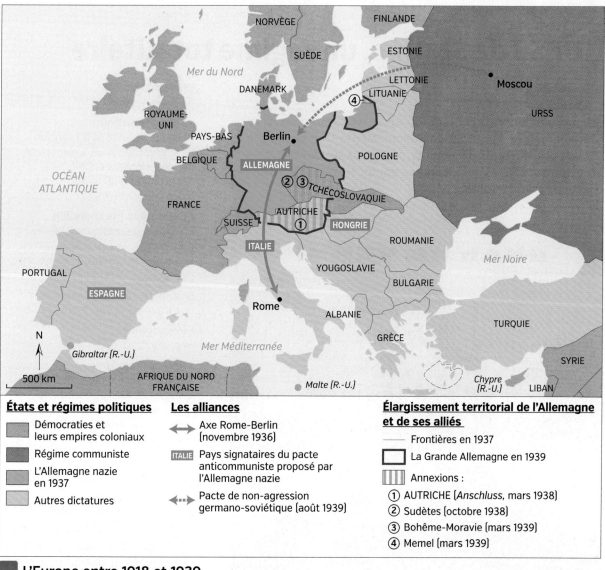

**États et régimes politiques**

- Démocraties et leurs empires coloniaux
- Régime communiste
- L'Allemagne nazie en 1937
- Autres dictatures

**Les alliances**

- ⟷ Axe Rome-Berlin (novembre 1936)
- ITALIE Pays signataires du pacte anticommuniste proposé par l'Allemagne nazie
- ⟷ Pacte de non-agression germano-soviétique (août 1939)

**Élargissement territorial de l'Allemagne et de ses alliés**

- — Frontières en 1937
- ☐ La Grande Allemagne en 1939
- ▥ Annexions :
  - ① AUTRICHE (*Anschluss*, mars 1938)
  - ② Sudètes (octobre 1938)
  - ③ Bohême-Moravie (mars 1939)
  - ④ Memel (mars 1939)

■ **L'Europe entre 1918 et 1939**

---

**VOCABULAIRE**

▸ **Communisme**
Idéologie qui veut la création d'une société parfaitement égalitaire, sans différence de richesse et sans propriété privée.

▸ **Front populaire**
Rassemblement des partis de gauche français (parti radical, SFIO, parti communiste).

▸ **Nazisme**
Idéologie définie par Adolf Hitler, fondée sur le racisme, l'antisémitisme et le rejet de la démocratie.

▸ **Traité de Versailles**
Traité de paix signé le 28 juin 1919 entre l'Allemagne et les Alliés. Il est vécu par les Allemands comme injuste et humiliant car ils sont jugés seuls responsables du déclenchement de la guerre.

**QUESTIONS**

▸ **Je me repère dans le temps et dans l'espace**

❶ Quand l'URSS devient-elle un régime totalitaire ? Qui la dirige à cette date ?

❷ Quand l'Allemagne devient-elle un régime totalitaire ? Qui la dirige à cette date ?

❸ Quand le Front populaire arrive-t-il au pouvoir en France ?

❹ Quels sont les pays alliés avec l'Allemagne ? Quel est leur régime politique ?

❺ À quelle date l'Allemagne nazie commence-t-elle à annexer des territoires ? Quels pays sont concernés ?

**SOCLE** Compétences
▶ Domaine 2 : Je prépare un exposé et je prends la parole
▶ Domaine 4 : Je mène l'enquête et j'exploite les résultats de mes recherches

# L'URSS de Staline, un régime totalitaire

**CONSIGNE**

Pour comprendre le concept de régime totalitaire, vous allez étudier le cas de l'URSS de Staline. Menez une enquête à l'aide des différents documents, puis présentez les résultats en quelques lignes qui expliquent pourquoi l'URSS de Staline est un régime totalitaire.

**VOCABULAIRE**

▶ **Collectivisation**
Politique visant à la disparition de la propriété privée, remplacée par des propriétés collectives appartenant à l'État ou à des coopératives.

▶ **Culte de la personnalité**
Ensemble de pratiques utilisées pour convaincre un peuple qu'une personne est supérieure et infaillible.

▶ **Idéologie**
Ensemble d'idées qui proposent une manière d'organiser la société.

▶ **Propagande**
→ p. 49.

▶ **Régime totalitaire**
Régime politique dans lequel l'État impose une idéologie officielle, utilise la violence et veut tout contrôler (population, économie, information, culture...).

**1** Affiche soviétique de 1932

**1** Soldat **2** Ouvrier **3** Paysan **4** Représentation des pays capitalistes (anti communistes) **5** Nazis **6** Étoile rouge, symbole de l'URSS

Sur cette affiche, on peut lire : « Sois sur tes gardes, les pays capitalistes préparent une intervention contre l'URSS ».

## 2 La collectivisation forcée

Je veux parler du tournant radical opéré dans le développement de notre agriculture, allant de la petite économie individuelle arriérée à la grande agriculture collective avancée, au travail de la terre en commun, aux stations de machines et tracteurs [...].

La réalisation du Parti [communiste], ici, c'est que, dans nombre de régions, nous avons réussi à détourner les masses paysannes de l'ancienne voie capitaliste[1] de développement – qui ne profite qu'à une poignée de richards capitalistes, tandis que l'énorme majorité des paysans est réduite à se ruiner [...] – vers la voie nouvelle, la voie socialiste de développement [...].

■ Discours de Joseph Staline, 7 novembre 1929.

1. Système économique qui repose sur la propriété privée et la recherche du profit.

### 3 Le culte de la personnalité

Sous la direction de notre grand et glorieux parti communiste, sous Votre direction, camarade Staline, nous bâtissons avec succès un nouveau bassin mécanisé, nous bâtissons la vie nouvelle, libre, heureuse et civilisée. [...] Le cœur de tous les travailleurs de ces houillères[1] déborde d'un amour brûlant pour la patrie, d'une grande fierté pour les victoires socialistes, d'un amour et d'un dévouement sans bornes pour notre cher parti communiste et pour Vous, notre cher maître et chef, camarade Staline. [...] Staline ! [...] Tu es l'habitant de mon âme ! Les conteurs ne savent plus à qui te comparer, les poètes n'ont plus assez de perles pour te décrire !

■ Message des mineurs de Karaganda à Staline, publié dans *Les Izvestia*, 15 août 1936.

1. Mines de charbon.

### 4 Staline et la jeunesse

« Gloire au grand Staline, le meilleur ami des enfants ! » Cette affiche des années 1950 montre des membres de l'organisation de la jeunesse communiste.

### 5 L'usage de la terreur

Immenses sont les mérites du NKVD[1] dans la liquidation et l'extermination physique des ennemis du peuple. [...]

Néanmoins, à côté de l'arrestation d'authentiques ennemis du peuple, [ont eu lieu] celles de gens tout à fait innocents, qui Vous étaient entièrement dévoués, qui n'auraient jamais pensé un instant trahir le Parti – des employés honnêtes, des ouvriers, ou simplement des gens ordinaires. Des milliers et des milliers de ces gens – à côté de réels et actifs ennemis – se sont retrouvés au goulag[2] ou ont été fusillés. [...]

■ Lettre envoyée à Staline par P.-A. Egorov, ancien membre du NKVD, détenu au goulag d'Oust'Vym, 20 décembre 1938.

1. Police politique soviétique chargée de poursuivre les personnes que le régime considère comme ses ennemis.
2. Camp de concentration et de travaux forcés où sont enfermées les personnes considérées comme ennemies du régime soviétique.

**CHIFFRES CLÉS**

**Victimes de la répression stalinienne (1936–1938)**

➡ Environ **1 500 000** arrestations par le NKVD (➔ **Doc 5**).

➡ Environ **1 120 000** condamnations.

➡ Environ **680 000** exécutions.

➡ Environ **1 900 000** détenus en camp de travail (goulag ➔ **Doc 5**) en 1938.

**COUP DE POUCE**

Pour vous aider à mener votre enquête, recopiez et complétez ce tableau.
Illustrez chaque argument (1re colonne) par des exemples tirés des documents.

|  | Doc 1 | Doc 2 | Doc 3 | Doc 4 | Doc 5 | Chiffres clés |
|---|---|---|---|---|---|---|
| Idéologie du régime stalinien |  |  |  |  | – | – |
| Rôle du chef et culte de la personnalité | – |  | – |  | – | – |
| Encadrement de la société |  |  |  |  | – | – |
| Répression contre les personnes que le régime désigne comme ses ennemis | – | – | – | – |  |  |

**SOCLE** Compétences
▶ **Domaine 1** : Je pratique différents langages : l'oral et la production graphique
▶ **Domaine 5** : Je me pose des questions au sujet d'une situation historique et je cherche des réponses

# L'arrivée au pouvoir des nazis : des élections à la dictature (1933)

**Question clé** Pourquoi et comment les nazis parviennent-ils à prendre le pouvoir en Allemagne ?

## 1 L'Allemagne des années 1930

Nous entendions toujours les adultes parler de tel ou tel de leurs amis qui avait perdu son emploi et ne savait plus comment faire vivre sa famille. [...] De plus, mes parents imputaient tout cela aux réparations que l'Allemagne devait payer à ses anciens adversaires[1] [...]. On ne parlait pas, en revanche, des conséquences de la grande crise économique qui était durement ressentie partout, pas seulement en Allemagne, au début des années 1930. [...] Ils disaient : « L'Allemagne [...] n'a pas été battue sur le terrain, mais poignardée dans le dos par les crapules qui la gouvernent à présent[2]. » [...]

On entendait sans cesse répéter que l'une des raisons de ce triste état de choses était l'influence grandissante des Juifs.

■ Melita Maschmann,
*Ma jeunesse au service du nazisme*,
Plon, 1967.

1. Sanctions financières imposées à l'Allemagne par le traité de Versailles.
2. Depuis 1918, l'Allemagne est une démocratie : la République de Weimar.

**INFOS**

Le **traité de Versailles** est le traité de paix signé le **28 juin 1919** entre l'Allemagne et les Alliés.
Il est vécu par les Allemands comme injuste et humiliant, car il désigne l'Allemagne comme seule responsable de la guerre et lui retire de nombreux territoires.

## 2 Affiche électorale pour le NSDAP, 1932

Le NSDAP promet « du travail et du pain »  aux électeurs allemands. Il remporte les élections de 1932 avec 33,1 % des voix, et devient le premier parti d'Allemagne. Adolf Hitler est nommé chef du gouvernement le 30 janvier 1933.

## 4 L'Allemagne devient une dictature (1933)

Nous décrétons, pour la défense et contre les actes de violence communistes dangereux pour l'État[1], ce qui suit : [...]

Sont autorisés, même au-delà des limites habituellement fixées par la loi : les atteintes à la liberté individuelle, au droit de libre expression des opinions ainsi qu'à la liberté de la presse, au droit de réunion et de rassemblement ; les violations du secret de la correspondance, du télégraphe et du téléphone ; les ordres de perquisition et de réquisition[2], ainsi que les restrictions à la propriété.

■ Décret pour la protection du peuple et de l'État, 28 février 1933.

1. Les nazis accusent faussement les communistes d'avoir incendié la veille le Reichstag, siège des députés allemands.
2. Confiscation.

### 3 Les troupes de SA

Hitler passe en revue les SA, membres du service d'ordre du NSDAP : ils portent la croix gammée, symbole du nazisme.

Bad Harzburg (Basse-Saxe, Allemagne), 11 octobre 1931.

**VOCABULAIRE**

▶ **NSDAP (Parti national-socialiste des travailleurs allemands)**
Parti politique dirigé dès 1921 par Adolf Hitler, dont l'idéologie est le nazisme.

## Activités

**Question clé** | Pourquoi et comment les nazis parviennent-ils à prendre le pouvoir en Allemagne ?

### ITINÉRAIRE 1

**ou**

### ITINÉRAIRE 2

▶ **Je m'approprie et j'utilise un lexique spécifique**

❶ **Doc 1 et 2.** D'après l'auteure, quelles sont, pour les Allemands, les raisons de la crise que connaît l'Allemagne ?

❷ **Doc 2 et 3.** Par quels moyens les nazis arrivent-ils au pouvoir ?

❸ **Doc 4.** Montrez qu'une fois arrivés au pouvoir, les nazis mettent en place une dictature.

▶ **Je réalise un récit historique et j'argumente**

❹ Pour répondre à la question clé, construisez un court exposé qui mette en avant le contexte, les moyens et les conséquences de l'arrivée au pouvoir des nazis.

▶ **Je me constitue un outil personnel de travail, une carte mentale**

Pour répondre à la question clé, construisez une carte mentale intitulée « L'arrivée au pouvoir des nazis ».

**MÉTHODE**

▶ Tracez trois branches principales :
– « le contexte : une démocratie en crise » (➔ Doc 1 et 2)
– « les moyens pour arriver au pouvoir » (➔ Doc 2 et 3)
– « l'action des nazis arrivés au pouvoir » (➔ Doc 4)

▶ Construisez de nouvelles branches à partir des principales. Chacune d'elles correspond à une information différente.

# L'Allemagne nazie, un régime totalitaire raciste et antisémite

**CONSIGNE**

Répartis en équipes, vous devez étudier différentes caractéristiques du régime nazi : son contrôle du pays et de la société, son idéologie antisémite et raciste, son utilisation de la violence.

Chaque équipe présente oralement son travail à la classe. À partir des présentations entendues, expliquez en quelques phrases pourquoi l'Allemagne nazie est un régime totalitaire.

**VOCABULAIRE**

▶ **Antisémitisme**
Hostilité, haine à l'égard des Juifs, considérés comme une race ou un groupe distinct et inférieur au reste de la société.

## L'encadrement de l'Allemagne et des Allemands

**ÉQUIPE 1**

Décrivez précisément la scène photographiée. Comment cette image permet-elle de comprendre l'encadrement de la population par le régime nazi et la création d'un culte de la personnalité ?

**1 Adolf Hitler, chef du régime nazi**
Adolf Hitler passe en revue des membres des Jeunesses hitlériennes, organisation de jeunesse du parti nazi.
Photographie prise lors du Congrès du parti nazi à Nuremberg, septembre 1936.

site élève
↓ lien vers la vidéo

## Une idéologie raciste et antisémite

ÉQUIPE 2

Dans ces documents, les nazis définissent et exposent leur idéologie.
Pourquoi peut-on dire qu'elle est raciste et antisémite ?
Quelles en sont les conséquences en Allemagne ?

### 2 Hitler expose sa vision du monde

Tout ce que nous avons aujourd'hui devant nous de civilisation humaine, de produits de l'art, de la science et de la technique est presque exclusivement le fruit de l'activité créatrice des Aryens[1]. [...].

Par la suite, la voie que devait suivre l'Aryen était nettement tracée. Conquérant, il soumit les hommes de race inférieure [...].

Le Juif forme le contraste le plus marquant avec l'Aryen. [...] Si les Juifs étaient seuls en ce monde, ils étoufferaient dans la crasse et l'ordure ou bien chercheraient dans des luttes sans pitié à s'exploiter et à s'exterminer [...]. L'effet produit par [la présence du peuple juif] est celui des plantes parasites : là où il se fixe, le peuple qui l'accueille s'éteint au bout de plus ou moins longtemps.

■ Adolf Hitler, *Mein Kampf* (« Mon combat »), 1924.

1. Pour les nazis, race germanique supérieure à toutes les autres.

### 3 Une législation antisémite

**Art. 1.** Les mariages entre Juifs et sujets de sang allemand ou apparenté sont interdits. [...]

**Art. 3.** Il est interdit aux Juifs d'employer à des travaux de ménage chez eux des femmes de sang allemand ou assimilé âgées de moins de quarante-cinq ans.

**Art. 4.** Il est interdit aux Juifs de hisser le drapeau national du Reich [...]. Il leur est en revanche permis de pavoiser[1] aux couleurs juives [...].

**Art. 5.** Les infractions à l'article 1 seront punies de travaux forcés.

■ Lois pour la protection du sang et de l'honneur allemands, dites lois de Nuremberg, 15 septembre 1935.

1. Brandir un drapeau.

## La violence du régime nazi

ÉQUIPE 3

Comment le régime nazi utilise-t-il la violence contre différents groupes qu'il considère comme ses adversaires ?

### 4 Un camp de concentration nazi

**Art. 8.** Sera puni de 14 jours d'arrêts de rigueur et de 25 coups de bâton au début et à la fin de la peine celui qui fait des remarques désobligeantes sur les dirigeants nationaux-socialistes[1], sur l'État et le gouvernement, [...] glorifie les dirigeants ou partis communistes ou libéraux[2] [...].

**Art. 11.** Les délinquants suivants, considérés comme agitateurs, seront pendus : quiconque fait de la politique, tient des discours ou des réunions de provocation, se rassemble avec d'autres détenus ; quiconque, dans le but de fournir à la propagande adverse des récits d'atrocité, recueille des renseignements, vrais ou faux, sur le camp de concentration.

■ D'après le règlement du camp de concentration de Dachau, 1er octobre 1933.

1. Dirigeants du parti nazi. 2. Libéraux : favorables à la démocratie.

### 5 Une humiliation antisémite

Un couple, dont seul l'homme est juif, doit marcher dans les rues, encadré par deux policiers.

❶ « Je suis un profanateur de la race ».
Norder (Allemagne), juillet 1935.

## Je découvre

**SOCLE** Compétences
- **Domaine 2 :** Je construis des hypothèses et je les vérifie
- **Domaine 3 :** Je juge par moi-même en argumentant

# Le Front populaire en France (1936) : des réformes démocratiques et sociales

**Question clé** Comment le Front populaire veut-il renforcer la démocratie en améliorant les conditions de vie ?

## VOCABULAIRE

▸ **Front populaire**
Rassemblement des partis de gauche français (parti radical, SFIO, parti communiste).

## Chronologie

| | |
|---|---|
| Octobre 1929 | Début de la crise économique mondiale qui touche la France à partir de 1931. |
| 6 février 1934 | À Paris, manifestations violentes et émeutes des ligues d'extrême droite contre la IIIe République. |
| 14 juillet 1935 | Manifestation commune des partis de gauche pour la défense de la République face aux ligues. |
| Mai 1936 | Victoire du Front populaire aux élections législatives. Début des grèves. |
| Juin 1936 | Lois sociales du Front populaire. |

**NOUS FAISONS le SERMENT SOLENNEL DE RESTER UNIS POUR DÉSARMER et DISSOUDRE les LIGUES FACTIEUSES, POUR DÉFENDRE et DÉVELOPPER LES LIBERTÉS DÉMOCRATIQUES ... PAIX HUMAINE**

**14 JUILLET 1935**
ÉDITÉ PAR LE COMITÉ NATIONAL DU RASSEMBLEMENT POPULAIRE
PRIX DU NUMÉRO : 3 FRANCS

**1 La mobilisation populaire contre les ligues**

Le 14 juillet 1935, les partis de gauche organisent une manifestation à Paris.

Couverture de la brochure souvenir *14 juillet 1935*.

## 2 Le programme du Front populaire

Les partis[1] et organisations groupant des millions d'êtres humains, qui ont juré de rester unis, aux termes du serment « pour défendre les libertés démocratiques, pour donner du pain aux travailleurs, du travail à la jeunesse, et au monde la grande paix humaine », ont cherché ensemble les moyens pratiques d'une action commune, immédiate et continue. [...]

C'est ainsi que dans l'ordre politique, il définit les mesures indispensables pour assurer le respect de la souveraineté nationale exprimée par le suffrage universel et pour garantir les libertés essentielles (liberté d'opinion et d'expression, libertés syndicales, liberté de conscience et laïcité) [...] et que, dans l'ordre économique et financier, il s'attache à lutter, dans l'intérêt des masses laborieuses et épargnantes[2], contre la crise [...].

■ Programme du Rassemblement populaire pour les élections législatives de 1936, janvier 1936.

1. SFIO, parti radical et parti communiste.
2. Ouvriers, employés, petits propriétaires.

### 3 Léon Blum, chef du gouvernement du Front populaire

Dès le début de la semaine prochaine, nous déposerons sur le bureau de la Chambre un ensemble de projets de loi [...] qui concerneront la semaine de quarante heures, les contrats collectifs[1], les congés payés[2], un plan de grands travaux, c'est-à-dire d'outillage économique, d'équipement sanitaire, scientifique, sportif et touristique, [...] la prolongation de la scolarité [...].

Nous nous efforcerons ainsi, en pleine collaboration avec vous, de ranimer l'économie française, de résorber le chômage, d'accroître la masse des revenus consommables, de fournir un peu de bien-être et de sécurité à tous ceux qui créent, par leur travail, la véritable richesse.

■ Léon Blum, discours à la Chambre des députés, 6 juin 1936.

1. Ou conventions collectives : accords passés entre patronat et syndicat, concernant les salaires et les conditions de travail.
2. Deux semaines par an, obtenues le 20 juin 1936.

*payés même pendant les vacances.*

### 4 Des grèves de soutien au Front populaire

*Strike* Grève à la Compagnie internationale des wagons-lits, Saint-Ouen, juin 1936.

**regards**

PARAÎT LE JEUDI — 2 SEPTEMBRE 1937 — N° 190

1 fr.50
2 fr. BELGE
0.40C SUISSE

24 pages

« Nous découvrons les BEAUTÉS de NOTRE PAYS grâce aux CONGÉS PAYÉS » disent à REGARDS les MÉTALLOS

Lettres de volontaires américains en Espagne

### 5 L'instauration des congés payés

Les « métallos » sont les ouvriers de l'industrie métallurgique.

Couverture de *Regards*, 2 septembre 1937.

**site élève**
**lien vers la vidéo**

## Activités

**Question clé** Comment le Front populaire veut-il renforcer la démocratie en améliorant les conditions de vie ?

### ITINÉRAIRE 1

▶ J'extrais des informations pertinentes des documents et je les classe

❶ **Doc 1 et 2.** Quels sont les partis qui se mobilisent avant mai 1936 ?

❷ **Doc 1 et 2.** Montrez qu'ils défendent la démocratie et le bien-être de la société française.

❸ **Doc 1 et 4.** Comment s'exprime le soutien au Front populaire ?

❹ **Doc 3 et 5.** Comment le Front populaire améliore-t-il les conditions de vie des travailleurs ?

▶ Je réalise un tableau

❺ Pour répondre à la question clé, classez dans un tableau les informations relevées dans les documents.

**ou**

### ITINÉRAIRE 2

▶ Je réalise un outil numérique de travail et je m'exprime à l'oral

Réalisez et commentez à l'oral un diaporama composé de trois diapositives permettant de répondre à la question clé.

# Démocraties et expériences totalitaires (1919–1939)

→ Pourquoi et comment les démocraties sont-elles affaiblies, alors que des régimes totalitaires s'établissent en Russie et en Allemagne ?

 **A** L'URSS totalitaire de Staline

### 1. La mise en place d'un régime communiste

● Depuis la révolution de 1917 (→ p. 28-29), les communistes dirigent l'URSS. Successeur de Lénine en 1924, **Staline** domine le Parti communiste en 1928. Seul au pouvoir, il décide alors d'accélérer la mise en place du **communisme** en URSS. Pour cela, il impose le **contrôle de l'économie** et la **collectivisation** de l'agriculture.

### 2. Des organisations encadrent toute la société

● La **propagande** utilise tous les moyens pour convaincre les Soviétiques de la supériorité du régime : radio, presse, cinéma... Elle développe le **culte de la personnalité** autour de Staline. Des organisations **encadrent tous les groupes de la société** : jeunesse, femmes, ouvriers...

● La **violence** est un autre moyen de gouverner : une **police politique**, le NKVD, surveille la population. Toute contestation, réelle ou supposée, conduit à l'emprisonnement, au **goulag** ou à l'élimination.

**B** L'Allemagne nazie totalitaire d'Hitler

### 1. L'installation au pouvoir

● De nombreux Allemands reprochent à la république instaurée en 1918 de les avoir trahis en signant le **traité de Versailles**. La **crise économique de 1929** renforce encore l'hostilité à l'égard de ce régime démocratique.

● **Adolf Hitler** profite de cet état d'esprit. Son parti, le **NSDAP**, accuse démocrates, Juifs et communistes d'être responsables des maux de l'Allemagne. Le 30 janvier 1933, **Hitler est nommé chancelier**, chef du gouvernement allemand. Dès mars, il obtient les pleins pouvoirs. Le NSDAP est le seul parti autorisé, les élections sont supprimées et les opposants pourchassés par une police politique, la **Gestapo**.

### 2. Totalitarisme, racisme et antisémitisme

● Le régime est **totalitaire**. Propagande et **culte de la personnalité** sont omniprésents. La **société est encadrée** par des organisations (comme les jeunesses hitlériennes par exemple) et l'économie est dirigée par l'État.

● Mais la spécificité du **nazisme** tient à son **idéologie**. Pour Hitler, **les Aryens, race supérieure, doivent lutter contre les Juifs**, définis comme une race dangereuse.

● Il met alors en place une **politique antisémite**. En 1935, les **lois de Nuremberg** définissent les Juifs comme des étrangers et leur interdisent

---

**VOCABULAIRE**

▶ **Collectivisation**
Politique visant à la disparition de la propriété privée, remplacée par des propriétés collectives appartenant à l'État ou à des coopératives.

▶ **Communisme**
Idéologie qui veut la création d'une société parfaitement égalitaire, sans différence de richesse et sans propriété privée.

▶ **Conventions collectives**
Accords passés entre patronat et syndicats concernant les salaires et les conditions de travail.

▶ **Culte de la personnalité**
Ensemble de pratiques utilisées pour convaincre un peuple qu'une personne est supérieure et infaillible.

▶ **Front populaire**
Rassemblement des partis français de gauche (parti radical, SFIO, parti communiste).

▶ **Goulag**
Camp de concentration et de travaux forcés où sont enfermées les personnes considérées comme ennemies du régime soviétique.

▶ **Idéologie**
→ p. 40.

toute relation avec des non-Juifs ; de nombreux emplois leur sont interdits. Des violences éclatent : lors de la Nuit de cristal (9 novembre 1938), synagogues et commerces juifs sont détruits, et 30 000 Juifs sont envoyés en camps de concentration.

## C L'expérience démocratique du Front populaire

### 1. Une atmosphère de crise

■ En France, la crise économique de 1929 provoque chômage et pauvreté, mais aussi une **agitation sociale et politique**. La démocratie est contestée et des émeutes antirépublicaines éclatent à Paris en février 1934.

### 2. Élections et réformes

■ Les partis de gauche y voient une tentative de coup d'État pour instaurer une dictature. Ils forment alors une **alliance pour les élections** : c'est le **Front populaire**, victorieux en mai 1936. Des grèves éclatent en soutien au Front populaire.

■ Le 7 juin, syndicats et patronat, réunis par **Léon Blum**, chef du gouvernement, signent les **accords de Matignon** : les salaires sont augmentés, la liberté syndicale assurée, des **conventions collectives** instaurées. Le temps de travail hebdomadaire passe de 48 à 40 heures, et deux semaines de **congés payés** sont assurées aux salariés.

## Je retiens autrement

| | Russie puis URSS (en 1922) | Allemagne | France |
|---|---|---|---|
| **CONTEXTE** | **1917 (Révolution russe)**<br>• Première Guerre mondiale<br>• Mise en place d'un régime communiste, dirigé par **Lénine** | **À partir de 1919**<br>• Traité de Versailles (1919)<br>• **Crise économique** à partir de 1929<br>• **Crise politique** : contestation de la démocratie par l'extrême droite | **À partir de 1929**<br>• Crise économique et sociale<br>• Crise politique : contestation de la démocratie par l'extrême droite |
| **ARRIVÉE AU POUVOIR** | • **Staline**, successeur de Lénine, à la tête du Parti communiste soviétique  | • Succès électoraux du parti nazi : **Hitler**, chancelier le 30 janvier 1933  | • Victoire du **Front populaire** aux élections législatives en mai 1936 |
| **POLITIQUE MENÉE** | **À partir de 1928**<br>• Régime communiste : **collectivisation** et contrôle de l'économie<br>• Régime totalitaire : société contrôlée et terrorisée | **À partir de 1933**<br>• Régime **raciste** et **antisémite**<br>• Régime **totalitaire** : société contrôlée et terrorisée | **À partir de juin 1936**<br>• Démocratie, gouvernement de gauche : 40 heures de travail hebdomadaires, congés payés... |

## Comment apprendre ma leçon ?

# Je révise en construisant un tableau de synthèse

Le tableau de synthèse est un outil de révision : il regroupe les idées principales, les repères ainsi que le vocabulaire important.

## ▶ Étape 1

• Complétez le tableau à l'aide de votre cours. Dans ce chapitre, vous pouvez construire 3 tableaux différents pour chacun des pays (la Russie, l'Allemagne et la France).

site élève
⬇ tableaux à compléter

| L'Allemagne nazie : un régime totalitaire raciste et antisémite | Repères chronologiques et spatiaux (→ p. 38-39) | Idées principales | Vocabulaire et notions clés | Documents, personnages, œuvres à connaître |
|---|---|---|---|---|
| 1. L'installation au pouvoir | .................. | .................. | .................. | .................. |
| 2. Une société soumise, un régime raciste et antisémite | – 1935 : lois de Nuremberg<br>– 9 novembre 1938 : la nuit de Cristal | – Régime totalitaire :<br>• propagande omniprésente : Hitler fait l'objet d'un culte de la personnalité<br>• société encadrée :<br>ex. : jeunesses hitlériennes<br>• économie contrôlée<br>• terreur :<br>ex. : camps de concentration.<br><br>– Régime raciste et antisémite :<br>• Idéologie raciste : les Aryens sont, selon Hitler, supérieurs. Les Juifs sont victimes d'une politique antisémite. | – Régime totalitaire<br>– Culte de la personnalité<br>– Idéologie antisémite | |

## ▶ Étape 2

• Vous pouvez ensuite le relire plusieurs fois afin de maîtriser les contenus de la leçon.

## Je révise chez moi

● **Je vérifie que je connais les principaux repères du chapitre.**

**Je sais définir et utiliser dans une phrase :**

▶ régime totalitaire
▶ communisme
▶ Front populaire
▶ nazisme
▶ culte de la personnalité

**Je sais situer sur une frise :**

▶ l'accession de Staline au pouvoir et le début de la collectivisation ;
▶ l'accession d'Hitler au pouvoir ;
▶ les lois antisémites de Nuremberg ;
▶ la victoire électorale du Front populaire.

site élève
⬇ frise

**Je sais expliquer :**

▶ pourquoi l'URSS de Staline est un régime totalitaire.
▶ pourquoi l'Allemagne nazie est un régime totalitaire, raciste et antisémite.
▶ comment le Front populaire accède au pouvoir et quelle politique il mène.

## Je vérifie mes connaissances

**1** Je relie chaque date à l'événement qui lui correspond.

**1.** Accession d'Hitler au pouvoir      **a.** 1928

**2.** Victoire du Front populaire      **b.** 1935

**3.** Staline instaure un régime totalitaire      **c.** 1929

**4.** Lois antisémites de Nuremberg      **d.** Mai 1936

**5.** Début de la collectivisation en URSS      **e.** Janvier 1933

**2** J'indique dans quels pays étudiés surviennent les événements suivants. Attention, certains peuvent concerner plusieurs pays.

**1.** Dans les années 1930, la crise économique appauvrit la population et fait augmenter le chômage.

**2.** La démocratie est contestée par l'extrême droite.

**3.** Une police politique pourchasse ceux que le pouvoir définit comme des opposants.

**4.** Une politique de mise à l'écart des Juifs est organisée.

**5.** La violence est employée comme un moyen de gouverner.

**3** J'explique à partir des images.

J'explique ce que chaque document, issu du chapitre, m'a appris sur les démocraties et les expériences totalitaires entre 1919 et 1939.

a.

b.

c.

**4** Retrouvez d'autres exercices sous forme interactive sur le site Nathan. site élève ⬇ exercices interactifs

## EXERCICE 1 Analyser et comprendre des documents (20 points)

### Une réunion des Jeunesses hitlériennes

Toutes les semaines, les membres des Jeunesses hitlériennes se réunissent pour lire le *Stürmer*, journal nazi violemment antisémite.
Photographie, 1937.

### QUESTIONS

❶ Quel est le régime politique de l'Allemagne lors de la date de création de ce document ?

❷ Décrivez la scène : quel élément montre que les jeunes gens photographiés appartiennent à une organisation nazie ?

❸ Quel est le sujet abordé lors de cette réunion ? D'après vos connaissances, pourquoi peut-on dire qu'il est en lien avec l'idéologie nazie ?

❹ Pourquoi peut-on affirmer que le journal lu lors de cette réunion est un outil de propagande ?

❺ Comment ce document illustre-t-il différents moyens utilisés par les nazis pour diffuser leur idéologie ?

### MÉTHODE

**J'utilise mes connaissances pour expliquer un document (→ Questions ❶, ❸ et ❹)**

▸ Faites appel aux connaissances que vous avez acquises en cours. Vous pouvez ainsi replacer le document dans son contexte, c'est-à-dire comprendre dans quelle situation historique il se situe.

▸ Utilisez vos connaissances pour définir et expliquer les informations du document.

→ *Exemples* :
**Question ❶** : définissez l'expression « régime totalitaire nazi ».
**Question ❸** : expliquez en quoi l'idéologie nazie est antisémite.
**Question ❹** : définissez le terme « propagande ».

## EXERCICE 2 Maîtriser différents langages (20 points)

**CONSIGNE** Sous la forme d'un développement construit d'une vingtaine de lignes et en vous appuyant sur des exemples étudiés en classe, décrivez le régime totalitaire stalinien.

**CONSEILS**

→ Pour construire votre texte, vous pouvez l'organiser en deux parties qui montrent :
• comment Staline parvient au pouvoir et poursuit la mise en place du communisme en URSS ;
• que la société soviétique est encadrée et terrorisée.

## EXERCICE 1 Analyser et comprendre des documents (20 points)

### Les accords de Matignon, juin 1936

Les délégués [du patronat] et du [syndicat ouvrier] CGT se sont réunis sous la présidence de Monsieur le président du Conseil[1], et ont conclu l'accord ci-après :

**Art. 1er.** La délégation patronale admet l'établissement immédiat de contrats collectifs de travail.

**Art. 2.** Ces contrats devront comprendre notamment les articles 3 à 5 ci-après :

**Art. 3.** L'observation des lois s'imposant à tous les citoyens, les employeurs reconnaissent la liberté d'opinion ainsi que les droits pour les travailleurs [...] d'appartenir à un syndicat [...].

**Art. 4.** Les salaires réels pratiqués pour tous les ouvriers [...] seront, du jour de la reprise du travail, réajustés [...] à 15% pour les salaires les moins élevés pour arriver à 7% pour les salaires les plus élevés [...].

**Art. 5.** [...] Il sera institué deux titulaires ou plusieurs délégués ouvriers [...]. Ces délégués ont qualité pour présenter à la direction les réclamations individuelles [...] visant l'application des lois, décrets, règlements du Code du travail, des tarifs de salaire et des mesures d'hygiène et de sécurité [...].

■ Accords de Matignon, 7 juin 1936.

1. Léon Blum.

### QUESTIONS

❶ À la date de ce document, qui dirige la France ?

❷ Identifiez les différents auteurs de cet accord. D'après vos connaissances, expliquez le rôle joué par Léon Blum dans cet accord.

❸ Qui sont les bénéficiaires de ces accords ? Relevez dans le texte deux réformes qui concernent l'amélioration de leurs conditions de travail.

❹ Relevez dans le texte une réforme qui améliore le niveau de vie des ouvriers.

❺ À partir de vos connaissances, expliquez ce qui a changé dans la vie quotidienne des ouvriers de l'époque, à la suite de cet accord.

## EXERCICE 2 Maîtriser différents langages (20 points)

**CONSIGNE** Sous la forme d'un développement construit d'une vingtaine de lignes et en vous appuyant sur des exemples étudiés en classe, décrivez le régime totalitaire nazi.

### MON BILAN DE COMPÉTENCES

| Domaines du socle | Compétences travaillées | Pages du chapitre | |
|---|---|---|---|
| **D1** Les langages pour penser et communiquer | • Je sais me repérer dans le temps et dans l'espace<br>• Je sais pratiquer différents langages : l'oral, la production graphique<br>• Je sais argumenter à l'oral et à l'écrit pour défendre mes choix | Je me repère | p. 38-39 |
| | | Je découvre | p. 42-43 |
| | | J'enquête | p. 44-45 |
| **D2** Méthodes et outils pour apprendre | • Je sais préparer un exposé et prendre la parole<br>• Je sais élaborer une tâche commune<br>• Je sais construire des hypothèses et les vérifier<br>• Je sais organiser mon travail personnel | J'enquête | p. 40-41 |
| | | J'enquête | p. 44-45 |
| | | Je découvre | p. 46-47 |
| | | Apprendre à apprendre | p. 50 |
| **D3** La formation de la personne et du citoyen | • Je sais juger par moi-même en argumentant | Je découvre | p. 46-47 |
| **D4** Les systèmes naturels et les systèmes techniques | • Je sais mener l'enquête et exploiter les résultats de mes recherches | J'enquête | p. 40-41 |
| **D5** Les représentations du monde et de l'activité humaine | • Je sais me poser des questions au sujet d'une situation historique et chercher des réponses | Je découvre | p. 42-43 |

➡️ **Pourquoi la Seconde Guerre mondiale est-elle une guerre d'anéantissement ?**

**Au cycle 4, en 3ᵉ**

**Chapitre 1**
J'ai appris quelles violences ont caractérisé la Première Guerre mondiale et j'ai découvert ce qu'est un génocide.

**Au cycle 4, en 3ᵉ**

**Chapitre 2**
J'ai appris que l'Allemagne nazie a mené une politique antisémite dans les années 1930.

**Ce que je vais découvrir**

La Seconde Guerre mondiale se caractérise par des violences de masse qui touchent tous les civils et par des génocides contre les populations juives et tziganes.

**1 Les Juifs, victimes de la barbarie nazie**

Rafle de familles juives à Varsovie (Pologne), en 1943. Une rafle est une opération policière qui consiste à arrêter massivement des Juifs par surprise.

La guerre commence en Europe en 1939, mais dès 1937 en Asie. Presque toutes les nations du monde sont impliquées : seulement une dizaine d'États restent neutres.

UNITED
we are strong

UNITED we will win

### 2 Une guerre aux dimensions planétaires

« Unis, nous sommes forts. Unis, nous vaincrons ».

Affiche de propagande américaine pour la victoire, vers 1944.

# La Seconde Guerre mondiale (1939–1945)

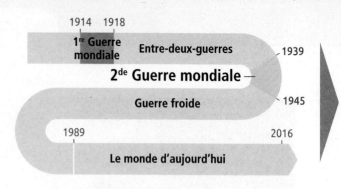

1914 1918 1939 1945 1989 2016

1re Guerre mondiale — Entre-deux-guerres — 2de Guerre mondiale — Guerre froide — Le monde d'aujourd'hui

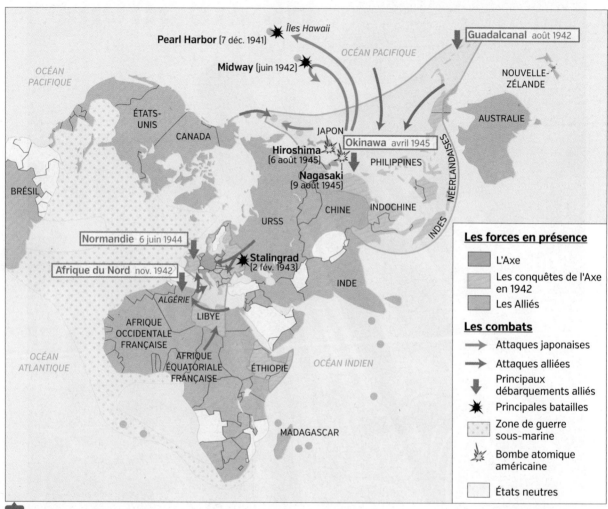

**1** Un conflit planétaire

## QUESTIONS

▶ Je me repère dans le temps et dans l'espace

❶ Montrez, à l'aide des cartes et de la frise, que la guerre de 1939-1945 est une guerre mondiale.

❷ Quelles sont les deux grandes alliances qui s'affrontent dans cette guerre ?

❸ À partir de quand la situation militaire tourne-t-elle en faveur des Alliés ?

## VOCABULAIRE

▶ **Alliés**
Le Royaume-Uni, les États-Unis et l'URSS, unis dans une grande alliance contre l'Allemagne nazie après 1941.

▶ **Axe**
L'Allemagne nazie et l'Italie fasciste, liées ensuite au Japon par un pacte à trois.

| 1er sept. 1939 | 1941 | 1942 | 1943 | 1944 | 2 sept. 1945 |
|---|---|---|---|---|---|

## Les victoires de l'Axe

- **1er sept. 1939** Invasion de la Pologne par l'Allemagne
- **7 déc. 1941** Attaque japonaise de Pearl Harbor — Entrée en guerre des États-Unis
- **22 juin 1941** Invasion de l'URSS par l'Allemagne
- **Janvier 1942** Conférence de Wannsee

## Les victoires des Alliés

- **Sept. 1942-fév. 1943** Bataille de Stalingrad
- **6 juin 1944** Débarquement allié en Normandie
- **7-8 mai 1945** Capitulation de l'Allemagne
- **Août 1945** Bombe atomique sur Hiroshima et Nagasaki
- **2 sept. 1945** Capitulation du Japon

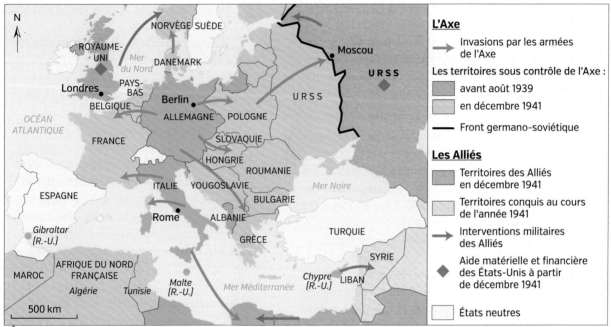

**2** L'expansion de l'Allemagne nazie et de l'Italie fasciste en Europe (1939-1942)

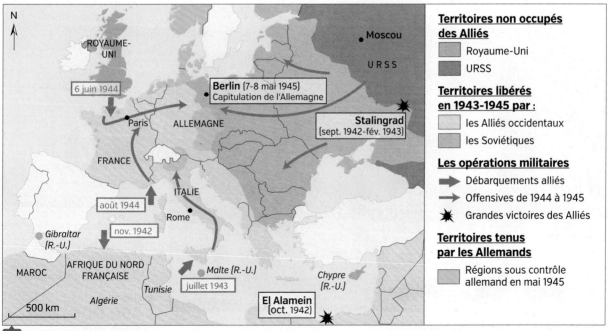

**3** La libération de l'Europe par les Alliés (1942-1945)

# Violences de masse et guerre d'anéantissement

**Question clé** Comment Stalingrad et Hiroshima illustrent-elles les formes nouvelles de la violence de guerre ?

## 1 Les civils, victimes de guerre à Stalingrad

*Stalingrad est attaquée par les Allemands de septembre 1942 à février 1943. Serafima Voronina tient son journal pendant la bataille. Elle meurt à la fin de l'année 1942 dans un bombardement.*

25 octobre 1942. Dimanche. 14 heures.

Ça fait trois jours que les bombardements se poursuivent, on n'a plus la force de supporter tout ça. On reste dans l'abri sans sortir, on est si éreintés, si déprimés, les poux nous dévorent. La nuit, nous dormons assis, car l'abri est petit et on est nombreux. C'est un supplice, on n'a plus la force d'endurer ça, on n'en voit pas la fin [...].

Tout autour, la steppe est brûlée, c'est si terrifiant, chaque jour il y a des incendies. [...] Vendredi, il y a eu un combat si terrible, on a pensé qu'on n'en sortirait pas VIVANTS. Nous prions Dieu, nous lui demandons de nous laisser vivants. Si on reste en vie, ce sera alors un immense bonheur...

■ Publié par Maurice Schobinger, *Stalingrad-Volgograd*, Éditions Noir sur Blanc, 2010.

## 2 Les soldats dans l'enfer de Stalingrad

*Alexander Werth, journaliste britannique, est à Stalingrad quelques jours après la défaite allemande.*

Pendant des semaines, on s'était battu dans l'usine Octobre rouge et tout autour. Des tranchées sillonnaient les cours de l'usine et même les ateliers. À présent, au fond des tranchées, on voyait encore des cadavres verts (les Allemands), des cadavres gris (les Russes), et des débris humains gelés, et, partout, des barbelés, des mines à moitié découvertes, des douilles d'obus, des barres de fer tordues et entremêlées ; on imaginait mal que quiconque ait pu survivre en ces lieux. [...] À Karpovka, les Allemands mangeaient des chats. Ils avaient faim, ils avaient très froid et beaucoup sont morts gelés.

■ Alexander Werth, *La Russie en guerre*, Stock, 1964.

## 3 Stalingrad après les combats

Vue de Stalingrad à la fin de la bataille, en février 1943. La ville est rasée à 80 %.

**CHIFFRES CLÉS**

**Bilan humain à Stalingrad**

➡ **Allemagne :**
**450 000** morts et blessés.
**94 000** prisonniers.

➡ **URSS :**
**490 000** morts.
**600 000** blessés.

## 5 Hiroshima, un désastre pour l'humanité

Le monde est ce qu'il est, c'est-à-dire peu de chose. C'est ce que chacun sait depuis hier grâce au formidable concert que la radio, les journaux, les agences d'information viennent de déclencher au sujet de la bombe atomique. On nous apprend, en effet, au milieu d'une foule de commentaires enthousiastes, que n'importe quelle ville d'importance moyenne peut être totalement rasée par une bombe de la grosseur d'un ballon de football. [...] La civilisation mécanique vient de parvenir à son dernier degré de sauvagerie. Il va falloir choisir, dans un avenir plus ou moins proche, entre le suicide collectif ou l'utilisation intelligente des conquêtes scientifiques.

■ Albert Camus, « Combat, 8 août 1945 »,
*Actuelles. Chroniques 1944-1948*, © Éditions Gallimard.

## 4 Le bombardement de Hiroshima par les Alliés

Le 6 août 1945, les Américains lancent une bombe atomique sur Hiroshima, au Japon.

### CHIFFRES CLÉS

**Bilan humain à Hiroshima**

**140 000 victimes**
➡ effets directs de la bombe, conséquences des blessures et des radiations.

---

## Activités

**Question clé** Comment Stalingrad et Hiroshima illustrent-elles les formes nouvelles de la violence de guerre ?

### ITINÉRAIRE 1

**OU**

### ITINÉRAIRE 2

▶ **J'extrais des informations des documents pour répondre aux questions**

❶ **Doc 1 et 3.** Comment les civils sont-ils touchés par la bataille de Stalingrad ?

❷ **Doc 2 et 3.** Montrez que les conditions de combat sont particulièrement dures à Stalingrad.

❸ **Doc 4 et 5.** Pourquoi le bombardement de Hiroshima peut-il être perçu comme un désastre pour l'humanité ?

▶ **Je classe les informations relevées dans un tableau**

❹ En vous aidant des réponses aux questions 1 à 3, recopiez puis complétez ce tableau afin de répondre à la question clé.

site élève
⬇ tableau à imprimer

| | Stalingrad | Hiroshima |
|---|---|---|
| Types de violences et de souffrances | | |
| Types de victimes | | |
| Auteurs des violences | | |
| Bilan humain et moral | | |

▶ **J'argumente à l'écrit pour justifier mes choix**

Justifiez les affirmations suivantes à l'aide des documents :

• À Stalingrad, les conditions de combat sont très dures pour les soldats.
• Les civils sont victimes de la guerre à Stalingrad et à Hiroshima.
• Le bombardement de Hiroshima est un traumatisme mondial.

# Les génocides des populations juives et tziganes

**CONSIGNE**

Le 27 janvier a lieu la Journée de la mémoire des génocides à laquelle votre collège participe. Vous êtes chargé-e de prononcer un discours sur les génocides des populations juives et tziganes. Vous devez en expliquer la mise en œuvre : les responsables, les moyens employés et les victimes.

**VOCABULAIRE**

▶ **Centre de mise à mort**
Espace clos et organisé destiné à l'assassinat de groupes de populations juives et tziganes.

▶ **Déportation**
Déplacement forcé de populations pour des motifs raciaux ou politiques.

▶ *Einsatzgruppen*
« Groupes spéciaux » chargés, à partir de l'invasion de l'URSS en 1941, d'assassiner les Juifs et les responsables politiques soviétiques.

## 1 La décision de l'extermination des Juifs en Europe

La solution finale du problème juif en Europe devra être appliquée à environ onze millions de personnes. [...] Les Juifs doivent être transférés sous bonne escorte à l'Est et y être affectés au service du travail. Formés en colonnes de travail, les Juifs valides, hommes d'un côté, femmes de l'autre, seront amenés dans ces territoires pour construire des routes ; il va sans dire qu'une grande partie s'éliminera tout naturellement par état de déficience physique.

Le résidu qui subsisterait en fin de compte – et qu'il faut considérer comme la partie la plus résistante – devra être traité en conséquence. [...] En vue de la généralisation pratique de la solution finale, l'Europe sera balayée d'Ouest en Est.

■ Discours de Reinhard Heydrich à la conférence de Wannsee, 20 janvier 1942.

## 3 Le génocide par balle : le rôle des *Einsatzgruppen*

Il n'y a plus de Juifs dans le secteur [en Lituanie], excepté les travailleurs juifs affectés à des tâches spéciales. [...] Notre but, débarrasser la Lituanie de ses Juifs, a pu être atteint grâce à la mise en place de plusieurs vagues de commandos constitués à partir d'hommes sélectionnés et placés sous le commandement du SS[1] Hamann [...]

Il a fallu rassembler les Juifs à un ou plusieurs endroits, puis, au vu du nombre, chercher un lieu adéquat pour creuser les fosses nécessaires. La distance à parcourir entre les lieux de rassemblement et les fosses était en moyenne de 4 à 5 km. Les Juifs ont été répartis en colonnes de 500 et acheminés vers les lieux d'exécution à intervalles d'au moins 2 km.

■ Rapport de Karl Jäger, SS commandant le EK3[2], 1er décembre 1941.

1. Membre de la Section de sécurité, organisation du parti nazi, instrument central de la terreur nazie.
2. Commando spécial n° 3.

## 2 La déportation vers les camps

En novembre 1943, les nazis déportent vers Auschwitz les Juifs du ghetto de Grodno (actuelle Biélorussie).

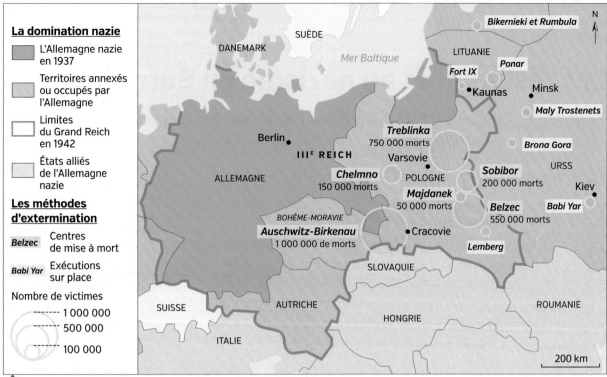

**La domination nazie**

- L'Allemagne nazie en 1937
- Territoires annexés ou occupés par l'Allemagne
- Limites du Grand Reich en 1942
- États alliés de l'Allemagne nazie

**Les méthodes d'extermination**

- *Belzec* Centres de mise à mort
- *Babi Yar* Exécutions sur place

Nombre de victimes
- 1 000 000
- 500 000
- 100 000

*Treblinka* 750 000 morts
*Chelmno* 150 000 morts
*Sobibor* 200 000 morts
*Majdanek* 50 000 morts
*Belzec* 550 000 morts
*Auschwitz-Birkenau* 1 000 000 de morts

200 km

**4 La mise en œuvre des génocides**

## 5 Persécution et extermination des Tziganes

En 1943, ma famille a été déportée vers le camp nazi de Birkenau qui comptait des milliers de Tziganes. Nous étions entourés de fils barbelés. En août 1944, seuls deux mille Tziganes ont été laissés en vie ; 918 des nôtres ont été placés dans un convoi à destination de Buchenwald dans le cadre du travail obligatoire. Là-bas, les Allemands ont jugé que 200 d'entre nous étaient incapables de travailler et nous ont renvoyés à Birkenau. J'étais l'un d'eux ; ils ont pensé que j'étais trop jeune. Mon frère et mon oncle leur ont affirmé que j'avais quatorze ans mais que j'étais nain. J'ai pu rester. Les autres sont repartis et ont été gazés.

■ Témoignage de Karl Stojka, libéré par les troupes américaines en avril 1945. Encyclopédie multimédia de la Shoah, www.ushmm.org/fr.

## 6 Un bilan effroyable

| | Nombre |
|---|---|
| **Les Juifs** | |
| Morts dans les ghettos et par privation | Plus de 800 000 |
| Morts par l'action des *Einsatzgruppen* | Plus de 1 300 000 |
| Morts dans les camps | 3 000 000 |
| TOTAL | **5 100 000** (entre 54 % et 64 % de la population juive européenne de 1939) |
| **Les Tziganes** | **240 000** (34 % de la population tzigane de 1939) |
| **Les malades mentaux** | **70 000** |

**COUP DE POUCE**

Pour vous aider à rédiger votre discours, reproduisez et complétez le tableau suivant.

| | Doc 1 | Doc 2 | Doc 3 | Doc 4 | Doc 5 | Doc 6 |
|---|---|---|---|---|---|---|
| Les responsables | | – | | – | – | – |
| Les moyens mis en œuvre | | | | | | |
| Victimes et bilan | | | | | | |

# Je découvre

**SOCLE** Compétences
- **Domaine 1** : Je m'exprime à l'oral et à l'écrit
- **Domaine 5** : Je sais identifier les sources de conflits et les solidarités d'un moment de l'histoire

# Les résistances au nazisme en Europe

**Question clé** Quelles sont les différentes formes de résistance au nazisme en Europe ?

## 1 En Belgique : un exemple de résistance civile

### Camarades de Cockerill !
### Ne travaillez dans aucune division

**1.** si les délégués d'ouvriers ne sont pas connus ;

**2.** si l'on arrête ou si l'on inquiète un seul ouvrier ;

**3.** si les 300 g de pain et le ½ kg de pommes de terre ne sont pas assurés ;

**4.** si la ration de charbon n'atteint pas 500 kg ;

**5.** si nos salaires n'augmentent pas de 50 %, puisque le coût de la vie a haussé de 100 %.

N'écoutez pas les lâches, ceux qui prêchent la soumission à tout prix, ceux qui font la besogne des patrons et de l'occupant.

### Bras croisés jusqu'à la victoire !
### Ne laissez frapper aucun de vous !

■ Extrait d'un tract rédigé par le Comité de lutte syndicale belge, octobre 1941.

> **VOCABULAIRE**
>
> ▶ **Ghetto**
> → p. 61.
>
> ▶ **Partisan**
> Combattant armé ne faisant pas partie d'une armée régulière.
>
> ▶ **Résistance civile**
> Actions résistantes non armées.

## 2 En Norvège : la résistance au gouvernement de collaboration

*La Norvège est dirigée par un gouvernement allié aux nazis. En février 1942, il veut imposer aux enseignants la création d'un syndicat unique (Norges Laerersamband). Chaque enseignant souhaitant s'opposer à cette mesure peut adresser la lettre ci-dessous.*

Ces deux choses sont incompatibles : être enseignant et être membre du Norges Laerersamband. Je refuse d'adhérer à cette organisation. Notre tâche est de donner à chacun d'entre vous la formation nécessaire pour qu'il puisse se réaliser en tant qu'être humain de telle façon qu'il puisse prendre place dans la société pour son bien et celui d'autrui. La vocation de l'enseignant ne consiste pas seulement à transmettre des connaissances. Il doit apprendre aussi aux élèves le sens de la vérité et de la justice et les moyens de la défendre. C'est pourquoi les enseignants ne peuvent enseigner ce qui violerait leur conscience, sans trahir leur vocation, ce que je ne ferai jamais, je vous le promets.

■ Cité par Jacques Sémelin, *Sans armes face à Hitler, 1939-1945, la résistance civile en Europe*, Les Arènes, 2013.

## 3 Au Danemark : une résistance nationale à la déportation des Juifs

En octobre 1943, les autorités danoises sont prévenues d'une rafle imminente des Juifs. Elles encouragent alors les pêcheurs danois à conduire en Suède, pays neutre, la plus grande partie de la population juive du Danemark.

## 4 En Pologne : la résistance des Juifs du ghetto de Varsovie

*Le ghetto concentre plus de 500 000 personnes ; sa liquidation totale est décidée le 19 avril 1943. Les Juifs du ghetto de Varsovie se révoltent ; ils résistent aux nazis du 19 avril au 16 mai 1943.*

Mercredi 21 avril.

Dès 6 heures du matin, tous nos groupes de combat se trouvent à leurs postes et attendent l'arrivée des Allemands. [...] L'invitation au départ et la déclaration annonçant que tous ceux qui resteront dans le ghetto seront traités en « illégaux » provoquent maintes hésitations. [...]

L'Organisation de combat[1], elle, maintient sa résolution. Quand le premier groupe d'Allemands arrive devant la porte, il est bombardé à coups de grenades. Parmi les Allemands et les Ukrainiens[2], il y a des tués et des blessés. [...] En même temps le groupe de combat posté au 67 de la rue Nowolipie, auquel se joignent les groupes stationnés aux numéros 74 et 76 de la rue Leszno, attaque un détachement allemand. [...] Ici les Allemands laissent également des tués.

■ Témoignage de S. Grajek, cité par Michel Borwicz, *L'Insurrection du ghetto de Varsovie*, Gallimard, 1966.

1. Organisation juive de combat créée en 1942 qui réunit les organisations résistantes du ghetto.
2. Les troupes nazies sont accompagnées d'auxiliaires ukrainiens.

## 5 En Grèce : une guerre de partisans

La Grèce est occupée par les forces de l'Axe à partir d'avril 1941. La résistance militaire s'y développe alors rapidement.

Combattante grecque photographiée en octobre 1944.

**INFOS**

En mai 1943, **près de 30 000 habitants** du ghetto de Varsovie sont arrêtés. **7 000** d'entre eux sont abattus et **22 000 déportés** dans le camp de Treblinka.

---

## Activités

**Question clé** Quelles sont les différentes formes de résistance au nazisme en Europe ?

### ITINÉRAIRE 1

▶ **J'identifie les documents et leur point de vue particulier**

❶ **Doc 1 à 5.** Identifiez, à l'aide des cartes p. 57, la situation politique de chacun des pays concernés.

❷ **Doc 1 et 2.** Comment se manifeste le refus de collaborer en Belgique et en Norvège ?

❸ **Doc 3.** Quel est l'objectif des autorités danoises ?

❹ **Doc 4 et 5.** Comment les résistants agissent-ils dans les cas présentés dans ces documents ?

▶ **Je décris et j'explique à l'écrit une situation historique**

❺ Vous habitez l'un des pays cités dans les documents et vous envoyez une lettre à votre ami-e anglais-e pour lui raconter les différentes formes de résistance au nazisme en Europe.

**ou**

### ITINÉRAIRE 2

▶ **J'argumente à l'oral de façon claire et organisée**

À l'aide des documents, préparez un exposé pour répondre à la question clé.

**MÉTHODE**

▶ Résumez chaque cas de résistance.
▶ Classez les différents exemples en deux grands groupes :
 – résistance civile ;
 – résistance armée.

**SOCLE** Compétence

▸ **Domaine 5** : Je comprends que la connaissance du passé éclaire le présent et permet de l'interpréter

# Auschwitz, du centre de mise à mort au lieu de mémoire

**III<sup>e</sup> REICH**
**Auschwitz**

## A  Auschwitz, symbole des génocides

**INFOS**

À la fin de l'année 1942, le camp d'Auschwitz–Birkenau devient **le plus grand centre de mise à mort** du Reich. 1,3 million de personnes de toute l'Europe y ont été déportées. 1,1 million y sont mortes, dont 960 000 Juifs et 21 000 Tziganes.

### 1 La sélection à l'arrivée des convois

Les hommes sont séparés des femmes et des enfants. Les nazis vont ensuite sélectionner ceux qui sont aptes au travail et ceux qui sont destinés à la mort par gazage.

Arrivée d'un convoi de Juifs de Hongrie en juin 1944.

### 2 Auschwitz, la mort de masse

En juin 1941, je reçus l'ordre d'organiser l'extermination à Auschwitz [...].

Je me rendis à Treblinka[1] pour voir comment s'effectuaient les opérations d'extermination. Le commandant du camp de Treblinka me dit qu'il avait fait disparaître 80 000 détenus en six mois. Il s'occupait plus particulièrement des Juifs du ghetto de Varsovie. Il utilisait l'oxyde de carbone. Cependant, ses méthodes ne me parurent pas très efficaces. Aussi, quand j'installai le bâtiment d'extermination d'Auschwitz, mon choix se porta sur le zyklon B[2] [...] que nous laissions tomber dans la chambre de mort par une petite ouverture.

[...] Nous savions que les gens étaient morts lorsqu'ils cessaient de crier. Ensuite nous attendions environ une demi-heure avant d'ouvrir les portes et d'enlever les corps. Une fois les corps sortis, nos commandos spéciaux leur retiraient bagues et alliances, ainsi que l'or des dents.

■ Déposition de Rudolf Höss, commandant du camp d'Auschwitz, au procès de Nuremberg, cité par W. L. Shirer, *Le III<sup>e</sup> Reich*, Agence Michelle Lapautre, 1960.

1. Centre de mise à mort près de Varsovie en Pologne.
2. Puissant insecticide utilisé pour gazer les Juifs.

### 3 Le destin des détenus au travail

*Primo Levi, résistant juif italien, est déporté au camp de travail d'Auschwitz en 1944.*

Au bout de quinze jours de *Lager* (camp), je connais déjà la faim réglementaire, cette faim chronique que les hommes libres ne connaissent pas, qui fait rêver la nuit et s'installe dans toutes les parties de notre corps. [...] Je pousse des wagons, je manie la pelle, je fonds sous la pluie et je tremble dans le vent. Déjà mon corps n'est plus mon corps, j'ai le ventre enflé, les membres desséchés, le visage bouffi le matin et creusé le soir ; chez certains, la peau est devenue jaune, chez d'autres, grise ; quand nous restons trois ou quatre jours sans nous voir, nous avons du mal à nous reconnaître.

■ Primo Levi, *Si c'est un homme*, Julliard, 1987, 1994, Robert Laffont, 1996.

**PISTES EPI** Français

# B Auschwitz, un lieu de mémoire touristique

**4** **Des visiteurs très nombreux, 2014**

Entrée du camp d'Auschwitz surplombée par l'inscription *Arbeit macht frei* (« Le travail rend libre »).

**5** **Tourisme de masse et mémoire des génocides**

Aujourd'hui, pour apercevoir le portique *Arbeit macht frei* (« Le travail rend libre ») d'Auschwitz et les ruines des chambres à gaz d'Auschwitz II Birkenau, on vient de France, d'Allemagne, d'Italie, d'Israël, mais aussi de Corée du Sud, du Japon, de Chine... En 2014, le nombre de visiteurs, scolaires compris, a atteint 1,5 million. [...]

Mieux vaut l'afflux de visiteurs que l'oubli. L'historien Henry Rousso [analyse] : « À partir du moment où Auschwitz a été transformé en musée, où les gouvernements et les associations ont favorisé les voyages pédagogiques, où il y a eu volonté de sensibiliser le plus grand nombre à la charge symbolique du camp, on ne pouvait échapper à la mémoire de masse, donc au tourisme de masse. Difficile, dans ces conditions, de conserver à un tel lieu une dimension sacrée. »

▪ Nathalie Funès, « Tourisme mémoriel : "Auschwitz-Birkenau Tour, prix imbattables" », *L'Obs*, 27 janvier 2015.

## QUESTIONS

▶ **J'observe les traces du passé**

**1** **Doc 1 à 3.** Quelles sont nos sources pour savoir ce qu'il s'est passé à Auschwitz ?

**2** **Doc 1 à 3.** Quel est le sort des populations déportées au camp d'Auschwitz ?

**3** **Doc 1 à 3.** Montrez que les assassinats sont rigoureusement organisés à Auschwitz.

▶ **Je fais le lien entre le passé et le présent**

**4** **Doc 4 et 5.** D'après vous, pourquoi le tourisme de masse est-il aussi développé à Auschwitz ?

**5** **Doc 4 et 5.** Pourquoi ce tourisme est-il à la fois nécessaire et problématique pour un lieu comme Auschwitz ?

# La Seconde Guerre mondiale, une guerre d'anéantissement (1939–1945)

➡ Pourquoi la Seconde Guerre mondiale est-elle une guerre d'anéantissement ?

**SHOAH**

Le génocide des Juifs peut être désigné par le terme hébreu **shoah** qui signifie catastrophe, calamité, désastre.

Dans le monde anglo-saxon, on parle d'**holocauste**. L'expression « **solution finale** » est le terme nazi.

## A Une guerre mondiale et totale

### 1. Une guerre planétaire

● La Seconde Guerre mondiale est une **guerre idéologique**. D'un côté, **l'Allemagne nazie, l'Italie fasciste et le Japon** sont des dictatures fondées sur une idéologie raciste et sur la guerre de conquête. De l'autre, **les États-Unis et le Royaume-Uni** se battent au nom des valeurs de liberté, de démocratie et des droits de l'homme. L'URSS rejoint les Alliés en 1941. Il s'agit donc d'une lutte entre **deux visions du monde**.

● Les colonies britanniques et françaises sont mobilisées (soldats, matières premières). Avec **l'entrée en guerre des États-Unis en 1941**, **le Pacifique devient un théâtre d'opérations majeur** ; le monde entier est en guerre.

### 2. Une mobilisation totale

● Dans cette guerre totale, tous les **moyens humains et matériels** sont mis en œuvre par les États en guerre pour permettre la victoire finale. La guerre accélère les **innovations scientifiques et techniques** (radar, moteur à réaction...). Un pas décisif est franchi avec la mise au point par les États-Unis de **l'arme nucléaire** en 1945.

## B Les violences de guerre

### 1. Les victimes militaires et civiles

● Des **millions d'hommes sont mobilisés** dans les armées et les batailles, comme à Stalingrad, sont d'une grande violence. La modernisation des armements provoque des pertes considérables.

● Mais ce sont surtout les **civils** qui sont devenus des **cibles lors de bombardements** massifs comme celui de Londres en 1940 par les Allemands, ou celui de Dresde par les Alliés en 1943.

● L'utilisation de la **bombe atomique** par les Américains contre le Japon détruit les villes de Hiroshima et Nagasaki en août 1945.

### 2. Résistances au nazisme

● Dans de nombreux pays occupés par les Allemands ou les Japonais, des **résistances** s'organisent. Elles s'opposent aux occupants et aux régimes de collaboration par des **actions civiles de refus** (grèves par exemple), mais aussi par les **armes** (sabotages, assassinats...).

**CHIFFRES CLÉS**

**Le bilan de la guerre**

➡ **50 millions** de morts, en majorité des civils.

➡ **5 à 6 millions** de Juifs et **240 000** Tziganes sont **exterminés**.

➡ L'**URSS** a perdu **10 %** de sa population de 1939 ; la **Pologne, 14 %** ; l'**Allemagne, 7 à 12 %**.

## C Les **génocides** des Juifs et des Tziganes

### 1. Guerre et extermination

● La guerre accélère le **processus d'élimination** de toutes les populations que les nazis jugent inférieures. Un programme d'élimination des **malades mentaux** en Allemagne est mis en œuvre à partir de 1940.

● En 1941, l'invasion de l'URSS s'accompagne d'exécutions massives de **populations juives**, systématisées par les *Einsatzgruppen*.

### 2. La mise en œuvre des génocides

● La décision d'extermination globale est officialisée en **1942 lors de la conférence de Wannsee**. Une douzaine de **centres de mise à mort** sont créés pour assassiner les populations juives de façon industrielle. Les convois de Tziganes vers les camps débutent en 1943.

● Le camp d'**Auschwitz** est le plus grand de ces centres. Des populations raflées dans toute l'Europe y sont **déportées**. Beaucoup meurent avant même d'atteindre le camp. Une fois arrivés, les déportés sont séparés entre ceux qui peuvent travailler et ceux (enfants, vieillards, malades) qui sont immédiatement assassinés dans des chambres à gaz. Les corps sont ensuite brûlés.

● Le bilan de cette politique est épouvantable : **5 à 6 millions de Juifs et 240 000 Tziganes ont été exterminés en Europe.**

## Je retiens autrement

| Une guerre totale |
|---|

**Une guerre idéologique**
- **L'Axe** : s'emparer des territoires de l'adversaire pour s'étendre
- **Les Alliés** : détruire les dictatures pour faire triompher la liberté et la démocratie

**Une guerre mondiale**
- Des combats en Europe, en Afrique, en Asie et dans le Pacifique
- Des **résistances civiles** (sabotages, grèves…) en Europe

**La mobilisation des économies et des sociétés**
- **Mobilisation des populations** : soldats et civils
- **Des armes nouvelles**, armes de destruction massive (bombe atomique…)

| Une guerre d'anéantissement |
|---|

**Des territoires ravagés**
- Une Europe en ruines
- Des villes japonaises détruites par l'**arme atomique**

**De très nombreuses victimes**
- Plus de **50 millions de morts**, en majorité des civils

**Une guerre d'extermination raciale**
- En Europe, **génocide** des Juifs et des Tziganes par les nazis (*Einsatzgruppen*, centres de mise à mort)

# Apprendre à apprendre

## Comment apprendre ma leçon ?

### Je réalise un plan détaillé du chapitre

Le plan détaillé est un bon outil pour réviser vos leçons : c'est le résumé du chapitre.

▶ **Étape 1**

- Pour construire le plan détaillé, il faut d'abord trier les informations et sélectionner les éléments à retenir : le sujet de la leçon, la question clé, les repères chronologiques et spatiaux, les grands thèmes du chapitre, les mots clés à retenir.

▶ **Étape 2**

- Hiérarchisez les informations, en allant à la ligne et en insistant sur les titres et sous-titres du chapitre.

> • N'hésitez pas à utiliser un code couleurs pour organiser toujours de la même manière les informations importantes : titres, questions clés, vocabulaire, repères…
>
> • Vous pouvez faire des abréviations. Ex. : 2e GM (Seconde Guerre mondiale)

---

**Titre :** LA SECONDE GUERRE MONDIALE, UNE GUERRE D'ANÉANTISSEMENT

**Question clé :** Pourquoi la Seconde Guerre mondiale est-elle une guerre d'anéantissement ?

**Plan :**

I. Une guerre aux dimensions planétaires

A. Fascismes contre démocraties

• 2e GM = guerre idéologique / 2 visions du monde

| **L'Axe :** Allemagne nazie, Italie fasciste, Japon = dictatures | **Les Alliés :** États-Unis et Royaume-Uni = démocraties |
|---|---|
| Guerre de conquête, idéologie raciste | Défense des droits de l'homme et de la liberté |

B. Une guerre mondiale

• Colonies mobilisées

• Entrée en guerre des USA en 1941

C. Une mobilisation totale

…

---

## Je révise chez moi

● **Je vérifie que je connais les principaux repères du chapitre.**

**Je sais définir et utiliser dans une phrase :**

▶ Alliés
▶ Axe
▶ génocide
▶ *Einsatzgruppen*
▶ centre de mise à mort

**Je sais situer :**

▶ **sur une frise :**
– le début et la fin de la guerre ;
– la bombe atomique sur Hiroshima et Nagasaki.

▶ **sur une carte :**
– Auschwitz ;
– Stalingrad ;
– Hiroshima.

site élève
⬇ fond de carte et frise

**Je sais expliquer :**

▶ pourquoi la Seconde Guerre mondiale est une guerre d'anéantissement.

▶ ce que sont les génocides des Juifs et des Tziganes.

## Je vérifie mes connaissances

**1** Pour chaque affirmation, je donne un exemple précis illustrant l'idée que la Seconde Guerre mondiale est une guerre d'anéantissement.

a. Par l'implication armée des civils
→ Ex. : ................................. (doc ... p. ...)

c. Par les bombardements contre les populations civiles
→ Ex. : ................................. (doc ... p. ...)

b. Par la politique d'extermination
→ Ex. : ................................. (doc ... p. ...)

d. Par les massacres contre les civils
→ Ex. : ................................. (doc ... p. ...)

**2** J'indique la (ou les) bonne(s) réponse(s).

**1.** La Seconde Guerre mondiale connaît un bilan humain très lourd :
- [a] de 10 millions de morts.
- [b] de 50 millions de morts.
- [c] de 500 millions de morts.

**2.** Les victimes de la politique d'extermination sont :
- [a] exclusivement des populations juives.
- [b] des populations juives et tziganes.
- [c] des populations de toute l'Europe.

**3.** Les civils se sont engagés dans la Résistance :
- [a] par des actions armées.
- [b] par des actions d'information.
- [c] par des refus d'obéissance.

**4.** Les *Einsatzgruppen* sont des groupes spéciaux :
- [a] qui répriment les résistants.
- [b] qui massacrent les populations juives.
- [c] qui sont surveillants dans les centres de mise à mort.

**3** Je raconte à partir d'images.

Je rédige un paragraphe ou j'explique à l'oral ce que chaque document, issu du chapitre, m'a appris sur la Seconde Guerre mondiale.

a.

b.

c.

**4** Retrouvez d'autres exercices sous forme interactive sur le site Nathan.

site élève
⬇ exercices interactifs

## EXERCICE 1 — Analyser et comprendre des documents (20 points)

### Le témoignage d'une déportée à Auschwitz-Birkenau

Quand un convoi de Juifs arrivait, on sélectionnait d'abord les vieillards, les vieilles femmes, les mères et les enfants qu'on faisait monter en camions, ainsi que les malades ou ceux qui paraissaient de constitution faible. On ne prenait que les jeunes femmes et jeunes filles, et les jeunes gens qu'on envoyait au camp des hommes. [...]

On faisait pénétrer les gens, une fois déshabillés, dans une pièce qui ressemblait à une salle de douches, et par un orifice dans le plafond, on lançait les capsules de gaz. Un SS regardait par un hublot l'effet produit. Au bout de cinq à sept minutes, lorsque le gaz avait fait son œuvre, il donnait le signal pour qu'on ouvre les portes. Des hommes avec des masques à gaz – ces hommes étaient des détenus – pénétraient dans la salle et retiraient les corps. [...]

Il y avait à Auschwitz huit fours crématoires. Mais à partir de 1944, ce n'était pas suffisant. Les SS ont fait creuser par les détenus de grandes fosses dans lesquelles ils mettaient des branchages arrosés d'essence qu'ils enflammaient. Ils jetaient les corps dans ces fosses.

■ Témoignage de Marie-Claude Vaillant-Couturier au procès de Nuremberg[1], 28 janvier 1946.

1. Procès chargé de juger les principaux dirigeants nazis entre le 20 novembre 1945 et le 1er octobre 1946.

**QUESTIONS**

site élève
↧ analyser un témoignage

❶ Identifiez l'auteur de ce témoignage et expliquez dans quel contexte il a été présenté.

❷ Quelles personnes arrivent en convoi à Auschwitz-Birkenau ? Identifiez les différentes étapes qui suivent l'arrivée d'un convoi.

❸ Relevez les éléments qui montrent qu'Auschwitz-Birkenau a été conçu comme un centre de mise à mort de masse.

❹ Comment se nomme le fait évoqué dans ce document ? Expliquez pourquoi le témoignage de Marie-Claude Vaillant-Couturier est d'une grande importance pour établir la vérité sur ce fait historique.

❺ À l'aide du document et de vos connaissances, expliquez en quoi ce témoignage caractérise la Seconde Guerre mondiale en tant que guerre d'anéantissement.

**MÉTHODE**

**J'identifie un document et son point de vue particulier (→ Questions ❶ et ❹)**

▶ Le document doit vous aider à analyser une situation historique. Il faut donc comprendre quel type d'information il peut vous apporter.

▶ Rappelez-vous que tout document est créé par un auteur, sur lequel vous devez vous interroger. L'auteur est-il témoin ou acteur de cette situation ? En fait-il une description ? En propose-t-il une analyse ou porte-t-il un jugement ? Cherche-t-il à diffuser ce qu'il pense, et pourquoi ?

→ *Exemples :*
**Question ❶ :** expliquez le lien entre Marie-Claude Vaillant-Couturier et Auschwitz-Birkenau ; expliquez ce qu'est le procès de Nuremberg.
**Question ❹ :** réfléchissez à la précision des informations apportées dans le témoignage.

## EXERCICE 2 — Maîtriser différents langages (20 points)

**CONSIGNE** Sous la forme d'un développement construit d'une vingtaine de lignes, et en vous appuyant sur des exemples étudiés en classe, expliquez et décrivez le génocide des Juifs.

**CONSEILS**

→ Pour construire votre texte, vous pouvez l'organiser en deux parties qui montrent :
• pourquoi ce génocide est décidé par les nazis ;
• comment il est mis en œuvre.

## SUJET BLANC

### EXERCICE **1** Analyser et comprendre des documents (20 points)

La ville de Coventry (Royaume-Uni)
après un bombardement allemand, 14-15 novembre 1940

**QUESTIONS**

**1** Où et dans quel contexte cette photographie a-t-elle été prise ?

**2** Décrivez cette scène. Quelles sont les conséquences de ce bombardement pour les civils ?

**3** Quel pays a organisé le bombardement de Coventry ? D'après vos connaissances, pourquoi ?

**4** D'après vos connaissances, en 1940, les habitants de Coventry ont-ils été les seuls à subir des bombardements de la part de ce pays ?

**5** À l'aide du document et de vos connaissances, expliquez quels objectifs recherchaient les États en guerre lors de la Seconde Guerre mondiale en bombardant les villes.

### EXERCICE **2** Maîtriser différents langages (20 points)

**CONSIGNE** Sous la forme d'un développement construit d'une vingtaine de lignes et en prenant appui sur des exemples étudiés en classe, expliquez pourquoi la Seconde Guerre mondiale a été une guerre d'anéantissement.

### MON BILAN DE COMPÉTENCES

| Domaines du socle | Compétences travaillées | Pages du chapitre |
|---|---|---|
| **D1** Les langages pour penser et communiquer | • Je sais me repérer dans le temps et dans l'espace<br>• Je sais m'exprimer à l'écrit pour argumenter<br>• Je sais me poser des questions et justifier mes réponses<br>• Je sais m'exprimer à l'oral et à l'écrit | Je me repère ............ p. 56-57<br>Je découvre ............ p. 58-59<br>J'enquête ............ p. 60-61<br>Je découvre ............ p. 62-63 |
| **D2** Méthodes et outils pour apprendre | • Je sais analyser des documents et les expliquer en exerçant mon esprit critique<br>• Je sais organiser mon travail personnel | Je découvre ............ p. 58-59<br><br>Apprendre à apprendre ...... p. 68 |
| **D5** Les représentations du monde et de l'activité humaine | • Je construis ma citoyenneté par la compréhension de moments de l'histoire<br>• Je sais identifier les sources de conflits et les solidarités d'un moment de l'histoire<br>• Je comprends que la connaissance du passé éclaire le présent et permet de l'interpréter | Je découvre ............ p. 58-59<br><br>Je découvre ............ p. 62-63<br><br>D'hier à aujourd'hui .... p. 64-65 |

# Régime de Vichy, Collaboration et Résistance en France (1940–1944)

→ **Quelles ont été les conséquences de la défaite de 1940 en France ?**

**Au cycle 4, en 4e**

**En histoire**, j'ai étudié la IIIe République, ses valeurs et ses symboles.

**En EMC**, j'ai étudié les grands principes de la République française : liberté, égalité et fraternité.

**Au cycle 4, en 3e**

**Chapitre 3**
J'ai étudié la Seconde Guerre mondiale, la guerre d'anéantissement et les génocides des populations juives et tziganes.

**Ce que je vais découvrir**

La défaite de 1940 permet au régime de Vichy de renverser la République. Celui-ci s'engage dans la collaboration avec l'Allemagne. En France et outre-mer, la Résistance s'organise.

**1** **Le régime de Vichy dirigé par le maréchal Pétain**

Le maréchal Pétain est, pour les Français de l'époque, un héros de la Première Guerre mondiale. Il a notamment commandé à Verdun. Il arrive au pouvoir suite à la défaite militaire de 1940.

Image de propagande, années 1940.

Le terme de « Résistance » apparaît pour la première fois dans l'appel du 18 juin 1940 de Charles de Gaulle. Peu à peu, ce terme se généralise dans la presse clandestine.

**2** **La Résistance armée contre les nazis et Vichy**

Groupe de résistants initiés au maniement des armes, Haute-Loire, 1944.

# Je me repère

## La France occupée (1940–1944)

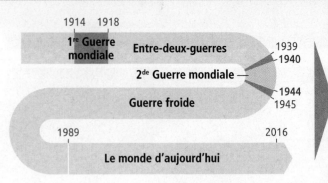

1914  1918
1re Guerre mondiale   Entre-deux-guerres   1939–1940
2de Guerre mondiale — 1944
Guerre froide   1945
1989   2016
Le monde d'aujourd'hui

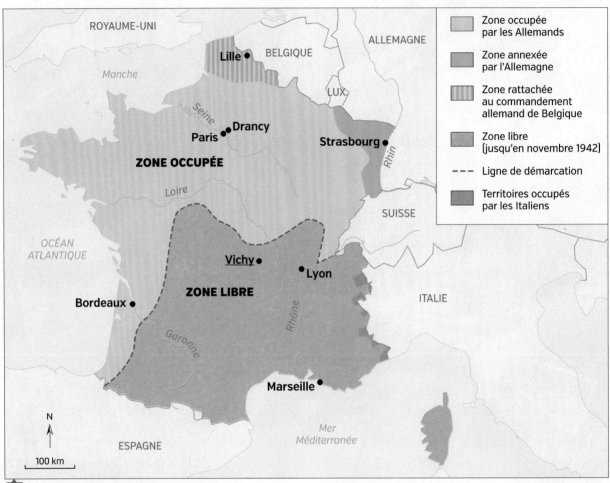

ROYAUME-UNI
ALLEMAGNE
Manche
Lille
BELGIQUE
LUX
Seine
Drancy
Paris
Strasbourg
ZONE OCCUPÉE
Rhin
Loire
SUISSE
OCÉAN ATLANTIQUE
Vichy
Lyon
ZONE LIBRE
Bordeaux
Rhône
ITALIE
Garonne
Marseille
N
ESPAGNE
Mer Méditerranée
100 km

**Légende :**
- Zone occupée par les Allemands
- Zone annexée par l'Allemagne
- Zone rattachée au commandement allemand de Belgique
- Zone libre (jusqu'en novembre 1942)
- - - - Ligne de démarcation
- Territoires occupés par les Italiens

**1** La France après l'armistice, en juin 1940

## QUESTIONS

▶ Je me repère dans le temps et dans l'espace

**①** Quand la France est-elle vaincue par l'Allemagne ?

**②** Quelles sont les conséquences de la défaite pour le territoire français ?

**③** Comment s'appelle le régime qui succède à la IIIe République ?

**④** Sur quels territoires la France libre exerce-t-elle son autorité ?

## VOCABULAIRE

▸ **Armistice**
Accord conclu par des pays en guerre pour suspendre les combats.

▸ **Conseil national de la Résistance (CNR)**
Institution qui unit les différents mouvements de résistance à partir de 1943.

▸ **France libre**
Ensemble des organisations de résistance extérieure sous l'autorité du général de Gaulle.

▸ **Service du travail obligatoire (STO)**
Mobilisation des hommes français entre 20 et 23 ans pour travailler dans les entreprises allemandes.

## Timeline

| 1940 | 1941 | 1942 | 1943 | 1944 |

**IIIᵉ République**

**Mai-juin 1940** ✹
Défaite de
la France et
effondrement de
la IIIᵉ République

**● 18 juin 1940**
Appel du général
de Gaulle

**● Octobre 1940**
Statut des Juifs
et entrevue de Montoire

**● 1941**
Création des premiers
mouvements de résistance

**Régime de Vichy**

**Juillet 1942 ●**
Rafle du Vel d'Hiv

**Novembre 1942** ✹
Débarquement
en Afrique du Nord

**● 1943**
STO
CNR

**6 juin 1944** ✹
Débarquement
en Normandie

**25 août 1944 ●**
Libération de Paris
Gouvernement Provisoire
de la République française (GPRF)

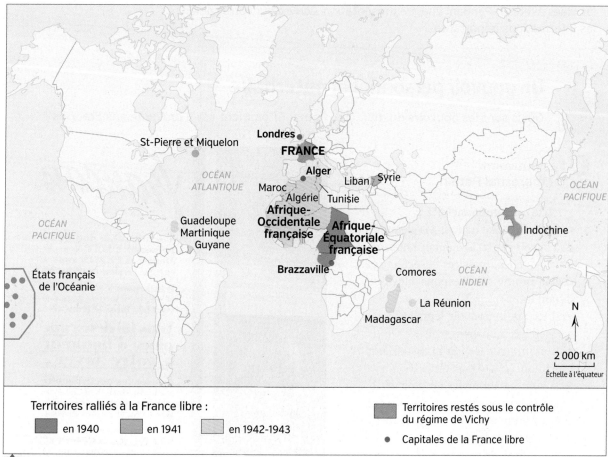

Territoires ralliés à la France libre :
en 1940  en 1941  en 1942-1943

Territoires restés sous le contrôle
du régime de Vichy

● Capitales de la France libre

**2 La France libre**

**BIOGRAPHIE**

**Philippe Pétain (1856-1951)**

En 1940, il signe l'armistice avec l'Allemagne et devient le chef de l'État français. Il dirige le régime de Vichy et met en œuvre la politique de collaboration.

**BIOGRAPHIE**

**Charles de Gaulle (1890-1970)**

Officier, il refuse l'armistice et devient le chef de la France libre après l'appel du 18 juin 1940. Il devient chef du gouvernement provisoire de la République française en 1944.

**BIOGRAPHIE**

**Jean Moulin (1899-1943)**

Préfet de Chartres, il rejoint la France libre et il est chargé d'unifier les mouvements de résistance intérieure. Il fonde le CNR. Il est arrêté en juin 1943 et meurt après avoir été torturé par les nazis.

**SOCLE** Compétences

▶ **Domaine 3** : Je comprends les principes qui garantissent la liberté de tous
▶ **Domaine 2** : Je discute, j'explique, je confronte mon point de vue dans un groupe

# Vichy, un régime antirépublicain

**CONSIGNE**

Répartis en équipes, vous devez montrer que le régime de Vichy est un régime antirépublicain et expliquer comment il organise la vie politique et sociale à partir de 1940.

Chaque équipe présente le résultat de son travail en écrivant au tableau les idées à retenir. Pendant chaque présentation, écrivez sur votre cahier les informations importantes.

**ÉQUIPE 1**

## Un pouvoir personnel et autoritaire

Quels sont les pouvoirs du maréchal Pétain ? Comment est-il présenté aux Français ?

**1** **Les pouvoirs du maréchal Pétain**

> **Acte constitutionnel n°2 :**
> 1. Le chef de l'État français a la plénitude du pouvoir gouvernemental, il nomme et révoque les ministres et secrétaires d'État, qui ne sont responsables que devant lui.
> 2. Il exerce le pouvoir législatif[1], en Conseil des ministres.
> 3. Il promulgue les lois et assure leur exécution.
> 4. Il nomme à tous les emplois civils et militaires pour lesquels la loi n'a pas prévu d'autre mode de désignation.
> 5. Il dispose de la force armée.
> 6. Il a le droit de grâce et d'amnistie[2].
>
> **Acte constitutionnel n°3 :**
> Le Sénat et la Chambre des députés sont ajournés[3] jusqu'à nouvel ordre.
>
> ■ Extraits des *Actes constitutionnels*, juillet 1940.

1. Pouvoir de créer des lois. 2. Effacement des condamnations judiciaires. 3. Suspendus.

**VOCABULAIRE**

▶ **Culte de la personnalité**
Ensemble de pratiques utilisées pour convaincre un peuple qu'une personne est supérieure et infaillible.

**2** **Le culte de la personnalité**
Affiche publicitaire pour la vente de portraits du maréchal Philippe Pétain, vers 1940.

# Construire une nouvelle société

Comment le régime de Vichy encadre-t-il la société française ?
Quelle nouvelle société veut-il construire ?

**3** **La propagande au service du régime de Vichy**
Jeunes sportifs prêtant le « serment de l'athlète » lors
d'une manifestation sportive, Parc des princes, 1941.

## VOCABULAIRE

▸ **Propagande**
Ensemble des pratiques (affiches, presse…) visant
à encadrer une société pour la convaincre de
la supériorité d'une idéologie ou d'une politique.

▸ **Révolution nationale**
Idéologie du régime de Vichy fondée sur la devise
« Travail, famille, patrie » et qui rompt avec les principes
républicains de liberté, d'égalité et de fraternité.

**4** **L'idéologie de la Révolution nationale**

Le régime nouveau sera une hiérarchie sociale. Il ne reposera plus sur l'idée fausse de l'égalité naturelle des hommes, mais sur l'idée nécessaire de l'égalité des chances données à tous les Français de prouver leur aptitude à servir. [...]

L'autorité est nécessaire pour sauvegarder la liberté de l'État, garantie des libertés individuelles en face des coalitions[1] d'intérêts particuliers. Nous ne perdrons, en réalité, certaines apparences trompeuses de la liberté que pour mieux en sauver la substance [...].

Tous les Français, ouvriers, cultivateurs, fonctionnaires, techniciens, patrons ont d'abord le devoir de travailler [...]. Les organisations professionnelles traiteront de tout ce qui concerne le métier, mais se limiteront au seul domaine professionnel. Elles assureront, sous l'autorité de l'État, la rédaction et l'exécution des conventions de travail. [...] Elles éviteront les conflits par l'interdiction absolue des « lock-out »[2] et des grèves.

■ Philippe Pétain, message radiodiffusé, octobre 1940.

1. Regroupements.
2. Licenciement par un patron de tous ses salariés.

ÉQUIPE **3**

## La limitation des libertés

Quelles libertés le régime de Vichy remet-il en cause ?
Comment traite-t-il ses opposants ?

### 5 Le contrôle de la radio

**Article 1er.** Est interdite la réception, sur la voie publique ou dans les lieux ouverts au public, des émissions radiophoniques des postes britanniques, et en général, de tous postes se livrant à une propagande antinationale.

**Article 2.** Toute infraction aux présentes dispositions sera punie d'une amende de 16 à 100 francs et d'un emprisonnement de six jours à six mois, ou d'une des deux peines seulement.

Il pourra, en outre, être procédé à la saisie administrative[1] des postes de réception.

■ Loi sur l'interdiction de réception de certaines émissions radiophoniques, 28 octobre 1940.

1. Confiscation par l'État.

Famille française écoutant un discours du maréchal Pétain à la radio, 16 juin 1941.

### 6 Des camps d'internement

Le régime de Vichy a interné plus de 2 000 opposants, la plupart communistes, dans le camp d'internement de Voves.

Camp de prisonniers politiques de Voves (Eure-et-Loir), vers 1942-1944.

## Un régime antisémite

Comment se manifeste l'antisémitisme de Vichy ?
De quelles discriminations sont victimes les Juifs de France ?

### 7 Le premier statut des Juifs

**Article 1er**. Est regardé comme Juif, pour l'application de la présente loi, toute personne issue de trois grands-parents de race juive ou de deux grands-parents de la même race, si son conjoint lui-même est juif.

**Article 2.** L'accès et l'exercice des fonctions publiques et mandats énumérés ci-après sont interdits aux Juifs :

1. Chef de l'État, membre du gouvernement, Cour de cassation, Cour des comptes, cours d'appel, tribunaux de première instance et toutes assemblées issues de l'élection [...]

4. Membres des corps enseignants.

5. Officiers des armées. [...]

**Article 5.** Les Juifs ne pourront, sans condition ni réserve, exercer l'une quelconque des professions suivantes : directeurs, gérants, rédacteurs de journaux, revues, agences ou périodiques [...], gérants de toutes entreprises se rapportant à la radiodiffusion. [...]

**Article 7.** Les fonctionnaires juifs visés aux articles 2 et 3 cesseront d'exercer leurs fonctions dans les deux mois qui suivront la promulgation de la présente loi.

■ Philippe Pétain, Vichy, 3 octobre 1940.

### 8 La propagande antisémite

Affiche publiée par le régime de Vichy, vers 1942.

---

**VOCABULAIRE**

▶ **Antisémitisme**
Hostilité, haine à l'égard des Juifs, considérés comme une race ou un groupe distinct et inférieur au reste de la société.

▶ **Propagande**
Ensemble des pratiques [affiches, presse...] visant à encadrer une société pour la convaincre de la supériorité d'une idéologie ou d'une politique.

**SOCLE** Compétences
- **Domaine 2** : J'identifie des documents et leur point de vue particulier
- **Domaine 1** : J'écris pour argumenter

TÂCHE COMPLEXE

# Le régime de Vichy dans la Collaboration

**CONSIGNE**

À l'occasion de la réalisation d'un documentaire historique mis en ligne sur le blog du collège, votre classe est chargée de montrer que le régime de Vichy a collaboré avec l'Allemagne nazie. Écrivez un texte dans lequel vous montrez comment les différentes facettes de cette politique ont mis la France de Vichy au service de l'Allemagne nazie.

## 1 Pétain engage la France dans la Collaboration

Français,

J'ai rencontré jeudi dernier le chancelier du Reich. [...] C'est librement que je me suis rendu à l'invitation du Führer [...]. Une collaboration a été envisagée entre nos deux pays. J'en ai accepté le principe. [...].

C'est dans l'honneur et pour maintenir l'unité française [...] que j'entre aujourd'hui dans la voie de la collaboration. Ainsi, dans un avenir prochain, pourrait être allégé le poids des souffrances de notre pays, amélioré le sort de nos prisonniers, atténuée la charge des frais d'occupation. Ainsi pourraient être assouplie la ligne de démarcation et facilités l'administration et le ravitaillement du territoire.

■ Discours radiodiffusé du maréchal Pétain, 30 octobre 1940.

Pétain rencontre Hitler à Montoire, octobre 1940.

## 2 La participation à l'effort de guerre allemand

**a. La participation française à l'économie allemande**

| | Juin 1940-1941 | 1943 |
|---|---|---|
| Versements de l'État français au Reich (en % du PIB français) | 19 % | 37 % |
| Part de la production de constructions aéronautiques destinée à l'Allemagne | 80 % | 100 % |

■ Sources : ministère des Finances, 1991 et J.-P. Azéma et F. Bédarida, *La France des années noires*, Éditions du Seuil, 1993.

**b. Des Français au service de l'Allemagne en 1943-1944**

| | |
|---|---|
| Travailleurs volontaires | 200 000 |
| Réquisition par le STO (→ p. 74) | 650 000 |
| Salariés d'entreprises françaises qui travaillent pour le Reich | 2 millions |
| Volontaires combattant pour les nazis | 40 000 à 60 000 |
| Total | Environ 50 % de la population en âge de travailler (sans compter les déportés) |

■ Source : J.-P. Azéma, O. Wieviorka, *Vichy 1940-1944*, Tempus, 1997.

JE TRAVAILLE EN ALLEMAGNE

POUR LA RELÈVE POUR MA FAMILLE POUR LA FRANCE

FAIS COMME MOI !

## 3 Le travail en Allemagne

Affiche émise par le gouvernement de Vichy, 1942.

## 4 Le gouvernement de Vichy et le génocide des Juifs

*Pierre Laval est nommé chef du gouvernement de Vichy en avril 1942.*

Objet : Déportation de France des Juifs

À Paris, le 2 juillet 1942

Les pourparlers avec le gouvernement français ont abouti, jusqu'à présent, au résultat suivant :

L'ensemble des Juifs apatrides[1] de zone occupée et de zone non occupée seront tenus prêts à notre disposition en vue de leur évacuation.

Le président Laval[2] a proposé que, lors de la déportation des familles juives de la zone occupée, les enfants âgés de moins de seize ans soit emmenés eux aussi. La question des enfants juifs restant en zone occupée ne les intéresse pas.

Je vous demande de prendre une décision d'urgence par télégramme, afin de savoir si, à partir du quinzième convoi de Juifs, les enfants au-dessous de seize ans pourront également être déportés [...].

Signé : Dannecker, SS

■ Cité par Serge Klarsfeld, *Vichy-Auschwitz, Le rôle de Vichy dans la solution finale de la question juive en France*, Fayard, 1983.

1. Sans patrie. 2. Chef du gouvernement du maréchal Pétain.

## 5 La police de Vichy arrête et déporte les Juifs

Départ des Juifs pour un camp d'internement de la région d'Orléans, Paris, mai 1941.

## 6 Le rôle de la Milice

*Dans l'attente de parachutages massifs d'armes, des résistants sont regroupés sur le plateau des Glières en Haute-Savoie. Le plateau est investi par la Milice et les Allemands en mars 1944.*

On tombe sur une patrouille allemande qui se met en batterie sur nous. Aussitôt, j'ai crié : « *Französische Miliz!* » Ils ont compris. Je me suis expliqué avec leur sous-officier qui s'est mis à ma disposition pour attaquer en ligne de bataille ; je l'ai guidé et, sur mes renseignements, nous avons fouillé la campagne. Après avoir patrouillé, je lui ai dit que le type était sans doute caché dans les bois ; il m'a remercié et nous sommes partis chacun de notre côté. On est très estimé des Allemands et, quand ils nous voient, ils viennent tous nous serrer la main.

■ Lettre d'un milicien, interceptée par la Résistance, publiée dans *Glières, première bataille de la Résistance*, 1946.

---

**COUP DE POUCE**

site élève
↴ tableau à imprimer

Pour vous aider à classer vos idées, recopiez et complétez ce tableau.
Rédigez ensuite votre texte : chaque paragraphe correspond à une ligne.

| | Doc 1 | Doc 2 | Doc 3 | Doc 4 | Doc 5 | Doc 6 |
|---|---|---|---|---|---|---|
| Une collaboration politique et militaire | | – | – | – | | |
| Une collaboration économique | – | | | – | – | – |
| Une complicité dans la mise en œuvre du génocide des Juifs | – | – | – | | | |

**SOCLE** Compétences
- **Domaine 1** : Je réalise un récit historique
- **Domaine 3** : Je comprends l'importance de l'engagement pour le respect des valeurs de la République

# La France libre : résister depuis l'Europe et le monde

**Question clé** Comment la France libre résiste-t-elle à l'Allemagne nazie et à ses alliés ?

## 1 L'appel du 18 juin 1940 : la naissance de la France libre

Certes, nous avons été, nous sommes, submergés par la force mécanique, terrestre et aérienne, de l'ennemi. [...] Mais le dernier mot est-il dit ? L'espérance doit-elle disparaître ? La défaite est-elle définitive ? Non ! Croyez-moi, moi qui vous parle en connaissance de cause et vous dis que rien n'est perdu pour la France. [...]

Elle a un vaste Empire[1] derrière elle. Elle peut faire bloc avec l'Empire britannique qui tient la mer et continue la lutte. Elle peut, comme l'Angleterre, utiliser sans limites l'immense industrie des États-Unis. Cette guerre n'est pas limitée au territoire malheureux de notre pays. [...]. Cette guerre est une guerre mondiale. [...]

Moi, Général de Gaulle, actuellement à Londres, j'invite les officiers et les soldats français, [...] j'invite les ingénieurs et les ouvriers spécialistes des industries d'armement, à se mettre en rapport avec moi. Quoi qu'il arrive, la flamme de la résistance française ne doit pas s'éteindre et ne s'éteindra pas.

■ Général de Gaulle, discours radiodiffusé à la BBC, 18 juin 1940.

1. L'empire colonial français.

## 2 Le ralliement des colonies à de Gaulle

Le gouverneur de l'Afrique-Équatoriale française, Félix Éboué, et Charles de Gaulle passent en revue les troupes de la France libre à Brazzaville, avril 1941.

## 3 Les forces françaises libres (FFL) en 1944

| Combattants originaires de métropole | 30 000 |
| Soldats coloniaux | 33 000 dont 27 000 tirailleurs d'AEF |
| Soldats étrangers | 9 000 |
| Femmes | 1 500 |
| TOTAL | 73 500 |

■ J.-F. Muracciole, *Les Français libres*, Perrin, 2009 et É. Jennings, *Les Français libres et le monde*, Fondation de la France libre, 2013.

## 4 Les ressources économiques de la France libre

| | Production de caoutchouc de l'Afrique-Équatoriale française (AEF) vendue aux Alliés (en tonnes) | Production d'or de l'AEF (en kg) |
|---|---|---|
| 1939 | – | 1 800 |
| 1940 | Environ 500 | 2 500 |
| 1941 | 3 500 | 3 000 |
| 1942 | 6 900 | 3 000 |
| 1943 | 7 000 | 2 800 |

■ É. Jennings, *La France libre fut africaine*, Perrin, 2014.

## 5 Les objectifs politiques de la France libre

Le terme de la guerre est, pour nous, à la fois la restauration de la complète intégrité du territoire, de l'Empire, du patrimoine français et celle de la souveraineté complète de la nation sur elle-même. [...].

En même temps que les Français seront libérés de l'oppression ennemie, toutes leurs libertés intérieures devront leur être rendues. Une fois l'ennemi chassé du territoire, tous les hommes et toutes les femmes de chez nous éliront l'Assemblée nationale qui décidera souverainement des destinées du pays. [...]

Et nous voulons en même temps que [...] l'idéal séculaire[1] français de liberté, d'égalité, de fraternité soit désormais mis en pratique chez nous, de telle sorte que chacun soit libre de sa pensée, de ses croyances, de ses actions, que chacun ait, au départ de son activité sociale, des chances égales à celles de tous les autres, que chacun soit respecté par tous et aidé s'il en a besoin.

■ Charles de Gaulle, déclaration publiée dans les journaux clandestins en France occupée, 23 juin 1942.

1. Qui existe depuis longtemps.

---

## Activités

**Question clé** | **Comment la France libre résiste-t-elle à l'Allemagne nazie et à ses alliés ?**

### ITINÉRAIRE 1

▶ **J'extrais des informations pertinentes pour répondre à des questions**

**❶ Doc 1.** Quels sont les motifs d'espoir pour la France en 1940 ?

**❷ Doc 2 à 4.** Quelles sont les différentes contributions de l'Empire colonial à la France libre ?

**❸ Doc 5.** Quel type de régime politique de Gaulle promet-il aux Français après la Libération ?

▶ **Je me constitue un outil pour apprendre : le lexique**

**❹** Répondez à la question clé en un texte d'une dizaine de lignes. Vous emploierez le vocabulaire suivant : *France libre – restauration de la République – colonies – soldats coloniaux – Charles de Gaulle – appel du 18 juin 1940 – Résistance – Forces françaises libres.*

### OU

### ITINÉRAIRE 2

▶ **Je classe des informations dans un tableau**

À l'aide des documents, complétez ce tableau pour répondre à la question clé.

| La France libre | | |
|---|---|---|
| | Documents utilisés | Idées retenues |
| Un chef et des territoires | | |
| Des moyens militaires | | |
| Des moyens économiques | | |
| Un objectif politique pour la Libération | | |

**SOCLE** Compétences
▶ **Domaine 3** : Je comprends le sens de l'engagement pour le respect des valeurs de la République
▶ **Domaine 5** : Je comprends une situation historique

# Une figure de résistante : Lucie Aubrac

**Question clé** Comment le parcours de Lucie Aubrac permet-il de comprendre la Résistance intérieure ?

## 1 Les premiers pas dans la Résistance

### a. Les motivations

Je ne suis pas entrée en Résistance, j'étais résistante. Je suis née en 1912 donc ma jeunesse et mon adolescence se sont passées entre deux guerres et les deux sujets essentiels étaient : « plus jamais la guerre » et l'antiracisme parce qu'on voyait monter le racisme et que, pour nous, étudiants, c'était épouvantable. J'étais donc déjà formée à l'idée [de résister].

Le pays occupé, Pétain qui supprime le droit de vote et les Assemblées élues, les menaces et les actions antisémites, tout ça m'a conditionnée au mois de novembre [1940] [...] à informer les gens. Mon entrée en Résistance, c'est le souci d'informer les gens. [...] C'est comme ça qu'on a créé Libération Sud [...].

■ Interview de Lucie Aubrac par Jorge Amat tirée de *L'Histoire au présent, la résistance*, 2002.

### b. Les premières actions

En décembre 1940, j'ai rencontré incidemment à Lyon Lucie Aubrac dans la rue. Lucie Aubrac se chargeait notamment d'achat de stencil[1], encre pour Roneo[2], achat de papier [...].

D'autre part, avec son mari et une équipe de techniciens, elle était chargée de réunir les pièces pour monter des postes émetteurs clandestins.

■ André Ternet, *Rapport dactylographié sur Lucie Aubrac*, janvier 1946.

1. Feuille qui permet la reproduction de documents sur une Roneo. 2. Duplicateur de documents.

**BIOGRAPHIE**

**Lucie Aubrac (1912-2007)**

▶ **Avant la guerre :** Naît à Paris en 1912. Études d'histoire pour devenir professeure. Mariage avec Raymond Samuel, ingénieur, qui devient Raymond Aubrac dans la Résistance.
▶ **1940–1943 :** Entre en résistance à Clermont-Ferrand. Membre active du mouvement Libération-Sud à Lyon, dont elle a participé à la création.
▶ **Octobre 1943 :** Organise l'évasion de son mari arrêté avec Jean Moulin.
▶ **1944 :** Rejoint Londres où elle travaille pour la BBC.

No 23 — 1 Février 1943

# LIBÉRATION

ORGANE DES MOUVEMENTS DE RÉSISTANCE UNIS

## Référendum national — contre Vichy

### A PARTIR DU 15 FÉVRIER 1943

Le moment est venu, pour la Nation, de signifier aux fantômes de Vichy, à Pétain et à Laval, que la France refuse d'être représentée par un gouvernement usurpateur. Le moment est venu de manifester publiquement et à la face du monde, que la France véritable est contre l'Allemand, dans le camp des Nations Unies, pour la cause de la Résistance, personnifiée par le général de GAULLE et à laquelle le général Giraud apporte aujourd'hui le concours de l'armée française d'Afrique du Nord. Le moment est venu de hurler que la France veut se battre contre l'ennemi, pour la Liberté et pour la République. N'ATTENDEZ PAS A DEMAIN.

## 2 *Libération*, journal du mouvement de résistance Libération-Sud

*Libération* n°23, février 1943.

### 3 La Résistance intérieure selon Lucie Aubrac

Nos mouvements[1], nés à l'automne 1940, en deux ans, se sont développés à côté les uns des autres à peu près de la même manière. Organisation des régions, des services : faux papiers, service social, presse clandestine, propagande, renseignement, armée secrète et action ouvrière.

Pendant l'été 1942-1943, chaque direction de mouvement contactée par Max[2], le représentant du général de Gaulle, avait envisagé et plus ou moins réalisé la fusion dans un organisme unique : les Mouvements Unis de résistance (MUR). [...]

Une fois réalisés les MUR[3], il s'appliqua à les convaincre de créer un organisme national qui unirait les mouvements de résistance de toute la France et les partis politiques opposés à Vichy et à Hitler. Ce ne fut pas facile. Il proposa que le Conseil national de la Résistance assure la direction politique de la résistance.

■ Lucie Aubrac, *Ils partiront dans l'ivresse*, Seuil, 1984.

1. Libération-Sud, Combats et Franc-Tireur.
2. Pseudonyme de Jean Moulin.
3. Institution qui unit les différents mouvements de résistance de la zone Sud à partir de 1943.

### 4 Lucie Aubrac, au cinéma

Le film de Claude Berri, *Lucie Aubrac*, avec Carole Bouquet et Daniel Auteuil, rend hommage au couple de résistants Lucie et Raymond Aubrac.

Claude Berri, 1997.

## Activités

**Question clé** — **Comment le parcours de Lucie Aubrac permet-il de comprendre la Résistance intérieure ?**

### ITINÉRAIRE 1

**ou**

### ITINÉRAIRE 2

▶ **J'extrais des informations pertinentes des documents**

❶ **Doc 1 et 2.** Quelles raisons poussent Lucie Aubrac à résister ?

❷ **Doc 1 à 3.** Quelles sont les différentes actions menées par Lucie Aubrac ?

❸ **Doc 2 et 3.** Quelles sont les relations entre les mouvements de Résistance intérieure et le général de Gaulle ?

❹ **Doc 3.** Que se passe-t-il d'important pour la Résistance en 1943 ?

❺ **Doc 4.** Comment ce document illustre-t-il l'importance historique accordée à la Résistance en France ?

▶ **Je m'exprime à l'écrit pour raconter de façon claire et organisée**

❻ Rédigez une biographie de Lucie Aubrac. Racontez son parcours dans la Résistance, ses motivations et ses actions.

▶ **Je classe des informations dans un schéma logique**

Complétez le schéma ci-dessous pour répondre à la question clé.

Lucie Aubrac et le mouvement Libération-Sud

| Quelles motivations ? [Doc 1 et 2] | Quelles actions ? [Doc 1 à 3] | Une résistante célèbre [Doc 4] |

# Régime de Vichy, Collaboration et Résistance en France (1940–1944)

→ **Quelles ont été les conséquences de la défaite de 1940 en France ?**

## VOCABULAIRE

▸ **Armistice**
Accord conclu par des pays en guerre pour suspendre les combats.

▸ **Collaboration**
Politique de coopération volontaire en matière politique, économique et policière avec l'Allemagne nazie.

▸ **Conseil national de la Résistance (CNR)**
Institution qui unit les différents mouvements de résistance à partir de 1943.

▸ **Forces françaises libres (FFL)**
→ p. 82.

▸ **France libre**
Ensemble des organisations de résistance extérieure sous l'autorité du général de Gaulle.

▸ **Résistance**
Action menée en France et dans le monde pour lutter contre l'occupation allemande de la France et le régime de Vichy.

▸ **Révolution nationale**
Idéologie du régime de Vichy fondée sur la devise « Travail, famille, patrie » et qui rompt avec les principes républicains de liberté, d'égalité et de fraternité.

▸ **Service du travail obligatoire (STO)**
Mobilisation des hommes français entre 20 et 23 ans pour travailler dans les entreprises allemandes.

## A Vichy : un régime antirépublicain et collaborateur

### 1. Le Régime de Vichy, négation de la République

● En **juin 1940**, la France est rapidement **vaincue par l'Allemagne**. Le **maréchal Pétain** est appelé au pouvoir ; il signe l'**armistice** le 22 juin.

● Occupée au Nord, amputée de l'Alsace-Moselle, la France est dirigée depuis la zone dite « libre » par le **gouvernement Pétain installé à Vichy**.

● Le 10 juillet, le Parlement vote les pleins pouvoirs à Pétain. C'est la fin de la IIIᵉ République et la naissance d'un nouveau régime : « l'État français ». Pétain prend la tête d'une **dictature**. Sa personne est célébrée par la propagande qui met aussi en avant une **idéologie officielle**, la « **Révolution nationale** » résumée par la devise « Travail, famille, patrie ».

● Les libertés sont limitées, les partis et syndicats sont interdits, les médias censurés. Le régime de Vichy est **antisémite**. En octobre 1940, le statut des Juifs organise leur exclusion de la société française.

### 2. Une soumission à l'Allemagne nazie

● Pétain choisit la **collaboration** policière, militaire et économique **avec l'Allemagne**. La police de Vichy **rafle les Juifs** dès 1941. Le **Service du travail obligatoire** (STO) est mis en place en 1943.

● Vichy met ainsi la France au service des nazis et devient le complice du génocide des Juifs.

## B Les combats de la Résistance

### 1. Les résistances intérieures

● La **Résistance** est d'abord le fait d'individus très différents qui tous refusent la soumission à l'Allemagne. Peu nombreux et isolés, ces premiers résistants sont rapidement emprisonnés, déportés ou exécutés. Ceux qui en réchappent entrent dans la **clandestinité**. *= cacher*

● Progressivement, des groupes se structurent dans la clandestinité, comme **Combat** ou **Libération-Sud**. Leurs actions sont diverses : tracts, sabotages, attentats contre l'occupant, aide à des évadés, création de journaux clandestins...

● À partir de 1943, les effectifs augmentent avec l'arrivée de jeunes qui veulent échapper au **STO**.

## 2. Les combats politiques de la France libre

● Dans son **appel du 18 juin 1940** prononcé à Londres, de Gaulle appelle à la poursuite des combats. Pour lui, la défaite n'est pas définitive car la guerre est mondiale. Il est reconnu comme **chef de la France libre** par les Britanniques.

● Il met alors sur pied une armée de quelques milliers d'hommes, les **Forces françaises libres (FFL)**. Il peut s'appuyer sur le ralliement d'une partie de l'Empire colonial français. Les **FFL** sont majoritairement composées de soldats coloniaux ou étrangers. Elles participent à des opérations en Afrique du Nord et au Moyen-Orient et montrent ainsi qu'il existe bien une France combattante dans la guerre mondiale.

## 3. L'unification des résistances autour du général de Gaulle

● De Gaulle charge **Jean Moulin** d'unifier les mouvements de résistance. Il crée en 1943 le **Conseil National de la Résistance (CNR)** afin de **préparer la libération** du pays et la **refondation de la République** (→ chap. 9 p. 154).

● De Gaulle devient le **chef du Gouvernement Provisoire de la République Française** (GPRF → chap. 9 p. 158) en juin 1944.

### Le savez-vous ?

L'armistice entre la France et l'Allemagne est signé les 21 et 22 juin 1940 à Rethondes, dans le même wagon où a été signé l'armistice de la Première Guerre mondiale en 1918.

### Je retiens autrement

**Défaite de la France**

**Armistice** | **Refus de l'armistice**

**Occupation du nord du pays**
- Annexion de l'Alsace-Moselle
- Administration par l'armée allemande

**Régime de Vichy**
- Dictature
- Politique antisémite
- Encadrement et contrôle de la société
- Politique de collaboration

**Résistance intérieure**
- Clandestinité
- Propagande contre Vichy et actions contre les Allemands
- Répression violente contre les résistants

**France libre**
- De Gaulle (appel du 18 juin 1940)
- Ralliement de l'Empire colonial
- Victoires et débarquement en Afrique du Nord
- Unification politique de la Résistance (CNR)

- **Négation de la République**

- **Contribution à la victoire finale avec les Alliés**
- **Refondation de la République**

## Comment apprendre ma leçon ?

### J'apprends à réaliser une carte mentale

Une carte mentale est un très bon outil pour mémoriser une leçon.
C'est une représentation visuelle de tout ce qui a été appris.

▶ **Étape 1**

- Prenez une feuille au format paysage.
  Écrivez au centre **le titre du chapitre**,
  puis dessinez des branches qui représentent
  les principaux thèmes du chapitre.

> Régime de Vichy,
> Collaboration et
> Résistance en France
> (1940-1944)

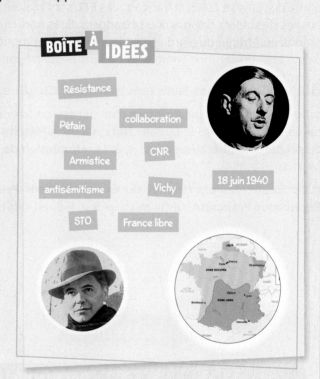

BOÎTE À IDÉES

Résistance · Pétain · collaboration · Armistice · CNR · antisémitisme · Vichy · 18 juin 1940 · STO · France libre

▶ **Étape 2**

- Complétez la carte mentale grâce à la boîte
  à idées ci-contre et avec ce que vous avez
  appris avec votre professeur.

💡 Vous pouvez illustrer votre carte mentale,
classer les thèmes par couleur...

## Je révise chez moi

● **Je vérifie que je connais les principaux repères du chapitre.**

**Je sais définir
et utiliser dans
une phrase :**

▶ Collaboration
▶ Résistance
▶ France libre

**Je sais situer :**

▶ **sur une frise :**
  – la défaite de la France ;
  – l'appel du général
    de Gaulle ;
  – le régime de Vichy.

▶ **sur une carte :**
  – la zone occupée ;
  – la zone libre ;
  – Vichy.

site élève
⬇ fond de carte et frise

**Je sais expliquer :**

▶ comment le régime de Vichy
  remet en cause les valeurs
  républicaines.

▶ comment la Résistance
  s'organise pour combattre
  le régime de Vichy et
  l'occupant.

▶ comment le régime de Vichy
  a collaboré avec l'Allemagne.

## Je vérifie mes connaissances

### 1 J'indique la (ou les) bonne(s) réponse(s).

**1.** La Résistance au régime de Vichy et à l'Allemagne nazie se déroule :

- [a] en France.
- [b] uniquement dans les colonies françaises.
- [c] en France et dans les colonies françaises.

**2.** L'appel lancé par le général de Gaulle a lieu :

- [a] le 21 juin 1940.
- [b] le 18 juin 1940.
- [c] le 14 juillet 1940.

**3.** Le régime de Vichy est un régime :

- [a] autoritaire.
- [b] démocratique.
- [c] antisémite.

**4.** Un mouvement de résistance a des activités :

- [a] politiques.
- [b] militaires.
- [c] humanitaires.

**5.** Pour unifier la résistance intérieure, Jean Moulin fonde :

- [a] le Conseil national de la Résistance.
- [b] la France libre.
- [c] le Gouvernement provisoire de la République.

### 2 J'identifie les principaux acteurs d'une période.

Pour chacun des personnages clés du chapitre, j'écris une courte biographie avec les informations du chapitre et quelques recherches personnelles.

a.

b.

c.

d.

NOM :
* Dates et lieu de sa vie :
* Faits marquants de sa vie :
* Importance historique de son action :

### 3 Je révise avec un tableau.

Je complète le tableau avec les informations clés du chapitre.

site élève
⤓ tableau à imprimer

| | Un (des) nom(s) | Une date | Une illustration | Un (plusieurs) mot(s) clé(s) |
|---|---|---|---|---|
| La Collaboration avec l'Allemagne | | | Doc ... p. ... | |
| Le régime de Vichy | | | Doc ... p. ... | |
| La France libre | | | Doc ... p. ... | |
| La Résistance intérieure | | | Doc ... p. ... | |

### 4 Retrouvez d'autres exercices sous forme interactive sur le site Nathan.

site élève
⤓ exercices interactifs

## EXERCICE ① Analyser et comprendre des documents (20 points)

### Le maréchal Pétain demande l'armistice

Français !

À l'appel de M. le président de la République, j'assume à partir d'aujourd'hui la direction du gouvernement de la France. Sûr de l'affection de notre admirable armée [...] contre un ennemi supérieur en nombre et en armes, sûr que par sa magnifique résistance elle a rempli son devoir vis-à-vis de nos alliés, sûr de l'appui des anciens combattants que j'ai eu la fierté de commander, sûr de la confiance du peuple tout entier, je fais à la France le don de ma personne pour atténuer son malheur.

En ces heures douloureuses, je pense aux malheureux réfugiés, qui, dans un dénuement extrême, sillonnent nos routes. [...] C'est le cœur serré que je vous dis aujourd'hui qu'il faut cesser le combat. Je me suis adressé cette nuit à l'adversaire pour lui demander s'il est prêt à rechercher avec nous, entre soldats, après la lutte et dans l'honneur, les moyens de  mettre un terme aux hostilités.

Que tous les Français se groupent autour du gouvernement que je préside pendant ces dures épreuves et fassent taire leur angoisse pour n'écouter que leur foi dans le destin de la patrie.

■ Allocution du maréchal Pétain prononcée à la radio française, 17 juin 1940.

**QUESTIONS**

❶ Identifiez l'auteur et la nature de ce texte.

❷ Dans quel contexte a-t-il été prononcé ? Selon vous, à qui s'adresse-t-il ?

❸ Quelle décision l'auteur a-t-il prise ?

❹ Quelles sont, d'après l'auteur, les différentes raisons qui expliquent sa décision ?

❺ Expliquez à l'aide de vos connaissances les relations établies par l'auteur avec l'interlocuteur souligné dans le texte.

**CONSEILS**

→ **Question ❶** et **Question ❷** : aidez-vous des informations des pages 74-75.

→ **Question ❺** : pensez à définir et à utiliser le terme de « Collaboration » (→ p. 81).

## EXERCICE ② Maîtriser différents langages (20 points)

**CONSIGNE** Sous la forme d'un développement construit d'une vingtaine de lignes et en vous appuyant sur des exemples étudiés en classe, décrivez et expliquez les résistances en France contre le régime de Vichy et l'occupant allemand.

**MÉTHODE**

**J'écris pour structurer ma pensée, mon savoir, pour argumenter**

▶ Un développement est une réponse longue à une question ou une consigne.

▶ Vous devez choisir les connaissances que vous allez utiliser. Il faut donc lire plusieurs fois la consigne pour comprendre quel est le chapitre concerné, et identifier les repères chronologiques et spatiaux du sujet.

▶ **Chapitre concerné :** Régime de Vichy, Collaboration et Résistance en France (Partie 1 : L'Europe, un théâtre majeur des guerres totales, 1914-1945).

▶ **Repères chronologiques et spatiaux :** la France lors de son occupation par l'Allemagne nazie, entre 1940 et 1944.

▶ **Mots clés :** Régime de Vichy, Collaboration, Résistance, valeurs républicaines.

**CONSEILS**

→ Montrez que la Résistance est composée de divers mouvements, en France et hors de France (la France libre), qui mènent différents combats et s'unissent autour du général de Gaulle.

## EXERCICE **1** Analyser et comprendre des documents (20 points)

GRACE A CEUX QUI SONT PARTIS EN ALLEMAGNE

**250 000 PRISONNIERS** DEVIENNENT **TRAVAILLEURS LIBRES**

Affiche française sur le STO
(Service du travail obligatoire), 1943

**1** Quelle est la nature de ce document ?
Quel gouvernement dirige la France à la date
de sa parution ?

**2** Quelle mesure décidée par le gouvernement
ce document met-il en valeur ?

**3** Quel est le but de ce type de document ?

**4** Pourquoi cette mesure fait-elle partie
de la politique de collaboration menée
par le gouvernement ?

**5** D'après vos connaissances, cette mesure
est-elle populaire en France ?
Que provoque-t-elle chez de nombreux jeunes
Français ?

## EXERCICE **2** Maîtriser différents langages (20 points)

**CONSIGNE** Sous la forme d'un développement construit d'une vingtaine de lignes
et en prenant appui sur des exemples étudiés en classe, présentez le régime de Vichy
et expliquez pourquoi il nie les valeurs républicaines.

## MON BILAN DE COMPÉTENCES

| Domaines du socle | Compétences travaillées | Pages du chapitre |
|---|---|---|
| **D1** Les langages pour penser et communiquer | Je sais me repérer dans le temps et dans l'espace<br>Je sais écrire pour argumenter<br>Je sais réaliser un récit historique | Je me repère ............... p. 74-75<br>J'enquête ............... p. 80-81<br>Je découvre ............... p. 82-83 |
| **D2** Méthodes et outils pour apprendre | Je sais discuter, expliquer, confronter mon point de vue dans un groupe<br>Je sais identifier des documents et leur point de vue particulier<br>Je sais organiser mon travail personnel | J'enquête ............... p. 76-79<br>J'enquête ............... p. 80-81<br>Apprendre à apprendre ...... p. 88 |
| **D3** La formation de la personne et du citoyen | Je comprends les principes qui garantissent la liberté de tous<br>Je comprends l'importance de l'engagement pour le respect des valeurs de la République | J'enquête ............... p. 76-79<br>Je découvre ............... p. 82-83<br>p. 84-85 |
| **D5** Les représentations du monde et de l'activité humaine | Je comprends une situation historique | Je découvre ............... p. 84-85 |

# 5

# La guerre froide, un monde bipolaire (1947–1989)

→ Comment s'organisent les relations internationales au temps de la guerre froide ?

---

**Au cycle 4, en 3ᵉ**

**Chapitres 1 et 2**
En 1917, le communisme s'installe en Russie lors de la Révolution russe. Staline y met en place une dictature dans les années 1920.

**Au cycle 4, en 3ᵉ**

**Chapitre 3**
En 1945, l'Europe a été libérée à l'Est par l'armée soviétique et à l'Ouest par les Alliés menés par les États-Unis. Les deux grandes puissances étaient alliées contre le nazisme.

**Ce que je vais découvrir**

Les États-Unis et l'URSS, grands vainqueurs de la Seconde Guerre mondiale, s'affrontent rapidement après 1945 : c'est la guerre froide.

---

**1** **L'affrontement entre l'URSS et les États-Unis au lendemain de la guerre**

« Duel à têtes d'épingles », caricature de Leslie G. Illingworth publiée dans le journal britannique *Daily Mail* en 1948.

❶ Harry Truman, président des États-Unis de 1945 à 1953.

❷ Joseph Staline, dirigeant de l'URSS de 1924 à 1953.

❸ À cette date, seuls les États-Unis possèdent l'arme atomique.

❹ Ruines de Berlin après la Seconde Guerre mondiale.

Si ce sont les Américains qui marchent les premiers sur la Lune en 1969, ce sont les Soviétiques qui ont envoyé le premier être vivant en orbite autour de la Terre, la chienne Laïka, en novembre 1957.

"OPUS" AFFICHE 2-68 · "· by GEORGES FALL ÉDITEUR · PARIS · 1968
AFFICHE-COLLAGE · ROMAN CIESLEWICZ (D'APRÈS "SUPERMAN")
SERG · PARIS

**2** **Un monde dominé par deux superpuissances (1947-1989)**
Affiche de Roman Cieslewicz, graphiste franco-polonais,
représentant l'URSS (CCCP) et les États-Unis (USA), 1968.

# La guerre froide (1947–1989)

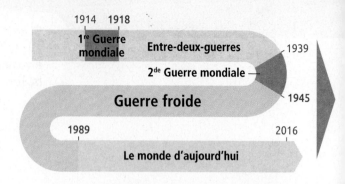

1914  1918
1re Guerre mondiale
Entre-deux-guerres
1939
2de Guerre mondiale
1945
Guerre froide
1989
2016
Le monde d'aujourd'hui

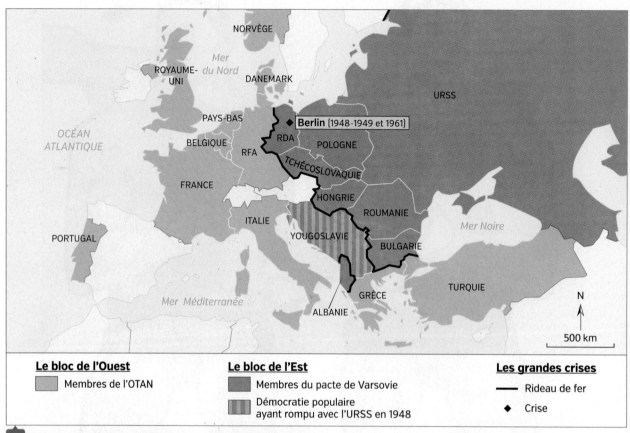

**1 L'Europe dans la guerre froide (1947-1989)**

Le bloc de l'Ouest
Membres de l'OTAN

Le bloc de l'Est
Membres du pacte de Varsovie
Démocratie populaire ayant rompu avec l'URSS en 1948

Les grandes crises
Rideau de fer
Crise

## D'OÙ VIENT LE MOT...

### GUERRE FROIDE

Cette expression est utilisée dès 1947 pour désigner la situation de forte tension, sans affrontement direct, entre l'URSS et les États-Unis.

## VOCABULAIRE

▸ **Démocraties populaires**
Nom donné par l'URSS aux pays communistes d'Europe de l'Est. Ce sont pourtant des dictatures.

▸ **OTAN (Organisation du traité de l'Atlantique Nord)**
Alliance militaire autour des États-Unis signée en 1949, appelée **bloc de l'Ouest**.

▸ **Pacte de Varsovie**
Alliance militaire autour de l'URSS signée en 1955 par les démocraties populaires, appelée **bloc de l'Est**.

▸ **RDA (République démocratique allemande)**, **RFA (République fédérale d'Allemagne)**
Ce sont les deux pays issus de la partition de l'Allemagne en 1949. La RDA est alliée de l'URSS, La RFA des États-Unis.

▸ **Rideau de fer**
Expression désignant la frontière qui coupe l'Europe en deux, d'un côté les pays libres du bloc de l'Ouest et de l'autre les pays communistes du bloc de l'Est.

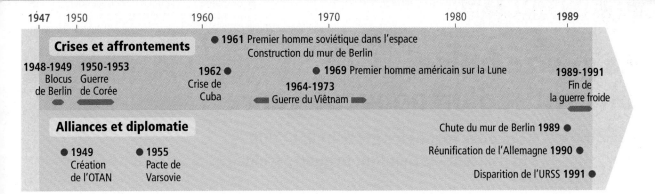

**Crises et affrontements**

1947    1950            1960            1970            1980            1989

**1948-1949  1950-1953**
Blocus    Guerre
de Berlin  de Corée

**1962**
Crise de
Cuba

● **1961** Premier homme soviétique dans l'espace
Construction du mur de Berlin

● **1969** Premier homme américain sur la Lune

**1964-1973**
Guerre du Viêtnam

**1989-1991**
Fin de
la guerre froide

**Alliances et diplomatie**

● **1949**
Création
de l'OTAN

● **1955**
Pacte de
Varsovie

Chute du mur de Berlin **1989** ●

Réunification de l'Allemagne **1990** ●

Disparition de l'URSS **1991** ●

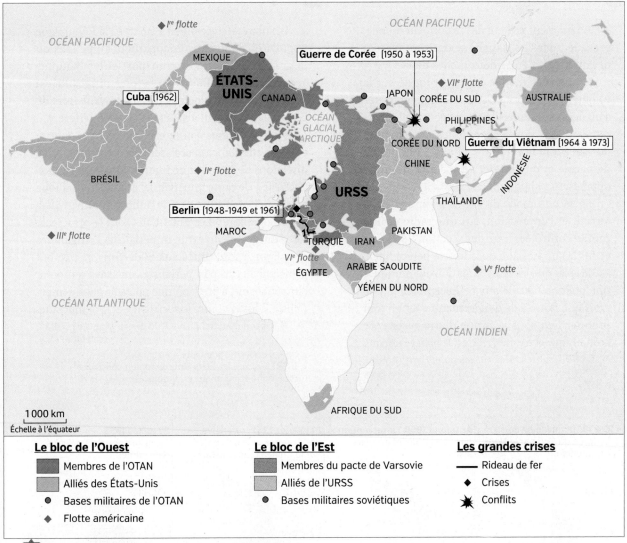

**2  Le monde bipolaire (années 1950-1970)**

---

**QUESTIONS**

▶ **Je me repère dans le temps et dans l'espace**

❶ Combien de temps la guerre froide dure-t-elle ?

❷ Qui oppose-t-elle ?

❸ Pourquoi dit-on que le monde de la guerre froide est bipolaire ?

## Je découvre

**SOCLE** Compétences
▶ **Domaine 1 :** J'explique à l'écrit le point de vue particulier de documents analysés
▶ **Domaine 2 :** Je réalise une production graphique, la carte mentale

# La guerre froide, un conflit d'un nouveau genre

**Question clé** De quelles façons les États-Unis et l'URSS s'affrontent-ils pendant la guerre froide ?

## 1 La guerre froide vue des États-Unis

Au moment présent de l'histoire du monde, presque toutes les nations se trouvent placées devant le choix entre deux modes de vie. [...]

L'un de ces modes de vie est fondé sur la volonté de la majorité. Ses principaux caractères sont des institutions libres, des gouvernements représentatifs, des élections libres, des garanties données à la liberté individuelle, à la liberté de parole et du culte et à l'absence de toute oppression politique.

Le second mode de vie [...] s'appuie sur la terreur et l'oppression, sur une radio et une presse contrôlées, sur des élections dirigées et sur la suppression de la liberté personnelle.

Je crois que les États-Unis doivent pratiquer une politique d'aide aux peuples libres [...]. Je crois que notre aide doit se manifester en tout premier lieu sous la forme d'une assistance économique et financière [c'est le plan Marshall].

■ Discours du président américain Harry Truman, 12 mars 1947.

## 2 La guerre froide vue de l'URSS

Un nouveau type d'État a été créé : la République populaire[1], où le pouvoir appartient au peuple, où la grande industrie, le transport et les banques appartiennent à l'État et où la force dirigeante est constituée par le bloc des classes travailleuses de la population, ayant à sa tête la classe ouvrière. [...]

Plus nous nous éloignons de la fin de la guerre, et plus nettement apparaissent les deux principales directions de la politique internationale de l'après-guerre [...] : le camp impérialiste[2] et antidémocratique d'une part, et, d'autre part, le camp anti-impérialiste et démocratique. Les États-Unis sont la principale force dirigeante du camp impérialiste. L'Angleterre et la France sont unies aux États-Unis. [...] Le but principal du camp impérialiste consiste à renforcer l'impérialisme, à préparer une nouvelle guerre impérialiste, à lutter contre le socialisme et la démocratie.

■ Rapport d'Andreï Jdanov, l'un des dirigeants de l'URSS, septembre 1947.

1. Ou « démocratie populaire » (➔ p. 94).
2. L'URSS accuse les États-Unis de vouloir construire un empire économique en Europe.

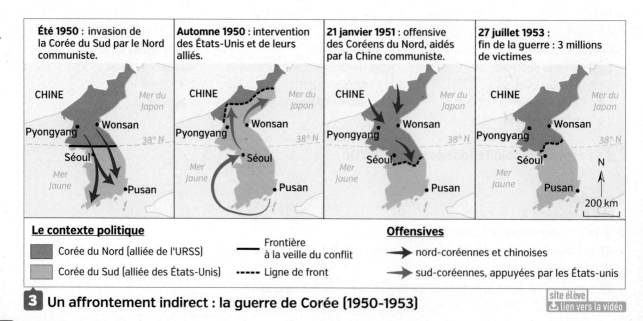

**Été 1950 :** invasion de la Corée du Sud par le Nord communiste.

**Automne 1950 :** intervention des États-Unis et de leurs alliés.

**21 janvier 1951 :** offensive des Coréens du Nord, aidés par la Chine communiste.

**27 juillet 1953 :** fin de la guerre : 3 millions de victimes

**Le contexte politique**
- ■ Corée du Nord (alliée de l'URSS)
- ■ Corée du Sud (alliée des États-Unis)
- —— Frontière à la veille du conflit
- ---- Ligne de front

**Offensives**
- ➔ nord-coréennes et chinoises
- ➔ sud-coréennes, appuyées par les États-unis

## 3 Un affrontement indirect : la guerre de Corée (1950-1953)

site élève
↪ lien vers la vidéo

## 4 L'arme nucléaire au cœur de l'affrontement

« D'accord, monsieur le Président, discutons », caricature de Leslie G. Illingworth, *Daily Mail*, 29 octobre 1962.

❶ Nikita Khrouchtchev, dirigeant de l'URSS de 1953 à 1964.

❷ John F. Kennedy, président des États-Unis de 1961 à 1963.

❸ Bombes nucléaires.

## 5 Un affrontement technologique

*Youri Gagarine est le premier homme envoyé dans l'espace.*

**a.** Notre pays a [...] créé le premier vaisseau-satellite, il s'est élancé le premier dans le cosmos. N'est-ce pas la manifestation la plus éclatante de la liberté authentique du peuple le plus libre du monde, le peuple soviétique !

◼ Discours de Nikita Khrouchtchev, 14 avril 1961.

**b.** Si nous voulons gagner la bataille actuellement engagée à travers le monde entre la liberté et la tyrannie, [...] notre nation doit se donner comme objectif, d'ici la fin de la décennie, d'envoyer un homme sur la Lune et de le ramener sain et sauf sur la Terre. [...] À vrai dire, ce ne sera pas un homme qui ira sur la Lune, mais une nation tout entière[1].

◼ Discours de John F. Kennedy au Congrès, 25 mai 1961.

1. Les Américains seront les premiers à marcher sur la Lune, en 1969.

---

## Activités

**Question clé** — **De quelles façons les États-Unis et l'URSS s'affrontent-ils pendant la guerre froide ?**

### ITINÉRAIRE 1 — ou — ITINÉRAIRE 2

▶ **Je comprends le sens général des documents**

❶ **Doc 1 et 2.** Expliquez ce que Truman reproche au bloc de l'Est, puis ce que Jdanov reproche au bloc de l'Ouest.

❷ **Doc 3.** Comment l'URSS et les États-Unis s'affrontent-ils en Corée, sans jamais être directement face à face ?

❸ **Doc 4.** Pourquoi la guerre froide ne peut-elle se transformer en guerre directe entre les deux pays ?

❹ **Doc 5.** Dans quel autre domaine les États-Unis et l'URSS s'affrontent-ils ? Pourquoi ?

▶ **Je rédige un récit historique**

❺ À l'aide des questions 1 à 4, rédigez un paragraphe pour répondre à la question clé. Vous montrerez que la guerre froide est un affrontement idéologique, une compétition militaire indirecte, mais aussi une rivalité technologique.

▶ **Je me constitue un outil personnel de travail, une carte mentale**

Répondez à la question clé à l'aide d'une production graphique, la carte mentale.

**MÉTHODE**

Placez le titre « Guerre froide » au centre de votre carte mentale, puis tracez trois branches.

▶ **1re branche.** Affrontement idéologique (→ Doc 1 et 2)

▶ **2e branche.** Affrontement militaire indirect (→ Doc 3 et 4)

▶ **3e branche.** Affrontement technologique (→ Doc 5)

**J'enquête** — TÂCHE COMPLEXE

**SOCLE Compétences**
- Domaine 1 : Je rédige un récit historique
- Domaine 5 : Je construis des hypothèses d'interprétation et je les vérifie avec mes connaissances

# Le mur de Berlin, symbole de la guerre froide

**CONSIGNE**

Dès la fin de la Seconde Guerre mondiale, l'Allemagne, et particulièrement Berlin, est un point de conflit entre les États-Unis et l'URSS. En 1961, lors de la construction du mur, le conflit atteint son apogée.

À l'occasion de l'anniversaire de la chute du mur de Berlin au mois de novembre, vous réalisez une frise chronologique illustrée et commentée, qui montrera que le mur de Berlin est au cœur de la guerre froide.

## Chronologie

| | |
|---|---|
| **1945** | Découpage de Berlin et de l'Allemagne en 4 secteurs d'occupation pour chacune des 4 puissances victorieuses. |
| **1949** | Naissance de la RFA et de la RDA. |
| **Août 1961** | Construction du mur de Berlin par la RDA pour empêcher la fuite des Allemands de l'Est vers l'Ouest. |
| **Novembre 1989** | Chute du mur de Berlin ; fin de la guerre froide. |
| **Octobre 1990** | Réunification de l'Allemagne ; fin de la RFA et la RDA. |

**VOCABULAIRE**

▶ **RDA** (République démocratique allemande), **RFA** (République fédérale d'Allemagne) → p. 94.

▶ **Rideau de fer**
Expression désignant la frontière qui coupe l'Europe en deux, d'un côté les pays libres du bloc de l'Ouest et de l'autre les pays communistes du bloc de l'Est.

**1** La division de l'Allemagne et de Berlin (1945)

**2** La construction du mur de Berlin (1961)
Des Berlinois se saluent de chaque côté du mur, septembre 1961.

## 3 Discours de Kennedy à Berlin-Ouest (1963)

Il ne manque pas de personnes au monde qui ne veulent pas comprendre ou qui prétendent ne pas vouloir comprendre quel est le litige entre le communisme et le monde libre. Qu'elles viennent donc à Berlin. D'autres prétendent que le communisme est l'arme de l'avenir. Qu'ils viennent eux aussi à Berlin [...].

Notre liberté éprouve certes beaucoup de difficultés et notre démocratie n'est pas parfaite. Cependant nous n'avons jamais eu besoin, nous, d'ériger un mur pour empêcher notre peuple de s'enfuir. [...] Le mur fournit la démonstration éclatante de la faillite du système communiste. Cette faillite est visible aux yeux du monde entier. Nous n'éprouvons aucune satisfaction en voyant ce mur, car il constitue à nos yeux une offense non seulement à l'histoire mais encore une offense à l'humanité. [...]

Tous les Hommes libres, où qu'ils vivent, sont citoyens de cette ville de Berlin-Ouest et pour cette raison, en ma qualité d'homme libre, je dis : « Ich bin ein Berliner ».

■ Discours du président américain John F. Kennedy à Berlin-Ouest, le 26 juin 1963.

### COUP DE POUCE

Pour vous aider à répondre à la consigne, organisez votre travail en trois parties chronologiques.
Expliquez la situation de Berlin et de l'Allemagne à chacune des périodes indiquées dans ce tableau.

|  | Doc 1 | Doc 2 | Doc 3 | Doc 4 |
|---|---|---|---|---|
| De 1945 à 1961 |  | – | – | – |
| De 1961 à 1989 |  |  |  | – |
| En 1989 | – | – | – |  |

### CHIFFRES CLÉS

➡ **155 km** : **longueur** du mur (dont 43 km entre Berlin-Est et Berlin-Ouest).

➡ **3,60 m** : **hauteur** maximale du mur.

➡ **14 000** **gardes-frontières**.

➡ **Environ 5 000** **évasions** réussies.

➡ **136** **fugitifs abattus** (chiffre incertain).

BERLIN OUEST

BERLIN EST

site élève
⬇ lien vers la vidéo

## 4 La chute du mur de Berlin (1989)

Le mur tombe le 9 novembre 1989 et s'ouvre, permettant à la foule de circuler librement.
Photographie du 12 novembre 1989.

# La crise de Cuba (1962)

**Question clé** Pourquoi la crise de Cuba est-elle un moment de tension extrême pendant la guerre froide ?

ÉTATS-UNIS

CUBA

## Chronologie

| | |
|---|---|
| **1959** | À Cuba, Fidel Castro prend le pouvoir. Il se range dans le camp de l'URSS. |
| **14 octobre 1962** | Un avion américain prend des photos de rampes de lancement de missiles soviétiques à Cuba. |
| **20 octobre 1962** | Blocus de Cuba par les États-Unis pour empêcher la livraison de matériel soviétique. |
| **25 octobre 1962** | Des cargos soviétiques apportant de nouveaux missiles font demi-tour. |
| **26-27 octobre 1962** | Négociation entre le président américain J.-F. Kennedy et le dirigeant soviétique N. Khrouchtchev. |
| **Fin octobre – fin novembre 1962** | Sortie de la crise. Les missiles soviétiques sont démontés. |

**VOCABULAIRE**

▶ **Blocus**
Isolement d'un territoire en coupant toute communication et tout ravitaillement venus de l'extérieur.

armes

## 2 La réaction du président Kennedy

Au cours de la dernière semaine, nous avons eu des preuves incontestables de la construction de plusieurs bases de fusées dans cette île opprimée. [...]

J'ai donné des instructions pour que soient prises immédiatement les mesures initiales suivantes :

• [...] Une stricte quarantaine[1] sera appliquée sur tout l'équipement militaire offensif à destination de Cuba [...].

• Les États-Unis auront pour politique de considérer tout lancement d'un engin nucléaire à partir de Cuba contre une nation quelconque du continent américain comme une attaque de l'Union soviétique contre les États-Unis, attaque exigeant une riposte sur une grande échelle contre l'Union soviétique [...].

• Conformément à la charte des Nations unies, nous demandons ce soir une réunion d'urgence du Conseil de sécurité[2] [...].

• Je fais appel à M. Khrouchtchev afin qu'il mette fin à cette menace [...]. Je lui demande d'abandonner cette politique de domination mondiale et de participer à un effort historique en vue de mettre fin à une périlleuse course aux armements et de transformer l'histoire de l'Homme.

■ Discours du président américain John F. Kennedy, le 22 octobre 1962.
1. Le blocus. 2. De l'ONU.

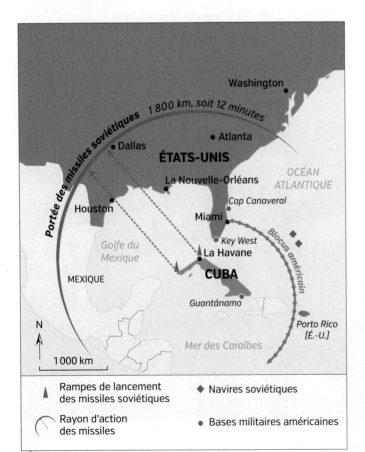

Washington

1 800 km, soit 12 minutes

Portée des missiles soviétiques

• Atlanta

• Dallas

**ÉTATS-UNIS**

La Nouvelle-Orléans

OCÉAN ATLANTIQUE

Houston

Cap Canaveral

Miami

Golfe du Mexique

Key West

La Havane

Blocus américain

MEXIQUE

**CUBA**

Guantánamo

Porto Rico [É.-U.]

N

Mer des Caraïbes

1 000 km

▲ Rampes de lancement des missiles soviétiques

◆ Navires soviétiques

⌒ Rayon d'action des missiles

• Bases militaires américaines

**1** La situation de Cuba en 1962

LA MACHINE A TRICOTER
PINGOUIN

# L'AURORE

MERCREDI 24 OCTOBRE 1962

100 Carrières Féminines

## DRAMATIQUE SUSPENSE
## AU LARGE DE CUBA

### CHARGÉ DE MISSILES
### LE CARGO RUSSE
"POLOTOVIA" fait route
### VERS L'ÎLE
LA FLOTTE U.S. PRÊTE
### A L'ARRAISONNER

● Le Conseil de Sécurité examine la triple plainte déposée par Washington, La Havane et Moscou

● Des soldats russes aperçus derrière le mur de Berlin

(Toutes nos informations en pages 4, 5, 7 et 8)

## LES PROVOCATEURS

Robert BONY.

### METRO
### ARRÊT TOTAL
CE MATIN POUR LA JOURNÉE

● Les autobus rouleront
● Vendredi : voyage gratuit

Le président Krishmen aujourd'hui à Paris en visite officielle

site élève
↧ lien vers la vidéo

**3** Une du journal français *L'Aurore*, 26 octobre 1962

**4** La résolution du conflit vue par N. Khrouchtchev

Le président Kennedy, dans un ultimatum, exigea que nous retirions les fusées et les bombardiers amenés à Cuba. [...] Je compris qu'il devenait urgent de reconsidérer notre position. Camarades, dis-je, il nous faut trouver un moyen de sortir de ce conflit sans nous humilier. En même temps, bien sûr, nous devons prendre garde à ne pas compromettre la situation de Cuba[1].

Une note fut envoyée aux Américains dans laquelle nous nous déclarions prêts à évacuer les fusées et les bombardiers si le Président nous donnait l'assurance que Cuba ne ferait l'objet d'aucune invasion de la part des États-Unis ou de tout autre pays. Finalement, Kennedy céda et accepta de faire une déclaration dans laquelle il prenait cet engagement.

■ Jean-Pierre Vivet,
*Les Mémoires de l'Europe. L'Europe moderne*,
Robert Laffont, 1973.

1. C'est-à-dire préserver le régime communiste de Fidel Castro, allié de l'URSS.

## Activités

**Question clé** | Pourquoi la crise de Cuba est-elle un moment de tension extrême pendant la guerre froide ?

### ITINÉRAIRE 1

**ou**

### ITINÉRAIRE 2

▶ J'analyse des documents de façon critique

❶ **Doc 1 et 2.** Quel événement déclenche le blocus de l'île de Cuba par les États-Unis ?

❷ **Doc 2 et 4.** Présentez les différents acteurs qui ont joué un rôle majeur lors de cette crise.

❸ **Doc 1 à 4.** Pourquoi la tension est-elle extrême lors de cette crise ? Quel est le risque pour le monde entier ?

❹ **Doc 4.** À quoi s'engagent les Soviétiques et à quoi s'engagent les Américains pour sortir de la crise ?

▶ J'argumente à l'écrit

❺ À l'aide de vos réponses aux questions 1 à 4, écrivez quelques lignes répondant à la question clé.

▶ Je classe et je hiérarchise des informations

Réalisez un tableau, puis complétez-le avec des arguments et des exemples afin de répondre à la question clé.

**MÉTHODE**

Dans votre tableau, faites 3 colonnes.

▶ **1re colonne.** Déclenchement de la crise (→ Doc 1 et 2)

▶ **2e colonne.** Tension extrême entre les États-Unis et l'URSS (→ Doc 1 à 4)

▶ **3e colonne.** Résolution de la crise (→ Doc 4)

# Le cinéma, instrument de l'idéologie américaine

**Question clé** Comment le *blockbuster Rocky IV* se met-il au service de l'idéologie américaine contre le communisme ?

Dans le film *Rocky IV* sorti en 1985, le boxeur américain Rocky Balboa, champion des États-Unis, affronte Ivan Drago, véritable monstre géant, entraîné et dopé par l'URSS. Drago est l'ennemi idéal pour Rocky : il a tué son meilleur ami, Apollo Creed, mais surtout, il incarne la froideur et l'inhumanité de l'URSS. L'action du film se déroule à une époque de fortes tensions entre les États-Unis et l'URSS.

**1** Affiche du film *Rocky IV*, 1985

**2** L'Ouest contre l'Est
Image issue du générique du film.

*mémo* ART

▶ Les *blockbusters* sont des films américains à **gros budget** dont le but est de produire des **bénéfices records** en touchant un **public le plus large possible**.

▶ Dans les années 1970, le **cinéma hollywoodien est en crise**. Le public préfère regarder la télévision. Le succès de films comme *Les Dents de la mer* (1975) et *Star Wars* (1977) change les choses. Désormais, Hollywood produit des films qui, à chaque fois, créent l'événement. Il s'agit de **faire vivre une émotion** que l'on ne peut pas retrouver à la télévision.

▶ La **guerre froide** offre une **idéologie simpliste** qui oppose « nous » et « eux ». Elle permet de rassembler des spectateurs variés, mais unis par leur soutien aux États-Unis. La guerre froide devient donc un arrière-plan de nombreux films.

**3** La victoire de Rocky contre Drago

*Red Army*, documentaire de 2014

Le film montre l'utilisation du sport comme outil de propagande en URSS, en retraçant l'histoire de l'équipe nationale soviétique de hockey sur glace dans les années 1980.

Film documentaire américain de Gabe Polsky, 2014.

**4** Un combat idéologique

*La femme de Drago s'adresse aux Américains.*

« Vous avez l'intime conviction d'être mieux que nous. Vous avez l'intime conviction que votre pays est tellement bon et le nôtre tellement mauvais. Vous avez l'intime conviction d'être si justes et vous nous croyez si cruels. »

*Le représentant de l'URSS :*

« Et bien, tout ça c'est de la fausse propagande pour soutenir [votre] gouvernement antagoniste[1] et violent. »

*Paulie (beau-frère de Rocky) :*

« Oh, la violence, c'est tout de même pas mon peuple qui a bâti le mur de Berlin, non ? » [...]

*Le représentant de l'URSS :*

« La simple défaite de votre petit soi-disant champion montrera à quel point votre société est devenue pathétique et faible. »

■ Dialogues extraits du film *Rocky IV*, 1985.

1. Qui souhaite le combat.

## QUESTIONS

**J'identifie un document et son point de vue particulier**

❶ **Doc 2 à 4.** Comment l'affrontement entre les deux grandes puissances est-il représenté dans le film *Rocky IV* ?

❷ **Doc 1 et 3.** Montrez que Rocky est représenté comme un héros patriotique américain.

❸ **Doc 1 à 4.** Recopiez, puis complétez le tableau ci-dessous.

|  | Rocky et les États-Unis | Drago et l'URSS |
| --- | --- | --- |
| Description du personnage |  |  |
| Symboles associés |  |  |
| Valeurs qu'ils veulent incarner |  |  |
| Ce que l'autre camp leur reproche |  |  |

**J'utilise mes connaissances pour exercer mon esprit critique**

❹ À l'aide de vos réponses aux questions 1 à 3 et de vos connaissances, expliquez pourquoi ce *blockbuster* peut être considéré comme une œuvre de propagande.

# La guerre froide, un monde bipolaire (1947–1989)

**→ Comment s'organisent les relations internationales au temps de la guerre froide ?**

 **A Aux origines de la guerre froide**

### 1. Deux puissances, deux idéologies

● Dès la fin de la Seconde Guerre mondiale, des **tensions** apparaissent entre les États-Unis et l'URSS, les deux grands vainqueurs. Chacun cherche à étendre sa zone d'influence. Leurs **idéologies** sont incompatibles : **démocratie et capitalisme** pour les États-Unis, **communisme** pour l'URSS.

### 2. Le début de la guerre froide

● Après-guerre, l'URSS impose des **dictatures communistes** dans les pays d'**Europe de l'Est**. On parle alors d'un « **rideau de fer** » qui coupe l'Europe en deux.

● En 1947, Harry Truman critique la volonté d'expansion du communisme. Il souhaite l'empêcher de s'étendre, notamment en Europe, grâce à l'**aide économique du plan Marshall**. L'URSS de Staline dénonce la volonté des États-Unis de dominer économiquement le monde.

## B Deux blocs rivaux

### 1. La constitution d'un monde bipolaire

● Deux blocs d'alliances opposées s'organisent : le **bloc de l'Ouest**, derrière les États-Unis, dont les membres sont alliés militairement dans l'**OTAN**, et le **bloc de l'Est**, derrière l'URSS, uni par le **pacte de Varsovie**.

● Le but de chaque camp est de consolider sa zone d'influence et de limiter l'extension du camp opposé. Pourtant, en 1949, le bloc de l'Est se renforce avec l'arrivée au pouvoir du communiste Mao Zedong en Chine.

● En 1961, le **mur de Berlin** est le symbole du **monde bipolaire**.

### 2. L'« équilibre de la terreur »

● En 1949, l'URSS se dote de l'**arme atomique**. Grâce à la **dissuasion nucléaire**, le conflit n'éclate jamais directement entre les deux grandes puissances qui craignent de voir leur territoire entièrement détruit.

### 3. Compétition et propagande pendant la guerre froide

● Les États-Unis et l'URSS rivalisent dans tous les domaines. Ils mènent une **guerre idéologique et culturelle** (radio, cinéma, BD, etc.). La conquête spatiale est utilisée comme un **outil de propagande**. En 1961, les Soviétiques envoient le premier homme dans l'espace, mais, en 1969, ce sont les Américains qui marchent sur la Lune.

---

**VOCABULAIRE**

▸ **Dissuasion nucléaire**
Doctrine qui part du principe qu'une guerre nucléaire provoquerait la destruction totale des deux camps.

▸ **Monde bipolaire**
Expression qui permet de décrire l'état du monde au temps de la guerre froide.

▸ **OTAN**
Alliance militaire autour des États-Unis signée en 1949, appelée **bloc de l'Ouest**.

▸ **Pacte de Varsovie**
Alliance militaire autour de l'URSS signée en 1955 par les démocraties populaires, appelée **bloc de l'Est**.

▸ **Plan Marshall**
Plan d'aide économique proposé par les États-Unis aux pays touchés par la guerre afin qu'ils se reconstruisent.

▸ **Rideau de fer**
Expression désignant la frontière qui coupe l'Europe en deux, d'un côté les pays libres du bloc de l'Ouest et de l'autre les pays communistes du bloc de l'Est.

## C Crises et tensions pendant la guerre froide

### 1. Les crises de la guerre froide

● Si l'URSS et les États-Unis ne s'affrontent pas directement, il existe de nombreuses **crises et guerres locales**. Entre 1950 et 1953, les deux puissances se combattent indirectement en **Corée**. En 1962, la **crise de Cuba** met le monde au bord de la guerre mondiale.

### 2. La Détente

● Pourtant, après la crise de Cuba, Kennedy et Khrouchtchev comprennent la nécessité de renforcer le dialogue entre les deux blocs. S'ensuit une période de « **Détente** » qui n'exclut cependant pas les conflits indirects, comme l'intervention américaine au Viêtnam en 1964.

### 3. La fin de la guerre froide

● Au milieu des années 1980, l'URSS est épuisée économiquement par la course à l'armement.

● La guerre froide se termine avec la **chute du mur de Berlin** en 1989, suivie de la **réunification allemande**. En 1991, **l'URSS disparaît**.

**BIOGRAPHIE**

**Harry Truman (1884-1972)**
Président des États-Unis de 1945 à 1953.

**BIOGRAPHIE**

**John Fitzgerald Kennedy (1917-1963)**
Président des États-Unis de 1961 à 1963.

**BIOGRAPHIE**

**Nikita Khrouchtchev (1894-1971)**
Principal dirigeant de l'URSS de 1953 à 1964.

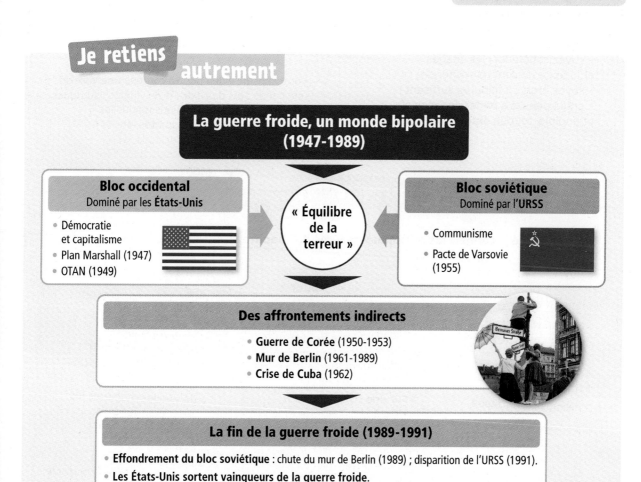

**Je retiens autrement**

**La guerre froide, un monde bipolaire (1947-1989)**

**Bloc occidental**
Dominé par les **États-Unis**
- Démocratie et capitalisme
- Plan Marshall (1947)
- OTAN (1949)

« **Équilibre de la terreur** »

**Bloc soviétique**
Dominé par l'**URSS**
- Communisme
- Pacte de Varsovie (1955)

**Des affrontements indirects**
- **Guerre de Corée** (1950-1953)
- **Mur de Berlin** (1961-1989)
- **Crise de Cuba** (1962)

**La fin de la guerre froide (1989-1991)**
- **Effondrement du bloc soviétique** : chute du mur de Berlin (1989) ; disparition de l'URSS (1991).
- **Les États-Unis sortent vainqueurs de la guerre froide.**

# Apprendre à apprendre

## Comment apprendre ma leçon ?

### Je réalise une capsule vidéo

 Une capsule vidéo est une production audiovisuelle animée et scénarisée, de courte durée, qui traite d'un thème précis. Créer une capsule vidéo permet de mémoriser son cours et d'apprendre à maîtriser les outils numériques.

▶ **Étape 1**

- Préparez la capsule vidéo. En groupe, faites le point sur vos connaissances puis rédigez le scénario.
  Le thème est : le mur de Berlin.

▶ **Étape 2**

- Après avoir rédigé les textes et collecté le matériel nécessaire, vous pouvez passer à la réalisation.
  De nombreux outils (logiciels et applications sur téléphone mobile) vous permettent de filmer et monter votre capsule.

- Pour une capsule réussie :
  – structurez votre scénario et expliquez clairement vos idées ;
  – soyez cohérents : les images et le texte doivent correspondre ;
  – soyez brefs : 5 minutes suffisent ;
  – enfin, pensez à parler de façon claire et audible, tout en étant dynamique !

> **Intro** : Titre de la vidéo :
> LE MUR DE BERLIN 1961 – 1989
>
> **Musique de fond** : ...............................
>
> **Scène 1** : Carte de l'Allemagne au lendemain de la Seconde Guerre mondiale
> **Attention !** Carte à réaliser `site élève ⬇ fond de carte`
> + Explication du blocus de Berlin
> Prévoir, par exemple, des figurines et une construction en legos pour représenter les forces en présence, la situation et le pont aérien.
>
> `site élève ⬇ exemple de vidéo`

💡 Votre capsule vidéo pourra contenir une voix-off, une bande son, des extraits de vidéos historiques (site de l'INA), des animations manuelles ou en 3D, des cartes, des photos, etc.

## Je révise  chez moi

● **Je vérifie que je connais les principaux repères du chapitre.**

**Je sais définir et utiliser dans une phrase :**

▶ monde bipolaire
▶ rideau de fer
▶ dissuasion nucléaire

**Je sais situer :**

▶ **sur une frise :**
– le début et la fin de la guerre froide ;
– la construction et la chute du mur de Berlin ;
– la crise de Cuba.

▶ **sur une carte :**
– Berlin ;
– Cuba ;
– le rideau de fer.

`site élève ⬇ fond de carte et frise`

**Je sais expliquer :**

▶ pourquoi on appelle « guerre froide » l'affrontement entre les États-Unis et l'URSS entre 1947 et 1989.

▶ de quelles manières les deux grandes puissances s'opposent pendant la guerre froide.

▶ pourquoi Berlin est au cœur de la guerre froide.

## Je vérifie mes connaissances

**1** **Je révise ma leçon en indiquant la (ou les) bonne(s) réponse(s).**

**1. La dissuasion nucléaire, c'est :**
- [a] le fait de posséder une arme atomique.
- [b] le fait de dissuader l'adversaire d'avoir une arme atomique.
- [c] le fait de dissuader l'adversaire d'attaquer par peur d'une riposte nucléaire.

**2. La frontière qui sépare l'Europe en deux pendant la guerre froide s'appelle :**
- [a] le mur de Berlin.
- [b] le rideau de fer.
- [c] la ligne Marshall.

**3. Le mur de Berlin a été construit :**
- [a] en 1947.
- [b] en 1961.
- [c] en 1989.

**4. Quels États sont au centre de crises importantes pendant la guerre froide ?**
- [a] L'Allemagne.
- [b] La Corée.
- [c] La France.

**2** **Je recopie le tableau, puis j'y classe les éléments ci-dessous.**

site élève
⬇ tableau à imprimer

capitalisme · premier homme sur la Lune · Cuba · pacte de Varsovie · RFA · communisme · RDA · premier homme dans l'espace · OTAN · plan Marshall

| Bloc de l'Ouest | Bloc de l'Est |
|---|---|
| | |
| | |
| | |

**3** **Je raconte à partir d'une image.**

→ Je rédige un paragraphe ou j'explique oralement pourquoi l'événement illustré par cette photographie symbolise la fin de la guerre froide.

site élève
⬇ lien vers la vidéo

**4** **Retrouvez d'autres exercices sous forme interactive sur le site Nathan.**

site élève
⬇ exercices interactifs

# Brevet

## EXERCICE 1 Analyser et comprendre des documents (20 points)

### Le plan Marshall

*Le président américain Truman justifie l'aide des États-Unis aux pays européens.*

Je crois que notre aide doit consister essentiellement en un soutien économique et financier. Les germes des régimes totalitaires[1] sont nourris par la misère et le besoin. Ils se répandent et grandissent dans la mauvaise terre de la pauvreté et de la guerre civile. Ils parviennent à maturité lorsqu'un peuple voit mourir l'espoir d'une vie meilleure.

Nous devons faire en sorte que cet espoir demeure vivant. Les peuples libres de la Terre attendent de nous que nous les aidions à conserver leurs libertés. Si nous manquons à notre rôle directeur, nous pourrons par là même mettre en péril la paix du monde [...].

■ Déclaration du président Truman au Congrès américain, 12 mars 1947.

1. Allusion à l'URSS et aux dictatures communistes.

### QUESTIONS

❶ Présentez l'auteur du document et le contexte de l'année 1947.

❷ Quelle expression Truman utilise-t-il pour décrire les alliés de l'URSS ? Et les alliés des États-Unis ?

❸ Pourquoi les États-Unis veulent-ils aider économiquement les pays européens ?

❹ Quelle mission Truman donne-t-il aux États-Unis à partir de 1947 ?

❺ D'après le document et vos connaissances, quelle relation s'engage à cette date entre les États-Unis et l'URSS ?

### MÉTHODE

**Je mets en relation les faits d'une période (→ Questions ❸ et ❺)**

▶ Le document doit vous aider à analyser une situation historique. Il vous faut donc relever les faits, les événements, les acteurs de cette période.

▶ Il ne s'agit pas simplement d'en faire la liste : vous devez expliquer les relations qui existent entre eux (liens de cause et conséquence, acteurs et motivations identiques ou opposées...). Pour cela, analysez les informations apportées par le document et mettez-les en relation avec les connaissances travaillées dans le chapitre concerné.

→ *Exemples :*
**Question ❸ :** montrez que l'aide économique doit empêcher la mise en place de dictatures.
**Question ❺ :** expliquez que le plan Marshall est un moyen de lutter contre l'expansion communiste.

## EXERCICE 2 Maîtriser différents langages (20 points)

**1** Sous la forme d'un développement construit d'une vingtaine de lignes et en vous appuyant sur des exemples étudiés en classe, décrivez et expliquez le monde bipolaire au temps de la guerre froide.

### CONSEILS

→ Pour construire votre développement, vous pouvez l'organiser en deux parties qui présenteront :
• la rivalité entre deux puissances et deux idéologies ;
• la mise en place de deux blocs.

**2** Situez sur la frise chronologique ci-contre les crises suivantes de la guerre froide :
• la guerre de Corée,
• la crise de Cuba,
• la construction du mur de Berlin.

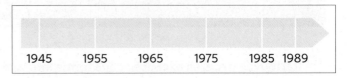

1945    1955    1965    1975    1985  1989

## SUJET BLANC

### EXERCICE **1** Analyser et comprendre des documents (20 points)

**La fin de la guerre froide**

**1** « Je suis un Berlinois », référence au discours prononcé par le président Kennedy devant le mur de Berlin en 1963.

Plantu, dessin paru dans le journal *Le Monde*, 11 novembre 1989.

#### QUESTIONS

**1** Présentez le document en expliquant quelle est sa nature.

**2** Quel événement important ce dessin évoque-t-il ? Où et en quelle année cet événement a-t-il eu lieu ?

**3** Repérez les différents personnages présents sur le dessin et dites à quels États ils appartiennent.

**4** Comment l'auteur du dessin montre-t-il que cet événement se situe dans le contexte de la guerre froide ?

**5** Quelles conséquences cet événement a-t-il eues pour les Allemands ? Et sur les relations internationales ?

### EXERCICE **2** Maîtriser différents langages (20 points)

**1** Sous la forme d'un développement construit d'une vingtaine de lignes et en prenant appui sur des exemples étudiés en classe, présentez et expliquez les principales crises de la guerre froide.

**2** Localisez et nommez sur le fond de carte ci-contre :
• les deux grandes puissances de la guerre froide,
• deux alliés de chacune de ces puissances,
• une ville divisée en deux par la guerre froide.

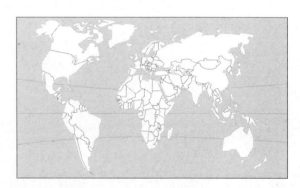

### MON BILAN DE COMPÉTENCES

| Domaines du socle | Compétences travaillées | Pages du chapitre | |
|---|---|---|---|
| **D1** Les langages pour penser et communiquer | • Je sais me repérer dans le temps et dans l'espace<br>• Je sais expliquer à l'écrit le point de vue particulier de documents analysés<br>• Je sais rédiger un récit historique | **Je me repère** ........... p. 94-95<br>**Je découvre** ........... p. 96-97<br><br>**J'enquête** ........... p. 98-99 | |
| **D2** Méthodes et outils pour apprendre | • Je sais réaliser une production graphique, la carte mentale<br>• Je sais me poser des questions à propos d'une situation historique et y répondre<br>• Je sais organiser mon travail personnel | **Je découvre** ........... p. 96-97<br>**Je découvre** ........... p. 100-101<br><br>**Apprendre à apprendre** .... p. 106 | |
| **D5** Les représentations du monde et de l'activité humaine | • Je sais construire des hypothèses d'interprétation et les vérifier avec mes connaissances<br>• Je sais m'exprimer à l'écrit en distinguant les causes et les conséquences d'une situation historique | **J'enquête** ........... p. 98-99<br><br>**Je découvre** ........... p. 100-101 | |

# Indépendances et construction de nouveaux États

→ Comment les territoires colonisés obtiennent-ils leur indépendance et s'affirment-ils sur la scène internationale ?

**Au cycle 4, en 4ᵉ**

J'ai appris qu'au XIXᵉ siècle, la colonisation a renforcé la domination de l'Europe sur le monde. J'ai aussi étudié comment fonctionnait une société coloniale.

**Au cycle 4, en 3ᵉ**

**Chapitre 5**
J'ai étudié la guerre froide et l'organisation du monde selon une logique bipolaire.

**Ce que je vais découvrir**

Je vais étudier la décolonisation et voir comment les nouveaux États indépendants, qui constituent le Tiers Monde, remettent en cause l'organisation bipolaire du monde.

**1** **L'accession à l'indépendance des territoires colonisés**

Le 14 décembre 1963, en présence des représentants britanniques, le leader nationaliste Jomo Kenyatta présente le livre qui officialise l'indépendance du Kenya, acquise après 10 ans de révoltes.

Pour marquer leur indépendance et rompre avec le passé colonial, certains États ont changé de nom. C'est le cas en Afrique de la *Gold Coast* britannique, devenue Ghana en 1957, ou du Dahomey français, devenu Bénin en 1975.

### 2 La construction de nouveaux États

L'émission de timbres est un signe d'affirmation des nouveaux États.
Les couleurs du drapeau camerounais symbolisent la forêt équatoriale (vert),
le soleil et la savane (jaune) et le sang versé pour l'indépendance (rouge).

Timbre célébrant l'indépendance du Cameroun et la naissance du nouvel État, 1er janvier 1960.

# La décolonisation et l'émergence du Tiers Monde

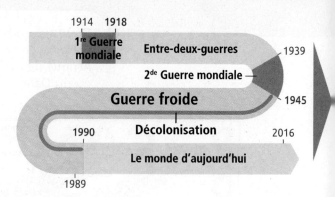

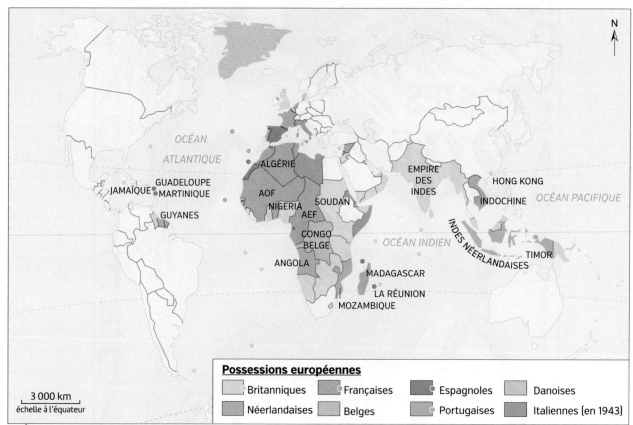

**1** Les empires coloniaux en 1945

**Possessions européennes**

| | | |
|---|---|---|
| Britanniques | Françaises | Espagnoles | Danoises |
| Néerlandaises | Belges | Portugaises | Italiennes (en 1943) |

3 000 km
échelle à l'équateur

## VOCABULAIRE

▸ **Décolonisation**
Processus d'accession à l'indépendance des territoires colonisés.

▸ **Mouvement des non-alignés**
Mouvement créé en 1961 à l'initiative de l'Inde, de l'Égypte et de la Yougoslavie, qui prône l'indépendance des nouveaux États face aux deux blocs de la guerre froide et soutient les mouvements nationalistes.

▸ **Tiers Monde**
Ensemble de pays souvent issus de la décolonisation qui ont en commun un faible niveau de développement et cherchent à s'affirmer sur la scène internationale.

## QUESTIONS

▸ **Je me repère dans le temps et dans l'espace**

❶ Quelles sont les puissances coloniales européennes en 1945 ?

❷ Sur quels continents leurs possessions coloniales sont-elles principalement situées ?

❸ Sur quel continent la décolonisation débute-t-elle ? Où s'étend-elle ensuite ?

❹ Où sont situés les pays du Tiers Monde ?

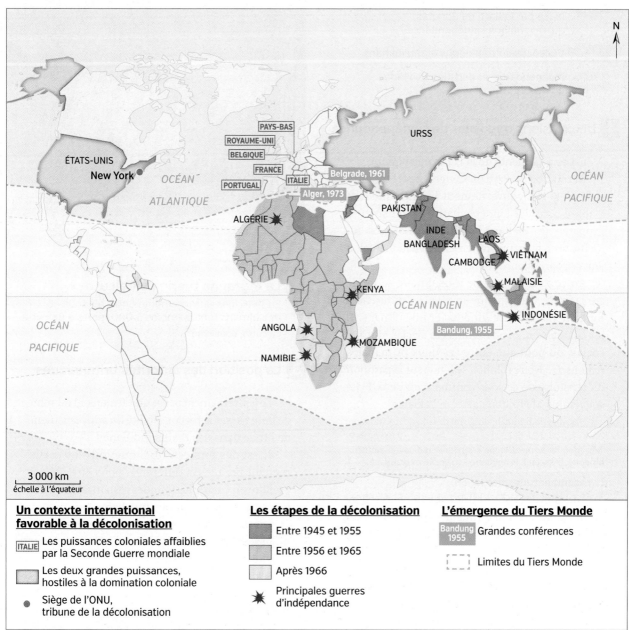

**Décolonisation**

1945 — 1950 — 1960 — 1970 — 1980 — 1990

● **1956** Indépendance de la Tunisie et du Maroc

● **1975** Indépendance des colonies portugaises d'Afrique

● **1947** Indépendance de l'Inde

● **1960** Indépendance des colonies françaises d'Afrique noire

**1990** ● Indépendance de la Namibie

**1946-1954** Guerre d'Indochine

**1954-1962** Guerre d'Algérie

**Affirmation du Tiers Monde**

● **1955** Conférence de Bandung

● **1961** Conférence des non-alignés à Belgrade

● **1973** Conférence des non-alignés à Alger

**Un contexte international favorable à la décolonisation**

ITALIE Les puissances coloniales affaiblies par la Seconde Guerre mondiale

Les deux grandes puissances, hostiles à la domination coloniale

● Siège de l'ONU, tribune de la décolonisation

**Les étapes de la décolonisation**

Entre 1945 et 1955

Entre 1956 et 1965

Après 1966

✴ Principales guerres d'indépendance

**L'émergence du Tiers Monde**

Bandung 1955 Grandes conférences

⬜ Limites du Tiers Monde

**2** La décolonisation et l'émergence du Tiers Monde (1945-1990)

**SOCLE** Compétences

▶ **Domaine 1** : Je m'exprime à l'écrit pour raconter, décrire et argumenter
▶ **Domaine 2** : Je travaille en équipe et je partage des tâches dans un dialogue constructif

# Je découvre

# L'indépendance de l'Inde (1947) : entre négociations et affrontements

**Question clé** Dans quelles conditions l'Inde britannique accède-t-elle à l'indépendance en 1947 ?

## Chronologie

**Années 1920** Campagnes de protestation non violentes lancées par Gandhi, leader du Parti du Congrès, contre la domination britannique.

**1942** Mouvement *Quit India* (« Quittez l'Inde »), lancé par le Parti du Congrès, qui revendique l'indépendance.

**1946** Violences entre hindous et musulmans.

**1947** Indépendance et partition de l'Inde en deux États.

## 1 Deux visions opposées de l'indépendance

### a. Les arguments de la Ligue musulmane

La solution du Parti du Congrès peut être résumée ainsi : le gouvernement britannique doit d'abord accorder l'indépendance et transmettre l'appareil de l'État aux hommes du Congrès qui mettront en place un gouvernement national selon leurs propres conceptions [...].

Au contraire, la Ligue musulmane se fonde sur la réalité. J'ai expliqué en détail les différences fondamentales entre hindous et musulmans. Il n'y a jamais eu, pendant tous ces siècles, d'unité sociale ou politique entre ces deux principales nations. [...] Notre solution se fonde sur la partition du territoire de ce sous-continent en deux États souverains : l'Hindoustan et le Pakistan[1].

■ Discours d'Ali Jinnah, dirigeant de la ligue musulmane, 7 avril 1946.

1. Le premier terme désigne le territoire indien à majorité hindoue, le second, le territoire à majorité musulmane.

### b. Les inquiétudes de Gandhi

Le destin de l'Inde est-il de subir une vivisection[1] en deux parties, l'une musulmane, l'autre non musulmane ? Et qu'adviendra-t-il aux musulmans qui vivent dans les villages où la population est majoritairement hindoue, et réciproquement, aux hindous là où ils ne sont qu'une poignée, dans les provinces de la frontière ? La voie suggérée par la Ligue musulmane est celle du conflit.

■ Gandhi, article paru dans *Harijan*, 28 octobre 1939.

1. Dissection pratiquée sur un animal vivant.

## 2 La « grande tuerie de Calcutta »

En 1946, des affrontements entre hindous et musulmans font au moins 5 000 morts à Calcutta. Calcutta, août 1946.

## 3 La position des autorités britanniques

Le gouvernement pense que le moment est venu de faire passer la responsabilité du gouvernement de l'Inde dans des mains indiennes.

Il est dès lors essentiel que tous les partis mettent fin à leurs différends pour être prêts à prendre en charge les grandes responsabilités qui leur incomberont l'année prochaine [...].

Les intérêts commerciaux et industriels britanniques en Inde peuvent s'attendre à ce que leur activité reçoive une place juste dans le nouveau contexte. Les relations entre l'Inde et la Grande-Bretagne sont anciennes et amicales, et continueront à servir leurs intérêts mutuels.

■ Déclaration du Premier ministre britannique, Clement Attlee, à la Chambre des communes, 20 février 1947.

## 4 Les négociations d'indépendance (1947)

Le Britannique lord Mountbatten **1**, vice-roi des Indes, est entouré de Nehru **2**, leader du parti du Congrès, et d'Ali Jinnah **3**, dirigeant de la Ligue musulmane. New Delhi, 2 juin 1947.

### VOCABULAIRE

▸ **Décolonisation**
→ p. 121.

▸ **Ligue musulmane**
Parti nationaliste indien musulman fondé en 1906, dirigé par **Ali Jinnah**.

▸ **Parti du Congrès**
Principal parti nationaliste indien fondé en 1885. Ses principaux leaders sont **Gandhi** et **Nehru**.

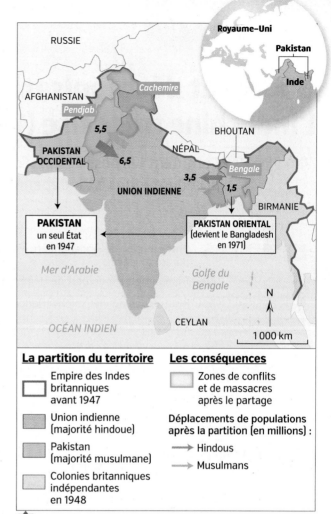

**La partition du territoire**

- Empire des Indes britanniques avant 1947
- Union indienne (majorité hindoue)
- Pakistan (majorité musulmane)
- Colonies britanniques indépendantes en 1948

**Les conséquences**

- Zones de conflits et de massacres après le partage
- Déplacements de populations après la partition (en millions) :
  - → Hindous
  - → Musulmans

## 5 La partition de l'Inde en 1947

---

## Activités

**Question clé** : Dans quelles conditions l'Inde britannique accède-t-elle à l'indépendance en 1947 ?

### ITINÉRAIRE 1

▸ **Je cherche des réponses aux questions sur les documents**

**1 Doc 1, 3 et 4.** Qui participe aux débats sur l'indépendance de l'Inde ?

**2 Doc 1 et 3.** Quel est le point de vue de chacun des négociateurs sur l'avenir de l'Inde ?

**3 Doc 1 à 3.** Pourquoi la décolonisation de l'Inde se déroule-t-elle dans un climat difficile ?

**4 Doc 5.** Quelles sont les conséquences de l'indépendance de l'Inde ?

▸ **J'élabore collectivement une présentation orale**

**5** Constituez des groupes de quatre. Trois d'entre vous vont reconstituer la négociation entre lord Mountbatten, Nehru et Ali Jinnah pour l'indépendance de l'Inde en 1947. Le quatrième conclura en présentant les conséquences de l'indépendance.

**OU**

### ITINÉRAIRE 2

▸ **Je raisonne et je justifie mes choix à l'écrit**

Répondez à la question clé en justifiant les affirmations suivantes :

- Les Indiens veulent l'indépendance, mais ne sont pas tous d'accord sur l'avenir du pays (**Doc 1, 2 et 4**).
- Les Britanniques ne sont pas hostiles à l'indépendance et désirent conserver de bonnes relations avec l'Inde (**Doc 3 et 4**).
- L'indépendance de l'Inde est négociée, mais s'accompagne de violences (**Doc 2**).
- L'indépendance a des conséquences territoriales et humaines importantes (**Doc 5**).

# Je découvre

**SOCLE** Compétences

- **Domaine 2** : J'analyse et je confronte des documents en utilisant mes connaissances sur la situation étudiée
- **Domaine 5** : Je développe mon imagination pour réaliser une production littéraire historique

# Guerre et décolonisation, l'Indochine française (1946–1954)

France
Indochine

**Question clé** Comment les possessions françaises d'Indochine accèdent-elles à l'indépendance ?

## Chronologie

| | |
|---|---|
| **2 septembre 1945** | Proclamation de l'indépendance du Viêtnam par Hô Chí Minh. |
| **Novembre 1946** | Bombardement du port de Haiphong par les Français. |
| **Décembre 1946** | Insurrection du Viêt-minh à Hanoï ; début de la guerre. |
| **1949** | Aide de la Chine communiste au Viêt-minh. |
| **1950** | Soutien américain à la France en Indochine. |
| **7 mai 1954** | Défaite française de Diên Biên Phu. |
| **20 juillet 1954** | Accords de Genève ; indépendance du Laos, du Cambodge et du Viêtnam. |

> **VOCABULAIRE**
>
> ▸ **Viêt-minh**
> Ligue pour l'indépendance du Viêtnam fondée par le communiste Hô Chí Minh en 1941 pour combattre les colonisateurs français.

## 1 Hô Chí Minh proclame l'indépendance du Viêtnam (1945)

La Déclaration des droits de l'homme et du citoyen de la Révolution française a proclamé : « Les hommes naissent et demeurent libres et égaux en droits. » Ce sont là des vérités indéniables. Et pourtant, pendant plus de 80 ans, les impérialistes français, reniant leurs principes « liberté, égalité, fraternité », ont violé la terre de nos ancêtres et opprimé nos compatriotes. [...] Après la reddition des Japonais[1], notre peuple tout entier s'est levé pour reconquérir sa souveraineté et a fondé la République démocratique du Viêtnam. [...] Un peuple qui s'est obstinément opposé à la domination française pendant plus de 80 ans ; un peuple qui, durant ces dernières années, s'est décidément rangé du côté des Alliés pour lutter contre le fascisme ; ce peuple a le droit d'être libre, ce peuple a le droit d'être indépendant.

■ Hô Chí Minh, déclaration d'indépendance de la république du Viêtnam, Hanoï, 2 septembre 1945.

**1.** La défaite des Japonais : depuis mars 1945, les Japonais ont chassé les autorités françaises d'Indochine. Leur capitulation et la fin de la Seconde Guerre mondiale permettent la proclamation de l'indépendance par Hô Chí Minh.

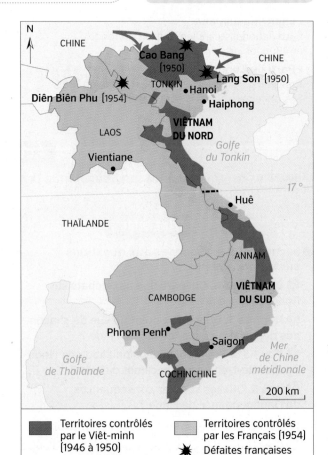

**Légende :**
- ■ Territoires contrôlés par le Viêt-minh (1946 à 1950)
- ■ Avancées du Viêt-minh (1950 à 1954)
- → Aides chinoises
- ☐ Territoires contrôlés par les Français (1954)
- ✴ Défaites françaises
- ┅┅ Ligne de partage du Viêtnam (accords de Genève, 1954)

**2** La guerre d'Indochine (1946-1954)

## 3 La guerre d'Indochine, un conflit de la guerre froide

Depuis 1950, les États-Unis apportent une aide matérielle et financière à la France en Indochine.

La dictature communiste s'est déjà emparée en Asie de 450 millions de personnes[1] ; nous ne pouvons tout simplement pas nous permettre de plus grandes pertes. [...] Finalement, compte tenu de sa position géographique, la perte de l'Indochine aurait de multiples conséquences. [...] Elle étendrait la menace [communiste] à l'Australie et la Nouvelle-Zélande [...].

Vous le voyez, les conséquences possibles de la perte de l'Indochine pour le monde libre sont tout simplement incalculables.

■ Discours de Dwight D. Eisenhower, président des États-Unis, 7 avril 1954.

1. Allusion à la prise du pouvoir des communistes en Chine en 1949.

## 5 La guérilla vietnamienne

La guérilla est la guerre des masses populaires d'un pays économiquement arriéré se dressant contre une armée d'agression puissamment équipée et bien entraînée.

L'ennemi est-il fort ? On l'évite. Est-il faible ? On l'attaque ; à son armement moderne on oppose un héroïsme sans bornes pour vaincre, soit en harcelant soit en anéantissant l'adversaire suivant les circonstances [...] ; pas de ligne de démarcation fixe, le front est partout où se trouve l'adversaire. [...] Initiatives, souplesse, rapidité, surprise, promptitude dans l'attaque et le repli.

■ Général Giap, chef des armées du Viêt-minh, *Guerre du peuple, armée du peuple* (1961), Maspero, 1968.

site élève
⬇ lien vers la vidéo

## 4 La défaite française de Diên Biên Phu

Après 55 jours de siège, les Français ont perdu 3 000 hommes ; 10 000 sont faits prisonniers.

Prisonniers français après la victoire vietnamienne à Diên Biên Phu, le 7 mai 1954.

## Activités

**Question clé** Comment les possessions françaises d'Indochine accèdent-elles à l'indépendance ?

### ITINÉRAIRE 1

▶ **J'extrais des informations pour comprendre une situation historique**

❶ **Doc 1.** Sur quels arguments se fonde Hô Chí Minh pour déclarer l'indépendance du Viêtnam ?

❷ **Doc 2 à 5 et chronologie.** Quelles sont les étapes de la guerre d'Indochine ?

❸ **Doc 2 et 3.** Pourquoi la guerre d'Indochine est-elle aussi un conflit de la guerre froide ? Qui en sont les acteurs ?

❹ **Doc 5.** Comment le Viêt-minh fait-il la guerre ?

▶ **J'argumente à l'écrit**

❺ Imaginez le discours qu'aurait pu prononcer Hô Chí Minh le jour de la signature des accords de Genève. Vous y rappellerez les origines de la guerre, sa nature et ses acteurs, ainsi que son aboutissement.

**OU**

### ITINÉRAIRE 2

▶ **J'explique par une production graphique une situation historique**

Répondez à la question clé en recopiant puis en terminant ce schéma.

Origines (doc 1)

| Nature de la guerre (Doc 2, 3 et 5) | ← | Guerre d'Indochine (de ... à ...) | → | Acteurs de la guerre (Doc 2, 4 et 5) |

Épisode final et aboutissement de la guerre (doc 4)

**SOCLE** Compétences
- **Domaine 1** : J'explique à l'écrit de façon claire et organisée
- **Domaine 2** : Je comprends le sens général d'un document et son point de vue particulier

# Qu'est-ce que le Tiers Monde ?

**CONSIGNE**

Vous êtes journaliste et assistez au discours de Julius Nyerere, président de la Tanzanie, en février 1979 (**doc 5**) à la tribune de l'ONU. À cette occasion, vous écrivez un article dans lequel vous expliquez ce qu'est le Tiers Monde et le rôle qu'il souhaite jouer dans les relations internationales.

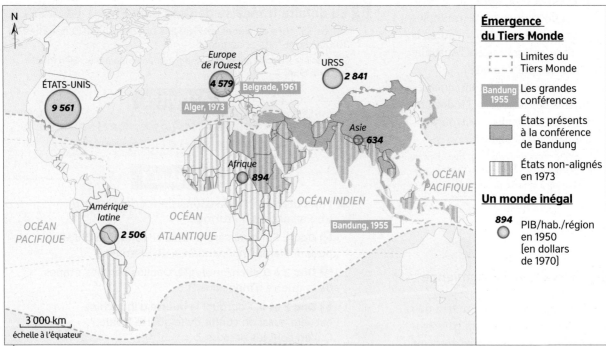

**1** **Tiers Monde et non-alignement (1950-1973)**

**2** **L'émergence du Tiers Monde à Bandung (1955)**

Bandung a été au cours de cette semaine le point de mire, la capitale devrais-je dire, de l'Asie et de l'Afrique.

Nous avons pris du retard. Nous avons été distancés dans la course du monde mais nous sommes résolus à rattraper notre retard. Nous sommes résolus à n'être d'aucune façon dominés par aucun pays, par aucun continent. Nous sommes de grands pays du monde et nous voulons vivre libres sans recevoir d'ordres de personne.

Nous attachons de l'importance à l'amitié des grandes puissances, mais à l'avenir, nous ne coopérerons avec elles que sur un pied d'égalité. Nous élevons notre voix contre le colonialisme, dont beaucoup d'entre nous ont souffert pendant longtemps. Et c'est pourquoi nous devons veiller à ce qu'aucune autre forme de domination ne nous menace. [...] Il appartient à l'Asie d'aider l'Afrique au mieux de ses possibilités car nous sommes des continents frères.

■ Nehru, discours de clôture de la conférence de Bandung, 24 avril 1955.

**VOCABULAIRE**

▶ **Mouvement des non-alignés**
Mouvement créé en 1961 qui prône l'indépendance des nouveaux États face aux deux blocs de la guerre froide et soutient les mouvements nationalistes.

▶ **Tiers Monde**
Ensemble de pays souvent issus de la décolonisation qui ont en commun un faible niveau de développement et cherchent à s'affirmer sur la scène internationale.

## D'OÙ VIENT LE MOT...

### TIERS MONDE

L'expression « **Tiers Monde** » est apparue dans les années 1950 en référence au **tiers état** qui, avant la Révolution française, regroupait les non–privilégiés, privés de participation à la vie politique. Dans le contexte de **guerre froide**, il renvoie à un troisième groupe de pays, distinct du bloc soviétique et du bloc occidental (→ chap. 5 p. 92).

**3** **Les principaux dirigeants du mouvement des non-alignés**

De gauche à droite : Nehru (Inde), Kwame Nkrumah (Ghana), Nasser (Égypte), Sukarno (Indonésie), Tito (Yougoslavie), réunis pour préparer la conférence de Belgrade de 1961.
Belgrade, 29 septembre 1960.

## 4 La naissance du non-alignement (1961)

Les participants à la conférence [...] considèrent que l'extension de la sphère de non-engagement[1] représente la seule possibilité et le choix indispensable face à l'orientation vers la division totale du monde en blocs et l'aggravation de la politique de la guerre froide. Les pays non-alignés offrent encouragement et appui à tous les peuples qui luttent pour leur indépendance et leur égalité.

Les participants [...] sont convaincus que l'apparition de pays nouvellement libérés aidera aussi à réduire l'aire des antagonismes des blocs[2] et à encourager toute tendance visant à affirmer la paix et à promouvoir une coopération pacifique entre nations indépendantes et égales.

◼ Déclaration finale des chefs d'État ou de gouvernement des pays non-alignés, conférence de Belgrade, septembre 1961.

1. Ou non-alignement.
2. Renvoie à l'opposition entre le bloc occidental et le bloc soviétique.

### COUP DE POUCE

Pour rédiger votre article, vous allez expliquer :

◗ quels sont les pays du Tiers Monde, leurs leaders et leurs caractéristiques (→ Doc 1 à 5) ;
◗ leurs moyens pour se faire entendre sur la scène internationale (→ Doc 1 à 5) ;
◗ leurs revendications politiques (→ Doc 2 et 4) et économiques (→ Doc 5).

## 5 Le Tiers Monde dans l'économie mondiale

Le Tiers Monde a compris qu'il devait parler d'une seule voix aux sessions de la Conférence des Nations unies sur le commerce et le développement[1] et dans les autres réunions consacrées aux problèmes économiques mondiaux. [...]

Nous nous étions rendu compte que nos efforts individuels visant à développer notre économie nationale se brisaient sur un mur massif de puissance, la puissance des nations riches et des sociétés transnationales[2]. C'est pourquoi nous nous sommes rassemblés pour négocier avec les États industrialisés les changements à apporter aux règles pratiques régissant les finances et les échanges mondiaux. Le système actuel a été institué par les États industrialisés pour servir leurs intérêts. [...] Il en résulte que le groupe des nations industrialisées tient les finances et les échanges internationaux [...].

Nous, le Tiers Monde, nous exigeons maintenant que l'on change les systèmes qui enrichissent les riches et appauvrissent les pauvres.

◼ Allocution de Julius Nyerere, président de la Tanzanie, discours publié en 1979.

1. La CNUCED, organisation de l'ONU créée en 1964, chargée de mieux intégrer le Tiers Monde dans le commerce international.
2. Entreprises implantées dans plusieurs pays.

# Indépendances et construction de nouveaux États

➡️ **Comment les territoires colonisés obtiennent-ils leur indépendance et s'affirment-ils sur la scène internationale ?**

## A Un contexte favorable à la décolonisation

### 1. Des empires fragilisés par la Seconde Guerre mondiale

● La défaite de la France, des Pays-Bas et de la Belgique face à l'Allemagne dès 1940 révèle les **faiblesses des puissances coloniales**. La guerre menée au nom de la liberté contre le nazisme a mobilisé les populations colonisées et **favorisé les revendications de liberté**.

● Cette situation renforce les mouvements nationalistes dans les colonies, qui réclament notamment le départ des Britanniques en Inde dès 1942 et proclament l'indépendance du Viêtnam en 1945.

### 2. Un nouveau contexte international

● Les **États-Unis** et l'**URSS**, grands vainqueurs de la guerre, sont favorables à la décolonisation. L'**ONU**, créée en 1945, soutient les indépendances au nom du **droit des peuples à disposer d'eux-mêmes**.

● Si les empires sont en grande partie opposés à l'indépendance de leurs colonies, ils n'ont plus les moyens de maintenir leur domination.

## B Les étapes et les modalités de la décolonisation

### 1. La décolonisation débute en Asie

● La première vague de décolonisation se déroule **entre 1945 et les années 1950**. En **Inde**, l'indépendance est obtenue par la négociation en **1947**. Elle donne naissance à deux États : **l'Union indienne et le Pakistan**, dans un contexte de violences entre hindous et musulmans.

● Aux Indes néerlandaises et en Indochine, les Pays-Bas et la France refusent les indépendances proclamées en 1945 et se lancent dans des **guerres de reconquête qui échouent**. Le combat de la France en Indochine se solde par l'**indépendance du Viêtnam, du Laos et du Cambodge, en 1954**.

### 2. La décolonisation du continent africain

● La décolonisation s'étend à l'**Afrique au milieu des années 1950**. Après une période de troubles, la France accorde l'indépendance au **Maroc** et à la **Tunisie** en 1956. En 1962, l'**Algérie** devient à son tour indépendante, après une **guerre sanglante** de huit ans, provoquant le départ de très nombreux Français d'Algérie vers la métropole (➡️ chap. 10 p. 174).

● En Afrique noire, la décolonisation est plus tardive et plus pacifique. Dès 1957, la *Gold Coast* britannique devient indépendante sous le nom de **Ghana**. La France accorde l'indépendance à ses colonies en 1960. Mais des affrontements ont aussi lieu : le Portugal renonce à l'**Angola** et au **Mozambique** en 1975, au terme de conflits meurtriers.

## C L'émergence du Tiers Monde

### 1. La naissance du Tiers Monde à Bandung

● Le **Tiers Monde** regroupe des pays pauvres, très peu industrialisés, qui font face à une forte croissance démographique.

● Les États décolonisés font entendre la voix du Tiers Monde en **1955**, lors de la **conférence de Bandung** (Indonésie). Ils y condamnent la domination coloniale, réclament des mesures en faveur du développement et dénoncent la guerre froide.

### 2. Les revendications du Tiers Monde

● En **1961**, à **Belgrade**, 25 pays fondent le **mouvement des non-alignés** en affirmant leur volonté de n'appartenir à aucun des deux blocs.

● En **1973**, réunis à **Alger**, les non-alignés réclament la fin de la domination économique des pays riches sur les pays pauvres.

## Je retiens autrement

### Un contexte favorable à la décolonisation
- Métropoles affaiblies par la Seconde Guerre mondiale
- Essor des mouvements nationalistes luttant pour l'indépendance
- Les États-Unis, l'URSS et l'ONU soutiennent la décolonisation

### Le processus de décolonisation

**Les étapes**
- **1re étape : Asie** (1945-années 1950)
- **2e étape : Afrique** (milieu des années 1950-fin des années 1970)

**Les modalités**
- **Décolonisation négociée et relativement pacifique** (Inde, Afrique noire française, Tunisie, Maroc…)
- **Guerres d'indépendance** (Indochine, Algérie…)

### L'émergence du Tiers Monde
- Affirmation politique : conférence de Bandung (1955), mouvement des non-alignés (1961)
- Revendication d'une organisation plus juste de l'économie mondiale (Alger, 1973)

## Comment apprendre ma leçon ?

### J'apprends en réalisant une infographie

L'infographie est un outil d'apprentissage créatif qui met en scène les connaissances du chapitre. Elle permet de synthétiser de manière visuelle les informations importantes du cours.

▶ **Étape 1**

- Pour créer votre infographie, des logiciels sont disponibles gratuitement sur Internet comme Piktochart, Canva ou Infogram. Enregistrez-vous sur le site choisi selon votre niveau en informatique.

▶ **Étape 2**

- Choisissez le format de l'infographie (plusieurs modèles sont proposés). Placez ensuite vos formes, titres, images, textes, cartes, graphiques, nuage de mots, cartes mentales...

- La mise en page doit être aérée et agréable : attention au trop-plein d'informations.

> Votre infographie peut présenter l'ensemble du chapitre ou ne traiter que d'un thème.

### Indépendances et construction de nouveaux États

**1. Un contexte favorable à la décolonisation**

Faiblesse des puissances coloniales

ONU

**LES ÉTAPES ET LES MODALITÉS DE L'ACCESSION À L'INDÉPENDANCE**

FRISE

**L'exemple de l'Inde**

## Je révise chez moi

● **Je vérifie que je connais les principaux repères du chapitre.**

**Je sais définir et utiliser dans une phrase :**

▶ décolonisation

▶ mouvement nationaliste

▶ mouvement des non-alignés

▶ Tiers Monde

**Je sais situer :**

▶ **sur une frise :**
- l'indépendance de l'Inde, du Maroc, de la Tunisie, et de l'Algérie ;
- la guerre d'Indochine ;
- la conférence de Bandung ;
- la conférence de Belgrade.

▶ **sur une carte :**
- les continents touchés par la décolonisation ;
- les limites géographiques du Tiers Monde.

site élève
⬇ fond de carte et frise

**Je sais expliquer :**

▶ quel contexte a favorisé la décolonisation.

▶ les différentes voies d'accession à l'indépendance des territoires colonisés.

▶ ce qu'est le Tiers Monde et quelles sont ses revendications.

## Je vérifie mes connaissances

### 1 Je recopie et je complète le texte ci-dessous.

**a.** La décolonisation est le processus par lequel … .

**b.** Elle est favorisée par … .

**c.** Elle débute sur le continent … puis s'étend au continent … .

**d.** Elle prend plusieurs formes : … (exemple : …) ou … (exemple : …).

### 2 J'indique la (ou les) bonne(s) réponse(s) et je justifie mon choix.

**1. La décolonisation de l'Asie :**

 a  a été négociée et pacifique.

 b  a précédé la décolonisation de l'Afrique.

 c  a été marquée par des guerres de décolonisation mais aussi des indépendances négociées.

**2. Sur le continent africain :**

 a  la France a mené une guerre contre les indépendantistes algériens entre 1946 et 1954.

 b  les colonies portugaises ont accédé pacifiquement à l'indépendance.

 c  la décolonisation de l'Algérie a été violente.

**3. La conférence de Bandung :**

 a  ne réunit que des États africains.

 b  manifeste la volonté des pays du Tiers Monde de faire entendre leur voix sur la scène internationale.

 c  se positionne contre la domination coloniale européenne.

**4. Le non-alignement est :**

 a  le refus des États décolonisés de maintenir des liens avec les anciennes puissances coloniales.

 b  le refus des États du Tiers Monde de s'aligner sur la politique du bloc communiste durant la guerre froide.

 c  le refus de certains États du Tiers Monde d'appartenir à l'un des deux blocs durant la guerre froide.

### 3 J'utilise une carte animée sur l'indépendance de l'Inde britannique. EMI

www.histoirealacarte.com

HISTOIRE À LA CARTE

Dossier : les décolonisations
Un exemple de carte animée :
**Indépendance de l'Inde et du Pakistan**
Cette carte fait partie d'un ensemble de 14 cartes animées portant sur les décolonisations

• Allez sur le site www.histoirealacarte.com.

• Sur la page d'accueil, cliquez sur  Les décolonisations , puis sur la carte  Indépendance de l'Inde et du Pakistan .

•  Écoutez le commentaire et regardez l'animation.

• Cliquez ensuite sur l'onglet  Afficher le texte  qui apparaît après l'animation, en haut à gauche de la carte.

**1.** Quels sont les acteurs de l'indépendance de l'Inde et les difficultés rencontrées lors du processus de décolonisation ?

**2.** Sous la forme d'une chronologie, récapitulez quelles sont les principales transformations de l'espace couvert par l'Inde britannique depuis 1947.

### 4 Retrouvez d'autres exercices sous forme interactive sur le site Nathan.

site élève
⭳ exercices interactifs

## EXERCICE 1 Analyser et comprendre des documents (20 points)

| 4 PAGES DE SPORTS<br>Echo Sport...<br>UNE PAGE ILLUSTRÉE | **L'ÉCHO D'ALGER**<br>15 FRANCS<br>Le plus fort tirage de l'Afrique du Nord · Directeur général : Alain de SÉRIGNY · Trois éditions quotidiennes | DIMANCHE LUNDI<br>7-8<br>Novembre<br>1954 | Tout ce qui brille...<br>**VERNICIRE**<br>SEUL LE |

### M. MITTERRAND dans une déclaration radiodiffusée :

# L'ALGÉRIE C'EST LA FRANCE ET LA FRANCE NE RECONNAITRA PAS CHEZ ELLE D'AUTRE AUTORITÉ QUE LA SIENNE

### LES TROUPES ÉTANT SOLIDEMENT INSTALLÉES

*La véritable opératio de nettoyage de l'Auro* **va commencer dans quelques jour**

### Les débuts de la guerre d'Algérie

Le 1er novembre 1954, une trentaine d'attentats sont commis en Algérie, notamment dans la région de l'Aurès, par une organisation indépendantiste, le FLN (Front de libération nationale). Le maintien de l'ordre en Algérie, alors territoire français, relève du ministre de l'Intérieur, François Mitterrand.

Une de *L'Écho d'Alger*, 7 novembre 1954.

### QUESTIONS

site élève
⬇ analyser la une d'un journal

❶ Présentez le document en expliquant sa nature, sa date, ses destinataires. À quel événement est consacrée sa une ?

❷ Au nom de qui François Mitterrand s'exprime-t-il ? Quel est son point de vue face aux attentats du FLN ?

❸ Que signifie l'expression « opération de nettoyage de l'Aurès » ?

❹ Par des arguments issus de vos connaissances, montrez que le document illustre la manière dont la France métropolitaine réagit face à la volonté d'indépendance dans ses colonies.

❺ D'après vos connaissances, pourquoi François Mitterrand affirme-t-il que « l'Algérie, c'est la France » ?

### MÉTHODE

**J'identifie un document et son point de vue particulier (→ Questions ❷ à ❹)**

▶ Le document proposé doit vous aider à analyser une situation historique. Pour cela, identifiez les lieux, les dates, les idées principales, les notions, les acteurs...

▶ Mais la vision que donne le document de cette situation peut être incomplète. Elle peut aussi être partiale, c'est-à-dire qu'elle présente la situation d'un point de vue particulier, sans tenir compte d'autres interprétations, qui peuvent être différentes, voire opposées. Vous devez donc nuancer et compléter le point de vue exprimé.

→ *Exemple :*
**Question ❹** : utilisez vos réponses aux questions 2 et 3 pour montrer que le journal évoque uniquement le point de vue et les décisions du gouvernement français.

## EXERCICE 2 Maîtriser différents langages (20 points)

**CONSIGNE** Sous la forme d'un développement construit d'une vingtaine de lignes et en vous appuyant sur un exemple d'indépendance d'une colonie étudiée en classe, décrivez et expliquez les étapes et les modalités d'accès à l'indépendance des empires coloniaux.

### CONSEILS

→ Pour construire votre texte, et en fonction de l'exemple choisi, n'oubliez pas :
• que l'accès à l'indépendance des empires coloniaux débute en Asie, selon des modalités qui illustrent l'attitude des métropoles, entre acceptation et refus de l'indépendance ;
• que cet accès à l'indépendance se poursuit en Afrique, là aussi selon des modalités différentes.

## SUJET BLANC

## EXERCICE ① Analyser et comprendre des documents (20 points)

### La conférence de Bandung

La conférence afro-asiatique déclare appuyer totalement les principes fondamentaux des droits de l'homme tels qu'ils sont définis dans la Charte des Nations unies. [...]

En ce qui concerne la situation instable en Afrique du Nord et le refus persistant d'accorder aux peuples d'Afrique du Nord leurs droits à disposer d'eux-mêmes, la conférence afro-asiatique déclare appuyer les droits des peuples d'Algérie, du Maroc et de Tunisie à disposer d'eux-mêmes et à être indépendants, et elle presse le gouvernement français d'aboutir sans retard à une solution pacifique de cette question.

La conférence afro-asiatique [...] est d'accord :

1. pour déclarer que le colonialisme, dans toutes ses manifestations, est un mal auquel il doit être mis fin rapidement ;

2. pour déclarer que la question des peuples soumis à l'assujettissement à l'étranger, à sa domination et à son exploitation constitue une négation des droits fondamentaux de l'homme, est contraire à la Charte des Nations unies et empêche de favoriser la paix et la coopération mondiales ;

3. pour déclarer qu'elle appuie la cause de la liberté et de l'indépendance de ces peuples.

■ Extrait du communiqué final de la conférence de Bandung, 24 avril 1955.

### QUESTIONS

❶ D'après le texte, qu'ont en commun les pays participant à la conférence de Bandung ? À quel thème est consacré cet extrait de leur communiqué ?

❷ Pourquoi la conférence évoque-t-elle le gouvernement français pour expliquer la situation des territoires d'Afrique du Nord en 1955 ?

❸ Que proclame la conférence de Bandung à propos de ces territoires ? Sur quels arguments s'appuie-t-elle ?

❹ La conférence évoque-t-elle les deux pays qui dominent les relations internationales en 1955 ?

❺ D'après ce document et vos connaissances, pourquoi peut-on affirmer que ce communiqué marque l'émergence du Tiers Monde sur la scène internationale ?

## EXERCICE ② Maîtriser différents langages (20 points)

**CONSIGNE** Sous la forme d'un développement construit d'une vingtaine de lignes et en vous appuyant sur les exemples étudiés en classe, décrivez et expliquez l'affirmation du Tiers Monde sur la scène internationale.

## MON BILAN DE COMPÉTENCES

| Domaines du socle | Compétences travaillées | Pages du chapitre |
|---|---|---|
| **D1** Les langages pour penser et communiquer | • Je sais me repérer dans le temps et dans l'espace<br>• Je sais m'exprimer à l'écrit pour raconter, décrire et argumenter<br>• Je sais expliquer à l'écrit de façon claire et organisée | Je me repère ........... p. 112-113<br>Je découvre ........... p. 114-115<br>J'enquête ........... p. 118-119 |
| **D2** Méthodes et outils pour apprendre | • Je sais travailler en équipe et partager des tâches dans un dialogue constructif<br>• Je sais analyser et confronter des documents en utilisant mes connaissances sur la situation étudiée<br>• Je comprends le sens général d'un document et son point de vue particulier<br>• Je sais organiser mon travail personnel | Je découvre ........... p. 114-115<br>Je découvre ........... p. 116-117<br>J'enquête ........... p. 118-119<br>Apprendre à apprendre ...... p. 122 |
| **D5** Les représentations du monde et de l'activité humaine | • Je sais développer mon imagination pour réaliser une production littéraire historique | Je découvre ........... p. 116-117 |

# 7 Affirmation et mise en œuvre du projet européen depuis 1945

→ **Quels sont les étapes et les enjeux de la construction européenne ?**

**Au cycle 4, en 3ᵉ**

**Chapitres 1 et 3**
J'ai étudié les deux guerres mondiales, qui ont affaibli la plupart des pays européens.

**Au cycle 4, en 3ᵉ**

**Chapitre 5**
J'ai étudié la guerre froide et l'organisation du monde selon une logique bipolaire.

**Ce que je vais découvrir**

Je vais voir comment, depuis 1945, certains pays décident de construire une Europe unie.

**1 L'Europe unie, un espace de paix et de démocratie**

Les premières élections du Parlement européen au suffrage universel direct, 1979.
Caricature allemande de F. Behrendt parue dans le *Frankfurter Allgemeine Zeitung*, 9 juin 1979.

Sur le drapeau européen, le nombre d'étoiles est invariable, 12 étant considéré comme un nombre idéal depuis l'Antiquité. Les étoiles forment un cercle, figure qui n'a ni début ni fin, symbole de perfection et d'union.

**2** **L'Europe unie, un espace qui s'élargit progressivement**

En 2004, l'Union européenne accueille 10 nouveaux membres, dont la République tchèque. À Prague, les Tchèques célèbrent leur entrée dans l'Union européenne (UE), le 30 avril 2004.

# La construction européenne depuis 1945

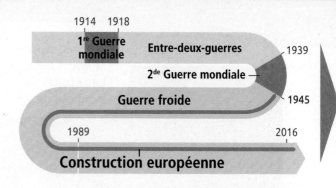

1914 1918
1re Guerre mondiale
Entre-deux-guerres
1939
2de Guerre mondiale
1945
Guerre froide
1989
2016
Construction européenne

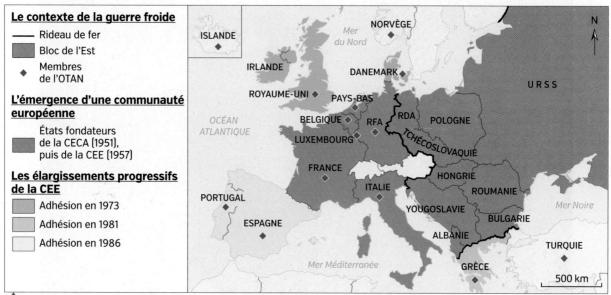

**Le contexte de la guerre froide**

— Rideau de fer
Bloc de l'Est
◆ Membres de l'OTAN

**L'émergence d'une communauté européenne**

États fondateurs de la CECA (1951), puis de la CEE (1957)

**Les élargissements progressifs de la CEE**

Adhésion en 1973
Adhésion en 1981
Adhésion en 1986

**1 La construction européenne de 1945 à 1989**

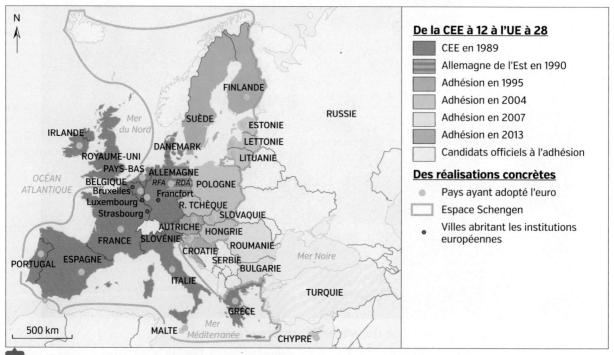

**De la CEE à 12 à l'UE à 28**

CEE en 1989
Allemagne de l'Est en 1990
Adhésion en 1995
Adhésion en 2004
Adhésion en 2007
Adhésion en 2013
Candidats officiels à l'adhésion

**Des réalisations concrètes**

● Pays ayant adopté l'euro
☐ Espace Schengen
● Villes abritant les institutions européennes

**2 La construction européenne depuis 1989**

**Les débuts de la construction européenne**

**La Communauté économique européenne**

**L'Union européenne**

Création du programme Erasmus **1987** ●

● **1995** Accords de Schengen

**1951** Traité créant la CECA

**1957** Traité de Rome créant la CEE

**1992** Traité de Maastricht créant l'Union européenne

**2007** Traité de Lisbonne

● **1962** Création de la Politique agricole commune (PAC)

**1989** ● Chute du mur de Berlin

**2002** ● Mise en circulation de l'euro

## De l'histoire à l'EMC

**CONSEIL EUROPÉEN**

(Bruxelles)

**Chefs d'État et de gouvernement**

1 président élu pour 2 ans et demi, renouvelable 1 fois

*fixe les grandes orientations de la politique européenne*

**COMMISSION EUROPÉENNE**

(Bruxelles)

**28 commissaires**
(1 par État membre)

➜ Ne représentent pas les États membres, mais l'intérêt général européen

*propose les lois européennes*

*contrôle le travail et investit les membres*

**CONSEIL DE L'UNION EUROPÉENNE**

(Bruxelles, Luxembourg)

**Ministres des États membres** dans le domaine concerné

➜ Représentent les États membres

*partagent le pouvoir de discuter et d'adopter les lois et le budget de l'UE*

**PARLEMENT EUROPÉEN**

(Strasbourg)

**751 députés**
élus pour 5 ans au suffrage universel direct par les citoyens des États membres

➜ Représentent les citoyens de l'UE

**3** **Les institutions de l'Union européenne (depuis 2009)**

### VOCABULAIRE

▸ **CECA**
Communauté européenne du charbon et de l'acier (1951).

▸ **CEE**
Communauté économique européenne (1957).

▸ **Élargissement**
Ouverture de la CEE, puis de l'Union européenne, à de nouveaux États membres.

▸ **Espace Schengen**
Espace de libre circulation des personnes, entré en application en 1995.

### QUESTIONS

▸ **Je me repère dans le temps et dans l'espace**

❶ **Doc 1.** Quels sont les États fondateurs de la CEE ?

❷ **Doc 1 et 2.** Dans quelles directions l'Europe s'est-elle élargie entre 1957 et 1989 ? entre 1989 et 2013 ?

❸ **Frise.** De quand date la mise en circulation de l'euro ?

❹ **Doc 2.** Tous les États de l'Union européenne appartiennent-ils à la zone euro et à l'espace Schengen ? Justifiez votre réponse.

▸ **J'extrais des informations**

❺ **Doc 3.** Qui élit le Parlement européen ?

# Le traité de Maastricht, une étape décisive pour l'Europe (1992)

**Question clé** Pourquoi le traité de Maastricht est-il une étape essentielle de la construction européenne ?

## 1 Les objectifs du traité de Maastricht

[Les chefs d'État des douze pays membres de la CEE], désireux de renforcer le caractère démocratique et l'efficacité du fonctionnement des institutions [...], résolus à renforcer leurs économies et à établir une Union économique et monétaire, comportant, conformément aux dispositions du présent traité, une monnaie unique et stable, déterminés à promouvoir le progrès économique et social de leurs peuples [...], résolus à établir une citoyenneté commune aux ressortissants de leur pays, résolus à mettre en œuvre une politique étrangère et de sécurité commune, [...] qui pourrait conduire, le moment venu, à une défense commune, renforçant ainsi l'identité de l'Europe et son indépendance afin de promouvoir la paix, la sécurité et le progrès en Europe et dans le monde [...], réaffirmant leur objectif de faciliter la libre circulation des personnes, tout en assurant la sûreté et la sécurité de leurs peuples, en insérant des dispositions sur la justice et les affaires intérieures dans le présent traité, [...] ont décidé d'instituer une Union européenne.

■ Préambule du traité de Maastricht, 7 février 1992.

### INFOS

Le portail d'entrée sur le billet symbolise l'**esprit d'ouverture et de coopération** qui règne en Europe.
Le pont représente le **lien** unissant les peuples européens entre eux et avec le reste du monde.

**FAIRE L'EUROPE C'EST FAIRE LE POIDS.**

LE 20 SEPTEMBRE, DITES *oui* À L'EUROPE.

## 2 Les enjeux du traité de Maastricht

Affiche du Parti socialiste français à l'occasion du référendum sur le traité de Maastricht, 1992.

## 3 La mise en circulation de l'euro (1er janvier 2002)

Les billets sont émis par la Banque centrale européenne, créée en 1998.
Billet de 10 euros.

## 4 La création d'une citoyenneté européenne

Art. 8-1. Il est institué une citoyenneté de l'Union. Est citoyen de l'Union toute personne ayant la nationalité d'un État membre.

Art. 8A-1. Tout citoyen a le droit de circuler et de séjourner librement sur le territoire des États membres [...].  *habiter*

Art. 8B-1. Tout citoyen de l'Union résidant dans un État membre dont il n'est pas ressortissant a le droit de vote et d'éligibilité aux élections municipales dans l'État membre où il réside, dans les mêmes conditions que les ressortissants de cet État. [...]

Art. 8B-2. [...] Tout citoyen de l'Union résidant dans un État membre dont il n'est pas ressortissant a le droit de vote et d'éligibilité aux élections au Parlement européen dans l'État membre où il réside, dans les mêmes conditions que les ressortissants de cet État.

■ *Traité de Maastricht, 7 février 1992.*

**INFOS**

Depuis 1979, les **députés au Parlement européen** sont **élus au suffrage universel direct**. Le traité de Maastricht renforce les pouvoirs du Parlement en matière de vote des lois et du budget.

Elections au Parlement Européen 2009

DONNEZ-VOUS LE DROIT DE **CHOISIR**

Citoyens français ou de l'Union Européenne **INSCRIVEZ-VOUS** sur les listes électorales avant le **31 décembre 2008**

## 5 Le droit de vote aux élections au Parlement européen

Affiche destinée aux citoyens français et aux citoyens de l'UE, 2008.

---

## Activités

**Question clé** : Pourquoi le traité de Maastricht est-il une étape essentielle de la construction européenne ?

**De l'histoire à l'EMC**

### ITINÉRAIRE 1

▶ **Je comprends le sens général des documents**

❶ **Doc 1 et 2.** Quels sont les objectifs principaux du traité de Maastricht ?

❷ **Doc 1 et 3.** Quelle est la nouveauté économique introduite par le traité ?

❸ **Doc 1 et 4.** Quels éléments du traité montrent que les États membres entendent aller au-delà de la seule coopération économique ?

❹ **Doc 4 et 5.** Qui est citoyen européen ? Quels sont les droits du citoyen européen ?

▶ **En équipe, je fais preuve de créativité et d'initiative**

❺ À deux, imaginez et mettez en scène l'interview d'un·e responsable politique européen·ne interrogé·e sur les objectifs du traité de Maastricht. Appuyez-vous sur vos réponses aux questions 1 à 4.

**ou**

### ITINÉRAIRE 2

▶ **Je décris et j'explique à l'écrit de manière claire et organisée**

Rédigez un texte structuré qui réponde à la question clé.

**MÉTHODE**

▶ **Présentez le traité :** pays signataires, date et lieu de signature, contexte de la construction européenne à cette date (doc 1).

▶ Expliquez ses **objectifs principaux** et les **moyens** envisagés pour les mettre en œuvre (doc 1 à 5).

# Affirmation et mise en œuvre du projet européen depuis 1945

→ **Quels sont les étapes et les enjeux de la construction européenne ?**

**Le savez-vous ?**

Les **symboles de l'UE** sont :

- Le drapeau.
- L'hymne : *L'Ode à la joie* de la 9ᵉ symphonie de Beethoven.
- L'euro.
- La devise : « Unie dans la diversité ».
- La Journée de l'Europe (le 9 mai).

**VOCABULAIRE**

▸ **Approfondissement** Intensification des liens et de la coopération entre les États européens.

▸ **Citoyenneté européenne** Donne le droit de circuler et de séjourner librement sur le territoire des États membres et d'y bénéficier du droit d'éligibilité et de vote aux élections municipales et européennes.

▸ **Élargissement** Ouverture de la CEE, puis de l'Union européenne, à de nouveaux États membres.

▸ **Marché commun** Espace économique caractérisé par la libre circulation des marchandises et des services entre les États membres.

## A La Communauté européenne (1945–1992)

### 1. Les débuts de la construction européenne

◼ Après 1945, le rapprochement des États européens apparaît comme le moyen de **garantir une paix durable**, d'empêcher le déclin de l'Europe dans un monde dominé par les États-Unis et l'URSS et de **faire rempart à la menace communiste**.

◼ En 1950, les Français **Jean Monnet** et **Robert Schuman** proposent de mettre en commun la production et la consommation de charbon et d'acier dans le cadre d'une organisation européenne. En **1951**, la RFA, la France, l'Italie, la Belgique, les Pays-Bas et le Luxembourg signent le **traité instituant la Communauté européenne du charbon et de l'acier (CECA)**.

### 2. La création de la CEE

◼ En **1957**, les six pays de la CECA concluent le **traité de Rome** qui donne naissance à la **Communauté économique européenne (CEE)**. Elle cherche à réaliser un **marché commun** où circuleraient librement les marchandises, les services, les capitaux et les personnes.

◼ La CEE met en œuvre une **Politique agricole commune (PAC)** en 1962. En 1975, elle crée le Fonds européen de développement régional (FEDER) pour réduire les inégalités entre régions. En 1985, les **accords de Schengen** prévoient la création d'un espace de libre circulation des personnes qui sera mis en application en 1995. En 1987, le programme Erasmus favorise la circulation des étudiants des pays membres.

◼ La CEE devient une **puissance économique et commerciale** attractive. Elle s'élargit au Royaume-Uni, à l'Irlande et au Danemark en 1973, puis à la Grèce, à l'Espagne et au Portugal dans les années 1980.

## B L'Union européenne (depuis 1992)

### 1. Naissance et élargissement de l'Union européenne

◼ Le **traité de Maastricht**, signé en **1992**, crée l'Union européenne (UE) et étend son action à de nouveaux domaines comme l'éducation, la culture, l'environnement, la politique étrangère, la justice. Il établit une **citoyenneté européenne** et prévoit la création d'une monnaie unique (le futur euro) qui sera mise en circulation en 2002.

◼ À partir de 1989, avec l'effondrement du bloc soviétique, la construction européenne peut désormais s'étendre à l'ensemble du continent. En 1995, l'UE accueille l'Autriche, la Suède et la Finlande.

Entre 2004 et 2013, 13 nouveaux États, majoritairement d'anciens pays communistes, intègrent l'UE. Ces **élargissements soulèvent des débats** : jusqu'où l'Europe peut-elle s'étendre ? Comment concilier élargissement et **approfondissement** ?

## 2. Enjeux et défis de la construction européenne

● La construction européenne a créé un espace de **paix et de prospérité**, marqué par une coopération accrue entre les États. Mais malgré l'instauration d'une **Politique étrangère et de sécurité commune** en 1992, l'UE a encore du mal à s'imposer comme une puissance sur la scène diplomatique (→ chap. 18 p. 332).

● Elle se heurte aussi à des **divisions internes et à des résistances**, notamment de la part de ceux qui y voient une menace pour leur indépendance nationale. Le Royaume-Uni reste ainsi à l'écart de l'euro, mis en circulation en 2002, et de l'espace Schengen (→ p. 128-129).

● Les opinions publiques manifestent une **méfiance grandissante** envers l'UE. C'est pourquoi le **traité de Lisbonne**, en 2007, **réforme les institutions** pour faciliter la prise de décision dans une Europe élargie et se rapprocher des citoyens.

## Je retiens autrement

**Un contexte favorable après 1945**

- Volonté de garantir la **paix** et la **prospérité**
- Faire **rempart à la menace communiste** durant la guerre froide

**La construction européenne depuis 1945**

**Les premières institutions**

- La **CECA** (1951)
- La **CEE** (1957)

**Des approfondissements**

- **Marché commun**, politiques communes (PAC, PESC...), **espace Schengen**, création de l'**euro**...

**Des élargissements et des traités**

- D'une Europe des 6 à une **Europe des 28**
- Des **traités** (Maastricht, 1992 ; Lisbonne, 2007...)

**Des défis**

- Concilier **élargissement** et **approfondissement**
- Faire face aux **divisions internes**, à la méfiance des opinions publiques
- **Peser dans le monde** face aux autres grandes puissances (États-Unis, Russie, Chine)

## Comment apprendre ma leçon ?

### J'apprends en réalisant une affiche

Réaliser des affiches permet de développer sa compréhension et sa créativité. En les présentant à l'oral, on développe sa capacité à s'exprimer et à argumenter et on mémorise le cours.

### ▶ Étape 1

- Répartissez-vous les thèmes du chapitre : chaque équipe réalise une affiche sur l'un des thèmes étudiés.

### ▶ Étape 2

- Présentez les affiches à l'oral. Chaque membre de l'équipe présente son affiche au reste du groupe qui pose des questions et donne son avis.

Vous pouvez ensuite échanger les affiches et expliquer celle des autres pour vérifier que vous avez bien mémorisé le cours.

## Le traité de Maastricht, 1992 Objectifs et enjeux

▶ Objectifs du traité

.................................
.................................
.................................
.................................
.................................

**FAIRE L'EUROPE C'EST FAIRE LE POIDS.**
LE 20 SEPTEMBRE, DITES *oui* À L'EUROPE.

▶ La citoyenneté européenne

.................................
.................................
.................................

▶ Une monnaie unique

**MOTS CLÉS À RETENIR**

▶ **UE :** Union européenne
▶ **Citoyenneté européenne :**
.................................

## Je révise chez moi

● **Je vérifie que je connais les principaux repères du chapitre.**

**Je sais définir et utiliser dans une phrase :**

▶ approfondissement
▶ citoyenneté européenne
▶ élargissement
▶ marché commun

**Je sais situer :**

▶ **sur une frise :**
– le traité instituant la CECA ;
– les traités de Rome, de Maastricht et de Lisbonne ;
– la mise en circulation de l'euro.

▶ **sur une carte :**
– les 6 pays fondateurs de la CECA et de la CEE ;
– les 28 pays de l'UE et ceux de la zone euro.

**site élève**
⬇ fond de carte et frise

**Je sais expliquer :**

▶ quel contexte a favorisé la construction européenne.

▶ les étapes de la construction européenne entre 1945 et la fin des années 2000.

▶ pourquoi le traité de Maastricht est une étape essentielle dans la construction européenne.

## Je vérifie mes connaissances

**1** J'indique à quoi correspondent les sigles suivants.

**2** Je complète le texte.

### Les grandes étapes de la construction européenne

• Après 1945, la construction européenne est vue comme le moyen de ... .

• En 1950, les Français Jean Monnet et Robert Schuman proposent de ..., cela débouche sur la création de ... en ... .

• En 1957, le traité de Rome crée ... . Son but est de ... .

• Le traité de Maastricht, signé en ..., crée ... .

**3** Je complète une légende et une carte.

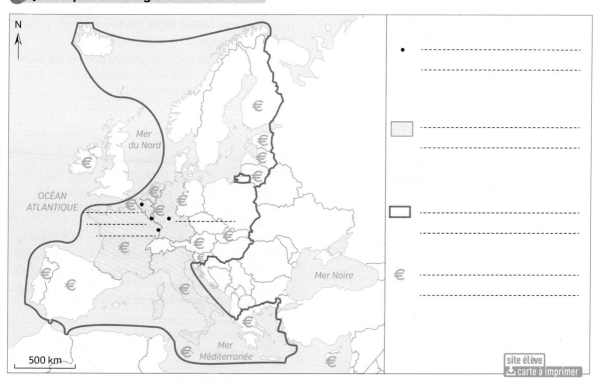

**4** Je fais une recherche sur Internet : les symboles de l'Union européenne. **EMI**

• Allez sur le site du Centre virtuel de la connaissance sur l'Europe (www.cvce.eu).

• Sur la page d'accueil, dans le moteur de recherche, tapez symboles de l'Union européenne 🔍.

• À l'aide des ressources fournies et de la rubrique « Le savez-vous » p. 132, rédigez quelques lignes présentant un symbole de l'Union européenne, son histoire, sa signification et son objectif.

**5** Retrouvez d'autres exercices sous forme interactive sur le site Nathan.

# EXERCICE 1 Analyser et comprendre des documents (20 points)

## La création de la Communauté économique européenne (CEE)

Déterminés à établir les fondements d'une union sans cesse plus étroite entre les peuples européens, décidés à assurer par une action commune le progrès économique et social de leurs pays en éliminant les barrières qui divisent l'Europe, assignant pour but essentiel à leurs efforts l'amélioration constante des conditions de vie et d'emploi de leurs peuples. [...]

Soucieux de renforcer l'unité de leurs économies et d'en assurer le développement harmonieux en réduisant l'écart entre les différentes régions et le retard des moins favorisés. [...]

Résolus à affirmer, par la constitution de cet ensemble de ressources, les sauvegardes de la paix et de la liberté, et appelant les autres peuples de l'Europe qui partagent leur idéal à s'associer à leur effort.

[Les chefs d'État de la Belgique, la RFA, la France, l'Italie, le Luxembourg et les Pays-Bas] ont décidé de créer une Communauté économique européenne.

**Art. 3.** [La Communauté comporte] :

**a.** L'élimination entre les États membres des droits de douane et des restrictions quantitatives à l'entrée et à la sortie de marchandises.

**c.** L'abolition, entre les États membres, des obstacles à la libre circulation des personnes, des services et des capitaux.

**d.** L'instauration d'une politique commune dans le domaine de l'agriculture.

**e.** L'instauration d'une politique commune dans le domaine des transports.

◼ Extrait du traité de Rome, 25 mars 1957.

### QUESTIONS

❶ Présentez le document en expliquant sa nature et le contexte international au moment de sa rédaction.

❷ Relevez et classez les objectifs de ce traité dans un tableau :

| Objectifs économiques | Objectifs sociaux | Objectifs politiques |
|---|---|---|
| | | |

❸ Proposez des arguments qui expliquent pourquoi les extraits soulignés illustrent l'établissement d'une zone de libre-échange entre les États signataires du traité.

❹ Relevez dans le document les informations qui montrent que la CEE ne se limite pas à une zone de libre-échange.

❺ À l'aide de vos connaissances, choisissez deux réalisations concrètes qui montrent que le traité de Rome a été appliqué.

### MÉTHODE

**J'extrais des informations pertinentes, je les classe et je les hiérarchise**

▶ Il s'agit d'abord de relever tous les éléments qui permettent de répondre aux questions. Pour cela, il faut identifier :
  – dans un texte : les noms de lieux et d'acteurs, les dates, les idées principales et les mots clés.
  – dans une image : les espaces, les personnages et les actions représentés, les couleurs et la manière dont l'image est organisée.

▶ Il faut ensuite classer ces informations, c'est-à-dire placer ensemble celles qui partagent des points communs, puis les hiérarchiser en mettant en avant celles qui vous semblent les plus importantes.

# EXERCICE 2 Maîtriser différents langages (20 points)

**CONSIGNE** Sous la forme d'un développement construit d'une vingtaine de lignes et en vous appuyant sur des exemples étudiés en classe, décrivez et expliquez les étapes et les objectifs de la construction européenne jusqu'aux années 1980.

### CONSEILS

→ Pour construire votre texte, vous pouvez l'organiser en deux parties qui montrent :
  • les débuts de la construction européenne jusqu'en 1957 ;
  • la création de la CEE en 1957, ses réalisations et ses élargissements jusqu'aux années 1980.

**SUJET BLANC**

## EXERCICE 1 Analyser et comprendre des documents (20 points)

**Les principes de la Communauté européenne (CEE)**
Affiche distribuée dans les écoles, 1957.

### QUESTIONS

**1** Identifiez la nature et les destinataires de ce document. Expliquez le contexte dans lequel il a été réalisé.

**2** Quels sont les pays concernés par la construction européenne en 1957 ?

**3** Quel lien peut-on établir entre la ronde formée par les enfants au centre de l'affiche et les informations écrites sur fond noir ?

**4** Quels sont les objectifs de la CEE figurés sur ce document ?

**5** À l'aide de vos connaissances, citez deux mesures mises en œuvre pour réaliser ces objectifs.

## EXERCICE 2 Maîtriser différents langages (20 points)

**CONSIGNE** Sous la forme d'un développement construit d'une vingtaine de lignes et en prenant appui sur des exemples étudiés en classe, décrivez et expliquez comment s'est affirmée la mise en œuvre du projet européen depuis 1945.

## MON BILAN DE COMPÉTENCES

| Domaines du socle | Compétences travaillées | Pages du chapitre |
|---|---|---|
| **D1** Les langages pour penser et communiquer | • Je sais me repérer dans le temps et dans l'espace<br>• Je sais m'exprimer et argumenter à l'écrit et à l'oral de façon claire et organisée | Je me repère.............p. 128-129<br>Je découvre................p. 130-131 |
| **D2** Méthodes et outils pour apprendre | • Je sais m'engager dans un projet collectif citoyen par le dialogue et la négociation<br>• Je sais organiser mon travail personnel | Je découvre................p. 130-131<br>Apprendre à apprendre.....p. 134 |
| **D3** La formation de la personne et du citoyen | • Je sais m'engager dans un projet collectif citoyen par le dialogue et la négociation | Je découvre................p. 130-131 |

# 8 Enjeux et conflits dans le monde après 1989

→ **Quels enjeux, rivalités et conflits existent aujourd'hui dans le monde ?**

**Au cycle 4, en 3ᵉ**

**Chapitre 5**
J'ai appris qu'au temps de la guerre froide, le monde était dominé par deux superpuissances : les États-Unis et l'URSS.

**Au cycle 4, en 3ᵉ**

**Chapitre 6**
J'ai appris que la majorité des États d'Afrique et d'Asie étaient devenus indépendants entre 1945 et 1990.

**Ce que je vais découvrir**

Depuis les années 1990, les États-Unis sont la seule superpuissance, mais elle est contestée. Les conflits dans le monde prennent de nouvelles formes.

**1** **Les États-Unis, une puissance dominante dans le monde**

En 2003, les États-Unis interviennent militairement en Irak sans l'accord de l'ONU.

Patrouille de soldats américains à Nadjaf (Irak), 2004.

Le sport est aussi une manière de s'affirmer pour une puissance. En 2008, la Chine a organisé ses premiers Jeux olympiques à Beijing. C'est le pays qui a remporté le plus de médailles d'or (51), devant les États-Unis (36).

**2** **La Chine, nouvelle rivale des États-Unis**

Cérémonie d'ouverture des Jeux olympiques à Beijing, août 2008.

# Le monde depuis 1989

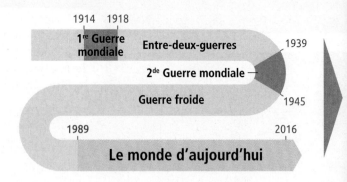

1914   1918

1re Guerre mondiale

Entre-deux-guerres

1939

2de Guerre mondiale

Guerre froide

1945

1989

2016

Le monde d'aujourd'hui

▸ **BRICS**
Terme qui désigne les cinq principaux pays émergents (Brésil, Russie, Chine, Inde et Afrique du Sud). Ces pays se réunissent régulièrement lors de sommets, dont le premier a eu lieu en 2009.

▸ **ONU (Organisation des Nations unies)**
Organisation créée en 1945 dont la mission est de maintenir la paix et la sécurité. Siégeant à New York, elle regroupe 193 États en 2016.
Les principales décisions sont prises par un Conseil de sécurité de 11 membres dont 5 permanents (Chine, États-Unis, France, Royaume-Uni, Russie).

## QUESTIONS

▸ **Je me repère dans le temps et dans l'espace**

❶ Sur quels continents ont lieu la majorité des conflits actuels ?

❷ Citez deux conflits dans lesquels une force internationale est intervenue pour rétablir la paix.

❸ Quelle nouvelle menace internationale apparaît à partir du 11 septembre 2001 ?

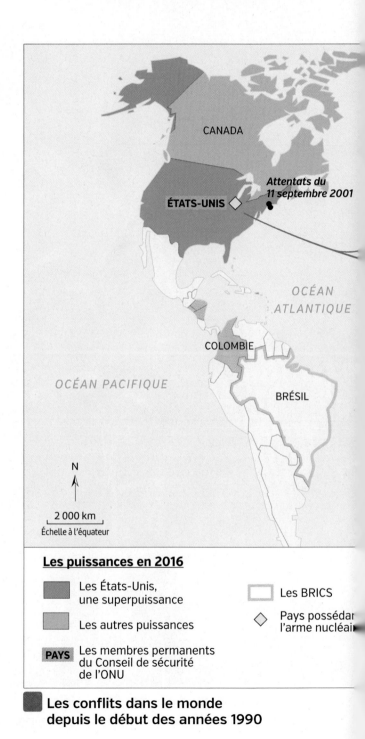

**Les puissances en 2016**

- Les États-Unis, une superpuissance
- Les autres puissances
- **PAYS** Les membres permanents du Conseil de sécurité de l'ONU
- Les BRICS
- ◇ Pays posséda[nt] l'arme nucléai[re]

Les conflits dans le monde depuis le début des années 1990

## Le monde dominé par les États-Unis

1990     1995     2001     2005     2010

### Le monde dominé par les États-Unis

● **1989** Fin de la guerre froide

● **1991**
Disparition de l'URSS

● **1994**
Génocide
au Rwanda

**11 sept. 2001** ✳
Attentats
islamistes
à New York
et Washington

**1990-1991**
Guerre
du Golfe

**1991-1999**
Guerres en ex-Yougoslavie

### Un monde multipolaire

1er sommet des BRICS **2009** ●

**2010** ●
La Chine devient la 2e économie mondiale

Révolutions dans le monde arabe **2011** ●

**2003-2011**
Guerre d'Irak

**2015** ✳
Attentats
islamistes à Paris

**2001-2014**
Guerre d'Afghanistan

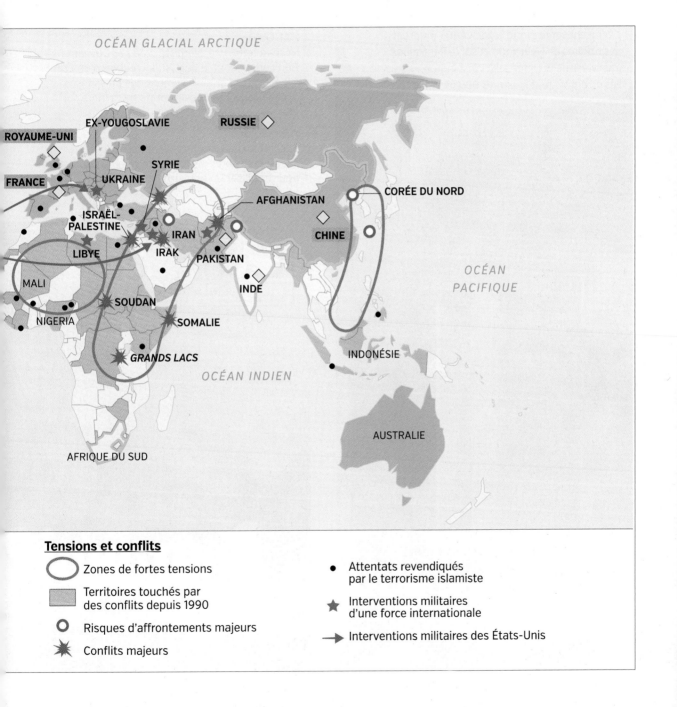

**Tensions et conflits**

⬭ Zones de fortes tensions

▨ Territoires touchés par
des conflits depuis 1990

◯ Risques d'affrontements majeurs

✳ Conflits majeurs

● Attentats revendiqués
par le terrorisme islamiste

★ Interventions militaires
d'une force internationale

→ Interventions militaires des États-Unis

**SOCLE** Compétences

▶ **Domaine 2** : Je confronte des documents à ce que je connais du sujet étudié
▶ **Domaine 5** : J'identifie une rupture chronologique qui éclaire le présent

# Les attentats du 11 septembre 2001

 **Le terrorisme islamiste s'attaque aux États-Unis**

New York ·
**ÉTATS-UNIS**

 **INFOS**

Le 11 septembre 2001, le réseau terroriste al-Qaida frappe les États-Unis en plein cœur : trois avions s'écrasent sur le World Trade Center (quartier des affaires de New York) et sur le Pentagone (ministère de la Défense) à Washington. Les attentats font environ 3 000 victimes.

**VOCABULAIRE**

▶ **Al-Qaida**
Réseau terroriste islamiste créé par Oussama Ben Laden, dont le but est la création d'un État islamique et l'affaiblissement des puissances occidentales par des attentats meurtriers sur leur sol.

▶ **Terrorisme**
Ensemble des actions violentes (attentats, assassinats, etc.) visant à terroriser la population pour fragiliser un gouvernement, un État.

**Courrier** INTERNATIONAL
www.courrierinternational.com   N° 567 du 13 au 13 septembre 2001  18 FF / 2,74 €

# Pourquoi ?

site élève
⤓ lien vers la vidéo

**1** **L'attaque du 11 septembre 2001**
World Trade Center, New York.

**2** **L'incompréhension face au terrorisme**
Une de *Courrier international*, 13 septembre 2001.

## 3 Un mémorial et un musée pour se souvenir

Le musée a pour objectif de raconter l'histoire du 11 septembre. Sont exposés par exemple des restes des structures des tours du World Trade Center. On peut voir notamment l'impact de l'un des deux avions sur une poutre métallique. On entend des conversations entre sauveteurs, des appels d'urgence passés par les gens qui étaient coincés dans les tours. Et puis, beaucoup d'objets personnels, des sacs, des portefeuilles dont le contenu a été étalé et qui sont comme une fenêtre sur la vie des quelque 3 000 victimes.

L'idée, c'est d'humaniser les attentats du 11 septembre. Ce sont des images qui ont été vues, il faut le rappeler, par 2 milliards de personnes à travers le monde. C'est l'un des événements les plus médiatisés de l'histoire de l'humanité.

■ D'après Karim Lebhour, www.rfi.fr, 16 mai 2014.

Le Mémorial national du 11 septembre est construit sur *Ground Zero*, nom donné à l'ancien emplacement des tours jumelles du World Trade Center après les attentats. Il a été inauguré officiellement en 2014.

## 4 Les États-Unis, dix ans après

Une foule immense était massée autour du site, agitant pour certains des drapeaux américains, afin de suivre la cérémonie retransmise sur un écran géant et écouter la lecture des noms des quelque 3 000 personnes décédées dans les attentats. [...]

La journée a également été marquée par la crainte de voir les cérémonies ternies par un nouvel attentat, dont l'éventualité a été révélée jeudi soir. D'après la secrétaire d'État[1] Hillary Clinton, cette menace émanerait d'al-Qaida, quatre mois après la mort du chef de la nébuleuse islamiste, Oussama Ben Laden, tué au Pakistan par un commando américain le 2 mai.

« Grâce aux efforts sans relâche de notre armée, de nos services de renseignement, de nos forces de l'ordre et des membres de la sécurité intérieure, il n'y a pas de place au doute : aujourd'hui, l'Amérique est plus forte et al-Qaida se dirige vers la défaite », a répondu samedi Barack Obama, dans son allocution hebdomadaire à la radio et sur Internet.

■ « L'Amérique commémore le 11 septembre », *Le Monde*, 11 septembre 2011.

1. Ministre des Affaires étrangères.

### QUESTIONS

▶ **J'observe le passé**

❶ **Doc 1.** Quel symbole américain les terroristes ont-ils visé ?

❷ **Doc 1 et 2.** Montrez que l'attentat du 11 septembre 2001 est un événement mondial.

▶ **Je fais le lien entre le passé et le présent**

❸ **Doc 3 et 4.** Comment les États-Unis ont-ils choisi de commémorer les attentats dans la ville de New York ?

❹ **Doc 4.** Quelle a été la réaction des États-Unis face aux terroristes ?

❺ **Doc 1 à 4.** À l'aide des documents et de vos connaissances, montrez que les attentats du 11 septembre 2001 constituent un traumatisme pour les États-Unis et expliquez quelles en sont les conséquences.

## Je découvre

**SOCLE** Compétences
▶ **Domaine 3** : Je réfléchis et je juge par moi-même
▶ **Domaine 5** : Je formule des hypothèses à propos d'une situation historique et je les vérifie

# La guerre en Afghanistan, une guerre internationale (2001–2014)

**Question clé** Pourquoi et comment les États-Unis et leurs alliés interviennent-ils en Afghanistan ?

## Chronologie

**1996** Arrivée au pouvoir des talibans en Afghanistan.

**2001** Attentats d'al-Qaida contre les États-Unis ; intervention militaire en Afghanistan de l'OTAN autorisée par l'ONU.

**2004** Élection d'un nouveau président afghan, Hamid Karzaï, soutenu par les États-Unis.

**2014** Retrait des troupes de l'OTAN.

**2015** Les talibans contrôlent encore de grandes parties du territoire ; les États-Unis conservent des troupes sur place.

## 1 La réaction des États-Unis aux attentats du 11 septembre

Les éléments de preuve que nous avons rassemblés désignent tous un réseau d'organisations terroristes liées entre elles, connu sous le nom d'al-Qaida. [...] Fermez[1] immédiatement et de façon permanente tous les camps d'entraînement terroristes en Afghanistan. [...] Livrez aux autorités américaines tous les dirigeants de l'organisation al-Qaida, qui se cachent sur votre terre. [...]

À partir de maintenant, chaque pays qui continue d'abriter ou de soutenir le terrorisme sera considéré par les États-Unis comme un régime hostile. Ce soir, à quelques kilomètres du Pentagone, j'ai un message pour nos soldats : tenez-vous prêts. J'ai demandé à nos forces armées de se tenir en alerte et il y a une raison. L'heure arrive où l'Amérique va agir et nous serons fiers de vous.

■ Discours de George W. Bush, président des États-Unis (2001-2009), devant le Congrès américain, 20 septembre 2001.

**1.** George W. Bush s'adresse ici aux talibans.

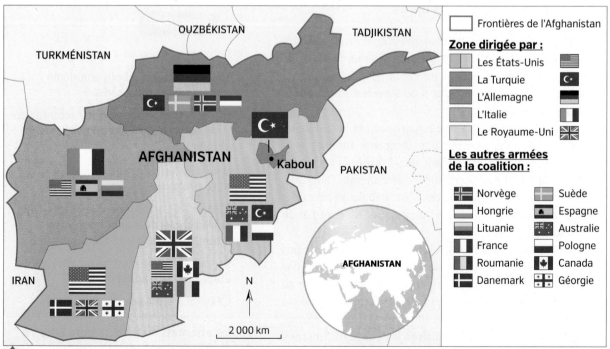

## 2 Une coalition internationale

La coalition internationale est un ensemble de troupes issues de plusieurs pays et contribuant, en 2010, à la FIAS (Force internationale d'assistance à la sécurité en Afghanistan) dirigée par l'OTAN sous mandat de l'ONU.

**VOCABULAIRE**

▶ **Al-Qaida**
Réseau terroriste islamiste créé par Oussama Ben Laden, dont le but est la création d'un État islamique et l'affaiblissement des puissances occidentales par des attentats meurtriers sur leur sol.

▶ **OTAN (Organisation du traité de l'Atlantique Nord)**
Alliance militaire autour des États-Unis signée en 1949.

▶ **Talibans**
Membres d'un mouvement islamiste qui dirige l'Afghanistan à partir de 1996, jusqu'à l'arrivée des États-Unis en 2001. Ils ont caché Ben Laden et abrité des camps d'entraînement d'al-Qaida.

**3** **L'intervention militaire en Afghanistan**
Soldats de la coalition internationale coopérant avec un chef de la police afghane.
Qeysar Kheyl, nord de l'Afghanistan, 2012.

**INFOS**

À son apogée, la **coalition internationale** compte plus de 130 000 hommes, provenant de **51 pays** membres et partenaires de l'OTAN.

**4** **Élections présidentielles, 2014**
En 2014, les Afghan-e-s participent, pour la troisième fois depuis 2004, aux élections présidentielles.
Kaboul, capitale de l'Afghanistan.

**Activités**

**Question clé** **Pourquoi et comment les États-Unis et leurs alliés interviennent-ils en Afghanistan ?**

**ITINÉRAIRE 1**

▶ **J'extrais et je confronte des informations pertinentes pour répondre à des questions**

**1** **Doc 1.** Quelles sont les causes de l'intervention américaine en Afghanistan ?

**2** **Doc 2 et 3.** Les États-Unis sont-ils le seul pays impliqué dans cette guerre ? Identifiez les acteurs de ce conflit.

**3** **Doc 1, 3 et 4.** Quels sont les objectifs militaires et politiques des États-Unis et de leurs alliés ?

▶ **J'argumente à l'écrit**

**4** Rédigez un paragraphe qui explique les causes de la guerre en Afghanistan : qui intervient et dans quel but ? Aidez-vous de vos réponses aux questions 1 à 3.

**OU**

**ITINÉRAIRE 2**

▶ **Je réalise une production numérique**

Répondez à la question clé à l'aide d'un diaporama.

**MÉTHODE**

Créez une page pour chacune de vos trois parties :
▶ **Écran 1.** Les causes de l'intervention des États-Unis.
(→ Doc 1)
▶ **Écran 2.** Qui intervient ? Qui a autorisé cette intervention ?
(→ Doc 1 à 3)
▶ **Écran 3.** Quels sont les buts politiques et militaires des États-Unis sur place ? (→ Doc 1, 3 et 4)

## Je découvre

**SOCLE** Compétences
- **Domaine 2** : J'identifie des documents et leur point de vue particulier
- **Domaine 5** : Je cherche des réponses à des questions sur le monde qui m'entoure

# La rivalité entre les États-Unis et la Chine

**Question clé**  Quels sont les aspects de la rivalité entre Chine et États-Unis ?

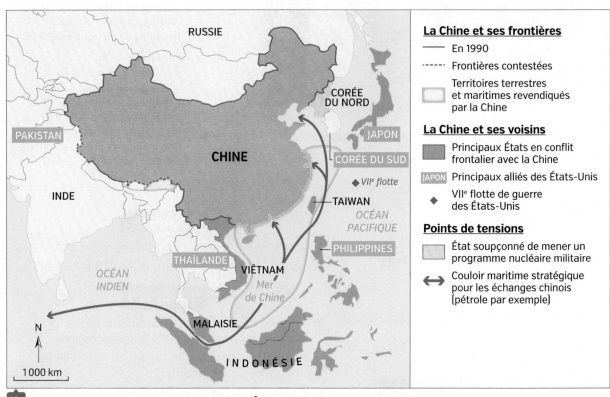

**La Chine et ses frontières**
- —— En 1990
- ----- Frontières contestées
- Territoires terrestres et maritimes revendiqués par la Chine

**La Chine et ses voisins**
- Principaux États en conflit frontalier avec la Chine
- JAPON Principaux alliés des États-Unis
- ◆ VIIᵉ flotte de guerre des États-Unis

**Points de tensions**
- État soupçonné de mener un programme nucléaire militaire
- ⟷ Couloir maritime stratégique pour les échanges chinois (pétrole par exemple)

**1** Des tensions entre la Chine et les États-Unis à l'échelle régionale

**2** La montée en puissance de l'armée chinoise

Dessin de Pinel paru dans *Les Échos*, 12 novembre 2010.

**INFOS**

Depuis 2005, les **dépenses militaires** de la Chine ont augmenté de 167 % (216 milliards de dollars en 2014), celles des États-Unis ont baissé de 0,4 % (610 milliards en 2014).

**3** **Ouvriers africains et chinois en Éthiopie**

Chantier du futur siège de l'Union africaine à Addis-Abeba [Éthiopie], 2010. Le bâtiment, inauguré en 2012, a été entièrement réalisé par une entreprise chinoise.

## 4 La monnaie, un autre aspect de la rivalité

La superpuissance montante, la Chine, ne supporte plus d'être encore dominée par la superpuissance déclinante, les États-Unis, et les États-Unis refusent de céder leur statut de puissance dominante à la Chine. [...]

Pékin anticipe maintenant d'infliger très prochainement une défaite monétaire majeure aux États-Unis en retirant au dollar son privilège de monnaie du monde pour l'attribuer très vite ensuite au yuan[1]. Cela ferait basculer irrémédiablement et irréversiblement le rapport de forces en faveur de Pékin. [...]

Depuis que Pékin a ce scénario en tête, il se montre sûr de lui et il a jugé qu'il pouvait désormais se permettre de précipiter les confrontations territoriales [en mer de Chine].

◼ Alexandre Devecchio, *Le Figaro*, 6 août 2015.

1. Monnaie chinoise.

## Activités

**Question clé** | **Quels sont les aspects de la rivalité entre Chine et États-Unis ?**

### ITINÉRAIRE 1

▶ **J'extrais et je classe des informations pertinentes**

❶ **Doc 1.** Pourquoi y a-t-il des tensions entre la Chine et ses voisins ? Pourquoi les États-Unis sont-ils concernés ?

❷ **Doc 2.** Pourquoi les États-Unis s'inquiètent-ils de la puissance chinoise ?

❸ **Doc 3 et 4.** Montrez que la rivalité entre la Chine et les États-Unis est aussi économique.

▶ **Je m'exprime à l'écrit pour argumenter**

❹ À l'aide des réponses aux questions précédentes, rédigez un paragraphe qui réponde à la question clé. Vous devez identifier des types de rivalités et la zone géographique principale dans laquelle ils se développent.

### ITINÉRAIRE 2

▶ **Je m'exprime dans un langage graphique**

Pour répondre à la question clé, classez les informations tirées des documents dans le tableau ci-dessous.

| Une rivalité économique | Une rivalité militaire | L'Asie-Pacifique, une zone de tensions entre Chine et États-Unis |
|---|---|---|
| Doc 3 et 4 | Doc 2 | Doc 1 et 2 |

# Enjeux et conflits dans le monde après 1989

→ **Quels enjeux, rivalités et conflits existent aujourd'hui dans le monde ?**

## A. Après 1989, un monde dominé par les États-Unis

### 1. Un nouvel ordre mondial au lendemain de la guerre froide

● Après l'effondrement du bloc de l'Est et la chute du mur de Berlin en 1989, puis la disparition de l'URSS en 1991, **les États-Unis restent la seule superpuissance** du monde. Ils ont gagné la guerre froide et un nouvel ordre international se met en place sous leur conduite.

● En **1991**, les États-Unis et leurs alliés interviennent militairement pour libérer le Koweït, envahi par l'Irak dans le cadre de la **guerre du Golfe**.

### 2. Les conflits de l'après-guerre froide

● La fin de la guerre froide voit resurgir des conflits en Europe, notamment en **ex-Yougoslavie** (1991-1999). Au Moyen-Orient, le conflit entre Israéliens et Palestiniens ne trouve pas de solution.

● L'Afrique, elle, connaît des **guerres civiles** liées à des causes ethniques, territoriales et économiques. En 1994, au **Rwanda**, les Tutsis sont victimes d'un **génocide** qui fait environ 800 000 victimes.

● L'**ONU** intervient de plus en plus dans le règlement des conflits et pour maintenir la paix.

### 3. De nouvelles menaces

● Mais de nouvelles menaces apparaissent : la **prolifération nucléaire** inquiète tandis que le **terrorisme islamiste** s'en prend de plus en plus violemment aux intérêts américains dans le monde.

## B. Depuis 2001, nouveaux conflits, nouvelles rivalités

### 1. Le 11 septembre, un traumatisme mondial

● Le **11 septembre 2001**, les États-Unis sont frappés pour la première fois sur leur sol, victimes de l'**attentat le plus meurtrier** de l'histoire. L'organisation terroriste **al-Qaida** veut ainsi démontrer au monde entier que les États-Unis ne sont pas invulnérables.

● L'**intervention américaine en Afghanistan** en 2001, puis en **Irak** en 2003, sont des réponses à cette attaque. Mais les États-Unis s'enlisent dans ces conflits : ils ne parviennent pas à rétablir la paix et apparaissent comme des envahisseurs aux yeux des populations locales. Barack Obama décide finalement le **retrait des troupes américaines** d'Irak en 2011 et d'Afghanistan en 2014, alors que les deux pays connaissent toujours des guerres civiles.

## 2. L'émergence de nouvelles puissances

● Même si les États-Unis demeurent aujourd'hui la grande superpuissance, ils doivent faire face à l'**émergence de nouveaux concurrents**. Les **BRICS** sont à la fois des **puissances démographiques** – ils représentent 40 % de la population mondiale –, **économiques** et **militaires**. Leur rôle est donc de plus en plus important sur la scène internationale. La **Chine** et, plus récemment, la **Russie** entrent en rivalité avec les États-Unis.

● Quant à l'**Union européenne**, devenue une **puissance économique majeure**, elle peine à faire entendre sa voix de façon indépendante (➔ chap. 18 p. 328). Le monde est donc devenu **multipolaire**.

## 3. Guerres civiles et terrorisme

● Ces dernières années, les conflits se multiplient, provoquant des **migrations massives de populations** fuyant les **zones de guerre**. C'est notamment le cas en Afrique centrale, au Sahel (Mali), ainsi qu'au Moyen-Orient, où les révolutions arabes de 2011 ont débouché sur des **guerres civiles** particulièrement violentes (Syrie, Libye...).

● Enfin, depuis les années 2000, le **terrorisme islamiste** frappe régulièrement dans les pays en guerre (Irak, Afghanistan, Syrie) et dans les principaux pays occidentaux (États-Unis, Royaume-Uni, Espagne, France, Belgique...).

**BIOGRAPHIE**

**Barack Obama (né en 1961)**

Premier président noir des États-Unis, élu en 2008 et 2012 ; il reçoit le prix Nobel de la paix en 2009.

**BIOGRAPHIE**

**Xi Jiping (né en 1953)**

Président de la République populaire de Chine depuis 2013.

## Je retiens autrement

### La fin de la guerre froide (1989)

- Dislocation du bloc communiste et **disparition de l'URSS**
- Les États-Unis, **une superpuissance sans rival**

### Aux origines du monde actuel 1989-2001

**11 septembre 2001 : attentats islamistes aux États-Unis**

### Un désordre mondial

- **De nombreux conflits**
  - Guerre civile en ex-Yougoslavie (1991-1999)
  - Guerres civiles en Afrique et génocide au Rwanda (1994)
- **Des menaces**
  - Prolifération des armes de destruction massive
  - Terrorisme islamiste

### Un monde multipolaire

- **Les États-Unis, une superpuissance contestée**
  - Attentats islamistes (2001), guerres sans victoire en Afghanistan (2001-2014) et en Irak (2003-2011)
- **De nouvelles puissances régionales**
  - L'Union européenne élargie à l'Est (28 États membres en 2013)
  - Puissances émergentes : les BRICS (particulièrement la Chine)

### Le monde actuel depuis 2001

### La persistance des conflits

- **Le Moyen-Orient**
  - Conflit israélo-palestinien
  - Guerres civiles en Afghanistan et en Irak
  - Guerres civiles consécutives aux révoltes du « Printemps arabe » (2011)
- **L'Afrique : de nouveaux terrains de conflits**
- **Expansion mondiale du terrorisme islamiste**

## Comment apprendre ma leçon ?

### J'apprends à réaliser une carte mentale numérique

Une carte mentale est un très bon outil pour comprendre et mémoriser une leçon, élaborer un plan ou présenter des idées.

### ▶ Étape 1

Les cartes mentales peuvent être réalisées numériquement sur des logiciels gratuits tels que MindMup, XMind, Freemind (ou Popplet pour les tablettes numériques) et Framind-map. Choisissez l'un de ces logiciels et téléchargez-le si nécessaire.

### ▶ Étape 2

Exemple avec le logiciel MindMup.

Sur le logiciel MindMup, cliquez sur l'onglet « créer une nouvelle carte », inscrivez au centre de votre page le thème du sujet, puis au fur et à mesure de votre réflexion, insérez des sous-thèmes.

> Vous avez la possibilité de classer vos informations à l'aide de couleurs, d'illustrer votre carte mentale avec des fichiers joints ou d'attacher des dossiers et des animations.

Un exemple de carte mentale (inachevée) :

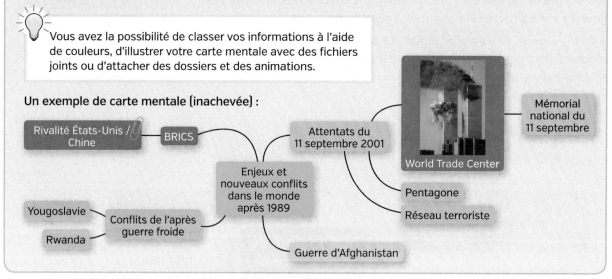

## Je révise chez moi

● **Je vérifie que je connais les principaux repères du chapitre.**

**Je sais définir et utiliser dans une phrase :**
- ▶ BRICS
- ▶ ONU
- ▶ terrorisme
- ▶ monde multipolaire

**Je sais situer :**
▶ **sur une frise :**
 – les attentats contre le World Trade Center et le Pentagone ;
 – la guerre en Afghanistan.
▶ **sur une carte :**
 – l'Afghanistan, l'Irak, la Chine et les États-Unis ;
 – les zones de fortes tensions dans le monde.

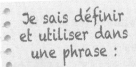
site élève
⬇ fond de carte et frise

**Je sais expliquer :**
- ▶ pourquoi le 11 septembre 2001 a été un traumatisme pour les États-Unis et pour le monde entier.
- ▶ pourquoi les États-Unis sont intervenus militairement en Afghanistan.
- ▶ quels sont les points de tension entre la Chine et les États-Unis.

## Je vérifie mes connaissances

### 1 J'indique la (ou les) bonne(s) réponse(s).

**1. Les attentats du 11 septembre 2001 aux États-Unis ont visé :**

- a New York.
- b Los Angeles.
- c la Floride.

**2. À la suite des attentats du 11 septembre, les États-Unis ont répliqué en :**

- a lançant une opération militaire en Afghanistan.
- b menant la « guerre du Golfe ».
- c assassinant Ben Laden, le chef d'al-Qaida.

**3. Les BRICS sont :**

- a 5 nouvelles puissances émergentes.
- b 5 pays de l'Est de l'Europe.
- c 5 pays pauvres.

**4. Les États-Unis sont intervenus en Afghanistan :**

- a seuls.
- b en coalition internationale avec l'accord de l'ONU.
- c avec la France.

### 2 J'explique à partir des images.

Je rédige une phrase ou j'explique oralement ce que chaque document, issu du chapitre, m'a appris sur les conflits et les rivalités dans le monde depuis 1989.

a.

b.

c.

### 3 Je m'informe sur Internet.

- Rendez-vous sur le site du Dessous des cartes : http://ddc.arte.tv/nos-cartes/etats-unis-chine-puissances-comparees
- Regardez le diaporama.
- Comparez la puissance des États-Unis et celle de la Chine en remplissant le tableau suivant :

|  Avantages des États-Unis sur la Chine |  Avantages de la Chine sur les États-Unis |
|---|---|
|  |  |

### 4 Retrouvez d'autres exercices sous forme interactive sur le site Nathan.

site élève
⬇ exercices interactifs

## EXERCICE 1 Analyser et comprendre des documents (20 points)

### 1 Les attentats du 11 septembre 2001

Le 11 septembre 2001, deux avions détournés par des terroristes du réseau islamiste al-Qaida s'écrasent sur les tours du World Trade Center à New York (États-Unis).

### 2 Les tensions entre la Chine et les États-Unis

Le 10 décembre, l'armée chinoise était sur le pied de guerre. Des bombardiers B-52 américains ont survolé le récif de Cuarteron, un des îlots occupés par la Chine dans les îles Spratleys[1]. Pékin n'a pas hésité à évoquer « une provocation militaire grave » tandis que le Pentagone expliquait que le survol était « une erreur » de navigation [...].

Pour Washington, il n'est pas question de laisser les coudées franches à la Chine dans cette partie du monde. Cela passe par un renforcement de sa présence militaire directe et indirecte au risque de pousser les Chinois dans leurs retranchements. La vigueur avec laquelle les autorités chinoises ont réagi aux différentes interventions américaines en dit long sur leur détermination à ne pas accepter une présence trop visible des États-Unis dans ce qu'elles considèrent comme leur arrière-cour.

Après le premier passage de l'USS Lassen[2] au large du récif de Subi, la presse chinoise avait relayé un message officiel selon lequel « la Chine ne craint pas d'affronter militairement les États-Unis dans la région », rappelant aussi que les Américains « semaient le chaos partout où ils passaient comme en Irak ou en Afghanistan ».

◼ D'après Claude Leblanc, *L'opinion*, 30 décembre 2015.

1. Ensemble d'îles de mer de Chine revendiquées par le Viêtnam, les Philippines, la Malaisie, Taiwan et la Chine.
2. Navire de guerre américain.

QUESTIONS

❶ Identifiez les deux documents en indiquant leur date de création, les acteurs et les événements qu'ils évoquent.

❷ Quel élément de la puissance américaine est évoqué par le document 2 ? Lequel est visé par les terroristes d'al-Qaida ?

❸ Quel est le but d'al-Qaida en s'attaquant aux États-Unis ?

❹ Quel est le but de la Chine en s'opposant aux États-Unis ?

❺ Montrez que les deux documents illustrent à la fois la puissance des États-Unis et l'apparition de nouvelles rivalités dans le monde depuis 2001.

### MÉTHODE

**Je confronte deux documents**
(→ Questions ❷ à ❺)

▶ Deux documents peuvent être proposés. Il s'agit, après avoir relevé les informations que chacun apporte, de comprendre la relation qui existe entre eux.

▶ Ils peuvent se compléter, c'est-à-dire avoir le même point de vue sur une situation historique, et apporter des informations qui permettent de préciser votre réflexion.

▶ Ils peuvent s'opposer, en portant deux regards différents sur un même événement.

▶ Ils peuvent permettre de comparer deux situations historiques : il s'agit alors de dégager les différences et les points communs.

→ *Exemples :*
**Question ❷** : montrez que ces éléments sont différents et complémentaires.
**Questions ❸ et ❹** : attention, il ne s'agit pas des mêmes objectifs.

## EXERCICE (2) **Maîtriser différents langages** (20 points)

**1** Sous la forme d'un développement construit d'une vingtaine de lignes et en prenant appui sur un ou des exemples étudiés en classe, décrivez et expliquez la nature des rivalités et des conflits dans le monde après 2001.

### MÉTHODE

**J'écris pour structurer ma pensée, mon savoir, pour argumenter**

▶ Pour rédiger le développement, vous devez faire appel à vos connaissances : connaître le cours est fondamental pour répondre au sujet.

▶ Il vous faut aussi construire un plan pour organiser vos connaissances : il s'agit de les classer et de les hiérarchiser. En effet, les regrouper et mettre en avant les plus importantes permet de montrer comment vous les mettez en relation : il peut s'agir d'une opposition, d'une comparaison, d'une évolution, d'une relation de cause à conséquence...

### CONSEILS

→ Pour construire votre texte, vous pouvez l'organiser en trois parties qui montrent trois évolutions après 2001 :
• le 11 septembre est un événement majeur, qui modifie la politique des États-Unis dans le monde (interventions armées en Afghanistan, en Irak) ;
• un monde multipolaire émerge, dans lequel des pays comme la Chine se posent en concurrents des États-Unis ;
• les conflits se multiplient (guerres civiles...) et le terrorisme islamiste s'étend dans le monde.

**2** Situez sur la frise chronologique ci-contre les conflits mondiaux suivants :
• La guerre du Golfe.
• Les attentats islamistes à New York et Washington.
• La guerre d'Afghanistan.

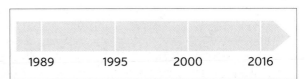

1989    1995    2000    2016

### MON BILAN DE COMPÉTENCES

| Domaines du socle | Compétences travaillées | Pages du chapitre |
|---|---|---|
| **D1** Les langages pour penser et communiquer | Je sais me repérer dans le temps et dans l'espace | **Je me repère** ............ p. 140-141 |
| **D2** Méthodes et outils pour apprendre | Je sais confronter des documents à ce que je connais du sujet étudié | **D'hier à aujourd'hui** p. 142-143 |
| | Je sais identifier des documents et leur point de vue particulier | **Je découvre** ............ p. 146-147 |
| | Je sais organiser mon travail personnel | **Apprendre à apprendre** ...... p. 150 |
| **D3** La formation de la personne et du citoyen | Je sais réfléchir et juger par moi-même | **Je découvre** ............ p. 144-145 |
| **D5** Les représentations du monde et de l'activité humaine | Je sais identifier une rupture chronologique qui éclaire le présent | **D'hier à aujourd'hui** p. 142-143 |
| | Je sais formuler des hypothèses à propos d'une situation historique, et je sais les vérifier | **Je découvre** ............ p. 144-145 |
| | Je sais chercher des réponses à des questions sur le monde qui m'entoure | **Je découvre** ............ p. 146-147 |

# 9 Refonder la République et la démocratie (1944–1947)

→ **Comment une nouvelle République est-elle fondée à la Libération ?**

**Au cycle 4, en 4ᵉ**

J'ai étudié la IIIᵉ République. Je connais donc les grands principes républicains, les droits des citoyens et le suffrage universel masculin.

**Au cycle 4, en 3ᵉ**

**Chapitres 3 et 4**
J'ai étudié la Seconde Guerre mondiale et le régime de Vichy, qui ont renversé la République française. J'ai aussi étudié le rôle des résistants français dans la libération de la France.

**Ce que je vais découvrir**

Les épreuves de la guerre et l'engagement dans la Résistance conduisent en 1944-1947 à une refondation de la République dont les ambitions prolongent celles du Front populaire.

**1** **Les Français célèbrent la Libération**

En août 1944, la libération de Paris est une étape essentielle qui annonce, en même temps que la fin de l'Occupation et de la guerre, la restauration de la République.

En 1944, les femmes obtiennent le droit de vote. Yvonne de Gaulle peut donc voter en avril 1945, mais son mari, le général de Gaulle, ne le peut pas, car les militaires n'ont pas encore le droit de vote !

2 **La Libération et le retour de la République**

Pour la première fois depuis 1940, la fête nationale se déroule dans un pays entièrement libéré. Cette image associe deux monuments emblématiques de l'histoire de la République : la place de la Bastille ❶ et l'Hôtel de ville de Paris ❷.

Couverture de la revue *Regards*, 14 juillet 1945.

# Libération et refondation de la République (1944–1947)

1914  1918
**1re Guerre mondiale**

**IIIe République** — 1939

**2de Guerre mondiale** — 1944
1945

**IVe République** 1946

1958  2016

**Ve République**

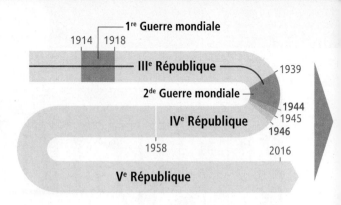

Le débarquement en Normandie, 6 juin 1944.

Ruines du village d'Oradour-sur-Glane, 1944.

## QUESTIONS

▸ **Je me repère dans le temps et dans l'espace**

❶ Comment la libération du territoire français est-elle réalisée ? Combien de temps dure-t-elle ?

❷ Combien de temps le Gouvernement provisoire de la République reste-t-il en place ?

❸ Datez précisément la naissance de la IVe République.

Le débarquement de Provence, 15 août 1944.

**Régime de Vichy**

1944 — 9 août 1944 — 1945 — 1946 — 25 octobre 1946

**Gouvernement provisoire de la République française**

**IVᵉ République**

● **15 mars 1944**
Programme du CNR

✱ **6 juin 1944**
Débarquement en Normandie

**6 juin 1944 - 8 mai 1945**
Libération de la France

**Avril 1945**
Premier vote des femmes

● **Octobre 1945**
Création de la Sécurité sociale

**Octobre 1946**
Adoption de la nouvelle Constitution

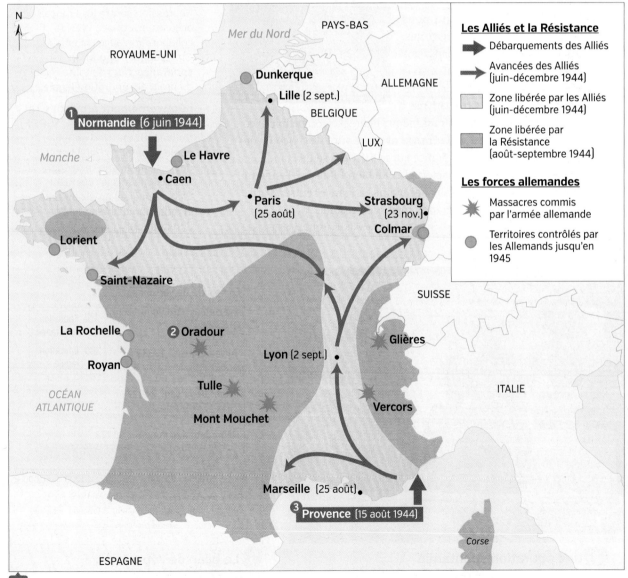

N

ROYAUME-UNI

Mer du Nord

PAYS-BAS

ALLEMAGNE

BELGIQUE

LUX.

**Dunkerque**

**Lille** (2 sept.)

❶ **Normandie** (6 juin 1944)

*Manche*

**Le Havre**

**Caen**

**Paris**
(25 août)

**Strasbourg**
(23 nov.)

**Colmar**

**Lorient**

**Saint-Nazaire**

SUISSE

**La Rochelle**

❷ **Oradour**

**Glières**

**Lyon** (2 sept.)

*OCÉAN
ATLANTIQUE*

**Royan**

**Tulle**

**Mont Mouchet**

**Vercors**

ITALIE

**Marseille** (25 août)

❸ **Provence** (15 août 1944)

*Corse*

ESPAGNE

**Les Alliés et la Résistance**

➡ Débarquements des Alliés

→ Avancées des Alliés
(juin-décembre 1944)

▢ Zone libérée par les Alliés
(juin-décembre 1944)

▢ Zone libérée par
la Résistance
(août-septembre 1944)

**Les forces allemandes**

✱ Massacres commis
par l'armée allemande

● Territoires contrôlés par
les Allemands jusqu'en
1945

**4** **La libération du territoire français**

**SOCLE** Compétences

▶ **Domaine 2** : J'extrais des informations pertinentes de documents, je les classe et je les hiérarchise
▶ **Domaine 5** : Je me prépare à l'exercice futur de ma citoyenneté en cherchant des réponses à mes questions sur un moment historique

# Sortir de la guerre et du régime de Vichy

**CONSIGNE**

À l'occasion de la commémoration de la fin de la Seconde Guerre mondiale, vous devez écrire un article dans le journal du collège qui montre comment la République a été restaurée en France en 1944-1945. Vous pouvez vous aider de la carte et de la frise page 157.

## 1 De Gaulle et la libération de Paris

Pourquoi voulez-vous que nous dissimulions l'émotion qui nous étreint tous, hommes et femmes, qui sommes ici, chez nous, dans Paris debout pour se libérer et qui a su le faire de ses mains. [...] Paris ! Paris outragé ! Paris brisé ! Paris martyrisé ! Mais Paris libéré ! Libéré par lui-même, libéré par son peuple avec le concours des armées de la France, avec l'appui et le concours de la France tout entière, de la France qui se bat, de la seule France, de la vraie France, de la France éternelle. Eh bien ! Puisque l'ennemi qui tenait Paris a capitulé dans nos mains, la France rentre à Paris, chez elle. Elle y rentre sanglante, mais bien résolue.

■ Discours de Charles de Gaulle à l'Hôtel de ville de Paris, 25 août 1944.

**VOCABULAIRE**

▶ **Épuration**
Répression contre les Français accusés ou soupçonnés de collaboration avec l'Allemagne. On distingue l'**épuration spontanée**, hors de toute règle du droit, et l'**épuration légale**.

▶ **Gouvernement provisoire de la République française (GPRF)**
Gouvernement créé en 1944 par le général de Gaulle et des résistants afin de diriger le pays une fois le régime de Vichy renversé, en attendant la rédaction d'une nouvelle Constitution.

## 2 Une épuration spontanée

Entre 1944 et 1945, environ 20 000 femmes, accusées d'avoir été trop proches de l'occupant allemand, ont été tondues. Ici, on lit : « Honte à ces femmes amoureuses du Marck », c'est-à-dire de la monnaie allemande.

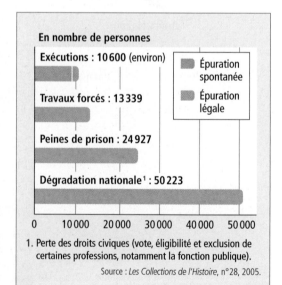

**En nombre de personnes**

Exécutions : 10 600 (environ)

■ Épuration spontanée
■ Épuration légale

Travaux forcés : 13 339

Peines de prison : 24 927

Dégradation nationale[1] : 50 223

0    10 000    20 000    30 000    40 000    50 000

1. Perte des droits civiques (vote, éligibilité et exclusion de certaines professions, notamment la fonction publique).

Source : *Les Collections de l'Histoire*, n°28, 2005.

## 3 Le bilan de l'épuration

## 4 De Gaulle visite les villes libérées

Après la Libération, de Gaulle ① fait une tournée dans les grandes villes de province.
Ici, en septembre 1944, il est accueilli à Lyon par le préfet ② qu'il a nommé, des résistants ③ et une foule nombreuse.

## 5 Le régime de Vichy déclaré illégal

[L'ordonnance] a pour but immédiat de libérer le pays de la réglementation d'inspiration ennemie qui l'étouffait. [...]

**Art. 1er.** La forme du Gouvernement de la France est et demeure la République. En droit celle-ci n'a pas cessé d'exister.

**Art. 2.** Sont, en conséquence, nuls et de nul effet tous les actes constitutionnels, législatifs ou réglementaires [...] promulgués sur le territoire continental postérieurement au 16 juin 1940[1] et jusqu'au rétablissement du Gouvernement provisoire de la République française.

■ Ordonnance du gouvernement provisoire de la République française, 9 août 1944.

1. Le premier gouvernement de Pétain a été formé le 16 juin 1940.

## 6 Le procès de Philippe Pétain

*La Haute Cour de justice créée en 1944 juge les principaux responsables de Vichy. Philippe Pétain est jugé en août 1945.*

Dimanche 12 août, le réquisitoire.

[Le procureur] reprend rapidement tous les griefs qu'il vient d'étudier : armistice conclu dans la honte, abus de confiance à l'égard de la Nation, acceptation définitive de la défaite, servilité à l'égard de l'Allemagne, guerre sournoise contre l'Angleterre, persécutions. Le gouvernement n'a pu se maintenir pendant quatre ans qu'en collaborant dans tous les domaines avec la politique d'Hitler. Cela, c'est la trahison.

150 000 otages fusillés ; 750 000 déportés du travail ; la flotte détruite ; 110 000 déportés politiques ; 120 000 déportés raciaux. Pendant quatre ans cette politique a failli nous déshonorer. Elle a jeté le doute sur l'honneur de la France. [...] Pour cela, il n'y a qu'une peine, la plus haute de celles prévues par la loi. Et le procureur général Mornet requiert la peine de mort « contre celui qui fut le maréchal Pétain »[1].

■ Léon Werth, *Impressions d'audience, le procès Pétain*, © Viviane Hamy, 1995.

1. La peine de mort est transformée en détention à perpétuité par le général de Gaulle.

---

**COUP DE POUCE**

Dans votre article, montrez d'abord comment le Gouvernement provisoire a affirmé son autorité sur le territoire, puis expliquez ce qu'a été l'épuration.
Vous pouvez remplir le tableau suivant pour vous aider à organiser votre travail.

| | Doc 1 | Doc 2 | Doc 3 | Doc 4 | Doc 5 | Doc 6 |
|---|---|---|---|---|---|---|
| Date ou contexte | | | | | | |
| Rétablir la légalité républicaine | | – | – | | | – |
| Formes et bilan de l'épuration | – | | | – | – | |

**SOCLE** Compétences
- **Domaine 1** : Je pratique différents langages pour argumenter (écrit, graphique)
- **Domaine 3** : Je comprends comment les valeurs de la République et de la démocratie sont à l'origine de nos libertés individuelles et collectives

# Les valeurs de la Résistance et la refondation de la République

**Question clé** Comment les valeurs de la Résistance ont-elles servi de base à la nouvelle République ?

## Chronologie

| | |
|---|---|
| **Mars 1944** | Programme du Conseil national de la Résistance. |
| **Octobre 1945** | Élection d'une assemblée constituante. |
| **Mai 1946** | Rejet par les Français d'un premier projet de Constitution. |
| **Octobre 1946** | Adoption de la Constitution de la IVe République. |

### VOCABULAIRE

**Conseil national de la Résistance (CNR)**
Institution qui unit les différents mouvements de résistance à partir de 1943.

**Nationalisation**
Acquisition d'une entreprise par l'État qui en devient propriétaire.

**Sécurité sociale**
Système public de protection sociale contre les risques liés à la précarité, à la maladie et à la vieillesse.

## 1 Le programme du Conseil national de la Résistance (CNR)

Les représentants des mouvements [...] groupés au sein du CNR proclament qu'ils sont décidés à rester unis après la Libération : [...]

4. Afin d'assurer :
– l'égalité absolue de tous les citoyens devant la loi.

5. Afin de promouvoir les réformes indispensables :

a) Sur le plan économique :
– l'intensification de la production nationale [...] ;
– le retour à la nation[1] des grands moyens de production [...], des sources d'énergie, des richesses du sous-sol, des compagnies d'assurances et des grandes banques.

b) Sur le plan social :
– le droit au travail et le droit au repos [...] ;
– un plan complet de sécurité sociale, visant à assurer à tous les citoyens des moyens d'existence, dans tous les cas où ils sont incapables de se le procurer par le travail [...].

■ Programme du Conseil national de la Résistance, 15 mars 1944.

1. Nationalisation.

### De l'histoire à l'EMC

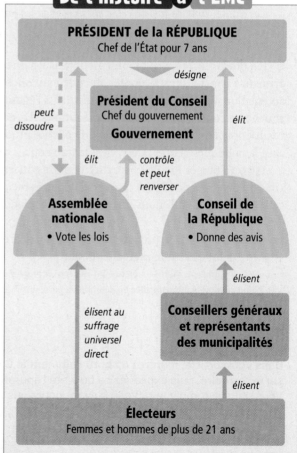

## 2 Les institutions de la IVe République (1946-1958)

### 3 La Constitution de 1946

3. La loi garantit à la femme, dans tous les domaines, des droits égaux à ceux de l'homme. [...]

5. Chacun a le devoir de travailler et le droit d'obtenir un emploi. Nul ne peut être lésé, dans son travail ou son emploi, en raison de ses origines, de ses opinions ou de ses croyances. [...]

9. [...] Toute entreprise, dont l'exploitation a les caractères d'un service public national [...] doit devenir la propriété de la collectivité.

10. La Nation assure à l'individu et à la famille les conditions nécessaires à leur développement.

11. Elle garantit à tous, notamment à l'enfant, à la mère et aux vieux travailleurs, la protection de la santé, la sécurité matérielle, le repos et les loisirs. Tout être humain qui, en raison de son âge, de son état physique ou mental, de la situation économique, se trouve dans l'incapacité de travailler a le droit d'obtenir de la collectivité des moyens convenables d'existence.

■ Extraits du préambule de la Constitution de 1946.

### 4 La création de la Sécurité sociale
Affiche, 1945.

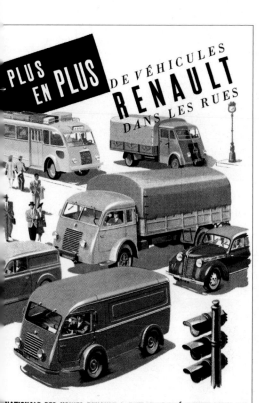

NATIONALE DES USINES RENAULT A BIEN TRAVAILLÉ DEPUIS DEUX ANS

### 5 La nationalisation de Renault

En 1944, Louis Renault est accusé de collaboration. Son entreprise est nationalisée par l'État en 1945.
Publicité Renault, 1947.

---

## Activités

**Question clé**  Comment les valeurs de la Résistance ont-elles servi de base à la nouvelle République ?

### ITINÉRAIRE 1

▸ **J'extrais des informations pertinentes des documents**

❶ **Doc 1.** Classez les objectifs du CNR en trois catégories.

❷ **Doc 2.** Montrez que la IVe République est une démocratie.

❸ **Doc 3 et 4.** Quels droits reconnus par la Constitution sont mis en oeuvre par la Sécurité sociale ?

❹ **Doc 5.** Quels sont les objectifs de l'État en devenant propriétaire de Renault ?

▸ **J'argumente à l'écrit**  site élève ↧ coup de pouce

❺ À l'aide de vos réponses aux questions 1 à 4, répondez en quelques phrases à la question clé.

**ou**

### ITINÉRAIRE 2

▸ **Je réalise une production graphique**  site élève ↧ coup de pouce

Complétez le schéma en indiquant les mesures prises pour refonder la République.

| Objectifs | | Mesures prises |
|---|---|---|
| • Nouvelle démocratie | | • |
| • Protection de la santé et droit au travail | ▸ | • |
| • Nationalisations | | • |

# La place des femmes dans la vie politique depuis 1944

## A Des droits politiques conquis à la Libération

### 1 Pour ou contre le vote des femmes

**Le député Ernest Bissagnet** : « L'amendement Grenier[1] amènera un déséquilibre très net, car il y aura deux fois plus de femmes que d'hommes[2] qui prendront part au vote. Aurons-nous donc une image vraie de l'idée du pays ? En raison de ce déséquilibre, je préfère que le suffrage des femmes soit ajourné jusqu'à ce que tous les hommes soient rentrés dans leurs foyers, et c'est pourquoi je voterai contre l'amendement. »

**Le député Robert Prigent** : « Quand il s'agit de jeter les femmes dans la guerre, est-ce que nous attendons ? Sera-t-il toujours dit que l'on exigera de nos compagnes l'égalité devant l'effort de la peine, devant le sacrifice et le courage, jusque devant la mort sur le champ de bataille et que nous mettrons des réticences au moment d'affirmer cette égalité ? »

*Le droit de vote et d'éligibilité des femmes est adopté par 51 voix contre 16.*

■ D'après les débats à l'Assemblée, 24 mars 1944.

1. Fernand Grenier est l'auteur du texte qui reconnaît les droits politiques des femmes.
2. Les hommes sont encore au combat ou prisonniers.

### 2 Les femmes appelées à voter
Affiche de l'UFF (Union des femmes françaises), 1945.

**De l'histoire à l'EMC**

**INFOS**

Grâce à leurs revendications et à leur rôle dans la Résistance, les femmes obtiennent **le droit de voter et d'être élues** par une loi adoptée le **24 mars 1944**. Elles votent pour la première fois en **avril 1945**.

site élève
↓ lien vers la vidéo

### 3 1945 : les femmes votent
À Paris, des femmes votent pour le référendum du 21 octobre 1945.

## B | Aujourd'hui, des progrès encore incomplets

### 4 La place des femmes en politique

Depuis le 6 juin 2000, la loi impose aux partis politiques de présenter un nombre équivalent de femmes et d'hommes pour les scrutins de liste : élections municipales, régionales et européennes. La loi réduit également la dotation financière[1] des partis qui ne présentent pas autant de candidates que de candidats aux élections au scrutin uninominal[2], c'est-à-dire les législatives et les cantonales. [...]

Des progrès ont certes été réalisés. La proportion de femmes dans les conseils municipaux était de 25,7 % en 1995, elle est désormais de 48,5 %, indique l'Observatoire de la parité.

■ Louis Maurin, *Alternatives économiques Poche*, n° 51, septembre 2011.

1. Argent donné par l'État aux partis politiques.
2. Élections lors desquelles les partis présentent un seul ou une seule candidate.

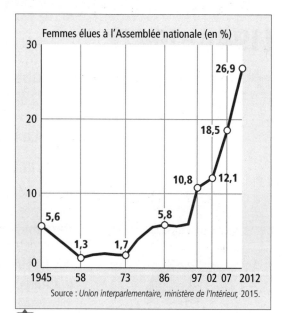

### 5 Les femmes à l'Assemblée nationale

### 6 Débat télévisé entre Anne Hidalgo et Nathalie Kosciusko-Morizet pour l'élection à la mairie de Paris, 26 mars 2014

## QUESTIONS

▶ **J'observe le passé**

**1 Doc 1 à 3.** Depuis quand les femmes peuvent-elles participer à la vie politique ? Quels sont les arguments pour et contre ce nouveau droit ?

**2 Doc 2.** Qui est représenté sur l'affiche ? Pourquoi ce choix ?

▶ **Je fais le lien entre le passé et le présent**

**3 Doc 1, 4 et 5.** Quel était l'enjeu du débat en 1944 ? Quel est l'enjeu de nos jours ?

**4 Doc 4 à 6.** Pourquoi la place des femmes en politique s'améliore-t-elle nettement à partir des années 2000 ?

**5 Doc 1 à 6.** Montrez que les femmes sont de plus en plus présentes en politique depuis 1944.

# Refonder la République et la démocratie (1944–1947)

→ Comment une nouvelle République est-elle fondée à la Libération ?

## A La restauration de la République

### 1. La libération du territoire

● Les **débarquements alliés** en Normandie (6 juin 1944) puis en Provence (15 août 1944) marquent le début de la **libération du territoire** qui s'achève en mai 1945. L'action de la Résistance contribue à cette victoire, mais au prix de terribles représailles allemandes contre les résistants et les civils, comme à Oradour-sur-Glane (→ p. 156).

● À **Paris**, une insurrection de la Résistance permet la libération de la ville le 25 août 1944. Le lendemain, **le général de Gaulle est acclamé par une foule immense**. Cette popularité le conforte dans son rôle de chef du Gouvernement provisoire.

### 2. Le rétablissement des principes républicains

● Le Gouvernement provisoire commence par **rétablir les libertés fondamentales** (liberté de presse, de réunion, de conscience). Il met aussi en place des **tribunaux** d'**épuration** pour juger les complices de la collaboration avec l'occupant allemand. Puis cinq élections sont organisées entre 1945 et 1946 pour élire de nouveaux conseils municipaux et **restaurer la République**. Ainsi, en octobre 1945, une assemblée est élue pour préparer une nouvelle Constitution.

● Désormais, les **femmes votent et sont éligibles** grâce à la loi de 1944. C'est l'aboutissement d'un long combat pour l'égalité des droits politiques. Mais, si elles participent massivement aux élections, elles sont peu nombreuses à être élues.

### 3. Une nouvelle République

● La **Constitution de la IVᵉ République** est finalement approuvée par les électeurs en **octobre 1946**. Dans son préambule sont reconnus le droit au travail, le droit à l'instruction et le droit aux loisirs.

● Pour la première fois, la Constitution garantit aux **femmes**, dans tous les domaines, des **droits égaux à ceux des hommes**.

## B La fondation d'une démocratie sociale

### 1. Le programme de la Résistance

● Tous les courants politiques qui ont été actifs dans la Résistance (communistes, socialistes, gaullistes) participent en mars 1944 à l'**élaboration du programme du CNR**. Tous veulent renforcer la démocratie par des **réformes de l'économie et des politiques sociales**

---

**CHIFFRES CLÉS**

Élu-e-s à l'Assemblée constituante en 1945

■ 33 femmes   ■ 553 hommes

---

**VOCABULAIRE**

▸ **Conseil national de la Résistance (CNR)**
Institution qui unit les différents mouvements de résistance à partir de 1943.

▸ **Constitution**
Ensemble de lois qui définissent les droits fondamentaux des citoyens et fixent le fonctionnement du pouvoir politique.

▸ **Épuration**
Répression contre les Français accusés ou soupçonnés de collaboration avec l'Allemagne. On distingue l'**épuration spontanée**, hors de toute règle du droit, et l'**épuration légale**.

▸ **État providence**
Moyens par lesquels l'État protège les personnes contre les risques liés à la maladie, à la précarité et à la vieillesse.

**ambitieuses afin d'améliorer les conditions de vie de tous** ; ils poursuivent ainsi l'œuvre sociale entamée par le Front populaire en 1936 (→ chap. 2 p. 46). Ce programme est appliqué à la Libération.

## 2. Le nouveau rôle de l'État dans l'économie

■ Les destructions matérielles dues à la guerre et les pénuries persistantes imposent à l'État des efforts rapides de reconstruction. Pour les réaliser dans l'esprit de la Résistance, des **nationalisations** sont effectuées en 1944-1945 dans les secteurs clés des **ressources énergétiques (charbon, électricité, gaz), des transports** (comme Renault), **des banques et des assurances.**

## 3. La mise en œuvre de l'État providence

■ **Le Gouvernement provisoire crée en 1945 la Sécurité sociale**, un organisme de protection qui prend en charge l'assurance maladie, les allocations familiales, les accidents du travail, et met en place un système de retraites. Ces **droits sociaux,** qui vont accompagner **l'amélioration des conditions de vie**, sont aussi inscrits dans le préambule de la Constitution de 1946.

**VOCABULAIRE**

▶ **Gouvernement provisoire de la République française (GPRF)**
Gouvernement créé en 1944 par le général de Gaulle et des résistants afin de diriger le pays une fois le régime de Vichy renversé, en attendant la rédaction d'une nouvelle Constitution.

▶ **Nationalisation**
Acquisition d'une entreprise par l'État qui en devient propriétaire.

## Je retiens autrement

**La Libération (1944-1945)**

- **2 débarquements alliés**

- **Libération du territoire**

- → **La Libération de Paris** est un temps fort de cette période

- Constitution du **GPRF**

**Le retour de la République (1944-1945)**

- **Rétablissement des principes républicains** par le gouvernement provisoire :

  – les libertés

  – l'égalité

  – la démocratie (extension du droit de vote aux femmes)

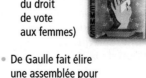

- De Gaulle fait élire une assemblée pour préparer une **nouvelle Constitution**

**La fondation d'une République sociale (1945-1947)**

- **Réformes** adoptées par le gouvernement et l'Assemblée, inspirées du programme du CNR :

- – **l'État intervient dans l'économie** (nationalisations)

- – **l'État protège les personnes** (État providence) : Sécurité sociale, droits sociaux reconnus par la Constitution de 1946

## Comment apprendre ma leçon ?

### Je révise en équipe

Travailler en équipe, c'est pouvoir s'encourager les uns les autres et s'entraîner en se posant des questions.

▶ **Étape 1**

- Ensemble, révisez la leçon et dégagez ce qu'il faut retenir.

▶ **Étape 2**

- **Organisez des défis**
  Faites deux groupes. Chaque groupe prépare des questions sur le thème du chapitre et les pose au groupe adverse. Chaque question rapporte des points en fonction de la qualité des réponses.

- Reproduisez le tableau ci-dessous, puis à vous de jouer !

site élève
⤓ tableau à imprimer

| Niveaux de difficulté | Exemples de question | Aïe ! 0 point | À revoir 1 point | Bien 2 points | Bravo 3 points |
|---|---|---|---|---|---|
| **NIVEAU 1** Questions sur des connaissances précises | • Date de l'adoption de la Constitution de la IVᵉ République • Définition de « nationalisation » • ... | | | | |
| **NIVEAU 2** Questions de synthèse (Les points comptent double) | • Comment le gouvernement provisoire rétablit-il la République ? • Quelles réformes économiques et sociales sont mises en œuvre ? | | | | |

▶ **Étape 3**

- Après les défis, faites le point sur les parties du cours qui ne sont pas encore maîtrisées ; vous pouvez recommencer jusqu'à ce que vous ayez parfaitement compris le chapitre !

## Je révise chez moi

● **Je vérifie que je connais les principaux repères du chapitre.**

**Je sais définir et utiliser dans une phrase :**

▶ Conseil national de la Résistance
▶ Constitution
▶ épuration
▶ État providence
▶ nationalisation

**Je sais situer :**

▶ **sur une frise :**
– la libération de la France ;
– le droit de vote des femmes ;
– le programme du CNR ;
– l'adoption de la Constitution de la IVᵉ République.

▶ **sur une carte :**
les deux débarquements.

site élève
⤓ fond de carte et frise

**Je sais expliquer :**

▶ quand et comment la France est libérée.
▶ quelles sont les principales réformes économiques et sociales en 1945-1946.
▶ comment la nouvelle République donne une nouvelle place aux femmes.

## Je vérifie mes connaissances

### 1 Vrai ou faux ? Je justifie ma réponse.

**a.** La France a été libérée par la Résistance uniquement. ☐ Vrai ☐ Faux

**b.** Le CNR propose des transformations sociales. ☐ Vrai ☐ Faux

**c.** Les nationalisations font partie de l'État providence. ☐ Vrai ☐ Faux

**d.** En 1944, les femmes obtiennent le droit de vote, mais pas le droit d'être élues. ☐ Vrai ☐ Faux

### 2 Je raconte à partir d'images.

Rédigez une phrase pour expliquer ce que chaque document, issu du chapitre, vous a appris sur la nouvelle République.

b.

LA RÉGIE NATIONALE DES USINES RENAULT A BIEN TRAVAILLÉ DEPUIS DEUX ANS

FERMONS LA PORTE A LA MISÈRE

**SÉCURITÉ SOCIALE**

a.

c.

### 3 Je sais ordonner des faits les uns par rapport aux autres.

Je recopie et je place sur une frise chronologique les faits historiques suivants :

Constitution de la IVe République    Programme du CNR    1er vote des femmes

Libération de Paris    Débarquement en Normandie

1944          1945          1946          1947

### 4 Retrouvez d'autres exercices sous forme interactive sur le site Nathan.

site élève
⬇ exercices interactifs

## EXERCICE 1 Analyser et comprendre des documents (20 points)

**La Libération par l'affiche**

Au bas de l'affiche : « **G.P.R.F.**, secrétariat général à l'information – affiche exécutée sous l'occupation allemande en août 1944 » [Phili, *Libération*, 1944].

**QUESTIONS**

❶ Présentez le document : sa nature, son auteur, son destinataire et le contexte dans lequel il a été réalisé.

❷ Décrivez les personnages. Que représente le personnage au premier plan ? Les personnages au second plan ?

❸ D'après vous, d'où sortent ces personnages ? Quel sens peut-on donner au geste des bras ?

❹ D'après cette affiche, comment la France s'est-elle libérée en 1944 ? Cela correspond-il à ce que vous connaissez de cette situation historique ?

❺ Montrez que cette affiche est utilisée par le gouvernement provisoire de la République française (GPRF) pour refonder la République.

**MÉTHODE**

**Je justifie l'interprétation d'un document**
**(→ Questions ❷ à ❹)**

▶ Pour expliquer un document, vous devez parfois émettre une hypothèse : il s'agit de proposer une interprétation du contenu du document, ou des raisons pour lesquelles il a été créé.

▶ Pour que cette hypothèse soit acceptable, vous devez la justifier, c'est-à-dire la mettre en relation avec vos connaissances. Vous pouvez par exemple faire référence à un document, un événement, un acteur que vous avez déjà étudié.

→ *Exemples :*

**Question ❷ :** réfléchissez aux couleurs employées, au contexte de création de l'affiche et au personnage féminin utilisé depuis le XIXe siècle pour symboliser la République.

**Question ❸ :** montrez que le personnage principal soulève une dalle sous laquelle il semblait avoir été maintenu prisonnier.

## EXERCICE 2 Maîtriser différents langages (20 points)

**CONSIGNE** Sous la forme d'un développement construit d'une vingtaine de lignes et en prenant appui sur des exemples étudiés en classe, expliquez comment la République est restaurée entre 1944 et 1947.

**CONSEILS**

→ Pour construire votre développement, vous pouvez l'organiser en trois parties qui montrent :
• la libération du territoire de la France ;
• le rétablissement des principes républicains ;
• l'élargissement de la démocratie par de nouveaux droits sociaux et par l'intégration politique des femmes.

## SUJET BLANC

## EXERCICE **1** Analyser et comprendre des documents (20 points)

**Une nouvelle définition du rôle de l'État après 1944**

On peut dire qu'un trait essentiel de la Résistance française est la volonté de rénovation sociale [...]. Il n'y a pas de progrès véritable si ceux qui le font de leurs mains ne doivent pas y trouver leur compte. Le gouvernent de la Libération entend qu'il en soit ainsi, non point seulement par des augmentations de salaires, mais surtout par des institutions qui modifient profondément la condition ouvrière.

L'année 1945 voit refondre entièrement et étendre à des domaines multiples le régime des assurances sociales. [...] Ainsi disparaît l'angoisse aussi ancienne que l'espèce humaine que la maladie, l'accident, la vieillesse, le chômage faisaient peser sur les laborieux [...].

■ Charles de Gaulle, *Mémoires de guerre, le Salut, 1944-1946*, Plon, 1959.

### QUESTIONS

**❶** Quelle fonction occupe Charles de Gaulle entre 1944 et 1946 ? Quels sont ses liens avec la Résistance ?

**❷** Dans quel contexte se trouve la France en 1945 ?

**❸** D'après vous, à quel texte issu de la Résistance Charles de Gaulle fait-il allusion dans la phrase soulignée ?

**❹** D'après de Gaulle, quel doit être l'un des rôles de l'État ?

**❺** Expliquez les mesures prises par le gouvernement pour assurer ce rôle.

## EXERCICE **2** Maîtriser différents langages (20 points)

**CONSIGNE** Sous la forme d'un développement construit d'une vingtaine de lignes et en prenant appui sur des exemples étudiés en classe, expliquez comment sont refondées la République et la démocratie entre 1944 et 1947.

## MON BILAN DE COMPÉTENCES

| Domaines du socle | Compétences travaillées | Pages du chapitre |
|---|---|---|
| **D1** Les langages pour penser et communiquer | • Je sais me repérer dans le temps et dans l'espace<br>• Je sais pratiquer différents langages pour argumenter | **Je me repère** ........... p. 156-157<br>**Je découvre** ........... p. 160-161 |
| **D2** Méthodes et outils pour apprendre | • Je sais extraire des informations pertinentes de documents, les classer et les hiérarchiser<br>• Je sais organiser mon travail personnel | **J'enquête** ........... p. 158-159<br><br>**Apprendre à apprendre** ..... p. 166 |
| **D3** La formation de la personne et du citoyen | • Je comprends comment les valeurs de la République et de la démocratie sont à l'origine de nos libertés individuelles et collectives<br>• Je réfléchis et j'argumente pour le respect de l'égalité entre les femmes et les hommes | **Je découvre** ........... p. 160-161<br><br>**D'hier à aujourd'hui** .. p. 162-163 |
| **D5** Les représentations du monde et de l'activité humaine | • Je me prépare à l'exercice futur de ma citoyenneté en cherchant des réponses à mes questions sur un moment historique<br>• Je comprends comment le passé éclaire le présent | **J'enquête** ........... p. 158-159<br><br>**D'hier à aujourd'hui** .. p. 162-163 |

# 10 La Vᵉ République de 1958 aux années 1980

→ Comment les institutions et les pratiques politiques se transforment-elles sous la Vᵉ République ?

**Au cycle 4, en EMC**

J'apprends que la République française est une démocratie en étudiant les institutions de la Vᵉ République.

**Au cycle 4, en 3ᵉ**

**Chapitre 9**
J'ai étudié la libération de la France et le retour de la République après 1945.

**Ce que je vais découvrir**

Je vais voir comment a été fondée la Vᵉ République et les particularités de ses institutions, qui sont toujours en vigueur aujourd'hui.

**1** **Le 4 septembre 1958, Charles de Gaulle présente la Constitution de la Vᵉ République**

Au milieu de la place de la République à Paris, du haut de la tribune, Charles de Gaulle présente la nouvelle Constitution, que les Français approuvent à 79,2 % par référendum le 28 septembre 1958.

Georges Pompidou, 1969-1974

Charles de Gaulle, 1958-1969

Valéry Giscard d'Estaing, 1974-1981

François Mitterrand, 1981-1995

**2** De 1958 à 1995, quatre présidents de la République se sont succédé

## La Vᵉ République de 1958 aux années 1980

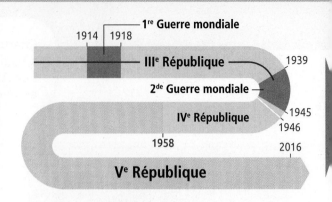

1914 — 1918 — 1re Guerre mondiale

IIIᵉ République — 1939

2de Guerre mondiale — 1945

IVᵉ République — 1946

1958 — 2016

Vᵉ République

▸ **Cohabitation**
Situation politique où le président de la République appartient à un parti opposé à celui du Premier ministre.

▸ **Constitution**
Ensemble de lois qui définissent les droits fondamentaux des citoyens et fixent le fonctionnement du pouvoir politique.

▸ **Pouvoir exécutif**
Pouvoir de faire exécuter les lois.

▸ **Pouvoir législatif**
Pouvoir de faire les lois.

▸ **Référendum**
Consultation des citoyens sur un projet de loi ou de Constitution ; les citoyens répondent par oui ou par non à la question posée.

### QUESTIONS

▸ **Je me repère dans le temps**

❶ Pendant combien d'années et jusqu'à quelle date les présidents ont-ils été de droite entre 1958 et 1995 ?

❷ Quand y a-t-il eu une cohabitation ?

▸ **J'extrais des informations pertinentes pour répondre à des questions**

❸ Qui les citoyens élisent-ils directement ?

❹ Quels sont les pouvoirs du président de la République ? ceux du Parlement ?

## De l'histoire à l'EMC

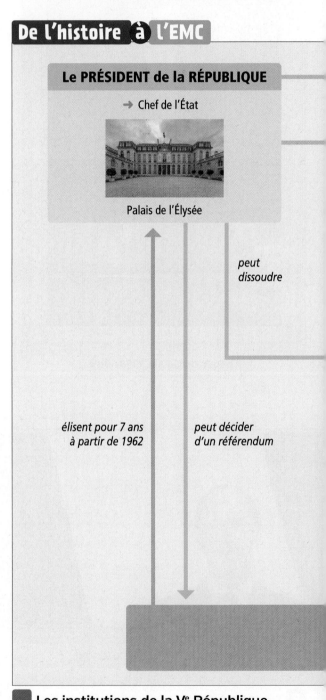

### Le PRÉSIDENT de la RÉPUBLIQUE

→ Chef de l'État

Palais de l'Élysée

*peut dissoudre*

*élisent pour 7 ans à partir de 1962*

*peut décider d'un référendum*

**Les institutions de la Vᵉ République**

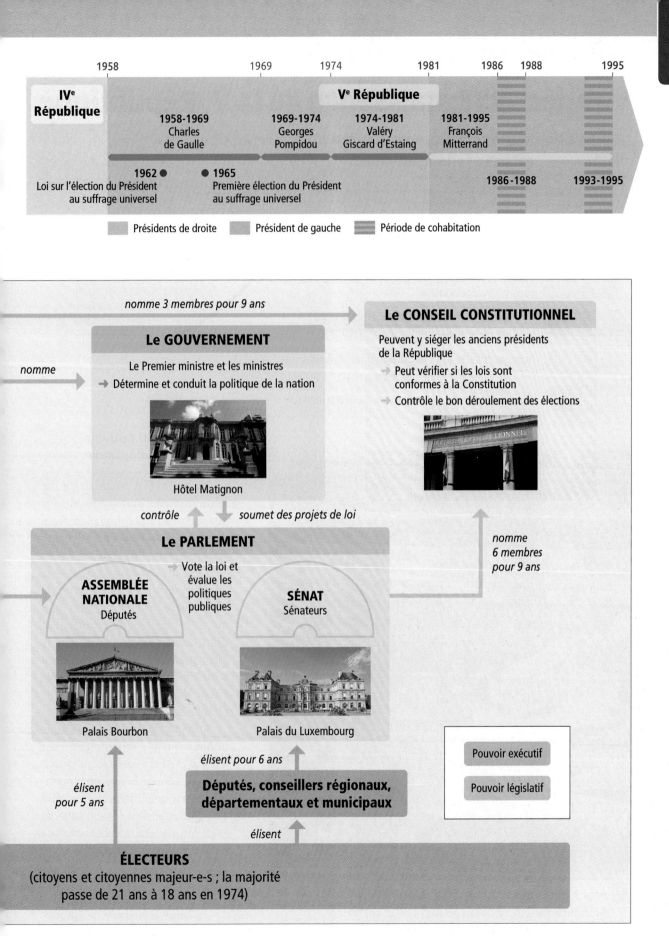

## Timeline

| 1958 | | 1969 | 1974 | 1981 | 1986 | 1988 | 1995 |

**IV**ᵉ **République**

**V**ᵉ **République**

| 1958-1969 Charles de Gaulle | 1969-1974 Georges Pompidou | 1974-1981 Valéry Giscard d'Estaing | 1981-1995 François Mitterrand |

Loi sur l'élection du Président au suffrage universel

**1962** ● Loi sur l'élection du Président au suffrage universel

● **1965** Première élection du Président au suffrage universel

1986-1988

1993-1995

Présidents de droite    Président de gauche    Période de cohabitation

## Le GOUVERNEMENT

*nomme 3 membres pour 9 ans*

*nomme*

Le Premier ministre et les ministres
→ Détermine et conduit la politique de la nation

Hôtel Matignon

## Le CONSEIL CONSTITUTIONNEL

Peuvent y siéger les anciens présidents de la République

→ Peut vérifier si les lois sont conformes à la Constitution
→ Contrôle le bon déroulement des élections

*contrôle*    *soumet des projets de loi*

## Le PARLEMENT

*nomme 6 membres pour 9 ans*

**ASSEMBLÉE NATIONALE**
Députés

Vote la loi et évalue les politiques publiques

**SÉNAT**
Sénateurs

Palais Bourbon

Palais du Luxembourg

Pouvoir exécutif

Pouvoir législatif

*élisent pour 6 ans*

**Députés, conseillers régionaux, départementaux et municipaux**

*élisent pour 5 ans*

*élisent*

## ÉLECTEURS

(citoyens et citoyennes majeur-e-s ; la majorité passe de 21 ans à 18 ans en 1974)

# Je découvre

**SOCLE** Compétences

▶ **Domaine 2** : Je m'approprie et j'utilise un lexique spécifique, en contexte
▶ **Domaine 5** : Je construis des hypothèses pour interpréter une situation historique

# L'année 1958, naissance de la Vᵉ République

**Question clé** Pourquoi et comment une nouvelle république est-elle fondée en 1958 ?

## Chronologie

| | |
|---|---|
| **1954-1958** | Affaiblissement du gouvernement français (guerre d'Algérie). |
| **Mai 1958** | Violentes manifestations des Français en Algérie contre l'indépendance. |
| **Juin 1958** | Préparation d'une nouvelle Constitution par Charles de Gaulle, chef du gouvernement. |
| **Septembre 1958** | Approbation de la Constitution par référendum. Fondation de la Vᵉ République. |
| **Décembre 1958** | Charles de Gaulle élu président de la République. |

### VOCABULAIRE

▶ **Référendum**
Consultation des citoyens sur un projet de loi ou de Constitution ; les citoyens répondent par oui ou par non à la question posée.

**site élève**
⭳ lien vers la vidéo

**1** **Mai 1958 : une crise politique en Algérie**
Alors qu'à Paris un nouveau gouvernement est formé, en Algérie, les partisans de l'Algérie française craignent un abandon de la France. Ils manifestent alors violemment.
Alger, 16 mai 1958.

**2** **Le retour au pouvoir du général de Gaulle**

Nous voici maintenant au bord de la guerre civile. Après s'être, depuis quarante ans, tant battus contre l'ennemi[1], les Français vont-ils, demain, se battre contre les Français ? [...]

Dans le péril de la patrie et de la République, je me suis tourné vers le plus illustre des Français, vers celui qui, aux années les plus sombres de notre histoire, fut notre chef pour la reconquête de la liberté et qui, ayant ainsi réalisé autour de lui l'unanimité nationale, refusa la dictature pour rétablir la République. [...]

Je demande au général de Gaulle de bien vouloir discuter avec le chef de l'État et d'examiner avec lui ce qui, dans le cadre de la légalité républicaine, est immédiatement nécessaire à un gouvernement de salut national et ce qui pourra, à échéance plus ou moins proche, être fait ensuite pour une réforme profonde de nos institutions.

■ René Coty, président de la République, message au Parlement, 29 mai 1958.

1. Référence aux guerres mondiales et coloniales que la France a connues.

### 3 De Gaulle annonce une nouvelle Constitution

[La France] se trouve menacée de dislocation et peut-être de guerre civile. C'est dans ces conditions que je me suis proposé pour tenter de conduire une fois de plus au salut le pays, l'État, la République [...].

Mais ce ne serait rien que de remédier provisoirement, tant bien que mal, à un état de choses désastreux si nous ne nous décidions pas à en finir avec la cause profonde de nos épreuves. Cette cause – l'Assemblée le sait et la nation en est convaincue – c'est la confusion et, par là même, l'impuissance des pouvoirs[1].

Le Gouvernement que je vais former moyennant votre confiance vous saisira sans délai d'un projet de réforme de la Constitution. [...]

■ Charles de Gaulle, discours à l'Assemblée nationale, 1er juin 1958.

1. De Gaulle fait ici allusion aux institutions de la IVe République [→ doc 2 p. 160] et à la faiblesse de gouvernements qui changent souvent.

### 4 Le référendum sur la Ve République

La Constitution de la Ve République a été rédigée par le général de Gaulle et ses conseillers.

❶ Terme qui désigne les colonies.

❷ Terme utilisé par Charles de Gaulle dans un sens péjoratif pour qualifier la IVe République.

Affiche pour le « oui » à la Constitution de la Ve République, 1958.

---

## Activités

**Question clé** — Pourquoi et comment une nouvelle république est-elle fondée en 1958 ?

### ITINÉRAIRE 1

**OU**

### ITINÉRAIRE 2

▶ **J'identifie le point de vue particulier de documents**

❶ **Doc 1.** Quelle est la situation à Alger ? Quelles sont les revendications des manifestants ?

❷ **Doc 2 et 3.** Selon René Coty et Charles de Gaulle, quelle est la situation de la France en 1958 ?

❸ **Doc 3 et 4.** Selon Charles de Gaulle, quelles sont les causes de cette situation ?

❹ **Doc 3 et 4.** Quelle est, selon lui, la solution ?

▶ **J'argumente à l'oral à l'aide d'un lexique historique**

❺ Pour répondre à la question clé, rédigez une chronique radio que vous présenterez à l'oral en utilisant les mots clés suivants : guerre d'Algérie – référendum – institutions – IVe République – Ve République.

▶ **Je réalise un schéma explicatif**

Répondez à la question clé en réalisant un schéma. Vous pouvez vous aider du schéma ci-dessous.

> Une situation de crise en Algérie
> [→ Doc 1]
>
> ↓
>
> Une situation de crise politique en France
> [→ Doc 2]
>
> ↓
>
> La fondation d'une nouvelle république
> [→ Doc 3 et 4]

**SOCLE** Compétences
▶ **Domaine 2** : Dans le cadre d'une production collective, je discute, j'explique et j'argumente pour défendre mes choix
▶ **Domaine 5** : Je me repère dans le temps : la V^e République

# Le président de la République, 1958–1988

**CONSIGNE**

Répartis en équipes, vous devez étudier les différents aspects de la fonction présidentielle sous la V^e République : quels sont les pouvoirs du Président ? Comment est-il élu ? Comment utilise-t-il les médias ? Quel est son rôle en période de cohabitation ?

Chaque équipe présente son travail à la classe. Pour conclure, chaque élève rédige quelques phrases pour expliquer le rôle et les pouvoirs du président de la République.

**Chronologie**

| | |
|---|---|
| **Décembre 1958** | Élection du général de Gaulle à la présidence de la République. |
| **1962** | Loi sur l'élection du Président au suffrage universel. |
| **1965** | Première élection du Président au suffrage universel. |
| **1986-1988** | Première cohabitation. |

**ÉQUIPE 1**

## Les pouvoirs du Président selon la Constitution de 1958

Quels pouvoirs la Constitution donne-t-elle au président de la République ?
Quelles critiques cela suscite-t-il en 1958 ? Aidez-vous du schéma pages 172-173.

### 1 Ce que dit la Constitution

> **Art. 5.** Le président de la République veille au respect de la Constitution. [...] Il est le garant de l'indépendance nationale, de l'intégrité du territoire et du respect des traités.
>
> **Art. 15.** Le président de la République est le chef des armées. [...]
>
> **Art. 16.** Lorsque les institutions de la République, l'indépendance de la nation, l'intégrité de son territoire ou l'exécution de ses engagements internationaux sont menacées d'une manière grave et immédiate et que le fonctionnement régulier des pouvoirs publics constitutionnels est interrompu, le président de la République prend les mesures exigées par ces circonstances, après consultation officielle du Premier ministre, des présidents des assemblées ainsi que du Conseil constitutionnel.

■ Extrait de la Constitution de la V^e République, 1958.

**VOCABULAIRE**

▶ **Constitution**
Ensemble de lois qui définissent les droits fondamentaux des citoyens et fixent le fonctionnement du pouvoir politique.

La Constitution est faite pour de Gaulle. Ses ministres seront ses doublures (Art. 6-8-23). L'Assemblée ne pourra rien contre lui.

### 2 Des pouvoirs critiqués

Illustration de Maurice Henry, détail d'une affiche socialiste contre la Constitution, 1958.

# L'élection du Président au suffrage universel (1962)

Comment l'élection du Président au suffrage universel à partir de 1962 renforce-t-elle son autorité ? Pourquoi est-elle aussi très critiquée ?

**OUI c'est VOUS qui elirez le Président de la République**

**3** **Affiche pour le référendum sur l'élection au suffrage universel, 1962**

La réforme est adoptée par référendum à 62 %.

▶ **Référendum**
Consultation des citoyens sur un projet de loi ou de Constitution ; les citoyens répondent par oui ou par non à la question posée.

**5** **Contre l'élection du Président au suffrage universel**

Sous la Ve République, il n'y a qu'un pouvoir : l'exécutif, le Gouvernement ou plutôt le Président ; l'Assemblée ne joue aucun rôle, sinon de pure figuration. On est passé d'un extrême à l'autre[1]. Je ne pense pas qu'il soit sain et démocratique de donner, comme aujourd'hui, des moyens aussi larges et aussi incontrôlés à un seul homme et pour sept ans.

Un homme élu par trente millions d'électeurs est forcément très puissant ; or, volontairement, on n'a prévu aucun contrepoids, aucun partage, aucune institution de contrôle.

■ D'après Pierre Mendès France, *Choisir*, Stock, 1974.

1. Sous la IVe République, l'Assemblée avait des pouvoirs très étendus.

**4** **Pour l'élection du Président au suffrage universel**

[Pour] que demain les présidents puissent à leur tour se fonder sur l'assentiment populaire afin d'y trouver la force et le courage de remplir leur lourde tâche, il n'est pas de meilleur moyen que l'élection au suffrage universel.

■ Georges Pompidou, débat à l'Assemblée nationale, 4 octobre 1962.

**INFOS**

Le **19 décembre 1965**, le second tour de la **première élection au suffrage universel** du Président voit s'opposer Charles de Gaulle et François Mitterrand.
De Gaulle est élu avec 55,2 % des voix.

# J'enquête EN ÉQUIPES !

**ÉQUIPE 3**

## Le président de la République et les médias

Comment les présidents utilisent-ils les médias depuis 1958 ?
Quels sont leurs objectifs ?

### 6 Le général de Gaulle et la presse

Entre 1958 et 1969, de Gaulle intervient 81 fois à la radio et à la télévision pour des discours, messages, entretiens ou conférences de presse.

Conférence de presse à l'Élysée, 11 septembre 1968.

*site élève*
⬇ *lien vers la vidéo*

### 7 Le rôle de la télévision

> C'est au peuple lui-même, et non seulement à ses cadres, que je veux être lié par les yeux et par les oreilles. Il faut que les Français me voient et m'entendent, que je les entende et les voie. La télévision et les voyages publics m'en donnent la possibilité. Pendant la guerre, j'avais tiré beaucoup de la radio. Ce que je pouvais dire et répandre de cette façon avait certainement compté dans le resserrement de l'unité nationale contre l'ennemi [...]. Or, voici que la combinaison du micro et de l'écran s'offre à moi au moment même où l'innovation commence son foudroyant développement. Pour être présent partout, c'est là soudain un moyen sans égal [...]. Par le son et l'image, je suis proche de la nation.

■ Charles de Gaulle, *Mémoires d'espoir, 1958-1962*, Plon, 1962.

### 8 Le Président face aux Français

Valéry Giscard d'Estaing avec la famille Nehou à Grossœuvre (Eure), le 24 octobre 1975.

**INFOS**

Valéry Giscard d'Estaing (1974–1981) s'invite régulièrement à dîner chez des Français, devant les caméras de télévision.

# Le président de la République à l'épreuve de la cohabitation (1986–1988)

Quel est le rôle du Président pendant la cohabitation et quels problèmes cela pose-t-il ? Aidez-vous du schéma pages 172-173.

## 9 La cohabitation selon François Mitterrand

D'abord, le président de la République doit – je dois – assurer la continuité de l'État et le fonctionnement régulier des pouvoirs publics, c'est dans l'article 5 de la Constitution. On n'assure pas la continuité de l'État si, lorsqu'il y a un événement électoral[1], on s'en va [...].

Deuxièmement [...] le président de la République a un rôle éminent[2], pas exclusif mais éminent, primordial dans le domaine des affaires étrangères et de la Défense, puisqu'il est le chef des armées. Le président de la République doit veiller aux grandes options de la diplomatie. [...] J'en aurai fini en disant qu'il y a un troisième point – c'est dans le préambule de la Constitution, c'est aussi dans l'article 2 : le président de la République doit veiller à l'application des grands principes sur lesquels se fonde la République indivisible, laïque, démocratique, sociale [...].

■ François Mitterrand, entretien télévisé, 29 mars 1987.

1. Le 16 mars 1986, les élections législatives voient la défaite de la gauche, et donc de François Mitterrand, au profit de la droite, emmenée par Jacques Chirac.
2. Supérieur.

## 10 Le Président et le Premier ministre

Le Premier ministre Jacques Chirac ❶ et le président de la République François Mitterrand ❷ représentent la France lors du sommet France/Afrique de Lomé (Togo), 1986.

## 11 Les difficultés de la cohabitation

En novembre 1986, le dessinateur du *Monde*, Plantu, caricature un Conseil des ministres sous la cohabitation entre Jacques Chirac ❶ et François Mitterand ❷.

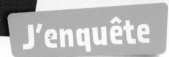 

**SOCLE** Compétences
▶ Domaine 2 : Je rédige un récit historique
▶ Domaine 5 : Je mets en relation des faits d'une période donnée

# L'élection de François Mitterrand en 1981

**CONSIGNE**

Un collège François-Mitterrand vient d'être inauguré dans votre département. À cette occasion, la rédactrice en chef du journal de votre collège vous charge d'écrire un article sur l'élection de François Mitterrand à la présidence de la République, en 1981.

**BIOGRAPHIE**

**François Mitterrand (1916-1996)**
▶ Homme politique, député et ministre sous la IVᵉ République.
▶ Candidat de la gauche à la présidence en 1965 et en 1974, il est élu en 1981 et réélu en 1988.

**VOCABULAIRE**

▶ **Alternance**
Changement de majorité, de la droite à la gauche (ou inversement), après une élection présidentielle ou législative (élection de l'Assemblée nationale).

**1** Affiche de François Mitterrand, candidat à l'élection présidentielle de 1965

**2** **François Mitterrand juge la Vᵉ République**

Qu'est-ce que la Vᵉ République sinon la possession du pouvoir par un seul homme [...] ?

Magistrature temporaire ? Monarchie personnelle ? Consulat à vie ? *Pachalik*[1] ? Et qui est-il, lui, de Gaulle ? *Duce, Führer, caudillo, conducator,* guide[1] ? À quoi bon poser ces questions ? [...]

J'appelle le régime gaulliste dictature parce que, tout compte fait, c'est à cela qu'il ressemble le plus, parce que c'est vers un renforcement continu du pouvoir personnel qu'inéluctablement il tend, parce qu'il ne dépend plus de lui de changer de cap.

■ François Mitterrand, *Le Coup d'État*[2] *permanent*, Plon, 1964.

1. Tous ces termes font référence à des dictateurs ou à un gouvernement autoritaire.
2. Prise de pouvoir violente et illégale.

**3 La foule célèbre la victoire de François Mitterrand en 1981**

Rassemblements spontanés sur la place de la Bastille à Paris à l'annonce de l'élection de François Mitterrand, le 10 mai 1981.

**4 La victoire de François Mitterrand : l'alternance**

Une de *France-Soir*, 11 mai 1981.

**5 Le regard d'un historien sur la présidence de François Mitterrand**

Le plus grand mérite de François Mitterrand, c'est d'avoir consolidé les institutions de la Ve République. On peut le lui reprocher : n'avait-il pas critiqué « le coup d'État permanent »[1] que permettait la Constitution de 1958 ? Il n'empêche, il a su consolider le régime constitutionnel. [...]

En premier lieu, il a démontré, par sa victoire même et son refus de changer la règle du jeu, que l'alternance était possible. [...] L'alternance, qui est au fondement du système démocratique moderne, était inconnue des Français. Par le passé elle ne pouvait se produire que par les coups d'État et les révolutions.

■ D'après Michel Winock, *François Mitterrand*, Gallimard, 2015.

1. Référence au livre de F. Mitterrand, écrit en 1964 (→ doc 2).

**COUP DE POUCE**

Pour rédiger votre article, vous devez expliquer :

❱ le parcours politique de François Mitterrand sous la Ve République (→ Doc 1 et 2) ;
❱ l'importance historique de son élection en 1981 et l'espoir de changement qu'elle a suscité (→ Doc 3 à 5).

# La Vᵉ République de 1958 aux années 1980

→ **Comment les institutions et les pratiques politiques se transforment-elles sous la Vᵉ République ?**

## VOCABULAIRE

▶ **Alternance**
Changement de majorité, de la droite à la gauche (ou inversement), après une élection présidentielle ou législative (élection de l'Assemblée nationale).

▶ **Cohabitation**
Situation politique où le président de la République appartient à un parti opposé à celui du Premier ministre.

▶ **Gouvernement**
Institution, formée du Premier ministre et des ministres, qui détermine la politique de la nation.

▶ **Référendum**
Consultation des citoyens sur un projet de loi ou de Constitution ; les citoyens répondent par oui ou par non à la question posée.

▶ **Régime parlementaire**
Régime dans lequel le gouvernement est responsable devant l'Assemblée nationale qui peut le renverser.

▶ **Scrutin majoritaire uninominal**
Mode d'élection dans lequel les électeurs votent pour un seul candidat. Est élu le candidat qui a recueilli le plus de voix au second tour.

## A La fin de la IVᵉ République

### 1. Les difficultés de la IVᵉ République

● Avec la décolonisation et notamment la **guerre d'Algérie**, le gouvernement est de plus en plus souvent **paralysé** par les divisions entre partisans et adversaires de l'indépendance. À Alger, en mai 1958, les partisans de l'Algérie française organisent une **manifestation violente** et saccagent les bâtiments officiels. La peur d'un coup d'État militaire et d'une guerre civile rend la situation dramatique.

### 2. L'appel à Charles de Gaulle

● Le **général de Gaulle**, retiré de la vie politique depuis 1946, mais dont le nom a été acclamé par les manifestants d'Alger, est « prêt à assumer les pouvoirs de la République ». Le président de la République, René Coty, fait alors appel à lui pour **former un gouvernement**. En juin 1958, l'Assemblée nationale lui accorde les **pleins pouvoirs** pour rétablir l'ordre et préparer une **nouvelle Constitution**.

## B La République gaullienne (1958-1969)

### 1. Un régime parlementaire...

● Dès septembre 1958, la **Constitution** est achevée ; elle est ensuite adoptée par **référendum** par les Français. La Vᵉ République est proclamée.

● Le **pouvoir législatif** appartient au **Parlement** formé de l'Assemblée nationale et du Sénat ; il discute et vote les lois. L'Assemblée, élue par les citoyens, contrôle aussi l'action du **gouvernement** et peut le renverser sous certaines conditions.

### 2. ... mais un pouvoir exécutif fort

● **Le gouvernement**, **dirigé par le Premier ministre**, détermine et conduit la politique du pays. Il propose des lois et peut compter sur le soutien d'une majorité stable à l'Assemblée, grâce au **scrutin majoritaire uninominal**.

● Ce sont surtout les **pouvoirs du président de la République**, élu pour 7 ans, qui sont renforcés. Chef de l'État et des armées, il peut organiser un **référendum**, **dissoudre l'Assemblée**, prendre des mesures exceptionnelles (art. 16) en cas de menaces graves. La réforme de 1962, qui établit l'élection du Président au **suffrage universel**, renforce son autorité. Le Président est désormais choisi directement par les Français.

## C Des institutions qui s'adaptent (1969–1988)

### 1. La continuité (1969-1981)

Après la démission du général de Gaulle en 1969, les présidents **Georges Pompidou** puis **Valéry Giscard d'Estaing**, élus des partis de droite, ne remettent pas en cause les institutions.

### 2. L'alternance (1981)

L'élection de **François Mitterrand en 1981**, premier Président socialiste depuis 1958, montre qu'une **alternance** est possible. En juin 1981, l'élection d'une Assemblée majoritairement de gauche complète le changement.

Les **réformes économiques et sociales** proposées lors de la campagne électorale sont alors adoptées. Mais, bien qu'il ait critiqué la Ve République, **François Mitterrand ne modifie pas la Constitution ni les pouvoirs du Président**.

### 3. La cohabitation (1986)

En 1986, les **élections législatives** amènent une **majorité de droite** à l'Assemblée. Cela crée une situation nouvelle : la **cohabitation** entre un Président de gauche, François Mitterrand et un Premier ministre de droite, Jacques Chirac. Malgré des tensions, cela ne paralyse pas la vie politique.

**Le savez-vous ?**

La vie politique organisée autour de l'opposition droite-gauche est typiquement française. Elle remonte à la Révolution de 1789, quand les députés favorables au maintien d'un pouvoir fort du roi se sont rangés à droite de l'Assemblée.

## Je retiens autrement

### 1958 : une grave crise politique

- Gouvernement de la IVe République **affaibli** par la guerre d'Algérie
- **De Gaulle** appelé au pouvoir, devient chef du Gouvernement avec les **pleins pouvoirs**
- → Préparation d'une **nouvelle Constitution**

### 1958-1969 : la République gaullienne

- Nouvelle Constitution adoptée par référendum ; **proclamation de la Ve République** en **octobre 1958**
- → **Régime parlementaire**, mais pouvoirs du Président renforcés
- **1962** : élection du Président au **suffrage universel**

### 1969-1988 : les évolutions de la République

- **1981** : élection de François Mitterrand ; première **alternance**
- **1986-1988** : **cohabitation** entre François Mitterrand et Jacques Chirac

## Comment apprendre ma leçon ?

### Je réalise en équipe une émission de radio

Pour apprendre son cours, on peut réaliser une émission de radio. Expliquer le cours, à voix haute, permet de mieux le comprendre et de se l'approprier. On peut ensuite l'écouter plusieurs fois pour mieux le mémoriser.

> **Étape 1**

- Préparez l'émission de radio. Classez les connaissances du chapitre dans différentes séquences. N'oubliez pas les repères chronologiques, ainsi que les mots clés de la leçon.

> **Étape 2**

- Enregistrez l'émission de radio. Pour cela, vous pouvez utiliser votre téléphone portable, un dictaphone, un MP3 ou un ordinateur (grâce à des logiciels comme Audacity).

💡 Lorsque vous vous enregistrez, faites des phrases claires et audibles ; ne parlez pas trop vite, il faut que cela soit agréable à écouter.

1. La fin de la IVᵉ République
Séquence interview d'un historien
→ Préparer des questions et des réponses sur cette partie de la leçon.

2. La République gaullienne (1958-1969)
Chronique politique
→ Expliquer la leçon en utilisant les mots clés suivants :

Constitution   Vᵉ République   Président
suffrage universel direct   1962   1958
pouvoirs du Président   régime parlementaire

3. La République sans de Gaulle
Reportage au Centre Pompidou où est organisée l'exposition « Le président de La République : pouvoirs, alternance et cohabitation ».
→ Expliquer l'alternance et la cohabitation.

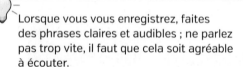

### Je révise chez moi

● **Je vérifie que je connais les principaux repères du chapitre.**

**Je sais définir et utiliser dans une phrase :**
- alternance
- cohabitation
- référendum
- régime parlementaire
- scrutin majoritaire

**Je sais situer sur une frise :**
- la naissance de la Vᵉ République ;
- la loi sur l'élection du Président au suffrage universel ;
- la première élection de François Mitterrand ;
- la première cohabitation.

site élève
⬇ frise à imprimer

**Je sais expliquer :**
- pourquoi une nouvelle République est fondée en 1958.
- pourquoi la Vᵉ République est un régime parlementaire.
- les pouvoirs du président de la République.

## Je vérifie mes connaissances

### 1 Vrai ou faux ? Je justifie mes réponses.

**a.** La Vᵉ République a vu le jour dans un contexte de crise politique. ☐ Vrai ☐ Faux

**b.** Le président de la République est élu au suffrage universel depuis 1958. ☐ Vrai ☐ Faux

**c.** François Mitterrand est le premier président de gauche de la Vᵉ République. ☐ Vrai ☐ Faux

**d.** Sous la Vᵉ République, les pouvoirs du Parlement sont plus forts
que ceux du Président. ☐ Vrai ☐ Faux

### 2 Je relie les événements suivants aux acteurs politiques concernés.

**a.** La première élection au suffrage universel du Président.

**b.** La cohabitation de 1986-1988.

**c.** La fondation de la Vᵉ République.

**d.** L'alternance de 1981.

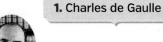
**1.** Charles de Gaulle

**2.** François Mitterrand

**3.** Jacques Chirac

### 3 Je réalise une chronologie illustrée de la Vᵉ République.

Pour réaliser ma chronologie, je rédige une phrase pour chaque photographie
et je lui donne une date.

**a.**

**b.**

**c.**

**d.**

### 4 Retrouvez d'autres exercices sous forme interactive sur le site Nathan.

site élève
⬇ exercices interactifs

## EXERCICE **1** Analyser et comprendre des documents [20 points]

### **1** La Constitution de la V<sup>e</sup> République vue par Georges Pompidou

> Notre Constitution, modifiée par le référendum qui a institué l'élection du président de la République au suffrage universel, a clairement posé les principes de la priorité du chef de l'État. [...]
>
> C'est lui qui avec son gouvernement doit définir la politique et la conduire. Le Premier ministre, comme l'indique son nom, n'est que le premier des ministres. Le rôle de coordination qu'il joue dans le gouvernement, la responsabilité qu'il exerce et engage vis-à-vis de l'Assemblée ne peuvent effacer cette subordination fondamentale. [...]
>
> Le gouvernement, désigné par le chef de l'État, n'en est pas moins choisi par lui en fonction de la majorité à l'Assemblée ; [...] en même temps le moyen de pression essentiel qu'est le droit de dissolution [du Président de la République] permet à ce gouvernement d'appliquer une politique acceptable par la majorité mais non conçue par elle.
>
> ■ D'après Georges Pompidou, *Le Nœud gordien*, 1974.

### **2** Un bain de foule présidentiel

Le Président Georges Pompidou en visite officielle dans la ville du Mans, juin 1972.

### QUESTIONS

**1** Qui est l'homme politique français présent dans les deux documents ?

**2** Quels pouvoirs définis par la Constitution sont présentés dans ces documents ? Comparez-les après avoir identifié ceux qui les exercent.

**3** D'après les documents et vos connaissances, quelle relation pouvez-vous établir entre la photographie et la phrase soulignée dans le texte au sujet de l'origine du pouvoir du président de la République ?

**4** À l'aide de vos connaissances, montrez que les documents permettent de comprendre l'importance des pouvoirs du président de la République sous la V<sup>e</sup> République.

### MÉTHODE

**Je confronte deux documents**
**(→ Questions 1 à 4)**

❱ Lorsqu'une question porte sur deux documents, vous devez obligatoirement utiliser l'un et l'autre dans votre réponse.

❱ Commencez par relever au brouillon, dans chaque document, les informations qui permettent de répondre à la question.

❱ Comparez ces informations. Se complètent-elles ? S'opposent-elles ? Sont-elles identiques ?

❱ Rédigez ensuite votre réponse en mettant en avant cette comparaison. Pensez à la justifier par des exemples tirés des documents.

**→ Exemples :**
**Question 2 :** les documents permettent de citer des pouvoirs définis par la Constitution de la V<sup>e</sup> République.
**Question 3 :** définissez « suffrage universel » pour expliquer la raison du bain de foule lors de l'apparition de Georges Pompidou (pensez à expliquer ce qu'est un bain de foule).

## EXERCICE 2 Maîtriser différents langages (20 points)

**1** Sous la forme d'un développement construit d'une vingtaine de lignes et en prenant appui sur des exemples étudiés en classe, expliquez comment le pouvoir exécutif se renforce sous la Ve République, et comment il s'exerce lors d'une période d'alternance ou de cohabitation.

### MÉTHODE

**J'écris pour structurer ma pensée, mon savoir, pour argumenter**

▶ Votre développement doit montrer comment vous avez construit votre réponse.

▶ Commencez votre écrit par une phrase d'introduction qui présente le sujet.

▶ Organisez ensuite votre développement en parties : chacune d'elle correspond à une idée, illustrée par un ensemble d'informations qui apportent une partie de la réponse à la consigne donnée. Ces informations doivent être précises, et comporter au moins un fait, une date, un acteur, un texte officiel...

▶ Allez à la ligne entre chaque partie.

▶ Enfin, rédigez une phrase de conclusion en rappelant les idées utilisées dans le développement.

### CONSEILS

→ 1re partie : expliquez la fin de la IVe République (fait précis : la guerre d'Algérie).

→ 2e partie : expliquez la mise en place de la République gaullienne et l'importance du pouvoir exécutif (fait précis : l'élection du Président au suffrage universel ; texte officiel : ce que dit la Constitution au sujet des pouvoirs du Président de la République).

→ 3e partie : montrez qu'après le temps de la République gaullienne, les institutions s'adaptent (fait précis : la cohabitation entre 1986 et 1988).

**2** Situez sur la frise chronologique ci-contre les événements relatifs au pouvoir du président de la République :
- Constitution de la Ve République
- Première élection du Président au suffrage universel
- Période de cohabitation

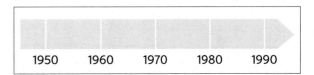

1950  1960  1970  1980  1990

### MON BILAN DE COMPÉTENCES

| Domaines du socle | Compétences travaillées | Pages du chapitre |
|---|---|---|
| **D1** Les langages pour penser et communiquer | • Je sais me repérer dans le temps | **Je me repère** .............. p. 172-173 |
| **D2** Méthodes et outils pour apprendre | • Je sais m'approprier et utiliser un lexique spécifique, en contexte<br>• Dans le cadre d'une production collective, je sais discuter, expliquer et argumenter pour défendre mes choix<br>• Je sais rédiger un récit historique<br>• Je sais organiser mon travail personnel | **Je découvre** ............ p. 174-175<br>**J'enquête** ............ p. 176-179<br><br>**J'enquête** ............ p. 180-181<br>**Apprendre à apprendre** ...... p. 184 |
| **D5** Les représentations du monde et de l'activité humaine | • Je sais construire des hypothèses pour interpréter une situation historique<br>• Je sais me repérer dans le temps, dans le cadre de la Ve République<br>• Je sais mettre en relation des faits d'une période donnée | **Je découvre** ............ p. 174-175<br><br>**J'enquête** ............ p. 176-179<br><br>**J'enquête** ............ p. 180-181 |

# 11 La société française des années 1950 aux années 1980

→ Quelles sont les transformations de la société française dans la seconde moitié du XXᵉ siècle ?

**Au cycle 4, en 4ᵉ**

J'ai étudié l'évolution de la condition des femmes au XIXᵉ siècle.

**Au cycle 4, en 3ᵉ**

**Chapitre 9**
J'ai étudié comment la refondation de la République à la Libération a permis l'intégration politique des femmes, qui ont obtenu le droit de vote.

**Ce que je vais découvrir**

Dans la seconde moitié du XXᵉ siècle, la société française connaît des transformations décisives auxquelles la législation a dû s'adapter.

## 1 Des villes en mutation

Au lendemain de la guerre, le nombre de logements n'est pas suffisant. Des programmes de construction de « grands ensembles » sont lancés à la fin des années 1950.

Saint-Denis, région parisienne, 1974.

## 2 Les nouvelles aspirations de la jeunesse

En mai-juin 1968, les étudiant-e-s descendent dans la rue. Ils revendiquent le droit à l'expression politique, contestent le pouvoir en place et dénoncent les blocages de la société.

Manifestation sur le boulevard Saint-Michel, Paris, 1968.

# Des années 1950 aux années 1980 : le nouveau visage de la société française

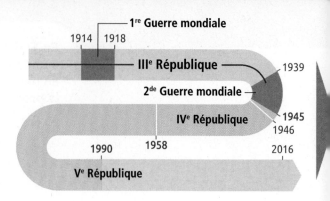

1914 | 1918 — 1re Guerre mondiale

IIIe République — 1939

2de Guerre mondiale — 1945
1946

IVe République

1990 | 1958 | 2016

Ve République

## VOCABULAIRE

▸ **Baby-boom**
Période de forte croissance de la natalité dans les pays occidentaux pendant les années 1950-1960 (en France : 1945-1965).

▸ **Dépression économique**
Longue période de ralentissement et d'instabilité de la croissance économique.

▸ **Solde migratoire**
Différence entre le nombre de personnes qui sont entrées sur le territoire et le nombre de personnes qui en sont sorties au cours d'une année.

▸ **Trente Glorieuses**
Expression qui désigne la période de forte croissance économique que connaissent les pays occidentaux entre 1945 et 1975.

## QUESTIONS

▸ **Je me repère dans le temps et dans l'espace**

❶ **Frise et doc 4.** Pourquoi 1973 est-elle une date importante dans la seconde moitié du XXe siècle ? Quel est son impact sur l'immigration ?

❷ **Doc 3.** Où s'installent principalement les étrangers en France ?

▸ **J'extrais des informations pour répondre à des questions**

❸ **Doc 1.** À quelle période la jeunesse est-elle la plus nombreuse ?

❹ **Doc 2.** Pourquoi peut-on parler de « révolution » ou de « crise » de la famille dans la seconde moitié du XXe siècle ?

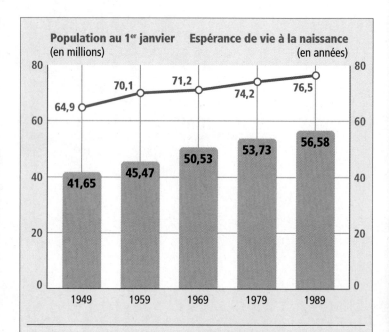

Population au 1er janvier (en millions) — Espérance de vie à la naissance (en années)

64,9 | 70,1 | 71,2 | 74,2 | 76,5

41,65 | 45,47 | 50,53 | 53,73 | 56,58

1949 | 1959 | 1969 | 1979 | 1989

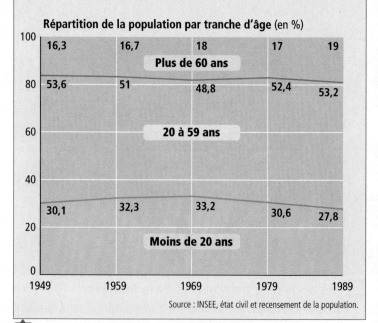

**Répartition de la population par tranche d'âge** (en %)

| | 1949 | 1959 | 1969 | 1979 | 1989 |
|---|---|---|---|---|---|
| Plus de 60 ans | 16,3 | 16,7 | 18 | 17 | 19 |
| 20 à 59 ans | 53,6 | 51 | 48,8 | 52,4 | 53,2 |
| Moins de 20 ans | 30,1 | 32,3 | 33,2 | 30,6 | 27,8 |

Source : INSEE, état civil et recensement de la population.

**1** La population de la France (1949-1989)

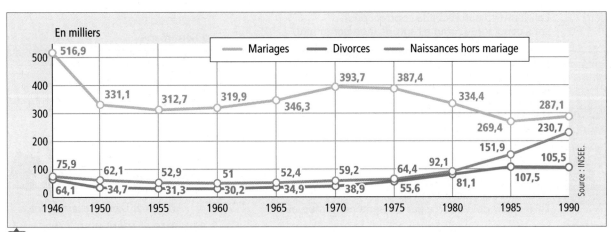

**1945** | **1950** | **1960** | **1973** | **1980** | **1990**

**Trente Glorieuses**

**Dépression économique**

**1967 ●**
Création de l'ANPE
(Agence nationale
pour l'emploi)

**1973 ●**
Début de
la crise
économique

**● 1974**
Suspension de
l'immigration de travail

**1950**
Loi sur les HLM
(habitations
à loyer modéré)

**● 1988**
RMI
(revenu
minimum
d'insertion)

**Mai-juin 1968**
Mouvement
de contestation

**● 1975**
Loi Veil autorisant
l'interruption volontaire
de grossesse
(IVG)

**1945-1965**
Baby-boom

**1945-1950**
Reconstruction

**1950-1973**
Haute croissance et modernisation

**● 1982**
Dépénalisation
de l'homosexualité

---

En milliers

— Mariages — Divorces — Naissances hors mariage

Source : INSEE.

| | 1946 | 1950 | 1955 | 1960 | 1965 | 1970 | 1975 | 1980 | 1985 | 1990 |
|---|---|---|---|---|---|---|---|---|---|---|
| Mariages | 516,9 | 331,1 | 312,7 | 319,9 | 346,3 | 393,7 | 387,4 | 334,4 | 269,4 | 287,1 |
| Divorces | 64,1 | 34,7 | 31,3 | 30,2 | 34,9 | 38,9 | 55,6 | 81,1 | 107,5 | 105,5 |
| Naissances hors mariage | 75,9 | 62,1 | 52,9 | 51 | 52,4 | 59,2 | 64,4 | 92,1 / 151,9 | 230,7 | |

**2** L'évolution des modèles familiaux (1946-1990)

---

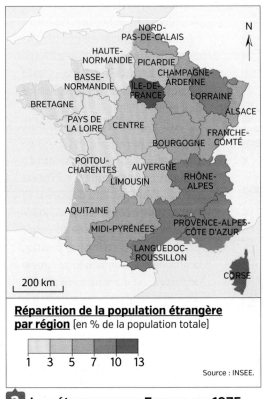

**Répartition de la population étrangère par région** (en % de la population totale)

1  3  5  7  10  13

200 km

Source : INSEE.

**3** Les étrangers en France en 1975

---

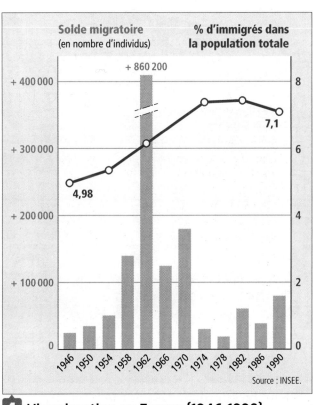

**Solde migratoire**
(en nombre d'individus)

**% d'immigrés dans
la population totale**

+ 860 200

+ 400 000

+ 300 000

+ 200 000

+ 100 000

4,98

7,1

1946 1950 1954 1958 1962 1966 1970 1974 1978 1982 1986 1990

Source : INSEE.

**4** L'immigration en France (1946-1990)

**SOCLE** Compétences
▶ **Domaine 5** : J'imagine et je réalise une production artistique
▶ **Domaine 3** : Je comprends l'importance du respect de l'égalité

**TÂCHE COMPLEXE**

# Les années 1970, la décennie féministe

**CONSIGNE**

Les combats féministes se multiplient dans la société française à partir des années 1960. Pour sensibiliser vos camarades à la question des droits des femmes, à l'histoire de leur lutte pour l'autonomie et le droit à disposer de leur corps, réalisez une affiche sur les mobilisations très nombreuses des années 1970.

## Chronologie

**1967** Loi Neuwirth autorisant la contraception sous conditions (comme l'autorisation parentale).

**1970** Loi sur l'autorité parentale partagée également entre la mère et le père.
Naissance du MLF (Mouvement de libération des femmes).

**Avril 1973** Naissance du MLAC (Mouvement pour la liberté de l'avortement et de la contraception).

**1974** Loi Veil légalisant totalement la contraception.

**1975** Loi Veil autorisant l'avortement, ou interruption volontaire de grossesse (IVG).
Loi instaurant le divorce par consentement mutuel.

**1983** Loi Roudy sur l'égalité professionnelle femme-homme.

**VOCABULAIRE**

▶ **Féminisme**
Mouvement social, courant d'idées et de luttes, cherchant à promouvoir les droits des femmes dans la société.

**2** **Dans la famille, une autorité partagée**

**Art. 371-2.** L'autorité appartient aux père et mère pour protéger l'enfant dans sa sécurité, sa santé et sa moralité [...].

**Art. 373-2.** Si les père et mère sont divorcés ou séparés de corps, l'autorité parentale est exercée par celui d'entre eux à qui le tribunal a confié la garde de l'enfant, sauf le droit de visite et de surveillance de l'autre [...].

**Art. 374.** Sur l'enfant naturel[1], l'autorité parentale est exercée par celui des père et mère qui l'a volontairement reconnu, s'il n'a été reconnu que par l'un des deux. Si l'un et l'autre l'ont reconnu, l'autorité parentale est exercée en entier par la mère. Le tribunal pourra, néanmoins, à la demande de l'un ou de l'autre, ou du ministère public, décider qu'elle sera exercée soit par le père seul, soit par le père et la mère conjointement [...] comme si l'enfant était légitime.

■ Journal officiel, loi n° 70-459 du 4 juin 1970.

1. Désigne un enfant né « hors mariage ».

**1** **Marche internationale des femmes**
Paris, 20 novembre 1971.

**3** Manifestation en faveur du droit à l'avortement (IVG) et à la contraception
Grenoble, mai 1973.

PISTES **EPI** SVT

**4** La légalisation de l'avortement

site élève
↧ lien vers la vidéo

Ces femmes [qui avortent], ce ne sont pas nécessairement les plus immorales ou les plus inconscientes. Elles sont 300 000 chaque année. Ce sont celles que nous côtoyons chaque jour et dont nous ignorons la plupart du temps la détresse et les drames. C'est à ce désordre qu'il faut mettre fin. C'est cette injustice qu'il convient de faire cesser [...].

Je voudrais tout d'abord vous faire partager une conviction de femme – je m'excuse de le faire devant cette Assemblée presque exclusivement composée d'hommes : aucune femme ne recourt de gaieté de cœur à l'avortement. Il suffit d'écouter les femmes. C'est toujours un drame et cela restera toujours un drame. C'est pourquoi, si le projet qui vous est présenté tient compte de la situation de fait existante, s'il admet la possibilité d'une interruption de grossesse, c'est pour la contrôler et, autant que possible, en dissuader la femme.

■ Discours de Simone Veil, ministre de la Santé, à l'Assemblée nationale, 26 novembre 1974.

**COUP DE POUCE**

Pour réaliser votre affiche, utilisez les documents du manuel et la chronologie. Pensez à montrer :

▶ la variété des combats féministes (→ **Doc 1, 3, 4 et 5**) ;

▶ les moyens, les acteurs et actrices de ces mouvements (→ **Doc 1, 3, 4 et 5**) ;

▶ les nouvelles lois en faveur des femmes (→ **Doc 2 et 4**).

**5** Affiche de la CFDT
Affiche éditée par le syndicat CFDT (Confédération française démocratique du travail), vers 1975.

**Je découvre**

**SOCLE** **Compétences**

▶ **Domaine 3** : J'affirme ma capacité à juger pour refuser les discriminations
▶ **Domaine 2** : Je me construis un lexique

# L'immigration algérienne en France des années 1950 aux années 1970

**Question clé** **Pourquoi et comment les immigrés algériens s'installent-ils en France ?**

## VOCABULAIRE

▶ **Bidonville**
Ensemble d'habitations précaires situé en périphérie d'une ville. On en dénombre 255 en France en 1966.

▶ **Étranger**
Personne qui n'a pas la nationalité de l'État dans lequel elle réside, même si elle est née dans ce pays.

▶ **Immigré**
Personne née dans un pays différent de celui dans lequel elle s'est installée.

▶ **Intégration**
Processus d'insertion des immigrés dans la société d'accueil, de participation à la vie sociale et civique.

### 1 La France vue par un travailleur immigré

*Témoignage d'un ouvrier qui travaille dans une usine de polissage de métaux, au nord de Paris.*

Avant de la connaître, je ne croyais pas que la France était une terre étrangère. Je pensais que c'est comme si on allait dans un de nos villages des alentours sauf que c'est plus loin [...]. Combien m'ont précédé, et depuis des temps immémoriaux, je ne suis ni le premier, ni le dernier. À commencer par mon frère, il compte maintenant plus de 40 ans en France. Mon père lui-même, en son temps, était déjà venu en France ; il a travaillé dans les mines de charbon du Nord et même en Belgique [...].

Je garderai toujours en mémoire cette image de mon arrivée en France : on frappe à une porte, elle s'ouvre sur une chambre petite qui sent un mélange d'odeurs, l'humidité, l'atmosphère renfermée, la sueur des hommes endormis. Quelle tristesse !

■ Entretien réalisé par Abdelmalek Sayad, « Elghorba, le mécanisme de reproduction de l'émigration », *Actes de la recherche en sciences sociales*, n° 2, mars 1975.

### 2 Ouvrier immigré algérien dans un chantier de rue
Banlieue parisienne, 1970.

### 3 Des métiers parfois dangereux

J'étais avec ma mère à la maison. Quelqu'un a sonné à la porte et elle m'a dit : « Va ouvrir, ton père a sonné. Il a dû oublier ses clefs. » Et j'ai couru à la porte. J'ai ouvert, mais ce n'était pas mon père du tout. C'était un autre homme. Un travailleur comme lui [...]. « Monsieur Slimane est mort cet après-midi... Un accident du travail. » Et ma mère qui ne comprenait du français que le minimum vital est tombée sur le carrelage comme un chêne tranché par l'ultime coup de hache.

Moi je suis devenu grand et vieux en même temps [...]. Mon père était employé par une entreprise de nettoyage des cuves de pétrole d'une raffinerie. D'immenses cuves dans lesquelles il descendait, le visage serré dans un masque à gaz. Et un jour il n'est pas remonté. C'est tout. Mort au travail.

■ Azouz Begag, *Les Voleurs d'écriture*, Seuil, 1990.

## 5 Le regroupement familial (1976)

Changer la société française, la rendre plus juste, plus généreuse, bâtir pour l'an 2000 une société d'égalité et une société de justice, c'est impossible si l'on exclut complètement les étrangers. [...]

Le souci du gouvernement est de faire que les immigrés bénéficient peu à peu de l'égalité la plus large, pratique dans les faits avec la population française, et en particulier en ce qui concerne leur droit à vivre normalement chez nous avec leur famille. Aujourd'hui, nous lançons une politique de l'immigration familiale qui va permettre aux immigrés de faire venir leur famille lorsque ces familles pourront convenablement s'insérer en France, lorsqu'elles auront un logement, lorsqu'elles pourront bénéficier d'un revenu stable.

◼ Paul Dijoud, secrétaire d'État aux Travailleurs immigrés, 29 avril 1976.

site élève
⤓ lien vers la vidéo

### INFOS

En 1974, le gouvernement décide de suspendre l'immigration des travailleurs, en raison de la crise économique. Mais, pour permettre une meilleure **intégration** des immigrés installés en France, il reconnaît le droit au **regroupement familial**, tout en restreignant les conditions de séjour.

### 4 Le bidonville du Chaâba, banlieue lyonnaise, 1960

Le bidonville du Chaâba (« patelin lointain », « trou ») a accueilli une vingtaine de familles, principalement d'origine algérienne, entre 1954 et 1968.

## Activités

**Question clé** | **Pourquoi et comment les immigrés algériens s'installent-ils en France ?**

### ITINÉRAIRE 1

▶ **Je comprends le sens général des documents**

**❶ Doc 1, 3 et 4.** Montrez que l'arrivée et l'installation en France des travailleurs immigrés originaires d'Algérie sont difficiles.

**❷ Doc 1 à 3.** Dans quels secteurs d'activités les immigrés algériens travaillent-ils ?

**❸ Doc 5.** Qu'est-ce que le regroupement familial ? Comment est-il justifié ?

▶ **Je m'exprime à l'oral de façon claire et organisée, pour communiquer**

**❹** Préparez un exposé oral de 5 minutes répondant à la question clé. Aidez-vous de vos réponses aux questions 1 à 3 et pensez à citer des exemples, issus du manuel.

### OU

### ITINÉRAIRE 2

▶ **Je réalise une production en utilisant un langage graphique**

Répondez à la question clé en construisant un schéma fléché, en trois étapes.

**MÉTHODE**

▶ **Étape 1.** L'arrivée des immigrés algériens en France (Doc 1 et 5).

▶ **Étape 2.** Les conditions de vie et de travail des immigrés algériens (Doc 1 à 4).

▶ **Étape 3.** L'évolution de la législation (Doc 5).

SOCLE Compétences
▶ Domaine 3 : Je comprends le sens de la valeur de solidarité
▶ Domaine 5 : Je cherche des réponses à des questions pour mieux comprendre le monde

# Je découvre

# Le chômage et la société française dans les années 1980

Question clé   Quel est l'impact du chômage sur la société française ?

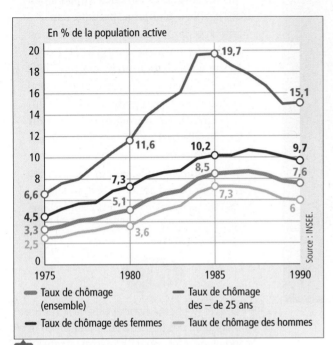

**1** L'évolution du chômage en France métropolitaine (1975-1990)

En % de la population active

Source : INSEE.

— Taux de chômage (ensemble)
— Taux de chômage des − de 25 ans
— Taux de chômage des femmes
— Taux de chômage des hommes

**2** Manifestation de chômeurs, Paris, 1977

Les initiales « CGT » signifient « Confédération générale du travail » ; il s'agit d'un syndicat.

**3** Le *blues* du chômeur

Le grand chef du personnel
L'a convoqué à midi
J'ai une mauvaise nouvelle
Vous finissez vendredi
Une multinationale
S'est offert notre société
Vous êtes dépassé

Et du fait vous êtes remercié
Il n'a plus d'espoir plus d'espoir
Il ne rentre pas ce soir
Il s'en va de bar en bar
Il n'a plus d'espoir plus d'espoir
Il ne rentre pas ce soir

Il se décide à traîner
Car il a peur d'annoncer
À sa femme et son banquier
La sinistre vérité
Être chômeur à son âge
C'est pire qu'un mari trompé
Il ne rentre pas ce soir

■ « Il ne rentre pas ce soir », chanson. Musique de Pierre Papadiamantis, paroles de Claude Moine (Eddy Mitchell), extrait de l'album *Après minuit*, 1978.

Eddy Mitchell, 1977.

▶ **Chômeur**
Personne sans emploi, à la recherche d'un emploi et disponible pour travailler.

▶ **État providence**
Moyens par lesquels l'État protège les personnes contre les risques liés à la maladie, à la précarité et à la vieillesse.

▶ **Population active**
Ensemble des personnes qui exercent ou recherchent un emploi.

▶ **RMI**
Revenu minimum d'insertion, instauré en 1988, qui garantit des ressources minimales aux personnes à faibles revenus.

▶ **Taux de chômage**
Proportion de chômeurs rapportée à la population active totale.

## 5 L'action de l'État providence : le RMI (1988)

site élève
⬇ lien vers la vidéo

L'espoir, c'est aussi permettre à ceux qui sont les plus durement frappés, que notre société laisse partir à la dérive, que la marginalité guette, d'avoir droit à une deuxième chance. Tel est le sens profond du revenu minimum d'insertion. Instaurer un droit au revenu minimum est une innovation d'une portée considérable. Après la création de la sécurité sociale, puis sa généralisation, après l'instauration du minimum vieillesse et des allocations chômage, c'est construire le dernier étage [de l'État providence] [...].

La solidarité n'est pas la bonne conscience de la modernisation, elle est la condition de sa réussite. Parce qu'elle donne tout son sens au respect de l'autre, au respect de la dignité humaine. Oh, certes, le montant de l'aide sera insuffisant au regard du souhaitable. Mais il offrira à tous ceux qui en disposeront une nouvelle chance, un nouvel espoir. Une chance d'échapper à la misère. Une chance de retrouver sa place dans le monde des autres.

■ Discours du Premier ministre Michel Rocard à l'Assemblée nationale, 29 juin 1988.

## 4 Les débuts des Restos du cœur, Gennevilliers, décembre 1985

Créés par l'humoriste Coluche, les « Restaurants du cœur » distribuent des repas gratuits aux plus pauvres.

### Activités

**Question clé** **Quel est l'impact du chômage sur la société française ?**

#### ITINÉRAIRE 1

▶ **J'explique des documents en exerçant mon esprit critique**

❶ **Doc 1.** Comment évolue le taux de chômage dans les années 1980 ? Quelles catégories sont les plus touchées ?

❷ **Doc 2 et 3.** Montrez que le chômage inquiète la société française.

❸ **Doc 1 et 4.** Selon vous, quel lien peut-on faire entre la montée du chômage et la création des Restos du cœur ?

❹ **Doc 5.** Comment l'État réagit-il face à la montée de la pauvreté ?

▶ **J'argumente à l'écrit de façon claire et argumentée**

❺ En vous aidant des réponses aux questions 1 à 4, répondez à la question clé par un texte argumenté de quelques lignes.

**OU**

#### ITINÉRAIRE 2

▶ **Je me construis un outil personnel de travail**
Pour répondre à la question clé, réalisez une carte mentale.

**MÉTHODE**
▶ Placez au centre de votre feuille : « Hausse du chômage ».
▶ Faites ensuite plusieurs branches pour expliquer les problèmes posés par cette hausse à la société française et les réponses apportées à ces problèmes.

# Mai 1968, la jeunesse en révolte vue par les affiches

**Question clé** Comment les revendications des jeunes ont-elles été traduites dans l'art ?

## INFOS

En mai-juin 1968, un vaste **mouvement de contestation** éclate, porté par les étudiant-e-s. Ils dénoncent les inégalités sociales, la rigidité des mœurs et manifestent pour plus de **libertés**. Opposés à de Gaulle alors au pouvoir, ils aspirent aussi à des transformations politiques.

## VOCABULAIRE

site élève
⬇ lien vers la vidéo

▶ **Sérigraphie**
Technique d'impression basée sur le principe du pochoir ; elle permet une création et une impression rapides et, par de forts contrastes de couleurs, attire facilement l'attention.

**1** **La jeunesse contre le pouvoir**
Sérigraphie, atelier populaire de l'école des Beaux-Arts de Paris, mai-juin 1968.

## mémo ART

### Art et histoire

▶ À partir du 15 mai 1968, les **étudiant-e-s** organisent, dans l'**école des Beaux-Arts** de Paris qu'ils occupent, un « **atelier populaire** ». Ils créent et impriment chaque jour en grand nombre **des affiches qu'ils collent dans les rues**. Elles diffusent des **critiques et des caricatures** envers les institutions, comme l'Église ou l'École, et surtout le général de Gaulle, figure du pouvoir et de l'autorité rejetés.

▶ Au cœur des **revendications** : le plaisir, le droit à la parole, la libération sexuelle. La jeunesse étudiante souhaite ainsi se faire entendre alors que la **radio et la télévision** sont sous le contrôle du gouvernement.

### Technique

▶ Les étudiant-e-s utilisent la technique de la **sérigraphie**. Les contrastes marqués (formes découpées des figures, couleurs), la rapidité de la création, les slogans, le choix des images (poings, mains, uniformes, pavés, chaînes, etc.) font de ces affiches de véritables **écrits de lutte**.

## 2 La jeunesse en lutte

Sérigraphies, atelier populaire de l'école
des Beaux-Arts de Paris, mai-juin 1968.

### Et aujourd'hui ?

**La majorité électorale à 18 ans**

#### Art. 488, 1er alinéa

La majorité est fixée à dix-huit ans
accomplis ; à cet âge, on est capable de
tous les actes de la vie civile.

■ Journal officiel, loi n° 74-631, 5 juillet 1974.

Jusqu'en 1974, la majorité,
en France, était fixée à 21 ans.

site élève
⤓ lien vers la vidéo

Jeunes de 18 ans brandissant
leurs cartes d'électeurs, juillet 1974.

## QUESTIONS

### Je comprends les documents

❶ **Doc 1 et 2.** Quelle impression se dégage
de ces affiches ?

❷ **Doc 1 et 2.** Quelle est la nature de
ces œuvres ? Comment sont-elles réalisées
et dans quel contexte ?

❸ **Doc 1.** Qui est le personnage à l'arrière-plan ?
Comment le reconnaît-on ?
Vous pouvez vous aider du doc 2 p. 176.

### J'exerce mon esprit critique

❹ **Doc 1 et 2.** Montrez comment l'image
et le slogan se complètent et expriment
les revendications de la jeunesse
en mai-juin 1968.

❺ **Et aujourd'hui ?** Montrez que la majorité
électorale est une conséquence des revendications
de mai-juin 1968.

# La société française
# des années 1950 aux années 1980

➜ **Quelles sont les transformations de la société française dans la seconde moitié du XX<sup>e</sup> siècle ?**

## A La France du baby-boom

### 1. Une croissance démographique inédite

■ Entamée pendant la guerre, la **croissance démographique** s'accélère. La forte natalité traduit l'optimisme en l'avenir et s'accompagne d'un net recul de la mortalité, notamment infantile : c'est le « **baby-boom** ».

■ Mais, à partir de 1965, la baisse de la fécondité et l'augmentation de l'espérance de vie entraînent un **vieillissement de la population** française.

### 2. L'immigration en hausse

■ L'appel massif à une **main-d'œuvre immigrée**, venue d'**Europe du Sud** et de plus en plus du **Maghreb et d'Afrique sub-saharienne**, contribue pour un tiers à cette augmentation de population.

■ L'arrivée de ces travailleurs **étrangers**, couplée à un fort exode rural, révèle le manque criant de logements : les **bidonvilles** se multiplient. Pour répondre à ce problème, l'État lance des programmes de construction d'**habitations à loyer modéré** (HLM).

■ Cependant, face à la crise économique, le gouvernement décide de **fermer les frontières aux immigrés de travail en 1974**. Les immigrés sont contraints de choisir entre le retour au pays ou l'installation définitive. Pour faciliter leur **intégration**, le droit au **regroupement familial** est reconnu en 1976, tout en restreignant les conditions de séjour.

## B De la croissance à la dépression économique

### 1. Les mutations de la population active

■ Pendant les **Trente Glorieuses**, la **population active** augmente et se transforme : baisse du nombre de paysans, augmentation de celui des **ouvriers**. De plus en plus de gens, en particulier les **femmes**, travaillent dans les bureaux.

### 2. La dépression économique

■ Dans une France qui vit à l'heure de la mondialisation, la **crise économique** des années 1970 a de fortes répercussions. Le nombre d'ouvriers baisse, des industries ferment leurs portes.

■ Le nombre de **chômeurs** augmente nettement à partir de 1975. Au sein des entreprises, les **conflits sociaux** deviennent plus difficiles et vifs. Face à la montée de la **pauvreté**, qui touche en particulier les femmes, les jeunes et les immigrés, le gouvernement crée en 1988 le **RMI**.

## C Une société en mouvement

### 1. Les contestations de la jeunesse

● La génération du baby-boom est la première à accéder massivement aux études supérieures. Confrontée à un modèle familial fondé sur l'autorité du père, hostile au pouvoir gaulliste, cette jeunesse réclame **plus de liberté et descend dans la rue en mai et juin 1968**. En 1974, l'**abaissement de la majorité électorale à 18 ans** permet aux jeunes de s'exprimer davantage politiquement.

### 2. Les combats pour les droits des femmes

● Les femmes, à travers le **féminisme**, revendiquent le droit à l'autonomie. Face au conservatisme social et religieux, beaucoup se mobilisent pour le droit à la contraception et à l'avortement. En 1967, la loi Neuwirth autorise l'accès à la **contraception**, mais celle-ci n'est entièrement autorisée qu'à partir de 1974. En 1975, la loi Veil légalise l'**avortement** (IVG).

● Si le taux d'activité des femmes, et leur niveau de qualification, n'a cessé d'augmenter depuis les années 1960, les discriminations dans le monde du travail restent fortes. La loi Roudy est adoptée en 1983 pour **lutter contre les inégalités salariales et professionnelles**.

**CHIFFRES CLÉS**

➡ **De 1954 à 1968**, le nombre des **15-24 ans** passe de **6 à 8 millions**.

➡ Le **taux de chômage** passe de **3,3 %** de la population active en 1975 à **8,4 %** en 1988 (France métropolitaine).

## Je retiens autrement

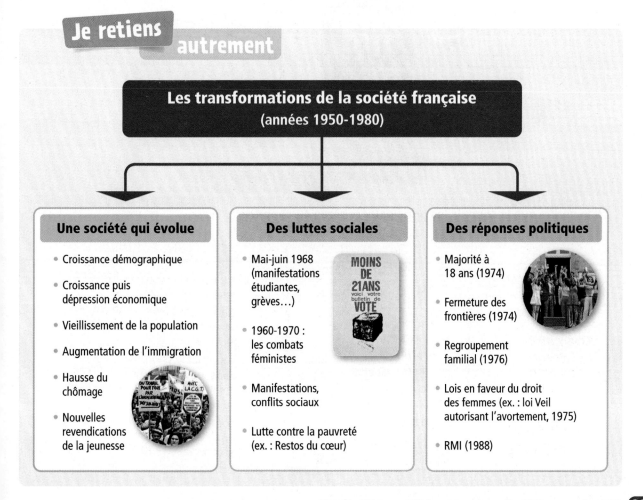

**Les transformations de la société française**
(années 1950-1980)

**Une société qui évolue**

- Croissance démographique
- Croissance puis dépression économique
- Vieillissement de la population
- Augmentation de l'immigration
- Hausse du chômage
- Nouvelles revendications de la jeunesse

**Des luttes sociales**

- Mai-juin 1968 (manifestations étudiantes, grèves…)
- 1960-1970 : les combats féministes
- Manifestations, conflits sociaux
- Lutte contre la pauvreté (ex. : Restos du cœur)

MOINS DE 21ANS voici votre bulletin de VOTE

**Des réponses politiques**

- Majorité à 18 ans (1974)
- Fermeture des frontières (1974)
- Regroupement familial (1976)
- Lois en faveur du droit des femmes (ex. : loi Veil autorisant l'avortement, 1975)
- RMI (1988)

# Apprendre à apprendre

## Comment apprendre ma leçon ?

### Je réalise un livret illustré

Ce livret illustré et personnalisé comportera le nombre de pages que vous voulez.
Il vous permettra de rassembler les informations à retenir et de les mémoriser.

▶ **Étape 1**

- Regroupez les informations du chapitre comme les **repères chronologiques**, les **définitions** et les **idées importantes**.

▶ **Étape 2**

- Construisez votre livret. Présentez les informations sous forme d'articles illustrés, de feuilles à déplier, d'enveloppes remplies de fiches... Laissez libre cours à votre créativité !

**BOÎTE À IDÉES**

Baby boom    Immigration

Droits des femmes : les combats féministes

Les « années 1968 »

Dépression économique

**BOÎTE À OUTILS**

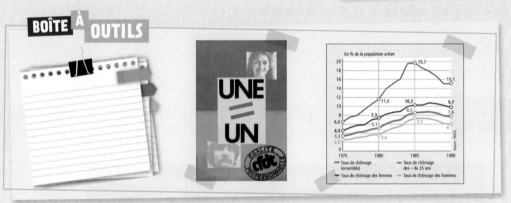

## Je révise chez moi

● Je vérifie que je connais les principaux repères du chapitre.

**Je sais définir et utiliser dans une phrase :**
- baby-boom
- dépression économique
- étranger
- immigré
- Trente Glorieuses

**Je sais situer sur une frise :**
- la principale révolte de la jeunesse ;
- la loi qui légalise l'avortement ;
- l'arrêt de l'immigration de travail en France ;
- le début de la hausse du chômage ;
- le baby-boom.

site élève
⤓ frise

**Je sais expliquer :**
- quelles sont les revendications des jeunes en 1968.
- quelles sont les revendications des femmes dans les années 1960-1970.
- pourquoi le chômage augmente dans les années 1970-1980 et quelles sont ses conséquences sur la société.
- comment évolue l'immigration en France des années 1950 aux années 1980.

## Je vérifie mes connaissances

**1** **J'indique la bonne réponse.**

**1. La loi Veil de 1975 légalise :**

[a] l'interruption volontaire de grossesse.

[b] l'égalité salariale entre les femmes et les hommes.

[c] l'autorité familiale partagée.

**2. La croissance du chômage s'accélère :**

[a] à partir des années 1950.

[b] à partir des années 1960.

[c] à partir de la seconde moitié des années 1970.

**3. La majorité passe de 21 à 18 ans en :**

[a] 1946.

[b] 1968.

[c] 1974.

**4. Les trois catégories les plus touchées par le chômage et la pauvreté sont :**

[a] les femmes, les jeunes, les immigrés.

[b] les hommes, les personnes âgées, les étrangers.

[c] les femmes, les adultes, les immigrés.

**2** **Je reproduis la frise, puis j'y place des événements qui ont marqué la société française dans la seconde moitié du XXᵉ siècle.**

*site élève*
*⤓ frise à imprimer*

| 1950 | 1960 | 1970 | 1980 | 1990 |

**a.** L'installation durable d'un chômage massif.

**b.** Les combats féministes.

**c.** L'appel massif à une main-d'œuvre immigrée.

**3** **Je donne un titre à des photographies, en lien avec une transformation de la société. Ce titre doit être différent de celui donné dans le manuel.**

**a.**

**b.**

**c.**

**4** **Retrouvez d'autres exercices sous forme interactive sur le site Nathan.**

*site élève*
*⤓ exercices interactifs*

## SUJET GUIDÉ

### EXERCICE 1 Analyser et comprendre des documents (20 points)

**La population étrangère résidant en France (1954-1990)**

(Effectifs en milliers)

| Nationalités | 1954 | 1962 | 1968 | 1975 | 1982 | 1990 |
|---|---|---|---|---|---|---|
| Population totale de la France | 32 781 | 46 456 | 49 756 | 52 599 | 54 296 | 58 652 |
| Total des étrangers | 1765 | 2170 | 2621 | 3442 | 3714 | 3956 |
| *dont* Européens | 1397 | 1566 | 1876 | 2090 | 1768 | 1459 |
| Belges | 107 | 79 | 65 | 56 | 53 | 56 |
| Espagnols | 289 | 442 | 607 | 497 | 327 | 216 |
| Italiens | 508 | 629 | 572 | 463 | 340 | 253 |
| Polonais | 269 | 177 | 132 | 94 | 65 | 47 |
| Portugais | 20 | 5 | 296 | 759 | 767 | 649 |
| *dont* Africains | 230 | 428 | 652 | 1192 | 1595 | 1633 |
| Algériens | 212[1] | 350[1] | 474 | 711 | 805 | 614 |
| Marocains | 11 | 33 | 94 | 260 | 441 | 573 |

Source : INSEE.

**1.** En 1954 et 1962, les Français musulmans d'Algérie, bien que juridiquement de nationalité française, sont comptés avec les étrangers.

### QUESTIONS

site élève
⤓ analyser des statistiques

❶ Comment évolue le nombre d'étrangers résidant en France entre 1954 et 1990 ?

❷ Comment évolue le nombre d'étrangers européens entre 1954 et 1990 ?

❸ À l'aide de vos connaissances, expliquez l'évolution du nombre d'Européens dans le nombre d'étrangers à partir de 1975.

❹ De quelle nationalité sont les Africains les plus présents en France ? À l'aide de vos connaissances, comment l'expliquer ?

❺ À partir de quelle année l'augmentation du nombre d'Algériens résidant en France est-elle moins importante ? À l'aide de vos connaissances, comment l'expliquer ?

### MÉTHODE

**Je m'initie aux techniques d'argumentation**
**(→ Questions ❶ à ❺)**

▶ Le document proposé doit vous permettre de répondre aux questions posées. Vous devez l'utiliser pour justifier vos réponses de manière précise.

▶ Dans le cas d'un texte, citez une phrase ou un extrait de phrase. Vous pouvez aussi décrire un document iconographique, ou relever des données chiffrées dans un tableau ou une courbe.

→ *Exemples :*
**Question ❶ :** calculez par combien le nombre d'étrangers a été multiplié.
**Questions ❷ et ❺ :** mesurez l'augmentation des effectifs en calculant la différence des effectifs entre chaque date.
**Questions ❸ et ❺ :** montrez l'importance de l'année 1975 en citant les effectifs avant et après cette année.

### EXERCICE 2 Maîtriser différents langages (20 points)

**CONSIGNE** Sous la forme d'un développement construit d'une vingtaine de lignes et en vous appuyant sur des exemples étudiés en classe, expliquez quelles sont les évolutions de la population en France, des années 1950 aux années 1980.

**CONSEILS**

→ Pour construire votre développement, vous pouvez l'organiser en trois parties qui montrent :
• les caractéristiques de la société française de la période du baby-boom ;
• les mutations de la population active, de la croissance à la dépression économique ;
• le développement de l'immigration.

## SUJET BLANC

### EXERCICE ① Analyser et comprendre des documents (20 points)

**Mai 1968 : la contestation étudiante
vue par le Premier ministre**

« Mesdames et Messieurs,

Paris vient de vivre des journées graves [...]. À travers les étudiants, c'est le problème même de la jeunesse qui est posé, de sa place dans la société, de ses obligations et de ses droits, de son équilibre moral même.

Traditionnellement, la jeunesse était vouée à la discipline et à l'effort, au nom d'un idéal, d'une conception morale en tout cas. La discipline a en grande partie disparu. L'intrusion de la radio et de la télévision a mis les jeunes dès l'enfance au contact de la vie extérieure. L'évolution des mœurs a transformé les rapports entre parents et enfants comme entre maîtres et élèves. Les progrès de la technique et du niveau de vie ont, pour beaucoup, supprimé le sens de l'effort. »

■ Discours de Georges Pompidou
devant l'Assemblée nationale, 14 mai 1968.

**QUESTIONS**

❶ Quelle est la nature de ce document ? Quelle fonction occupe alors son auteur ? À qui s'adresse-t-il ?

❷ Que se passe-t-il en France à la date de ce document ?

❸ Selon l'auteur, quel comportement adopte la jeunesse ?

❹ Comment l'auteur explique-t-il le nouveau comportement de la jeunesse ? Relevez la phrase du document qui le justifie.

❺ À l'aide de vos connaissances, expliquez ce que veut dire l'auteur dans le passage souligné.

### EXERCICE ② Maîtriser différents langages (20 points)

**CONSIGNE** Sous la forme d'un développement construit d'une vingtaine de lignes et en vous appuyant sur des exemples étudiés en classe, expliquez les transformations de la société française des années 1950 aux années 1980.

### MON BILAN DE COMPÉTENCES

| Domaines du socle | Compétences travaillées | Pages du chapitre |
|---|---|---|
| **D1** Les langages pour penser et communiquer | Je sais me repérer dans le temps et dans l'espace | **Je me repère** ........ p. 190-191 |
| **D2** Méthodes et outils pour apprendre | Je sais me construire un lexique<br>Je sais organiser mon travail personnel | **Je découvre** ........ p. 194-195<br>**Apprendre à apprendre** .... p. 202 |
| **D3** La formation de la personne et du citoyen | Je comprends l'importance du respect de l'égalité<br>Je sais affirmer ma capacité à juger pour refuser les discriminations<br>Je comprends le sens de la valeur de solidarité | **J'enquête** ........ p. 192-193<br>**Je découvre** ........ p. 194-195<br><br>**Je découvre** ........ p. 196-197 |
| **D5** Les représentations du monde et de l'activité humaine | Je sais imaginer et réaliser une production artistique<br>Je sais chercher des réponses à des questions pour mieux comprendre le monde | **J'enquête** ........ p. 192-193<br>**Je découvre** ........ p. 196-197 |

# Géographie

L'Europe vue du ciel, la nuit.

# Partie 1

# Dynamiques territoriales

**QUESTION CLÉ**

→ Quels sont les effets de la mondialisation et de l'urbanisation sur les territoires ?

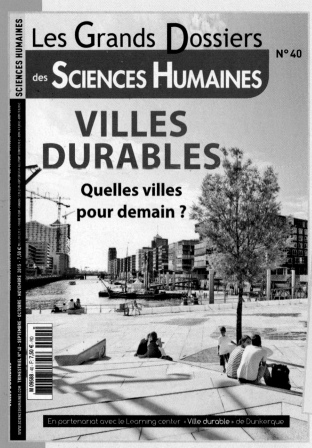

Une des *Grands Dossiers des Sciences Humaines*, n°40, septembre-novembre

Une de *Métropole, le magazine de Grenoble-Alpes Métropole*, n°2, septembre-octobre 2015.

**ENJEU 1** Les aires urbaines, géographie d'une France mondialisée

▶ Quelles sont les caractéristiques des aires urbaines françaises ?

▶ Quelle est leur influence sur l'organisation du territoire national ?

→ Chapitre 12, p. 210-227

# de la France contemporaine

Revue des *Chambres d'agriculture*, n°1031, mars 2014.

Campagne de publicité de l'office du tourisme du Jura, 2016.

**ENJEU 2** **Les espaces productifs et leurs évolutions**

▶ Quelles sont les conséquences de l'urbanisation et de la mondialisation sur les espaces productifs et leur géographie ?

→ **Chapitre 13, p. 228-249**

Revue *Population et Avenir*, n°720, novembre-décembre 2014.

**ENJEU 3** **Les espaces de faible densité et leurs atouts**

▶ Quelles dynamiques caractérisent ces espaces et quels sont leurs atouts ?

→ **Chapitre 14, p. 250-267**

# 12

# Les aires urbaines, géographie d'une France mondialisée

➔ Quelle influence les villes exercent-elles
sur le territoire français ?
Quel rôle y joue la mondialisation ?

**Au cycle 3, en 6ᵉ**

J'ai appris que les habitants
et leurs activités se concentrent
dans les métropoles.
Les déplacements quotidiens
s'en trouvent influencés.

**Au cycle 4, en 4ᵉ**

J'ai compris que les villes sont les
lieux privilégiés de la mondialisation.
Reliées entre elles, elles constituent
de véritables réseaux de
communication et d'échanges.

**Ce que je vais découvrir**

La mondialisation et l'urbanisation
transforment nos modes de vie
et renforcent l'influence des aires
urbaines sur le territoire national.

**1** **Le tramway à Angers (station Bamako), 2011**
En 2014, 8,5 millions de passagers ont emprunté cette ligne de tramway, longue de 12 km.

60 000 hectares de terres agricoles disparaissent chaque année en France au profit des aires urbaines pour devenir des lotissements, des zones industrielles ou commerciales... Cela représente la taille moyenne d'un département français tous les dix ans !

Angers
France
Marseille

**2** **La tour de la CMA-CGM dans le quartier Euroméditerranée à Marseille**

Cette tour accueille le siège de la troisième entreprise mondiale de transport maritime et ses 2 400 employés.

# Étude de cas

**SOCLE** Compétences
- **Domaine 1** : Je pratique différents langages en géographie
- **Domaine 5** : J'établis des liens entre l'espace et l'organisation des sociétés

# L'aire urbaine de Lyon

**Question clé** Quels espaces composent l'aire urbaine ?
Quelles dynamiques les caractérisent ?

France
Lyon •

## A Lyon, une aire urbaine en plein essor

### 1 Étalement urbain et déplacements quotidiens

Entre 1954 et 2015, la population de l'aire urbaine de Lyon est passée de 930 000 à 2,6 millions d'habitants. Dans les années 1950-1960, la croissance démographique a lieu essentiellement dans le centre de l'agglomération et dans la proche périphérie où de grands ensembles[1] sont construits.

Puis, à partir des années 1970, ce sont les communes périurbaines qui se développent, toujours de plus en plus éloignées de l'agglomération. La couronne périurbaine de l'agglomération lyonnaise se situe maintenant à une distance moyenne de 40-45 km, contre 15 km dans les années 1990.

Beaucoup de ménages sont contraints de s'éloigner de plus en plus en raison d'une hausse des prix des terrains, contribuant ainsi à l'étalement urbain et à l'allongement des trajets domicile-travail.

■ D'après le Schéma de cohérence territorale (Scot) de l'agglomération lyonnaise, 2010.

**1.** Logements collectifs dans des tours ou barres d'immeubles situés en banlieue des grandes villes.

**CHIFFRES CLÉS**

➡ **Grand Lyon Métropole**
- **1,3 million** d'habitants.
- **59 communes** réparties sur 538 km².

➡ **Aire urbaine de Lyon**
- **2,6 millions** d'habitants.
- **514 communes** réparties sur 6 000 km².

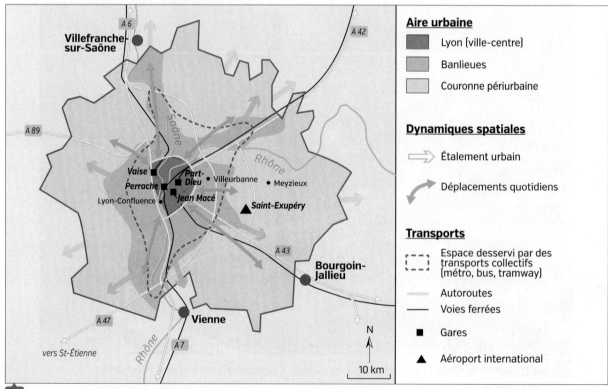

### 2 L'aire urbaine lyonnaise

## 3 Paroles d'habitants

### a. Safia, de Lyon

« Avec mon conjoint, nous avons la chance d'habiter dans le centre de Lyon et de pouvoir nous rendre au travail, pratiquer nos loisirs (cinéma, sport...) en transport en commun ou à vélo. »

■ *Grand Lyon Magazine* n° 36, février 2012.

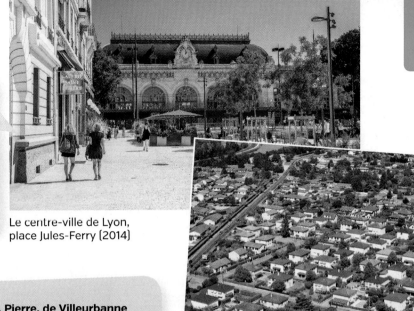

Le centre-ville de Lyon, place Jules-Ferry (2014)

Des lotissements à Meyzieu (2013).

Le quartier Gratte-ciel à Villeurbanne (2015)

### b. Pierre, de Villeurbanne

« Ici, on parle de "blocs" : ce sont ces hauts immeubles aux toits en gradins de près de 20 étages. Les gens gardent un rapport un peu villageois, avec les commerçants notamment. Aujourd'hui, on a des revenus élevés qui cohabitent avec des revenus plus bas et une plus grande disparité culturelle. Certains le vivent mal. »

■ D'après *Rue 89-Lyon*, 17 juin 2014.

### c. Jean-Marc, de Meyzieu

« C'est Meyzieu qui offrait le meilleur rapport qualité-prix pour habiter dans une maison. J'ai découvert avec surprise la rapidité du tram pour aller travailler. Quant à ma femme, elle apprécie le côté vert de la ville et ses pistes cyclables. »

■ D'après *Le Progrès*, septembre 2015.

---

## Activités

**Question clé** — Quels espaces composent l'aire urbaine ? Quelles dynamiques les caractérisent ?

### ITINÉRAIRE 1 ou ITINÉRAIRE 2

▶ **J'analyse et je comprends les documents**

❶ **Doc 1 et chiffres clés.** Présentez l'aire urbaine de Lyon : localisation, population...

❷ **Doc 1 et 2.** Décrivez l'évolution de l'aire urbaine de Lyon depuis les années 1950.

❸ **Doc 2 et 3.** Associez chaque habitant du doc 3 au type d'espace urbain dans lequel il vit et décrivez-le.

❹ **Doc 2 et 3.** Pourquoi habite-t-on de plus en plus loin du centre de Lyon ? Quelle en est la conséquence sur les déplacements quotidiens ?

▶ **J'organise mes connaissances (étape 1)**

Complétez le tableau suivant à l'aide des documents 1 à 4 pour répondre à la question clé.

| L'aire urbaine de Lyon... | Quel(s) doc(s) ? | Quelles informations ? |
|---|---|---|
| ...est composée d'espaces aux fonctions différentes | Doc 2 et 3 | Repérez les trois espaces qui composent l'aire urbaine et relevez les caractéristiques de chacun. |
| ...s'étale en augmentant la mobilité | Doc 1, 2 et 3 | Montrez que la croissance de Lyon entraîne une mobilité plus forte des habitants. |
| ...est attractive et mondialisée | | Relevez les éléments montrant que Lyon est attractive et bien connectée au monde. |

## B   Lyon, une métropole internationale attractive

### 4   La Part-Dieu : un centre d'affaires

Lyon Part-Dieu est le cœur stratégique de la métropole lyonnaise et l'un des moteurs de son attractivité à l'échelle nationale et européenne. Lyon Part-Dieu se positionne comme un lieu d'échanges traversé par un demi-million de déplacements chaque jour : réseau de transports en commun (métro, tramway, lignes de bus), stations vélo'v[1], taxis, gare routière.

Construit autour de la gare TGV, en liaison directe avec Paris et l'Europe, le quartier de Lyon Part-Dieu s'est imposé comme le deuxième pôle tertiaire et de décision français. Plus de 2 200 établissements y emploient quelque 45 000 salariés, sur près d'1 million de m² de bureaux.

■ www.grandlyon.com, 2016.

**1.** Service de location de vélos développé par la métropole Grand Lyon.

### 5   Le bâtiment d'Euronews (chaîne internationale d'information), quartier Lyon-Confluence, 2016

L'aménagement de ce nouveau quartier, au cœur de Lyon, a pour objectif de doubler la surface du centre-ville.

### 6   Un entrepreneur analyse le pouvoir d'attraction de Lyon

*Jean-Yves Ortholand, président de la société Edelris.*
Lyon, c'est la ville où j'ai fait mon doctorat, où j'ai décroché mes premiers jobs et où j'ai créé mon entreprise de recherche et de services en chimie médicinale, Edelris, qui fête cette année ses 10 ans.

En 10 ans, j'ai vu la filière des sciences de la vie progresser fortement, notamment grâce à la création du 1er pôle santé français Lyonbiopôle. Ce n'est pas un hasard : ici, à Lyon, nous avons la chance d'avoir une concentration fabuleuse d'acteurs, avec des grands groupes mondiaux, des structures académiques et tout un tissu de biotechs[1]. C'est un atout colossal ! Je nous souhaite de continuer à avancer tous ensemble !

■ ONLYLYON, 2015.

**1.** Entreprises développant de nouveaux produits pour la santé, la qualité et la sécurité de l'alimentation et la protection de l'environnement.

Affiche parue à l'occasion de la campagne de communication émise par la Communauté urbaine de Lyon, 2015.

Ville centre

Rocade
autoroutière

LGV

Aéroport-Gare de
Lyon Saint-Exupéry

Autoroute A43

Autoroute A432

**7** Lyon-Saint-Exupéry : un carrefour multimodal

## Activités

**Question clé** Quels espaces composent l'aire urbaine ? Quelles dynamiques les caractérisent ?

### ITINÉRAIRE 1

**ou**

### ITINÉRAIRE 2

▸ **J'analyse et je comprends les documents**

**5** Doc 4 à 6. Montrez que l'agglomération lyonnaise attire les activités.

**6** Doc 4 et 7. Pourquoi peut-on affirmer que l'aire urbaine lyonnaise est un carrefour multimodal bien relié à l'Europe ?

**7** Doc 4 et 5. Comment le centre-ville de Lyon est-il aménagé ? Dans quel but ?

▸ **J'argumente à l'écrit**

**8** Un Américain souhaite s'installer dans la région lyonnaise. Il vous demande de lui décrire le mode de vie dans les différents lieux de l'aire urbaine (centre-ville, banlieue, couronne). Il veut également savoir si l'influence de Lyon est suffisante pour développer une activité internationale. Vous lui répondrez en rédigeant un e-mail.

▸ **J'organise mes connaissances (étape 2)**

À l'aide des documents 4 à 7, terminez de compléter le tableau pour répondre à la question clé.

| L'aire urbaine de Lyon... | Quel(s) doc(s) ? | Quelles informations ? |
|---|---|---|
| ...est composée d'espaces aux fonctions différentes | Doc 4 et 7 | Repérez les trois espaces qui composent l'aire urbaine et relevez les caractéristiques de chacun. |
| ...s'étale en augmentant la mobilité | Doc 7 | Montrez que la croissance de Lyon entraîne une mobilité plus forte des habitants. |
| ...est attractive et mondialisée | Doc 4 à 7 | Relevez les éléments montrant que Lyon est attractive et bien connectée au monde. |

# L'aire urbaine de Paris, une métropole mondiale

### CONSIGNE

Un journal télévisé propose de diffuser un reportage de 4 minutes sur la mondialisation qui renforce l'importance des métropoles. Le premier sujet est consacré à l'aire urbaine de Paris. L'objectif est de montrer comment on habite aujourd'hui à Paris et comment la métropole mondiale constitue un espace très attractif pour les habitants et les activités.

En équipe, rédigez le scénario et les commentaires du reportage que vous présenterez à l'oral.

•Paris
France

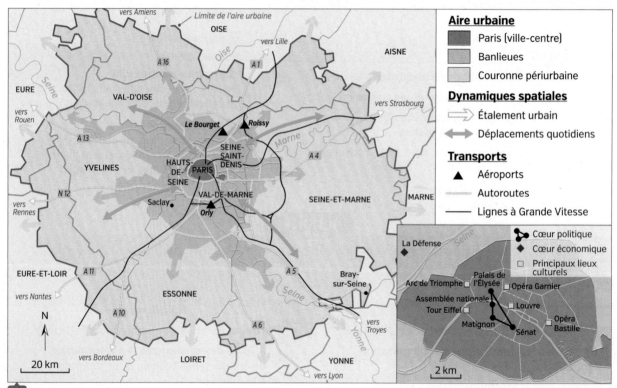

**1** L'aire urbaine de Paris

### CHIFFRES CLÉS

➡ **Paris**
- **2,2 millions** d'habitants
- 21 154 hab./km².

➡ **L'agglomération parisienne**
- **10,6 millions** d'habitants
- 3 726 hab./km².

➡ **L'aire urbaine de Paris**
- **12,4 millions** d'habitants
- 718 hab./km².

**2** Une ville mondiale

En tant que ville mondiale, Paris regroupe les lieux des pouvoirs politique, économique (la région Île-de-France compte pour près de 30 % du PIB français) et intellectuel (premier centre universitaire français). Le quartier d'affaires de la Défense, l'aéroport Roissy-Charles-de-Gaulle, le pôle scientifique du plateau de Saclay sont autant de zones qui doivent permettre de renforcer le rôle de la capitale. Il s'agit de faire du Bassin parisien un vaste ensemble compétitif à l'échelle mondiale.

◼ Éric Janin, *Carto*, n°17, mai-juin 2013.

**3** La Défense, l'un des principaux quartiers des affaires en Europe

**1** Suez Environnement  **2** Total  **3** Areva  **4** EDF  **5** Société générale

**4** Paroles d'habitants

**a. Frédéric, dans la couronne périurbaine**

Comme plus de 70 % des Français, Frédéric a concrétisé le rêve de posséder une maison individuelle avec jardin. Il vient de la proche banlieue parisienne et habite maintenant avec sa femme et ses trois enfants dans un lotissement de Bray-sur-Seine, une commune située à 100 km à l'est de Paris. Comme sa femme, il travaille à Paris. « Je passe dans une journée quasiment 4 h dans les transports. Le matin, je me réveille à 2 h 45 et je quitte la maison vers 4 h 05. Je fais les 25 km pour aller à la gare et prendre le train vers 4 h 45. J'arrive à Paris vers 6 h 10 et je commence mon boulot à 7 h. »

■ Interview tirée du documentaire *La Vie rêvée des pavillons*, France Télévisions, 2010.

**b. Françoise, dans le centre de Paris**

« J'habite Paris depuis toujours ! J'ai choisi d'habiter dans un petit appartement pour rester dans le centre de Paris, à Bastille. Je suis à égale distance des gares afin d'être toujours potentiellement très mobile. N'ayant pas de voiture, je me déplace en transports en commun (métro, bus, train) et à pied pour mes courses et mes loisirs. Lorsque j'étais en activité, je me rendais au travail en métro. »

■ Propos recueillis par Marie-Pierre Saulze, 2016.

**COUP DE POUCE**

Pour vous aider à réaliser votre reportage, recopiez et complétez le tableau ci-dessous.

|  | Documents à utiliser | Informations à prélever des documents |
|---|---|---|
| Situez l'aire urbaine, son étalement, ses différents espaces et les modes de vie de ses habitants. |  |  |
| Relevez les éléments montrant que Paris est une métropole mondiale puissante et attractive (poids économique, politique et culturel, connexion au monde). |  |  |

**SOCLE Compétences**
- **Domaine 4** : Je formule des hypothèses et je les vérifie
- **Domaine 5** : Je comprends l'organisation du monde et l'activité humaine

# Comment les villes influencent-elles le territoire français ?

MISE EN PERSPECTIVE

## ÉTAPE 1 Je caractérise une aire urbaine

**A** Recopiez le tableau suivant.

| | Caractéristiques des aires urbaines | | |
|---|---|---|---|
| **I. Des espaces variés aux fonctions diverses** | | | |
| **II. Des modes de vie sous influence urbaine** | | | |
| **III. Une influence urbaine renforcée par la mondialisation** | | | |

**B** D'après ce que vous avez appris de l'étude de l'aire urbaine de Paris ou de Lyon, remplissez le tableau avec les expressions ci-dessous. Attention, vous n'avez le droit d'utiliser que 9 expressions (1 par case) : choisissez-les bien pour qu'elles résument le mieux possible les caractéristiques de l'aire urbaine que vous avez étudiée.

**I. Des espaces variés aux fonctions diverses**
- couronne périurbaine : urbanisation discontinue, résidentielle et qui s'étale
- agglomération urbanisée de façon continue et aux nombreux emplois
- couronne périurbaine : entièrement urbanisée, résidentielle et qui s'étale
- banlieue urbanisée résidentielle et d'activités
- quartiers des affaires
- centre-ville animé mais peu habité
- ville-centre qui regroupe les activités
- campagne résidentielle et de loisirs
- banlieue-dortoir — définition : banlieu dédiée pour des habitats de ces qui travaillent en v

**II. Des modes de vies sous influence urbaine**
- temps de transport limité
- mobilités en forte croissance
- mode de vie urbain, parfois à la campagne
- déplacements quotidiens fréquents
- temps de transport important
- nouveaux lotissements
- étalement urbain, habitats loin du travail
- achats de proximité
- transports en commun pour tous
- déplacements routiers difficiles

**III. Une influence urbaine renforcée par la mondialisation**
- carrefour de communication
- espace mal desservi
- concentration des activités (emplois, achats, loisirs)
- espace pollué peu attractif
- métropoles interconnectées
- nombreux transports en commun
- carrefour multimodal — lieu qui concentre. diff moyens réseaux de transport connecté
- agglomération attractive
- concentration des flux
- espaces délaissés — sans fonction officielle

## ÉTAPE 2 Je formule des hypothèses

**C** À partir de l'étude de cas travaillée et du tableau ci-dessus, rédigez, pour chacune de ces idées, une phrase permettant de comprendre l'influence des villes sur les territoires français.

1. Les principaux espaces des aires urbaines sont...
2. Les modes de vie dans les aires urbaines sont...
3. Les raisons de l'attraction des aires urbaines sont...

## Je vérifie si mes hypothèses sont justes

**D** Étudiez les documents 1 à 3 ci-dessous.
Pour chaque document, indiquez à quelle hypothèse retenue dans l'étape 2 il correspond.

Lampertheim
Strasbourg
**France**

### 1 La ville de Lampertheim dans l'aire urbaine de Strasbourg, 2015

**1** Lampertheim (2 905 hab.)

**2** Construction de nouveaux lotissements

**3** Espaces agricoles

**4** Zone commerciale

**5** Mundolsheim (4 817 hab.)

**6** Gare de Mundolsheim

**7** Zone industrielle et commerciale

**8** Échangeur autoroutier (Autoroute de l'Est – E25).

### 2 La complémentarité ville-campagne

Si Paris a conservé sa position prédominante, sa croissance a été moins forte que celle de nombre de capitales régionales (Toulouse, Lyon, Montpellier, Nantes...). Ces métropoles provinciales sont aujourd'hui devenues les principaux points d'appui du développement du territoire français. Bien connectées avec l'extérieur, elles offrent des services et une qualité de vie qui les rendent très attractives.

Il existe de multiples complémentarités entre les métropoles et le reste du territoire. L'offre de soins médicaux, la formation supérieure ou les services aux entreprises que concentrent aujourd'hui les métropoles demeurent ouverts à tous, y compris aux habitants des périphéries. Vivre à la campagne n'implique pas nécessairement une coupure avec la vie métropolitaine mais, au contraire, des échanges fréquents.

■ Arnaud Brennetot, « Atlas de la France », H.S.
*Le Monde – La Vie*, 2014.

### 3 Les mobilités quotidiennes

Il faut en moyenne 50 mn aux Français pour se rendre sur leur lieu de travail et en revenir, une durée qui s'est allongée de 10 mn en 12 ans. La proportion de salariés mettant entre 1 h et 1 h 30 est désormais d'1 sur 5.

Les habitants de la région parisienne ont un temps de déplacement deux fois plus important que ceux des petits pôles urbains (68 mn contre 35 mn).

Une grande majorité des trajets en direction du lieu de travail se font en voiture, loin devant les transports en commun, la marche ou le vélo. Les femmes ont des temps de déplacement légèrement moins longs (46 mn) que les hommes (52 mn), mais un quart d'entre elles effectuent habituellement un détour sur leur trajet « pour déposer un enfant, aller le chercher, faire des courses », contre 13 % des hommes.

■ *Le Monde*, « Les Français mettent en moyenne 50 minutes pour l'aller-retour domicile-travail », 2 novembre 2015.

# Des territoires français sous influence urbaine

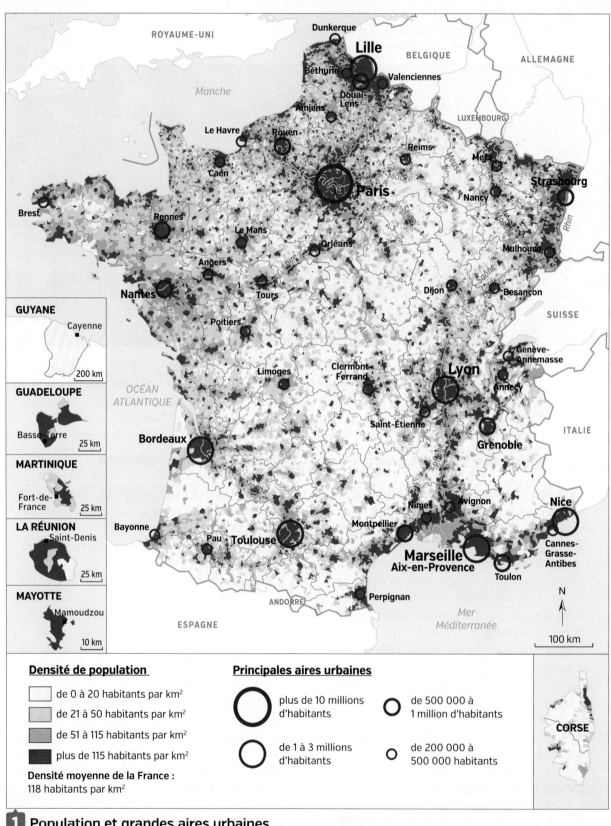

**Densité de population**

- de 0 à 20 habitants par km²
- de 21 à 50 habitants par km²
- de 51 à 115 habitants par km²
- plus de 115 habitants par km²

**Densité moyenne de la France :**
118 habitants par km²

**Principales aires urbaines**

- plus de 10 millions d'habitants
- de 1 à 3 millions d'habitants
- de 500 000 à 1 million d'habitants
- de 200 000 à 500 000 habitants

CORSE

**1** Population et grandes aires urbaines

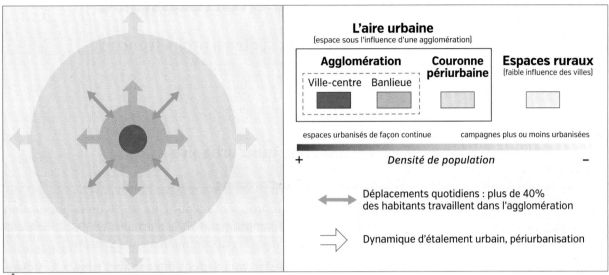

**L'aire urbaine**
(espace sous l'influence d'une agglomération)

| **Agglomération** | | **Couronne périurbaine** | **Espaces ruraux** (faible influence des villes) |
|---|---|---|---|
| Ville-centre | Banlieue | | |

espaces urbanisés de façon continue · campagnes plus ou moins urbanisées

+ *Densité de population* –

↔ Déplacements quotidiens : plus de 40% des habitants travaillent dans l'agglomération

⇨ Dynamique d'étalement urbain, périurbanisation

**2** Schéma de l'aire urbaine

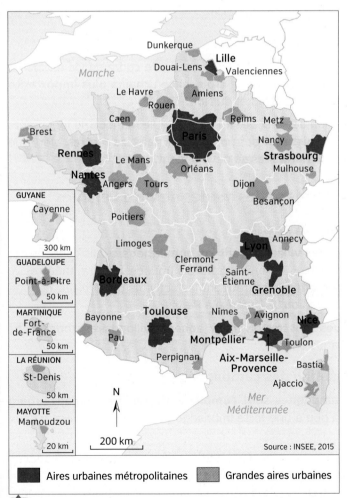

**3** Les principales aires urbaines en France (2015)

**CHIFFRES CLÉS**

➜ **792 aires urbaines** organisent le territoire français.

➡ **85 %** des Français vivent dans une **aire urbaine**.

➜ Les **10 premières aires urbaines** regroupent **35 %** de la population française.

➜ Les **3/4 des communes rurales** sont **sous influence des villes**.

**QUESTIONS**

▶ **Je situe dans l'espace**

❶ **Doc 1.** Localisez les zones de fortes densités en France métropolitaine (plus de 115 habitants par km²). À quels types d'espaces correspondent-elles ?

❷ **Doc 1 à 3.** Montrez que le territoire français est majoritairement sous influence des aires urbaines.

❸ **Doc 1.** De quelle agglomération le territoire de votre collège est-il sous influence ?

# Les aires urbaines, géographie d'une France mondialisée

➡ **Quelle influence les villes exercent-elles sur le territoire français ?
Quel rôle y joue la mondialisation ?**

## VOCABULAIRE

▸ **Aire urbaine**
Espace continu qui se compose d'une ville-centre, de ses banlieues immédiates et d'une couronne périurbaine.

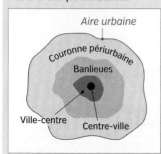

▸ **Couronne périurbaine**
Elle regroupe des communes dans lesquelles au moins 40 % de la population résidente ayant un emploi travaille dans la ville-centre.

▸ **Étalement urbain**
Expansion des agglomérations et des constructions urbaines, le long des routes et en milieu rural.

▸ **Métropole**
Grande ville concentrant population, activités et richesses et qui exerce son aire d'influence sur des territoires étendus : région, pays, monde entier.

▸ **Métropolisation**
Concentration de la population et des activités spécialisées dans les grandes villes.

## A Un territoire qui s'urbanise

### 1. De plus en plus d'urbains

● Les **aires urbaines** regroupent aujourd'hui **85 % de la population** alors que la France ne comptait que 53 % d'urbains en 1945. 35 % des Français vivent dans l'une des dix premières aires urbaines.

● **L'étalement urbain se fait aux dépens des espaces ruraux.** Les campagnes autour des villes s'urbanisent d'autant plus que l'aire urbaine est importante : c'est le cas autour de Lyon, Nantes, Rennes, Toulouse, Montpellier, Bordeaux ou Marseille.

### 2. Des évolutions variées

● Les **métropoles** du Sud et de l'Ouest, où le cadre de vie est perçu comme plus agréable, ont une **croissance urbaine plus importante** que les métropoles du Nord et du Nord-Est.

● L'augmentation des prix de l'immobilier et le manque de logements **ralentissent la croissance des populations dans les centres,** alors que **les couronnes périurbaines** se développent.

## B Des espaces et des modes de vie diversifiés

### 1. Des centres attractifs

● **Les centres des villes attirent les populations** car ils concentrent emplois, commerces et loisirs culturels (musées, opéra, théâtres...). Des **quartiers d'affaires** regroupent les activités de services, comme la Part-Dieu à Lyon ou La Défense à Paris.

● Les **banlieues** sont très diverses : zones pavillonnaires, zones commerciales, grands ensembles...

### 2. L'urbanisation des campagnes

● **Villes et campagnes sont complémentaires.** L'étalement urbain conduit peu à peu à une forte imbrication entre les territoires ruraux et urbain.

● Pour différentes raisons, **des citadins s'installent dans les espaces ruraux** de la **couronne périurbaine** : achat d'une maison avec jardin pour les enfants, coût de la vie excessif dans les villes, besoin de nature...

### 3. L'augmentation des mobilités

■ **Les Français habitent de plus en plus loin de leur lieu de travail** : les déplacements quotidiens s'effectuent aujourd'hui sur 40 km en moyenne, contre 10 km dans les années 1960. L'utilisation de la **voiture** est massive. **Les transports collectifs** ne sont développés que dans les agglomérations : bus, métro, tramway.

## C Une influence renforcée par la mondialisation

### 1. Des aires urbaines bien reliées entre elles

■ **La mondialisation accentue la concurrence entre les territoires et favorise les grandes métropoles** qui concentrent les services spécialisés et de commandement. Les réseaux de transport permettent aux aires urbaines **d'étendre leur influence** et de **développer les liens** entre elles.

■ **Paris** est l'aire urbaine la plus vaste et la plus peuplée de France. C'est **la seule métropole mondiale.**

### 2. L'influence croissante des aires urbaines régionales

■ La **métropolisation** renforce aussi les **aires urbaines régionales**. Les couronnes périurbaines s'étendent à 30 km autour de Nantes, Rennes, Montpellier et à 50 km autour de Bordeaux, Toulouse ou Lyon.

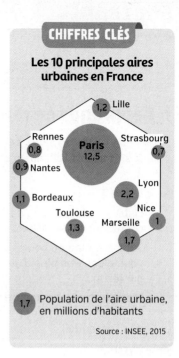

**CHIFFRES CLÉS**

**Les 10 principales aires urbaines en France**

Lille 1,2
Paris 12,5
Rennes 0,8
Strasbourg 0,7
Nantes 0,9
Lyon 2,2
Bordeaux 1,1
Nice 1
Toulouse 1,3
Marseille 1,7

1,7 Population de l'aire urbaine, en millions d'habitants

Source : INSEE, 2015

**Je retiens autrement**

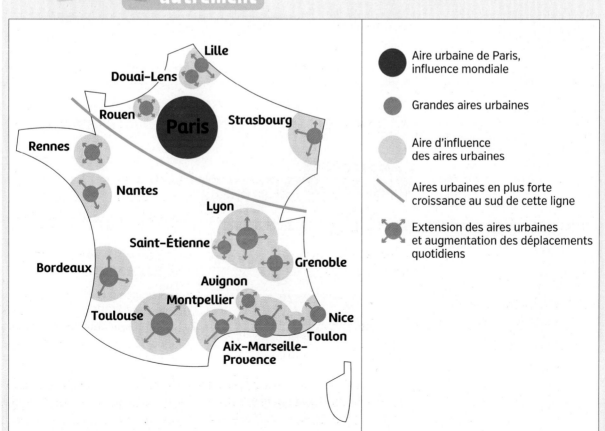

Lille
Douai-Lens
Rouen
Paris
Strasbourg
Rennes
Nantes
Lyon
Saint-Étienne
Grenoble
Bordeaux
Avignon
Montpellier
Toulouse
Nice
Toulon
Aix-Marseille-Provence

● Aire urbaine de Paris, influence mondiale

● Grandes aires urbaines

● Aire d'influence des aires urbaines

— Aires urbaines en plus forte croissance au sud de cette ligne

⟡ Extension des aires urbaines et augmentation des déplacements quotidiens

# Apprendre à apprendre

## Comment apprendre ma leçon ?

### J'apprends en réalisant un carnet de révision

Si vous retenez mieux ce que vous écrivez et lisez, vous avez une mémoire plutôt visuelle. Vous pouvez réaliser un carnet de révision.

▶ **Étape 1**

- Listez des idées : pas de phrases complètes ni de verbes.

  Suivez le plan du cours, cela peut vous aider. Pas plus d'une page par leçon...

  N'oubliez pas : il s'agit de trier les informations pour ne noter que l'essentiel.

▶ **Étape 2**

- Abrégez les mots et utilisez un code couleurs identique pour toutes vos fiches : titres, mots clés, dates...

site élève
↧ fiche de révision

Le titre de la leçon

La question clé de la leçon

Les dates et repères géographiques importants

Les acteurs et les actrices (qui sont-ils, pourquoi sont-ils importants ?)

Les mots clés

Les idées essentielles

Appliquez-vous pour que votre carnet soit agréable à lire !

## Je révise chez moi

● **Je vérifie que je connais les principaux repères du chapitre.**

**Je sais définir et utiliser dans une phrase :**

- aire urbaine
- étalement urbain
- métropole

**Je sais situer sur une carte :**

- les dix premières aires urbaines en France ;
- les espaces d'une aire urbaine sur un schéma.

site élève
↧ fond de carte et schéma à imprimer

**Je sais expliquer :**

- la croissance des aires urbaines en France.
- l'apparition de nouveaux modes de vie, notamment périurbains.
- le rôle de la mondialisation, qui favorise les grandes aires urbaines.

## Je vérifie mes connaissances

### 1 Je justifie mes réponses.

J'indique si ces phrases sont vraies ou fausses, puis je propose à l'écrit ou à l'oral une correction pour les phrases fausses.

**a.** Aujourd'hui, 57 % de la population française vit en ville.

**b.** Une aire urbaine est formée d'une ville-centre et de ses banlieues.

**c.** Le mode de vie des urbains se caractérise par une grande mobilité.

**d.** La mondialisation favorise les aires urbaines du territoire français.

### 2 Je vérifie mes connaissances.

J'associe chacun des espaces des aires urbaines ci-dessous à une photographie.

**1.** Ville-centre      **2.** Banlieue      **3.** Couronne périurbaine

**a.** La commune de Saint-Grégoire, aux portes de Rennes (Ille-et-Vilaine) en 2014

**b.** La place Stanislas à Nancy (Meurthe-et-Moselle) en 2016

**c.** Le quartier du Mirail en périphérie de Toulouse en 2012

### 3 Je connais le vocabulaire de la leçon.

Pour chaque mot, indiquez quelle définition lui correspond.

Étalement urbain      Couronne périurbaine      Aire urbaine      Métropole      Métropolisation

**a.** Concentration de la population et des activités spécialisées dans les grandes villes.

**b.** Espace continu qui se compose d'une ville-centre, de ses banlieues immédiates et d'une couronne périurbaine.

**c.** Grande ville concentrant population, activités et richesses et qui exerce son aire d'influence sur des territoires étendus : région, pays, monde entier.

**d.** Elle regroupe des communes dans lesquelles au moins 40 % de la population résidente ayant un emploi travaille dans la ville-centre.

**e.** Expansion des agglomérations et des constructions urbaines, le long des routes et en milieu rural.

### 4 Retrouvez d'autres exercices sous forme interactive sur le site Nathan.

site élève
⬇ exercices interactifs

## EXERCICE 1 Analyser et comprendre des documents (20 points)

Affiche du Grand Lyon, 2013

**QUESTIONS**

site élève
⬇ analyser une affiche

❶ Identifiez le commanditaire de ce document.

❷ À quelles conséquences de l'urbanisation du territoire français fait-il référence ?

❸ Quelle solution propose-t-il ? Expliquez pourquoi à l'aide de vos connaissances.

❹ Décrivez la composition de l'affiche. Pourquoi les deux phrases « c'est décidé, ils partent ensemble » et « co-voiturage : partager un véhicule c'est aussi favoriser les rencontres » ne sont-elles pas de la même taille ?

❺ L'affiche vous semble-t-elle réussie ? Justifiez.

❻ À l'aide de vos connaissances, expliquez pourquoi cette affiche pourrait être utilisée pour d'autres aires urbaines.

**MÉTHODE**

**J'exerce mon esprit critique (→ Question ❺)**

▶ Pour exercer votre esprit critique, vous devez dans un premier temps bien identifier la nature, le commanditaire et les objectifs de l'affiche.

▶ Ensuite, il vous faut analyser la façon dont le message est présenté : organisation de l'affiche, part réservée au texte et à l'image, différents niveaux de lecture...

▶ Prenez le temps de bien regarder l'affiche et sa composition. Vous pourrez ainsi plus facilement identifier les différents niveaux possibles de compréhension de cette affiche.

## EXERCICE 2 Maîtriser différents langages (20 points)

**CONSIGNE** Sous la forme d'un développement construit d'une vingtaine de lignes et en vous appuyant sur des exemples d'aires urbaines étudiés en classe, montrez que l'urbanisation du territoire français a modifié les genres de vie et redistribué les populations et les activités économiques.

**CONSEILS**

→ Identifiez les mots clés du sujet puis listez les points de votre leçon qui y sont liés.

→ Après une phrase d'introduction qui présente le sujet, rédigez votre texte en deux parties :
1. les aires urbaines concentrent aujourd'hui une part très importante de la population et sont en pleine expansion.
2. Les aires urbaines organisent et structurent le territoire français dans le contexte de la mondialisation.

→ Utilisez le vocabulaire géographique adapté :
*aire urbaine – périurbanisation – métropolisation – attractivité*

**SUJET BLANC**

## EXERCICE **1** Analyser et comprendre des documents (20 points)

### La métropole européenne de Lille (MEL)

Quatrième agglomération par sa taille après Paris, Lyon et Marseille, la métropole européenne de Lille, forte de 85 communes, compte plus d'un million d'habitants.

Avec 84 km de frontière avec la Belgique, elle forme une agglomération transfrontalière de 1,8 million d'habitants.

Au cœur de l'Europe, Lille Métropole ambitionne depuis plusieurs années de développer ses relations européennes et internationales afin de répondre aux défis mondiaux et d'affirmer son attractivité.

Territoire au cœur de l'Europe du Nord-Ouest, la métropole a engagé une coopération de proximité forte avec la Belgique, les Pays-Bas, l'Allemagne, le Royaume-Uni, sans pour autant délaisser les relations avec l'Europe centrale et orientale.

Lille Métropole a par ailleurs développé des liens avec l'espace méditerranéen et consolidé ceux déjà existants avec l'Afrique subsaharienne.

■ D'après lillemetropole.fr, 2016.

**QUESTIONS**

❶ Quelle est la source du document ? Que pouvez-vous en déduire quant aux informations données dans le texte ?

❷ De quelle métropole est-il ici question ? Situez-la à l'échelle de la France.

❸ Quelle stratégie cette métropole développe-t-elle depuis plusieurs années ?

❹ À l'aide de vos connaissances, montrez que cette métropole est représentative d'une aire urbaine mondialisée.

## EXERCICE **2** Maîtriser différents langages (20 points)

**1** Sous la forme d'un développement construit d'une vingtaine de lignes et en vous appuyant sur des exemples travaillés en classe, décrivez les espaces et dynamiques actuels des aires urbaines françaises.

**2** Sur le schéma ci-contre, nommez et coloriez les différents espaces d'une aire urbaine en complétant la légende.

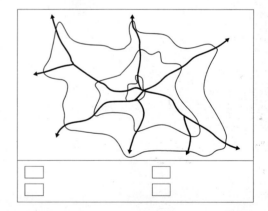

## MON BILAN DE COMPÉTENCES

| Domaines du socle | Compétences travaillées | Pages du chapitre |
|---|---|---|
| **D1** Les langages pour penser et communiquer | Je sais pratiquer différents langages en géographie<br>Je sais décrire et m'exprimer à l'oral de façon claire et argumentée | Étude de cas ............ p. 212-215<br>Étude de cas ............ p. 216-217 |
| **D2** Méthodes et outils pour apprendre | Je sais organiser mon travail dans le cadre d'un groupe pour élaborer une tâche commune<br>Je sais organiser mon travail personnel | Étude de cas ............ p. 216-217<br><br>Apprendre à apprendre .... p. 224 |
| **D4** Les systèmes naturels et les systèmes techniques | Je sais formuler des hypothèses et les vérifier | Des études de cas à la France ............ p. 218-219 |
| **D5** Les représentations du monde et de l'activité humaine | Je sais établir des liens entre l'espace et l'organisation des sociétés<br>Je comprends l'organisation du monde et l'activité humaine<br>Je sais me repérer dans l'espace | Étude de cas ............ p. 212-215<br><br>Des études de cas à la France ............ p. 218-219<br>Cartes ............ p. 220-221 |

# 13 Les espaces productifs et leurs évolutions

→ Comment les activités économiques sont-elles distribuées sur le territoire français et pourquoi ?

**Au cycle 4, en 4ᵉ**

**En histoire**, j'ai appris qu'au XIXᵉ siècle, la « révolution industrielle » a transformé les paysages et bouleversé les sociétés en Europe.
**En géographie**, j'ai vu que la mondialisation accroît l'urbanisation du monde et transforme les territoires.

**Au cycle 4, en 3ᵉ**

**Chapitre 12**
J'ai découvert que, depuis 50 ans, le territoire français a beaucoup changé : l'urbanisation a modifié les modes de vie et redistribué les populations.

**Ce que je vais découvrir**

L'urbanisation du territoire français et la mondialisation ont des conséquences sur l'organisation des activités économiques et leur distribution sur le territoire national.

**1** **Affiche promotionnelle en faveur du nouveau quartier d'affaires Euronantes, 2012**

Euronantes est un ensemble urbain en cours de réalisation de part et d'autre de la Loire. D'ici à 2020, ce quartier d'affaires de dimension européenne comptera des bureaux, logements, commerces, hôtels.

Un tiers de la production d'acier en France est réalisé avec le recyclage de ferraille. La ferraille provient des stocks de voitures en fin de vie et de la déconstruction des trains.

Uckange
France

**2** **Haut-fourneau U4 de l'ancienne usine sidérurgique d'Uckange (Moselle), 2012**

Classé monument historique, ce haut-fourneau est témoin de l'histoire sidérurgique de la région lorraine. La nuit, sa mise en lumière en fait une œuvre d'art.

# Étude de cas

**SOCLE** Compétences
- **Domaine 1** : J'extrais des informations pertinentes des documents pour répondre à des questions
- **Domaine 5** : J'établis des liens entre l'espace et l'organisation des sociétés

# Montpellier Méditerranée Métropole, un espace industriel innovant

**Question clé** Comment s'explique le développement de nouvelles industries à Montpellier ?

France
Montpellier

**1** **Agropolis, un technopôle aménagé par l'État et les collectivités locales, 2007**

**①** Instituts de recherche et développement dans le domaine de l'agriculture, de l'alimentation et de l'environnement. **②** Cité internationale Agropolis (résidence universitaire). **③** Agropolis Museum. **④** Centre de recherche Agropolis International. **⑤** Centre de coopération internationale en recherche agronomique pour le développement. **⑥** Tramway.

## VOCABULAIRE

▸ **Innovation**
Capacité à améliorer les performances d'une production ou d'une activité.

▸ **Technopôle / Pôle de compétitivité**
Entreprises, universités, laboratoires de recherche réunis sur un même territoire pour innover.

▸ **Technopole**
Métropole ayant une forte concentration d'activités de haute technologie.

## 2 Un pôle d'innovation numérique

« Depuis des années, Montpellier est reconnue comme une place importante du jeu vidéo en France mais aussi à l'international ! » explique Pascal Jarde, président de l'association Push Start[1].

Autour du géant Ubisoft, troisième développeur de jeux dans le monde, implanté à Montpellier depuis 1989, s'est développée une filière locale des jeux vidéo. On dénombre près de 70 studios indépendants, dont certains sont accompagnés et/ou hébergés par le *Business & Innovation Centre* (BIC)[2] de Montpellier. Cette dynamique de création génère des besoins de main-d'œuvre spécialisée. Chaque année, 2 000 à 2 500 élèves sont formés dans les établissements supérieurs montpelliérains des jeux vidéo et de la création numérique.

*Rayman, personnage créé par Ubisoft.*

□ D'après *MMMag, le Magazine d'information de Montpellier Méditerranée Métropole*, n° 10, novembre 2015.

1. Association rassemblant les acteurs de la filière jeu vidéo.
2. Le BIC, financé par Montpellier Métropole, soutient des entreprises innovantes.

## CHIFFRES CLÉS

➡ **43 %** ont **moins de 30 ans**, **60 000** sont étudiants.

➡ **5e site français** dans le domaine de la recherche.

➡ **1 pôle de compétitivité** à vocation mondiale.

➡ **1 300 entreprises** de Technologies de l'Information et de la Communication.

➡ **1 label** « Métropole French Tech ».

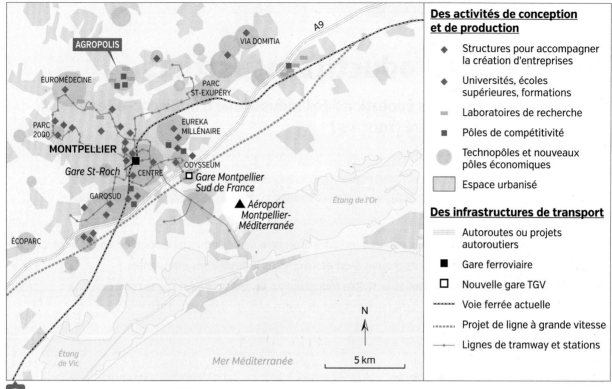

**3** La technopole montpelliéraine

Légende :

**Des activités de conception et de production**

- ◆ Structures pour accompagner la création d'entreprises
- ◆ Universités, écoles supérieures, formations
- ▬ Laboratoires de recherche
- ■ Pôles de compétitivité
- ⬤ Technopôles et nouveaux pôles économiques
- ▢ Espace urbanisé

**Des infrastructures de transport**

- ▤▤ Autoroutes ou projets autoroutiers
- ■ Gare ferroviaire
- ▢ Nouvelle gare TGV
- ┄┄ Voie ferrée actuelle
- ┈┈ Projet de ligne à grande vitesse
- ●—● Lignes de tramway et stations

Éléments de la carte : AGROPOLIS, EUROMÉDECINE, VIA DOMITIA, A9, PARC ST-EXUPÉRY, PARC 2000, EUREKA MILLÉNAIRE, MONTPELLIER, Gare St-Roch, CENTRE, ODYSSEUM, Gare Montpellier Sud de France, Étang de l'Or, GAROSUD, ▲ Aéroport Montpellier-Méditerranée, ÉCOPARC, Étang de Vic, Mer Méditerranée, 5 km, N

## 4 Un espace productif qui attire

TSF, l'opérateur majeur de l'industrie technique[1] du tournage, met un pied en Languedoc-Roussillon, cherchant autour de Montpellier des friches industrielles où installer des plateaux de tournage. « Nous sommes très attentifs aux capacités d'accueil et aux politiques d'attractivité des territoires », note Thierry de Segonzac, président de TSF.

C'est donc bien un espace régional favorable, avec une politique de soutien attractive, un bassin d'emplois de techniciens locaux disponibles, mais aussi un climat et des décors naturels prisés des producteurs qui ont fait pencher la balance positivement.

■ Cécile Chaigneau,
*Objectif Languedoc-Roussillon,*
7 octobre 2015.

1. Les industries techniques interviennent dans la création, la production et la diffusion des œuvres cinématographiques et audiovisuelles.

## Activités

**Question clé** Comment s'explique le développement de nouvelles industries à Montpellier ?

### ITINÉRAIRE 1

▶ **J'analyse les documents**

❶ **Doc 2 et 4.** Relevez différents types d'activités présentes à Montpellier dans le domaine de l'innovation.

❷ **Doc 1 à 3.** Montrez que les acteurs économiques de Montpellier travaillent ensemble pour innover.

❸ **Doc 3 et 4.** Quelles raisons expliquent le dynamisme industriel de la métropole montpelliéraine ?

▶ **Je réalise une production graphique**

❹ Sur une feuille A4, concevez et réalisez une brochure qui réponde à la question clé. Pensez à donner des exemples.

**ou**

### ITINÉRAIRE 2

▶ **J'extrais et je hiérarchise des informations**

À l'aide des documents 1 à 4, reproduisez et complétez ce tableau pour répondre à la question clé.

| 1. L'organisation de l'espace productif | Doc 1 et 3 |
|---|---|
| 2. Les atouts de l'espace productif | Doc 2 et 4 |
| 3. Les acteurs mobilisés pour dynamiser l'espace productif | Doc 1 à 3 |
| 4. Les dynamiques de l'espace productif | Doc 3 et 4 |

# Les espaces productifs industriels

**Question clé** Comment les évolutions de l'industrie se traduisent-elles sur le territoire français ?

**ÉTAPE 1** J'identifie les dynamiques des espaces productifs industriels

▶ **Je situe dans l'espace**

**❶** Où se situent les principaux espaces industriels en voie de désindustrialisation ou en reconversion ?

**❷** Dans quels types d'espaces trouve-t-on des activités industrielles innovantes ?

**❸** Pourquoi peut-on dire que les activités industrielles se redistribuent sur le territoire ?

**❹** À quel type d'espace industriel le territoire de votre collège appartient-il ?

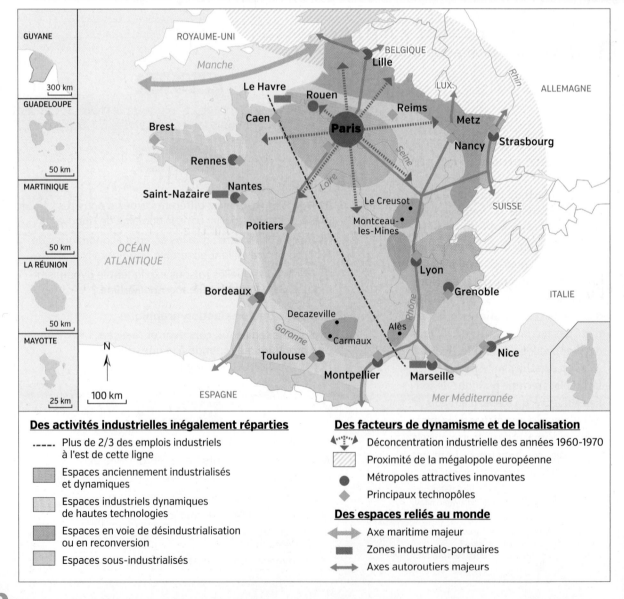

**Des activités industrielles inégalement réparties**

- - - - Plus de 2/3 des emplois industriels à l'est de cette ligne

Espaces anciennement industrialisés et dynamiques

Espaces industriels dynamiques de hautes technologies

Espaces en voie de désindustrialisation ou en reconversion

Espaces sous-industrialisés

**Des facteurs de dynamisme et de localisation**

Déconcentration industrielle des années 1960-1970

Proximité de la mégalopole européenne

Métropoles attractives innovantes

Principaux technopôles

**Des espaces reliés au monde**

Axe maritime majeur

Zones industrialo-portuaires

Axes autoroutiers majeurs

## J'associe un paysage à chaque type d'espace industriel

D'après la carte p. 232, à quel type d'espace industriel chacun de ces paysages correspond-il ?

**1** L'usine sidérurgique de Florange (Moselle), 2013

**2** L'usine PSA Peugeot Citroën de Poissy (Yvelines), 2014

**3** Les chantiers navals de Saint-Nazaire (Loire-Atlantique), 2014

**4** L'usine aéronautique Airbus de Toulouse (Haute-Garonne), 2015

## Je passe au croquis

Construisez la légende de ce croquis.

**5** Recopiez et organisez les différentes informations :

- métropoles attractives
- espaces peu industrialisés
- espaces dynamiques (hautes technologies)
- ancienne région industrielle
- deux principales régions industrielles
- une division industrielle qui s'efface

**6** Dessinez les bons figurés cartographiques devant chacune des informations.

site élève
⤓ croquis à imprimer

### Les espaces de production industrielle

Guyane
Guadeloupe
Martinique
Réunion
Mayotte

Lille
Paris
Strasbourg
Rennes
Nantes
Bordeaux
Lyon
Toulouse
Marseille

# Étude de cas

**SOCLE** Compétences

▶ **Domaine 1** : J'extrais des informations pertinentes des documents pour répondre à des questions

▶ **Domaine 5** : J'établis des liens entre l'espace et l'organisation des sociétés

# Le Grand Ouest, un espace agricole productif

**Question clé** Comment la mondialisation fait-elle évoluer les espaces de production laitière du Grand Ouest ?

**1** Une exploitation laitière en Basse-Normandie (Manche), 2014

## CHIFFRES CLÉS

**En France, en 2014 :**

➡ Le Grand Ouest représente **50 %** **de la production de lait de vache** et **44 %** **des producteurs**.

➡ Les ventes de lait à l'étranger rapportent **3,8 milliards d'euros** par an.

➡ **5 groupes** français de transformation laitière dans le **top 25** mondial.

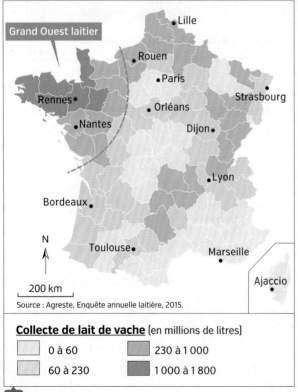

Source : Agreste, Enquête annuelle laitière, 2015.

**Collecte de lait de vache** (en millions de litres)

- 0 à 60
- 60 à 230
- 230 à 1 000
- 1 000 à 1 800

**2** Collecte du lait en France

## **3** Produits laitiers et mondialisation

Le lait cru est une denrée hautement périssable qu'il faut maintenir au froid et traiter rapidement. Le lait de consommation, qui est composé à 90 % d'eau, est un produit à faible valeur au kilo, coûteux à stocker et transporter. On exporte donc surtout des produits industriels : poudre de lait, beurre et fromages industriels. Les volumes supplémentaires autorisés par la suppression des quotas laitiers[1] depuis 2015 vont devoir trouver des clients. Les yeux se tournent vers l'Asie, et notamment la Chine. Mais encore faut-il être compétitif sur les produits exportables, notamment lait en poudre et fromage.

Les régions les plus productives vont se développer au détriment des moins efficaces. On peut donc imaginer une spécialisation croissante vers le lait des bassins de plaine du Grand Ouest et du Nord.

■ D'après *Finalysis News*, « 30 ans de quotas laitiers, et après ? », n° 13, (www.finalysis.fr) mars 2015.

1. Limite de production fixée par l'Union européenne jusqu'en 2015.

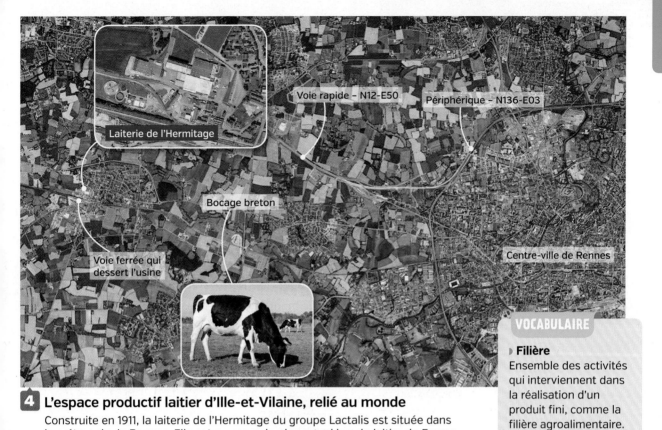

Laiterie de l'Hermitage

Voie rapide – N12-E50

Périphérique – N136-E03

Bocage breton

Centre-ville de Rennes

Voie ferrée qui dessert l'usine

**4** **L'espace productif laitier d'Ille-et-Vilaine, relié au monde**

Construite en 1911, la laiterie de l'Hermitage du groupe Lactalis est située dans la métropole de Rennes. Elle est au cœur du plus grand bassin laitier de France.

Vue satellite, février 2016.

**5** **Les transformations de la filière laitière**

L'usine du Molay-Littry est une des cinq laiteries françaises de Danone. C'est la seule qui transforme du lait issu de l'agriculture biologique.

Le site normand produit 50 000 tonnes de laitage par an, soit un million et demi de pots chaque jour. Au total, 85 millions de litres de lait, apportés par 194 producteurs dans un rayon de 20 km, y sont transformés en yaourts brassés (42 %), en desserts à froid comme Danette (23 %), en fromages frais comme les petits-suisses (21 %) et en desserts à chaud (14 %) comme les flans.

L'usine s'est automatisée en respectant la sécurité et la qualité avec 20 000 analyses de lait par mois.

■ D'après *Ouest-France*, 10 juin 2013 et 15 avril 2015.

## Activités

**Question clé** **Comment la mondialisation fait-elle évoluer les espaces de production laitière du Grand Ouest ?**

### ITINÉRAIRE 1

▸ **J'analyse des documents**

❶ **Chiffres clés et doc 2.** Quelle part de la production laitière française est réalisée dans le Grand Ouest ?

❷ **Doc 3 à 5.** Montrez que l'élevage laitier de cette région est une agriculture intégrée au marché mondial.

❸ **Doc 1, 3, 4 et 5.** Comment la filière laitière fait-elle face à la concurrence internationale ?

▸ **Je réalise une production écrite**

❹ À l'aide de vos réponses aux questions et des documents, rédigez une synthèse qui réponde à la question clé.

**ou**

### ITINÉRAIRE 2

▸ **J'extrais et je hiérarchise des informations**

Complétez le tableau pour répondre à la question clé.

| 1. L'organisation de l'espace productif | Doc 2 et 4 |
|---|---|
| 2. Les atouts de l'espace productif | Doc 1, 3 et 5 |
| 3. Les acteurs mobilisés pour dynamiser l'espace productif | Doc 1, 3 et 5 |
| 4. Les dynamiques de l'espace productif | Doc 1 à 5 |

# Les espaces productifs agricoles

**Question clé** Comment les évolutions de l'agriculture se traduisent-elles sur le territoire français ?

**ÉTAPE 1** J'identifie les dynamiques des espaces productifs agricoles

▶ **Je situe dans l'espace**

**1** Citez les quatre types d'agriculture les mieux intégrés dans l'économie mondiale.

**2** Quelles régions font de la France un grand pays agricole ? Relevez trois exemples.

**3** Quelle est la situation agricole dans les zones de montagne ?

**4** À quel type d'espace agricole le territoire de votre collège appartient-il ?

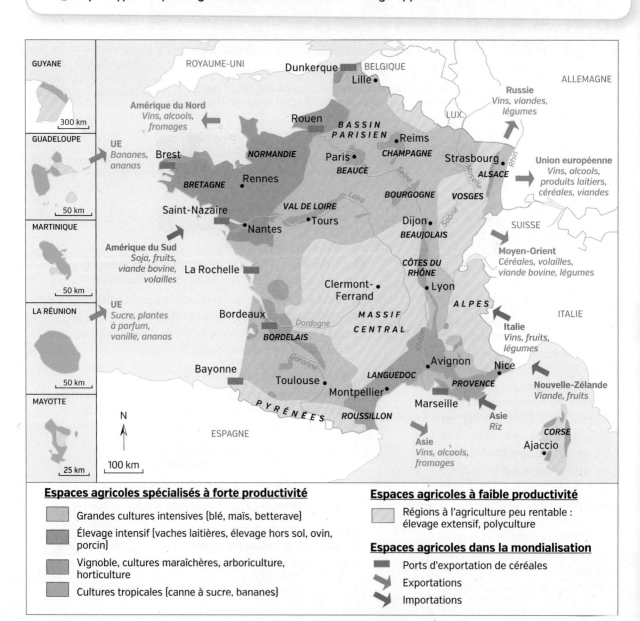

**Espaces agricoles spécialisés à forte productivité**

- Grandes cultures intensives (blé, maïs, betterave)
- Élevage intensif (vaches laitières, élevage hors sol, ovin, porcin)
- Vignoble, cultures maraîchères, arboriculture, horticulture
- Cultures tropicales (canne à sucre, bananes)

**Espaces agricoles à faible productivité**

- Régions à l'agriculture peu rentable : élevage extensif, polyculture

**Espaces agricoles dans la mondialisation**

- Ports d'exportation de céréales
- Exportations
- Importations

## J'associe un paysage à chaque type d'espace agricole

D'après la carte p. 236, à quel type d'espace agricole chacun de ces paysages correspond-il ?

**1** Moisson d'un champ de blé dans la Beauce, 2014

**2** Élevage extensif de chèvres dans le Lot, 2013

**3** Récolte mécanisée de la canne à sucre (La Réunion), 2015

**4** Un propriétaire chinois inspecte ses vignes, Château de Viaud (Gironde), 2014

## Je passe au croquis

Construisez la légende de ce croquis.

**5** Recopiez et organisez les différentes informations :

- Importations
- Cultures spécialisées
- Élevage intensif
- Polyculture et élevage peu productifs
- Exportations
- Grandes cultures productives

**6** Dessinez les bons figurés cartographiques devant chacune des informations.

site élève
↧ croquis à imprimer

### Les espaces de production agricole

Guyane

Guadeloupe

Martinique

La Réunion

Mayotte

Champagne
Bassin Parisien
Alsace
Bretagne
Bourgogne
Massif central
Aquitaine
Languedoc
Provence

# Le parc Astérix, un espace touristique dynamique

**Question clé** Comment expliquer l'essor de ce parc d'attractions touristique ?

**1** L'attraction OzIris : décors égyptiens et manège à sensations, 2014

Les visiteurs à la recherche de sensations fortes sont transportés à 90 km/h et à 40 mètres de hauteur.

Autoroutes
▲ Aéroports
◆ Sites touristiques remarquables
★ Parcs d'attractions

À 15 minutes de l'aéroport et de la gare TGV de Roissy, le parc est accessible par l'autoroute A1.

**2** Un parc au cœur du premier pôle touristique mondial

**3** Affiche réalisée pour la promotion du parc Astérix, 2016

Le parc mène une politique de communication et d'investissement soutenue pour innover et rester compétitif face à la concurrence.

**4** Une campagne périurbaine mise en valeur par le tourisme, 2015

## 5 L'implantation du parc Astérix

Le parc Astérix est situé à la limite sud du département de l'Oise, sur la commune de Plailly. Il en est cependant strictement isolé, l'entreprise ayant exceptionnellement obtenu la possibilité d'un raccordement direct à l'autoroute. Installé en Picardie pour des raisons fiscales, il est proche alors des 10 millions de Franciliens qui constituent sa clientèle privilégiée. Les 170 hectares, dont une vingtaine couverts par le parc lui-même, reproduisent le village gaulois. Le paysage voulu par Pierre Tchernia et Uderzo, les « inventeurs » du parc, met en trois dimensions le village gaulois connu des millions de lecteurs, y compris hors de France, à travers la bande dessinée.

■ Olivier Lazzarotti, *Inauguration du Parc Astérix*, INA, 2014.

### CHIFFRES CLÉS

➡ **1,7 million** de **visiteurs** par an.

➡ **73 millions** d'euros de chiffre d'affaires.

➡ Plus de **80 métiers** sur place.

➡ Plus de **200 salariés permanents**.

➡ **1 000 emplois saisonniers**.

Source : parcasterix.fr, 2016.

## Activités

**Question clé** — Comment expliquer l'essor de ce parc d'attractions touristique ?

### ITINÉRAIRE 1

▶ **Je comprends le sens général des documents**

❶ **Doc 2 et 5.** Localisez le parc Astérix. Pourquoi a-t-il été implanté ici ?

❷ **Doc 2 et 4.** Identifiez les aménagements réalisés pour transformer la campagne en espace touristique productif.

❸ **Chiffres clés et doc 1 à 5.** Quels sont les résultats économiques du parc ? Comment sont-ils obtenus ?

▶ **Je réalise une production orale**

❹ Avant de construire son propre parc de loisirs, un chef d'entreprise souhaite vous entendre sur les raisons qui expliquent le succès touristique du parc Astérix. Vous avez 3 minutes pour répondre à la question clé.

**OU**

### ITINÉRAIRE 2

▶ **J'extrais et je hiérarchise des informations**

Complétez le tableau pour répondre à la question clé.

| | |
|---|---|
| 1. L'organisation de l'espace productif | **Doc 2 et 4** |
| 2. Les atouts de l'espace productif | **Doc 2 et 5** |
| 3. Les acteurs mobilisés pour dynamiser l'espace productif | **Doc 3 et 5** |
| 4. Les dynamiques de l'espace productif | **Doc 1 à 5** |

# Les espaces productifs de services

**Question clé**  Comment les évolutions des activités de services se traduisent-elles sur le territoire français ?

**ÉTAPE 1**  J'identifie les dynamiques des espaces productifs de services

▶ **Je situe dans l'espace**

**❶** Quelle est la première destination touristique française ?

**❷** Où se situent les principales régions touristiques en France ?

**❸** Dans quel type d'espace se concentrent les activités dites d'affaires (activités de services) ?

**❹** Relevez deux raisons qui expliquent la localisation des activités de services en France.

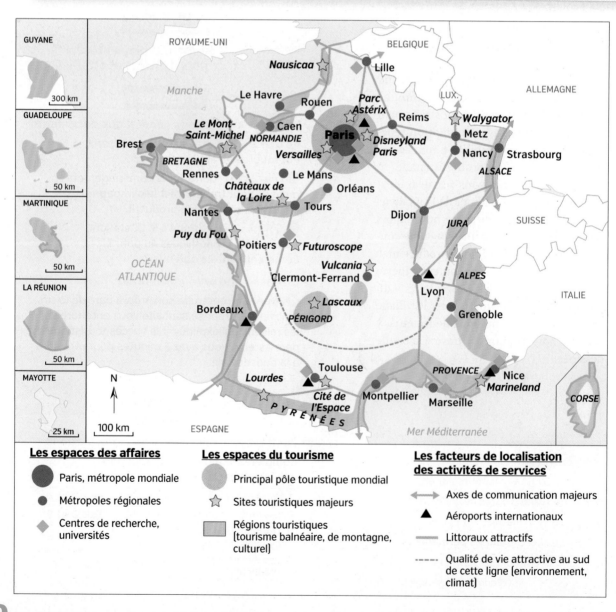

**Les espaces des affaires**

- ● Paris, métropole mondiale
- ● Métropoles régionales
- ◆ Centres de recherche, universités

**Les espaces du tourisme**

- ● Principal pôle touristique mondial
- ☆ Sites touristiques majeurs
- ▨ Régions touristiques (tourisme balnéaire, de montagne, culturel)

**Les facteurs de localisation des activités de services**

- ⟷ Axes de communication majeurs
- ▲ Aéroports internationaux
- ▬ Littoraux attractifs
- ---- Qualité de vie attractive au sud de cette ligne (environnement, climat)

## J'associe un paysage à chaque type d'espace de services

D'après la carte p. 240, à quel type d'espace de services chacun de ces paysages correspond-il ?

**1** Euralille, le quartier d'affaires de la métropole lilloise, 2015

**2** Océanopolis, le parc de découverte des océans à Brest, 2015

**3** Le campus universitaire de Grenoble, 2015

**4** Musée des Civilisations de l'Europe et de la Méditerranée (Marseille), 2013

## Je passe au croquis

Construisez la légende de ce croquis.

**5** Recopiez et organisez les différentes informations :
- espaces touristiques
- aéroports internationaux
- limite de l'attractivité des territoires du Sud et de l'Ouest
- axes de transport majeurs
- métropoles
- pôles tertiaires

**6** Dessinez les bons figurés cartographiques devant chacune des informations.

site élève
↧ croquis à imprimer

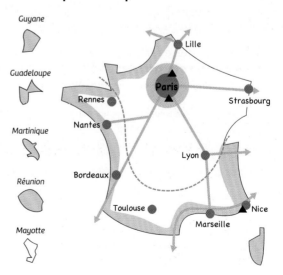

**Les espaces de production de services**

Guyane
Guadeloupe
Martinique
Réunion
Mayotte

Lille
Paris
Rennes
Strasbourg
Nantes
Lyon
Bordeaux
Toulouse
Nice
Marseille

**SOCLE** Compétences
- **Domaine 4** : Je formule des hypothèses et je les vérifie
- **Domaine 5** : Je comprends l'organisation du monde et l'activité humaine

# Quelles évolutions connaissent les espaces productifs français ?

*MISE EN PERSPECTIVE*

## ÉTAPE 1 — Je fais la synthèse des études de cas

**A** Recopiez le tableau suivant.

*site élève*
⬇ *tableau interactif*

| | 1. Montpellier Méditerranée Métropole, un espace industriel innovant | 2. Le Grand Ouest, un espace agricole productif | 3. Le parc Astérix, un espace touristique dynamique |
|---|---|---|---|
| **Des espaces attractifs** | | | |
| **Des acteurs mobilisés** | | | |
| **Des évolutions, des dynamiques** | | | |

**B** D'après ce que vous avez appris des études de cas et des cartes des espaces productifs à l'échelle nationale, remplissez le tableau avec les phrases ci-dessous.
Attention, une même phrase peut correspondre à plusieurs cas.

1. Localisation des services dans les espaces attractifs.
2. Pôle d'innovation.
3. Proximité des métropoles.
4. Espaces industriels profondément transformés.
5. Conditions de vie favorables.
6. Soutien de l'État et des collectivités locales.
7. Espaces agricoles dynamiques et exportateurs.
8. Dynamisme des métropoles lié à leur innovation.
9. Proximité des grands marchés de consommation.
10. Présence d'une main-d'œuvre très qualifiée.
11. Fonctionnement en filière.
12. Agriculture au centre de filières agroalimentaires mondialisées.
13. Importance des réseaux de transports.
14. L'Union européenne soutient les espaces agricoles.
15. Impulsion des entreprises multinationales.

**C** Entourez dans le tableau les phrases communes aux trois espaces.

## ÉTAPE 2 — Je formule des hypothèses

**D** À partir des exemples travaillés, des cartes étudiées et du tableau ci-dessus, rédigez pour chacun des trois types d'espaces productifs une phrase permettant de comprendre les principaux aspects de leur évolution.

1. Les principales évolutions des espaces productifs industriels français sont...
2. Les principales évolutions des espaces productifs agricoles français sont...
3. Les principales évolutions des espaces productifs de services en France sont...

## ÉTAPE 3 — Je vérifie si mes hypothèses sont justes

**E** Confrontez vos hypothèses (étape 2) aux trois documents p. 243. Que constatez-vous ? Sont-elles vérifiées ? Justifiez vos réponses.

nos **produits high-tech**

nos **business centers**

La MANCHE,
producteur d'innovations

Salon International de l'Agriculture du 25 février au 4 mars 2012 - Pavillon de la Normandie - hall 7.2 - allée K - stand n° 32 - espace Manche - Paris Expo - Porte de Versailles

Manche

France

• Toulouse

**1** **Affiche du conseil départemental de la Manche, 2012**

Campagne réalisée pour le Salon de l'agriculture, 2012.

**2** **Concurrence et attraction des territoires**

Certains territoires apparaissent totalement en phase avec la mondialisation grâce à une politique d'attractivité réussie auprès des entreprises nationales et étrangères.

Les villes dynamiques et les grandes métropoles ont connu très tôt la révolution industrielle. Confrontés, eux aussi, à la crise industrielle des années 1970-1980, ces espaces urbains ont su jouer de leur pouvoir d'attraction déjà très fort, de la grande diversité de leurs activités et de leur capacité à innover pour se renouveler en profondeur.

Ces villes dynamiques et ces métropoles ont ainsi échappé à la spirale du déclin et de la désindustrialisation qui a frappé toutes les vieilles régions industrielles. Lille en fournit un excellent exemple au sein de la région du Nord Pas-de-Calais.

◼ François Bost, *La France : mutations des systèmes productifs*, Armand Colin, 2015.

*le salon de l'emploi*
synergie:aero

L'INDUSTRIE AÉRONAUTIQUE ET SPATIALE RECRUTE EN MIDI-PYRÉNÉES

**TOULOUSE**
**MERCREDI 23 SEPTEMBRE 2015**
9H/18H · Stade Toulousain Rugby
114, rue des Troènes - 31000 Toulouse

SYNERGIE
intérim et recrutement

ENTREPRISES | MÉTIERS | FORMATIONS | POSTES DISPONIBLES

◼ Synergie · @synergieemploi · www.synergie.aero

**3** **Salon de l'emploi de la filière aéronautique à Toulouse, 2015**

# Les espaces productifs et leurs évolutions

→ **Comment les activités économiques sont-elles distribuées sur le territoire français et pourquoi ?**

## A Des espaces industriels en pleine transformation

### 1. Des espaces productifs industriels en mutation

● La France est une **puissance industrielle** (4e rang européen, 8e mondial) ; elle est cependant touchée par la **désindustrialisation** (13 % de l'emploi contre 40 % en 1968). Les raisons en sont variées : **délocalisation**, concurrence étrangère...

● Les régions d'industrialisation ancienne du Nord et de l'Est sont en **crise**. Le Sud et l'Ouest, dynamiques, attirent des **industries de haute technologie**.

### 2. Les espaces industriels s'adaptent à la mondialisation

● **La mondialisation renforce la concurrence** entre les territoires. Les métropoles sont de plus en plus attractives pour les entreprises de très haute technologie. Elles y trouvent une main-d'œuvre qualifiée, des universités et des réseaux de communication performants.

● En soutenant l'**innovation** au sein de pôles de compétitivité, l'**État** joue un rôle majeur dans la distribution des nouvelles industries sur le territoire.

## B Des espaces agricoles inégalement intégrés

### 1. Une agriculture intégrée aux marchés internationaux

● La France est la **première puissance agricole de l'Union européenne** et le 5e exportateur mondial de produits agricoles.

● La mondialisation et la politique agricole commune (PAC) ont conduit les agriculteurs français à **moderniser leurs activités** (mécanisation, irrigation, engrais...) et à **spécialiser leurs productions** (céréaliculture, viticulture, horticulture). Cette **agriculture productiviste** a des conséquences sur l'environnement (pollution de l'eau, risque sanitaire). L'agriculture biologique (3 % de la surface agricole) est encore peu développée.

### 2. Des dynamiques régionales contrastées

● Les espaces agricoles sont au centre d'une puissante **filière agroalimentaire mondialisée**, premier secteur industriel français.

● La **concurrence internationale** renforce la spécialisation de ces espaces, mais aussi les **inégalités entre les régions** bien intégrées aux marchés européens et mondiaux (Grand Ouest, Bassin parisien, région viticole). D'autres sont moins adaptées (régions d'élevage extensif et de polyculture).

---

**VOCABULAIRE**

▶ **Agriculture productiviste**
Agriculture commerciale dont l'intensivité et la productivité reposent sur un recours aux techniques et aux progrès scientifiques.

▶ **Délocalisation**
Transfert d'une production vers des pays étrangers aux coûts moins importants.

▶ **Désindustrialisation**
Diminution ou disparition de l'activité industrielle.

▶ **Espace productif**
Espace aménagé et mis en valeur pour une activité économique.

▶ **Filière agroalimentaire**
Ensemble des activités qui interviennent dans la fabrication d'un produit alimentaire.

▶ **Industrie**
Activité économique qui produit des biens grâce à la transformation de matières premières.

▶ **Innovation**
→ p. 230.

▶ **Services**
Activité économique sans transformation de matière.

## C Une forte concentration des services

### 1. Des espaces privilégiés : les métropoles

● Les **activités de services** emploient **78 % de la population active** et contribuent à 80 % de la richesse nationale (4e exportateur mondial). Elles sont massivement implantées dans les métropoles qui détiennent les **pouvoirs de commandement et de décision**, d'innovation, et des services spécialisés (préfectures, hôpitaux, universités). Pour améliorer leur image et attirer les investisseurs, les grandes métropoles ont recours à des agences de publicité.

### 2. Les espaces du tourisme, un atout majeur

● La France est la première **puissance touristique mondiale** en nombre de visiteurs. Elle peut compter sur la **richesse de son patrimoine culturel** et l'attractivité de ses équipements de loisirs pour développer cette activité, notamment dans les zones urbaines où musées prestigieux et parcs de loisirs se multiplient. Paris est l'une des capitales mondiales du tourisme.

## Je retiens autrement

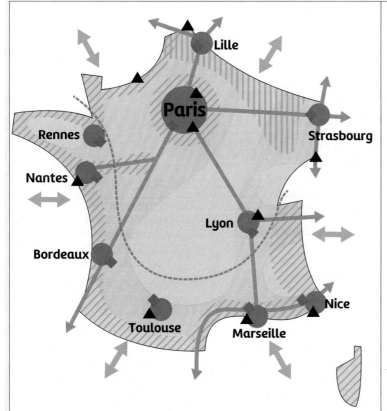

**Des espaces productifs en pleine mutation**

● Pôles de services qui se renforcent

▧ Espaces touristiques et de services

▥ Ancienne région industrielle en désindustrialisation

▨ Espaces ruraux dynamiques à agriculture productive

▨ Espaces isolés peu mondialisés

**Facteurs de localisation et dynamiques des espaces productifs**

— Principaux axes de communication

▲ Ports et aéroports

◆ Pôles majeurs de l'innovation

----- Cadre de vie attractif au sud de cette ligne

⬌ Échanges avec le monde et l'Europe

## Comment apprendre ma leçon ?

### Je révise en équipe

Travailler en équipe, c'est pouvoir s'encourager les uns les autres et s'entraîner en se posant des questions.

▶ **Étape 1**

- Ensemble, révisez la leçon et dégagez ce qu'il faut retenir.

 La question clé du chapitre et la leçon de votre cahier ou du manuel vont vous aider à organiser vos idées. Vous pouvez aussi vous répartir les parties du chapitre à apprendre, puis les expliquer aux autres.

▶ **Étape 2**

- **Organisez des défis**
  Faites trois équipes. Chaque équipe est spécialiste d'un type d'espace productif (espace industriel, agricole ou de services) et interroge les deux autres équipes. Chaque question rapporte des points en fonction de la qualité des réponses. Mettez-vous d'accord sur le nombre de questions à poser et le nombre de points.
- Reproduisez le tableau ci-dessous, puis à vous de jouer !

**site élève**
**⤓ tableau à imprimer**

| Niveau de difficulté | Exemples de questions | Aïe ! 😞 0 point | À revoir 😐 1 point | Bien 🙂 2 points | Bravo 😃 3 points |
|---|---|---|---|---|---|
| **NIVEAU 1** Questions simples sur des connaissances précises | • Qu'est-ce qu'un espace productif ? • Donnez la définition du terme « industrie ». | | | | |
| **NIVEAU 2** Questions de compréhension | • Situez les grandes régions de l'agriculture productiviste. | | | | |
| **NIVEAU 3** Questions bilan/de synthèse | • Décrivez la place des activités de services en France. | | | | |

## Je révise chez moi

- ● **Je vérifie que je connais les principaux repères du chapitre.**

### Je sais définir et utiliser dans une phrase :

- ▶ espace productif
- ▶ services
- ▶ industrie
- ▶ innovation
- ▶ agriculture productiviste

### Je sais situer sur une carte :

- ▶ les anciennes régions industrielles
- ▶ les nouveaux espaces industriels dynamiques
- ▶ les grandes régions de l'agriculture productiviste
- ▶ les grandes métropoles
- ▶ les principales régions touristiques

**site élève**
**⤓ fond de carte**

### Je sais expliquer :

- ▶ la redistribution des activités industrielles près des métropoles innovantes, des littoraux et des axes de transport.
- ▶ les mutations des espaces agricoles productivistes face à la concurrence internationale.
- ▶ l'explosion des activités de services et le poids croissant des métropoles très attractives.

## Je vérifie mes connaissances

**1** **Parmi ces cinq affirmations, j'indique les trois propositions fausses.**

**a.** L'État et les collectivités territoriales stimulent la compétitivité des espaces productifs.

**b.** L'industrie et l'agriculture sont peu fragilisées par la concurrence internationale.

**c.** Les inégalités sont faibles entre les espaces agricoles.

**d.** Le dynamisme des métropoles est lié à leur capacité d'innovation et d'adaptation aux mutations.

**e.** La France n'est pas touchée par la désindustrialisation.

**f.** La concurrence mondiale incite les territoires à renforcer leur attractivité.

**2** **Je complète le schéma à l'aide des informations suivantes (un bloc par case).**

**1**
- Ouverture des échanges
- Importance des réseaux de transport
- Concurrence entre espaces

**2**
- Espaces agricoles peu productifs, polyculture
- Vieilles régions industrielles en difficulté
- Espaces peu urbanisés et mal desservis

**3**
- Spécialisation agricole
- Désindustrialisation, innovation industrielle
- Croissance des activités de services

**4**
- Métropoles
- Pôles d'innovation
- Espaces d'agriculture productive
- Régions touristiques

| Mondialisation | → | Mutations des espaces productifs français | → | Espaces productifs dynamiques |
| ? | | ? | | ? |
| | | | | Espaces productifs en difficulté |
| | | | | ? |

**3** **J'associe chacun des espaces productifs ci-dessous à une photographie.**

**1.** Espace productif agricole

**2.** Espace productif industriel

**3.** Espace productif de services

Zone commerciale, Plan-de-Campagne (Bouches-du-Rhône), 2014.

Serre de production de muguet, Saint-Julien-de-Concelles (Loire-Atlantique), 2014.

Usine chimique Rhodia, Chalampé (Haut-Rhin), 2013.

**4** **Retrouvez d'autres exercices sous forme interactive sur le site Nathan.**

site élève
⬇ exercices interactifs

**EXERCICE 1** **Analyser et comprendre des documents** (20 points)

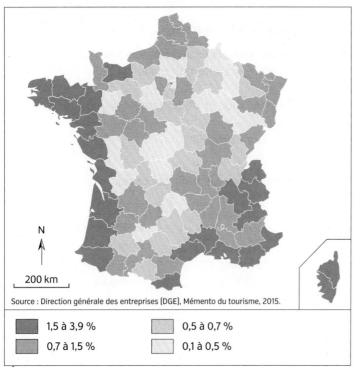

Source : Direction générale des entreprises (DGE), Mémento du tourisme, 2015.

| | |
|---|---|
| ■ 1,5 à 3,9 % | ▨ 0,5 à 0,7 % |
| ▨ 0,7 à 1,5 % | ☐ 0,1 à 0,5 % |

**1** La répartition des séjours touristiques en France métropolitaine en 2014

**2** La « révolution touristique » des dernières décennies

Depuis une quarantaine d'années, le tourisme est devenu un important secteur économique et un des axes de spécialisation de l'économie française dans la mondialisation. La France est la première destination touristique mondiale avec 83 millions de visiteurs étrangers et se place au 3e rang mondial pour les recettes du tourisme international derrière les États-Unis et l'Espagne.

L'importance du tourisme en France s'explique notamment par la diversité de son patrimoine culturel et naturel, mis en valeur par les différents programmes d'aménagement menés au cours des décennies 1960 à 1980, tant sur le littoral qu'à la montagne (tourisme urbain et d'affaires, sports d'hiver, tourisme de nature et culturel...).

Les 31 principaux sites touristiques ont ainsi reçu 75,3 millions de visiteurs.

■ D'après Laurent Carroué, *La France. Les mutations des systèmes productifs*, Armand Colin, 2014.

---

**QUESTIONS**

**❶ Doc 1 et 2.** Quels sont la nature et l'auteur de chacun des documents ?

**❷ Doc 1.** Parmi les trois propositions suivantes, quel titre vous semble le mieux correspondre au document 1 ?
**a.** Des espaces inégalement fréquentés par les touristes
**b.** Des espaces touristiques très dynamiques et fréquentés
**c.** Des espaces très fréquentés au Nord, peu au Sud

**❸ Doc 1 et 2.** En utilisant les informations des documents, relevez et classez les principaux espaces touristiques en France.

| | Localisation des espaces productifs |
|---|---|
| Tourisme urbain et culturel | |
| Tourisme de sports d'hiver | |
| Tourisme balnéaire à la mer | |

**❹ Doc 1 et 2.** À l'aide de vos connaissances et des documents, expliquez pourquoi Paris est un espace touristique très important en France.

**❺ Doc 2.** Comment l'auteur explique-t-il les inégalités de fréquentation touristique constatées dans le document 1 ?

---

**MÉTHODE**

**Je confronte deux documents** (→ **Question ❸**)

▶ Lorsqu'une question porte sur deux documents, il faut obligatoirement utiliser l'un et l'autre dans votre réponse.

▶ Pour cela, commencez par relever, dans chaque document, les informations qui permettent de répondre à la question.

▶ Comparez ensuite ces informations : se complètent-elles ? s'opposent-elles ? sont-elles identiques ?

▶ Rédigez votre réponse en mettant en avant cette comparaison. Pensez à la justifier par des exemples tirés des deux documents.

## EXERCICE **2** Maîtriser différents langages (20 points)

**1** Sous la forme d'un développement construit d'une vingtaine de lignes et en vous appuyant sur un ou des exemples d'espaces productifs étudiés en classe, décrivez les espaces productifs français et leurs évolutions.

### MÉTHODE

**J'écris pour argumenter**

▶ La rédaction de votre développement doit montrer comment vous avez construit votre réponse.

▶ Commencez par une phrase introductive qui présente le sujet.

▶ Organisez votre développement en parties : chacune d'elles correspond à un type d'espace, à une idée, qui apportent une partie de la réponse à la question. Ces informations doivent être précises et comporter au moins un lieu, un chiffre, un acteur...

▶ Allez à la ligne entre chaque partie.

▶ Rédigez une phrase de conclusion en rappelant les idées utilisées dans le développement.

**2** Localisez et nommez sur le fond de carte ci-dessous :

- La région Île-de-France.
- Un espace productif à dominante industrielle.
- Un espace productif à dominante agricole.
- Un espace productif à dominante touristique ou d'affaires.

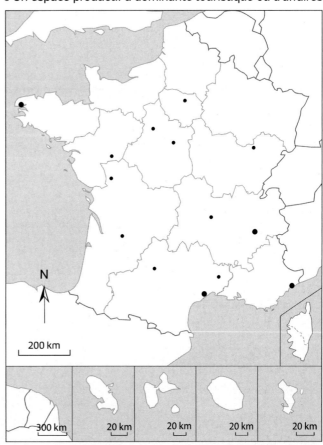

### MON BILAN DE COMPÉTENCES

| Domaines du socle | Compétences travaillées | Pages du chapitre |
|---|---|---|
| **D1** Les langages pour penser et communiquer | • J'extrais des informations pertinentes des documents pour répondre à des questions | Études de cas .......... p. 230-231 <br> p. 234-235 <br> p. 238-239 |
| **D2** Méthodes et outils pour apprendre | • J'organise mon travail personnel | Apprendre à apprendre .... p. 246 |
| **D4** Les systèmes naturels et les systèmes techniques | • Je formule des hypothèses et je les vérifie | Des études de cas à la France .......... p. 242 |
| **D5** Les représentations du monde et de l'activité humaine | • J'établis des liens entre l'espace et l'organisation des sociétés | Étude de cas .......... p. 230-231 <br> p. 234, p. 238 |
| | • Je me repère dans l'espace | À l'échelle nationale .......... p. 232 <br> p. 236, p. 240 |
| | • Je comprends l'organisation du monde et l'activité humaine | Des études de cas à la France .......... p. 242-243 |

# Les espaces de faible densité et leurs atouts

→ Quels sont les dynamiques et les atouts des espaces de faible densité en France ?

## Au cycle 3, en 6e

J'ai appris que les êtres humains et leurs activités se concentrent dans les métropoles et sur les littoraux. Les espaces à fortes contraintes et à vocation agricole sont, à l'inverse, faiblement peuplés.

## Au cycle 4, en 4e

J'ai découvert que les grandes métropoles sont les territoires les mieux intégrés dans les réseaux de la mondialisation.

## Ce que je vais découvrir

En France, les espaces de faible densité ont leurs propres atouts et sont dynamiques.

Matringhem
France
Cantal

**1** Éoliennes et espaces agricoles à Matringhem (Pas-de-Calais), 2013

Réseau des TELECENTRES

cantal.com
AUVERGNE •

Porteurs de projet,

*télétravaillez*

dans le **Cantal**

QUALITÉ DE VIE / HAUT DÉBIT / ENVIRONNEMENT ÉCONOMIQUE ET POLITIQUE FAVORABLE / ENTREPRISES CLIENTES DÉJÀ SENSIBILISÉES / RÉSEAU DE TÉLÉTRAVAILLEURS / COWORKING

**Cantal, le département du télétravail**

cyber
**cantal**
TÉLÉCENTRES

Conseil Général du Cantal - Mission Cybercantal - service prospective et TIC - 04 71 46 22 02 - telecentres.cantal.fr

création ndgraphiste - crédit photos : ©Fotolia Monkey Business , B. Picoll, Olly - ©Shutterstock Vasylkiv - Conseil Général du Cantal

**2** Affiche du Conseil général du Cantal (Auvergne) pour son programme « Cybercantal », 2015

Le télétravail désigne le fait de travailler pour une entreprise depuis son domicile.

## Étude de cas

SOCLE Compétences
- Domaine 1 : Je pratique différents langages en géographie
- Domaine 5 : J'établis des liens entre l'espace et l'organisation des sociétés

# Les Cévennes, des espaces ruraux dynamiques

**Question clé** Quels sont les atouts et les dynamiques de la région rurale cévenole ?

France

Cévennes

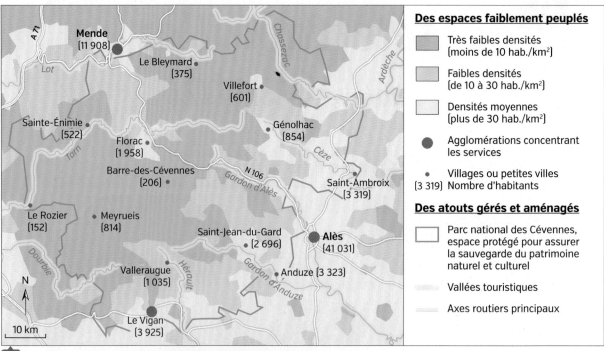

**Des espaces faiblement peuplés**

- Très faibles densités (moins de 10 hab./km²)
- Faibles densités (de 10 à 30 hab./km²)
- Densités moyennes (plus de 30 hab./km²)
- ● Agglomérations concentrant les services
- • Villages ou petites villes [3 319] Nombre d'habitants

**Des atouts gérés et aménagés**

- ▢ Parc national des Cévennes, espace protégé pour assurer la sauvegarde du patrimoine naturel et culturel
- Vallées touristiques
- Axes routiers principaux

Mende [11 908]
Le Bleymard [375]
Villefort [601]
Sainte-Énimie [522]
Génolhac [854]
Florac [1 958]
Barre-des-Cévennes [206]
Saint-Ambroix [3 319]
Le Rozier [152]
Meyrueis [814]
Saint-Jean-du-Gard [2 696]
Alès [41 031]
Valleraugue [1 035]
Anduze [3 323]
Le Vigan [3 925]

A 71
Lot
Tarn
Dourbie
Hérault
Chassezac
Ardèche
Cèze
N 106
Gardon d'Alès
Gardon d'Anduze

N

10 km

**1** Les Cévennes, un espace de très faible densité

**2** Jour de marché au Pont-de-Montvert, village des gorges du Tarn, 2012

**3** Le pélardon : un produit agricole labellisé AOC

C'est l'un des plus vieux fromages de chèvre d'Europe. On retrouve sa trace depuis la nuit des temps comme en témoigne les récits des poètes et des conteurs. Il est fabriqué depuis des siècles en Languedoc, et plus particulièrement chez nous, dans les montagnes cévenoles. [...]

Le pélardon est protégé depuis 2000 par une AOC[1] (définissant notamment ses origines cévenoles et languedociennes), et depuis 2001 par une AOP, le label européen équivalent. Depuis 2010, il est le seul label reconnu avec un logo rouge et jaune (chaque AOC devient donc AOP).

■ D'après www.tourismegard.com, 2016.

1. L'appellation d'origine contrôlée (AOC) protège le savoir-faire d'une région pour fabriquer un produit alimentaire.

**4** **Canoës sur le Tarn, Sainte-Énimie (gorges du Tarn), 2015**

Les Cévennes offrent de nombreuses activités (escalade, sports de rivière, VTT...) qui attirent environ 800 000 visiteurs par an.

**5** **Des habitants racontent...**

*Un néorural[1] et ancien ingénieur dirige une épicerie fine en ligne depuis la Lozère.*

Aujourd'hui, les nouvelles technologies sont une chance pour les départements ruraux. Les anciennes générations étaient obligées de partir trouver un job à Paris, maintenant on peut rapatrier des métiers de l'informatique et de la communication et le faire dans de bonnes conditions de salaire et de qualité de vie.

1. Nouvel habitant d'origine urbaine en zone rurale.

*Un agriculteur à la retraite explique la prise de conscience locale de la richesse paysagère des Causses.*

Moi, étant né sur le Causse, c'est grâce aux gens de l'extérieur que j'ai découvert la beauté de mon pays. [...] Il y avait des fermes, qui n'avaient pas été habitées depuis je ne sais pas combien d'années, qui ont été reprises et tant mieux.

*Une adolescente en vacances décrit ses sensations à la vue d'un paysage.*

Quand on y arrive, on est dans un monde parallèle, où tout est beau et tout va bien, on se sent bien. C'est une sensation qui est mentale et physique, c'est un lieu de libération.

■ D'après le Conseil général de la Lozère et *Paysages culturels et naturels : changements et conservation*, Muséum national d'histoire naturelle, 2011.

---

## Activités

**Question clé** **Quels sont les atouts et les dynamiques de la région rurale cévenole ?**

### ITINÉRAIRE 1

▶ **Je comprends et j'analyse les documents**

**1** **Doc 1.** Localisez les Cévennes. Montrez que cette région est un espace de faible densité.

**2** **Doc 2 à 5.** Quelles sont les activités économiques pratiquées dans les Cévennes ? Relevez les atouts qui les rendent possibles.

**3** **Doc 1, 2 et 5.** Quels atouts attirent les populations dans les Cévennes ?

▶ **J'argumente à l'écrit**

**4** En vacances dans les Cévennes, vous décidez de tweeter deux messages avec une photo pour expliquer les atouts puis les dynamiques de cet espace de faible densité.

**ou**

### ITINÉRAIRE 2

▶ **Je réalise une production collective**

En groupe, réalisez une brochure d'accueil présentant les espaces ruraux des Cévennes aux nouveaux habitants. N'oubliez pas d'illustrer votre brochure.

**SOCLE** Compétences
▶ **Domaine 1** : Je raisonne et je justifie une démarche et les choix effectués
▶ **Domaine 2** : Je conduis un projet

# Val–d'Isère, une station très attractive

France
Val–d'Isère ●

### CONSIGNE

La nouvelle campagne promotionnelle de Val-d'Isère sera le produit de votre travail collectif !

Vous devez réaliser une affiche montrant les atouts et les dynamiques de cet espace montagneux. Votre affiche devra s'adresser à tous les habitants, qu'ils soient futurs résidents permanents, saisonniers ou touristes.

### INFOS

La station de Val–d'Isère compte :
▶ 300 km de pistes,
▶ 80 remontées mécaniques,
▶ 2 *snowparks*,
▶ 900 enneigeurs.

**1** Le village de Val-d'Isère en hiver, 2014

### CHIFFRES CLÉS

➡ **1 637** habitants à **1 821** mètres d'altitude.
➡ **17,3** habitants/km².
➡ **6 501** logements dont **88,3 %** de **résidences secondaires**.
➡ **7** habitants au chômage (taux de chômage = 0,7 %).

Source : Insee, 2012.

## 2 Les atouts de Val–d'Isère

Au final d'une piste noire de 3 kilomètres de long, on débouche, stupéfait, au sommet. Freinage instinctif et temps d'arrêt, le regard rivé sur le clocher, minuscule, 1 000 mètres plus bas. Le ski est la folle passion de ce petit village savoyard, terminus hivernal de la haute Tarentaise, à 1 850 mètres d'altitude, sous les neiges du col de l'Iseran : 300 kilomètres de pistes et 10 000 hectares de pentes vierges pour communier avec la montagne. Une vraie mine d'or blanc, inépuisable pendant cinq mois de saison.

À la fin des années 1970, l'architecture de montagne joue le fonctionnel sans souci d'esthétique. Les Jeux olympiques d'Albertville en 1992, puis les Mondiaux de ski alpin en 2009, l'ont élégamment rhabillée de pierre et de bois. Ils ont surtout mis en valeur son joyau : le vieux cœur serré autour du clocher.

■ D'après Annie Barbaccia, *Le Figaro*, 14 novembre 2014.

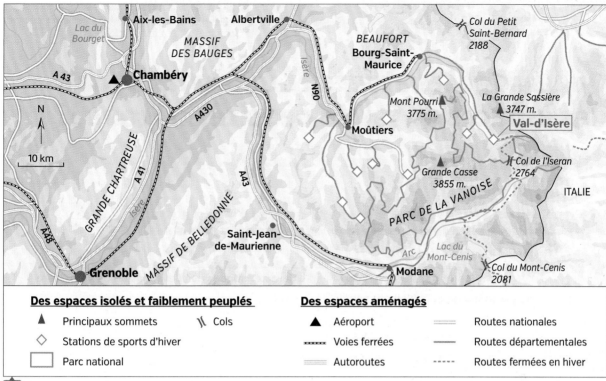

**Des espaces isolés et faiblement peuplés**

▲ Principaux sommets    ⫲ Cols

◇ Stations de sports d'hiver

▢ Parc national

**Des espaces aménagés**

▲ Aéroport

▭▭ Voies ferrées

▭▭ Autoroutes

════ Routes nationales

──── Routes départementales

- - - - Routes fermées en hiver

**3** **Val-d'Isère dans son espace régional**

**4** **Pistes aménagées pour le VTT, Val-d'Isère, 2014**
En été, la station propose un accès gratuit aux remontées mécaniques.

### COUP DE POUCE

▸ Commencez par situer Val-d'Isère en France. Prévoyez des photos de paysages pour décrire et montrer ses atouts.

▸ Expliquez pourquoi des gens y viennent.

▸ Précisez quels métiers ils peuvent y exercer. Pensez à varier vos exemples.

▸ Montrez les dynamiques créées par des initiatives locales dans ce territoire montagneux.

**5** **Un nouvel espace pour dynamiser la vie locale**

La Maison de Val est le nouvel espace multiculturel et intergénérationnel de la commune savoyarde. Ouverte à tous et toute l'année avec accès Wi-Fi gratuit, elle abrite sur deux niveaux la médiathèque, l'école de musique intercommunale, le cinéma le Splendid, clin d'œil au film *Les Bronzés font du ski*, tourné à Val-d'Isère, mais aussi le service à la population et plusieurs associations, notamment *Vie Val d'Is*, chargée de l'accueil des saisonniers. Le musée Val d'Histoire intégrera l'ensemble l'an prochain.

En les réunissant sous un même toit, la commune crée un lieu propice aux échanges et aux rencontres entre tous les acteurs socioculturels, mais également entre tous les publics de Val-d'Isère : les résidents avalins[1], les habitants de la haute Tarentaise, les touristes et les saisonniers.

◼ D'après www.actumontagne.com, 21 décembre 2015.

1. Habitants de Val-d'Isère.

**SOCLE** Compétences
▶ **Domaine 4** : Je formule des hypothèses et je les vérifie
▶ **Domaine 2** : Je comprends le monde

# Quels sont les atouts et les dynamiques des espaces de faible densité en France ?

*MISE EN PERSPECTIVE*

**ÉTAPE 1** ▶ Je fais le point sur l'espace que je viens d'étudier

**A** Recopiez le tableau suivant.

|  | Caractéristiques des Cévennes ou de Val-d'Isère | | |
|---|---|---|---|
| 1. **Un espace en marge et faiblement peuplé** | | | |
| 2. **Un espace aux nombreux atouts** | | | |
| 3. **Un espace offrant différentes activités** | | | |
| 4. **Un espace qui montre des dynamiques** | | | |

**B** D'après ce que vous avez découvert d'un espace de faible densité, dans les Cévennes ou à Val-d'Isère en Savoie, remplissez le tableau avec les expressions qui vous semblent le mieux caractériser l'espace étudié.
Attention, vous ne pouvez utiliser que 12 expressions (une par case).

1. Habitats anciens – Forte densité – Faible densité – Grande ville – Village, hameau – Peu de services, de commerces – Haute altitude – Nombreux axes de transports – Hôtels et résidences touristiques – Espace contraignant – Isolement – Forte population saisonnière – Déplacements difficiles

2. Parc naturel national – Communauté villageoise – Paysages naturels – Haute altitude – Environnement calme – Connexion aux réseaux numériques – Rivières et gorges – Village authentique – Pentes – Neige – Pas de pollution – Espaces complémentaires des villes

3. Agriculture – Vallée touristique – Station de ski – Élevage extensif – Emplois saisonniers – Production agroalimentaire locale – Commerces de proximité – Hôtellerie, gîtes ruraux – Tourisme – Tourisme vert et culturel – Activités récréatives en pleine nature – Peu de chômage

4. Néoruraux – Produits agricoles valorisés – Protection des espaces naturels – Rénovation des habitats – Télétravail – Construction d'espaces de vie publics – Fréquentation touristique croissante – Amélioration des transports – Préservation des modes de vie traditionnels – Population qui augmente

**ÉTAPE 2** ▶ J'en déduis des hypothèses

**C** À l'aide du tableau, choisissez ci-dessous les quatre hypothèses qui vous semblent le mieux compléter la phrase suivante.

**Les espaces de faible densité sont...**

1. des territoires ruraux isolés, composés de grands paysages naturels ou agricoles.
2. des territoires complémentaires des aires urbaines pour se reposer et profiter de son temps libre.
3. des territoires bien connectés aux réseaux de transport à toutes les échelles.
4. des territoires dynamiques qui attirent de nouveaux résidents.
5. des territoires en marge, sans véritable ressource et en voie d'abandon, de désertification.
6. des territoires productifs agricoles mais proposant aussi de nombreuses activités (tourisme, commerces, télétravail).

**ÉTAPE 3**

Je vérifie si mes hypothèses sont justes

**D** Indiquez à quelle hypothèse retenue à l'étape 2 correspondent chacun de ces documents.

LIMOUSIN NEWS 2016

www.limousinnewsensation.com

**1** Affiche promotionnelle pour la région du Limousin, 2016

Mondonville–Sainte–Barbe

**France**

**Limousin**

**2** Des dynamiques contrastées

Après une longue période d'exode rural, les campagnes de très faible densité connaissent un regain démographique. Cependant, le vieillissement de la population reste important, le niveau de revenus parmi les plus faibles et l'accessibilité très en deçà de la moyenne française. Enfin, toutes les communes ne profitent pas du renouvellement économique que permet l'émergence des activités résidentielles et touristiques.

Pourtant, 80 % des communes connaissent un accroissement démographique qui résulte d'un excédent migratoire parfois combiné avec un solde naturel positif. Ces territoires attirent des populations de toutes catégories socioprofessionnelles et de tous âges, malgré un éloignement très important des services et commerces d'usage courant et des établissements scolaires. Le brassage de populations y est intense.

■ DATAR, *Typologie des campagnes françaises et des espaces à enjeux spécifiques (littoral, montagne et DOM)*, 2012.

**3** Mondonville-Sainte-Barbe, au cœur des grandes plaines agricoles de la Beauce (Eure-et-Loir), 2015

# Les espaces de faible densité en France

**Je repère les atouts et les dynamiques des espaces de faible densité**

▶ **Je situe dans l'espace**

❶ Où les espaces de faible densité sont-ils situés en France ?

❷ Montrez que ces espaces connaissent des dynamiques très différentes.

❸ D'après la carte, quels sont les principaux atouts des espaces de faible densité ?

❹ Identifiez sur la carte l'espace de faible densité le plus proche de chez vous.
Quels sont ses atouts ?

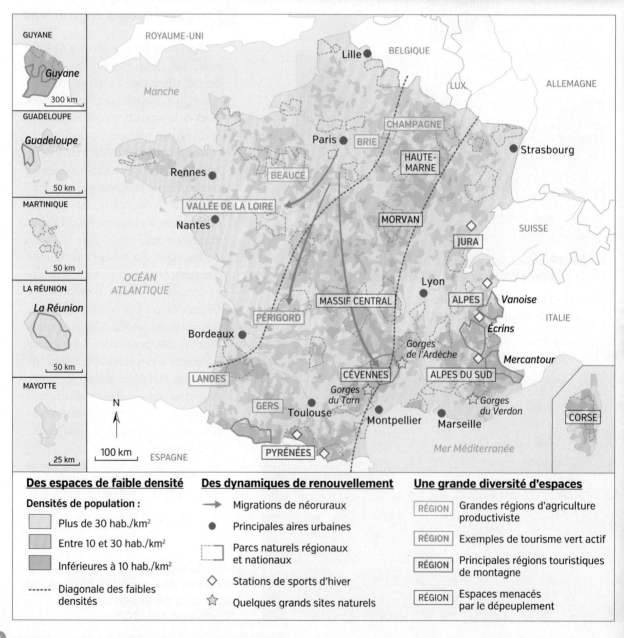

**Des espaces de faible densité**

Densités de population :

- Plus de 30 hab./km²
- Entre 10 et 30 hab./km²
- Inférieures à 10 hab./km²
- ----- Diagonale des faibles densités

**Des dynamiques de renouvellement**

- → Migrations de néoruraux
- ● Principales aires urbaines
- ⬚ Parcs naturels régionaux et nationaux
- ◇ Stations de sports d'hiver
- ☆ Quelques grands sites naturels

**Une grande diversité d'espaces**

- RÉGION Grandes régions d'agriculture productiviste
- RÉGION Exemples de tourisme vert actif
- RÉGION Principales régions touristiques de montagne
- RÉGION Espaces menacés par le dépeuplement

## J'identifie les espaces de faible densité

D'après la carte p. 258, à quel type d'espaces de faible densité chacun de ces paysages correspond-il ?

**1** Le village de Carbini dans le sud de la Corse, 2014

**2** Les vignes de champagne à Ville-Dommange (Marne), 2015

**3** Pouylebon (Gers) et son patrimoine culturel, 2015

**4** Sommet du Mont d'Or à Métabief (Doubs), 2015

## Je passe au croquis

Construisez la légende de ce croquis.

**5** Recopiez et organisez les différentes informations :

- Diagonale des faibles densités
- Stations de ski
- Migration de néoruraux
- Attraction des territoires au Sud
- Espaces de faible densité
- Parcs nationaux

**6** Dessinez les bons figurés cartographiques devant chacune des informations.

site élève
↓ croquis à imprimer

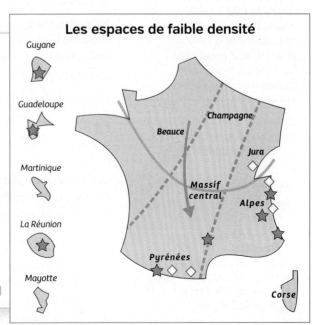

**Les espaces de faible densité**

Guyane

Guadeloupe

Champagne

Beauce

Jura

Martinique

Massif central

Alpes

La Réunion

Pyrénées

Mayotte

Corse

# Les espaces de faible densité et leurs atouts

→ **Quels sont les dynamiques et les atouts des espaces de faible densité en France ?**

## A  Des espaces attractifs

### 1. Des espaces peu peuplés

● Le territoire français comprend de vastes **espaces de faible densité** de peuplement. C'est notamment le cas dans la **diagonale des faibles densités** qui s'étend des **Ardennes aux Pyrénées**, mais également dans les principaux massifs montagneux : Alpes, Pyrénées, Massif central, Vosges et Ardennes.

### 2. De nouveaux habitants

● Dans **certaines régions**, ces espaces de faible densité connaissent une **légère reprise démographique** : dans le **Sud**, des **néoruraux** et des résidents secondaires s'installent dans ces zones rurales délaissées. À l'inverse, le **vieillissement** et le **dépeuplement** se poursuivent encore dans la moitié **Nord** de la France.

### 3. Des usages variés

● Ces territoires peu peuplés **attirent des populations** à la recherche d'une meilleure **qualité de vie**, pour les vacances ou pour la retraite, dans une **résidence secondaire** et parfois pour y vivre de manière permanente. Cette diversité des habitants provoque parfois des conflits d'usage et fait du « **vivre ensemble** » un réel défi.

## B  Des espaces fortement marqués par l'agriculture

### 1. Les espaces peu peuplés de l'agriculture productiviste

● L'**agriculture productiviste** marque fortement les **paysages de grands champs ouverts**. Les densités de population y sont très faibles, parfois inférieures à 10 hab./km², comme dans la **région céréalière de la Champagne**. Cette activité assure aux agriculteurs des revenus élevés et maintient le peuplement malgré l'absence de **services de proximité**.

### 2. Des espaces en déprise agricole

● L'agriculture ne s'est pas modernisée partout et dans certaines régions, la diversification des activités agricoles est limitée. Les **difficultés s'accumulent** dans les **espaces de moyennes montagnes qui se dépeuplent** : diminution des surfaces cultivées, baisse et vieillissement de la population, fermeture de commerces et de services.

### 3. Des dynamiques agricoles nouvelles

● La **valorisation de savoir-faire locaux anciens** permet parfois de **revitaliser** certains de ces **territoires agricoles**. La demande croissante de **produits de qualité**, souvent **labellisés AOC** et **AOP**, comme le pélardon cévenol, encourage l'installation de jeunes producteurs.

## C Des espaces en mutation

### 1. Des territoires aux activités diversifiées

- Le développement des **activités récréatives** valorise le **patrimoine culturel et naturel** de ces espaces peu peuplés. Le **tourisme vert se développe** comme dans les Cévennes. La haute montagne alpine, à l'image de Val-d'Isère, connaît une **forte fréquentation saisonnière**.

### 2. La faible densité, un atout touristique

- L'activité touristique recherche de **grandes réserves d'espaces peu transformées**. Des aménagements ont mis en valeur ces espaces, à l'image des **parcs naturels régionaux** et des **parcs nationaux**. Les campagnes publicitaires ont également participé à la construction d'une image nouvelle et positive de certains espaces de faible densité.

### 3. Des politiques pour un renouveau

- L'**État** soutient les **Zones de revitalisation rurale (ZRR)** où les entreprises peuvent bénéficier d'avantages importants. Le manque de services de proximité est atténué par des **politiques régionales d'équipement** en nouvelles technologies de communication, comme en Auvergne où se développe le **télétravail**.

**VOCABULAIRE**

- **Néoruraux**
Nouveaux habitants d'origine urbaine en zone rurale.
- **Parc national**
Territoire géré et protégé par l'État en raison de la richesse de son patrimoine naturel et culturel.
- **Résidence secondaire**
Logement utilisé pour les week-ends, les loisirs ou les vacances.
- **Tourisme vert**
Tourisme durable centré sur la découverte de la nature, les activités de plein air et le respect de l'environnement.

## Je retiens autrement

Guyane
Guadeloupe
Martinique
La Réunion
Mayotte
Champagne
Beauce
Morvan
Jura
Massif central
Périgord
Alpes
Val-d'Isère
Landes
Cévennes
Pyrénées
Corse
Espaces de faible densité
Diagonale des faibles densités
Principales aires urbaines
Beauce Agriculture productiviste
Stations de sports d'hiver
Parcs nationaux
Attraction des territoires au sud
Migrations des néoruraux

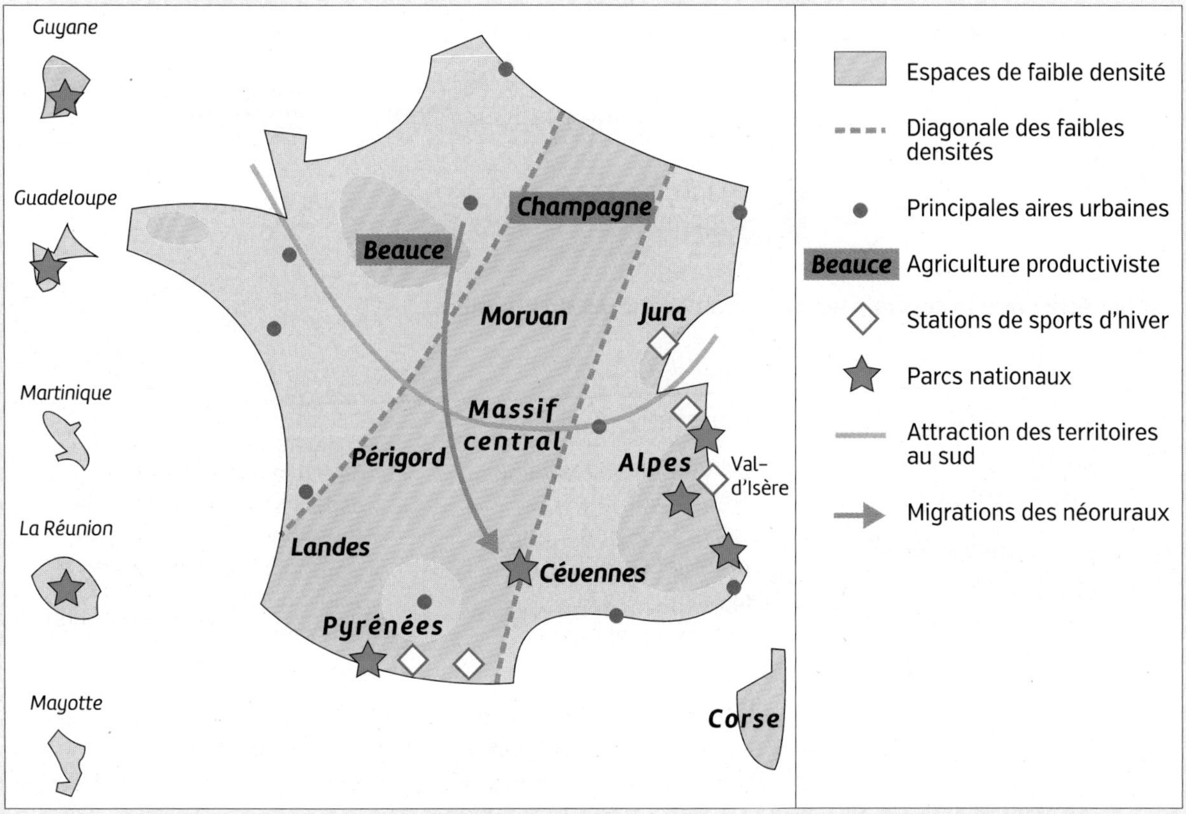

## Comment apprendre ma leçon ?

### J'apprends en réalisant une carte mentale

Réaliser une carte mentale vous permet d'identifier les éléments importants de la leçon, d'ordonner et de classer vos idées.

▶ **Étape 1**

- Rendez-vous sur un logiciel en ligne gratuit comme Framindmap.

▶ **Étape 2**

- Écrivez dans la bulle principale le titre du chapitre. Puis insérez les principaux thèmes du chapitre en cliquant dans la bulle centrale ; une nouvelle idée apparaît, il suffit de saisir votre texte :
  - – Des espaces attractifs
  - – Des espaces fortement marqués par l'agriculture
  - – Des espaces en mutation

- Complétez ensuite la carte mentale grâce à la boîte à idées. N'hésitez pas à ajouter d'autres éléments vus avec votre professeur-e.

- Illustrez votre carte mentale si cela vous aide à mémoriser.
- Utilisez une couleur différente pour chaque thème, cela vous aidera à mieux repérer les éléments.

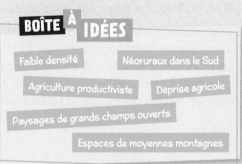

BOÎTE À IDÉES

Faible densité
Néoruraux dans le Sud
Agriculture productiviste
Déprise agricole
Paysages de grands champs ouverts
Espaces de moyennes montagnes

Nouvelle idée

Nouvelle idée

Des espaces attractifs

**Les espaces de faible densité et leurs atouts**

Des espaces fortement marqués par l'agriculture

Des espaces en mutation

## Je révise chez moi

● **Je vérifie que je connais les principaux repères du chapitre.**

Je sais définir et utiliser dans une phrase :
- ▶ espace de faible densité
- ▶ tourisme vert
- ▶ agriculture productiviste
- ▶ résidence secondaire
- ▶ néorural

Je sais situer sur une carte :
- ▶ la diagonale des faibles densités ;
- ▶ les grands ensembles du relief ;
- ▶ les espaces touristiques de sports d'hiver ;
- ▶ un exemple de parc national.

site élève
⬇ fond de carte

Je sais expliquer :
- ▶ la diversité des espaces de faible densité : espaces ruraux, agricoles, touristiques.
- ▶ pourquoi les espaces de faible densité attirent de nouveaux types d'habitants.
- ▶ les dynamiques et les atouts des espaces de faible densité : activités agricoles et touristiques.

## Je vérifie mes connaissances

**1** Je révise le vocabulaire de ma leçon.

Je place chacun des mots suivants devant leur signification.

néoruraux    parc national    résidence secondaire

agriculture productiviste    tourisme vert    espace de faible densité

**a.** Agriculture commerciale dont l'intensivité et la productivité reposent sur un recours aux techniques et aux progrès scientifiques.

**b.** Tourisme durable centré sur la découverte de la nature, les activités de plein air et le respect de l'environnement.

**c.** Espace rural peu peuplé (moins 30 hab/km²).

**d.** Logement utilisé pour les week-ends, les loisirs ou les vacances.

**e.** Nouveaux habitants d'origine urbaine en zone rurale.

**f.** Territoire géré et protégé par l'État en raison de la richesse de son patrimoine naturel et culturel.

**2** J'identifie la diversité des espaces peu peuplés à partir d'images.

J'explique ce que chaque document, issu du chapitre, m'a appris sur les espaces de faible densité. Je leur donne un titre.

**a.**

**b.**

**c.**

**3** Vrai ou faux ? Je justifie ma réponse à l'aide d'exemples tirés du cours.

**a.** Tous les espaces de faible densité perdent des habitants. ☐ Vrai ☐ Faux

**b.** L'agriculture est une activité importante pour les espaces de faible densité. ☐ Vrai ☐ Faux

**c.** Le tourisme se développe dans certains espaces peu peuplés. ☐ Vrai ☐ Faux

**d.** Les citadins ne fréquentent pas les espaces faiblement peuplés. ☐ Vrai ☐ Faux

**4** Retrouvez d'autres exercices sous forme interactive sur le site Nathan.

site élève
⬇ exercices interactifs

## EXERCICE 1 Analyser et comprendre des documents (20 points)

## QUESTIONS

❶ De quel projet est-il ici question ? Localisez-le précisément.

❷ Relevez dans les deux documents les caractéristiques de la région concernée.

❸ Classez les arguments des partisans et opposants de ce projet dans un tableau.

❹ Ce projet est-il révélateur des dynamiques d'un espace de faible densité ? Justifiez votre réponse.

**1** **Manifestation contre le projet de Center Parcs à Poligny (Jura), février 2016**

Le projet de Center Parcs à Poligny dans le Jura mobilise les opposants qui en dénoncent les conséquences environnementales : bétonnage, déforestation, gaspillage de l'eau...

**2** **Des partisans du projet avancent des arguments**

Le groupe Pierre & Vacances assure que 300 emplois seront créés par le Center Parcs, ce qui ne laisse pas insensibles les collectivités locales dans une région très peu dense où les seules villes à moins de 100 kilomètres de distance sont Dijon, Besançon, Dole, Lons-le-Saunier.

Les collectivités locales rappellent l'enjeu économique. L'arrivée de Center Parcs à Poligny représente la promesse de 600 000 nuitées touristiques par an, 5 millions d'euros de retombées économiques par an pour les collectivités et entreprises locales, 500 emplois durant les travaux (de fin 2015 à l'été 2018), 300 emplois nouveaux créés sur le site.

De plus, c'est une formidable exposition du Jura auprès des dizaines de milliers de clients potentiels qui profiteront de leur séjour pour découvrir le département et la région.

■ D'après *Voix du Jura*, 28 mars 2014.

## MÉTHODE

**Je confronte des documents, je dégage des points de vue et je les éclaire**

▶ Il s'agit, après avoir relevé les informations que chacun des documents apporte, de comprendre la relation qui existe entre eux.

▶ Ils peuvent **se compléter**, c'est-à-dire avoir le même point de vue sur une situation géographique, et apporter des informations qui permettent de préciser votre réflexion.

▶ Ils peuvent aussi **s'opposer**, en portant deux regards différents sur un même sujet.

▶ Ils peuvent enfin permettre de **comparer** deux situations géographiques : il s'agit alors de dégager les différences et les points communs.

▶ Il est également important de **faire le lien entre les deux documents** qui vous sont proposés et les **connaissances que vous avez acquises**. En effet, celles-ci vous permettent d'éclairer le sujet sur lequel porte l'étude.

## EXERCICE **2** Maîtriser différents langages (20 points)

**1** Sous la forme d'un développement construit d'une vingtaine de lignes, expliquez les dynamiques qui touchent les espaces de faible densité du territoire français.

**2** Sur le fond de carte ci-dessous, localisez les espaces montagneux puis complétez la légende.
Faites ensuite apparaître, sous la forme d'un schéma, les principaux atouts des espaces de faible densité sur le territoire français.

**CONSEILS**

**Pour réaliser un schéma :**
→ repérez les mots clés dans la question ;
→ listez vos idées en lien avec les mots clés ;
→ réalisez votre schéma : un schéma « hérisson », un schéma avec des cases reliées par des flèches...
*Exemple :*

Quels atouts pour les espaces de faible densité ?

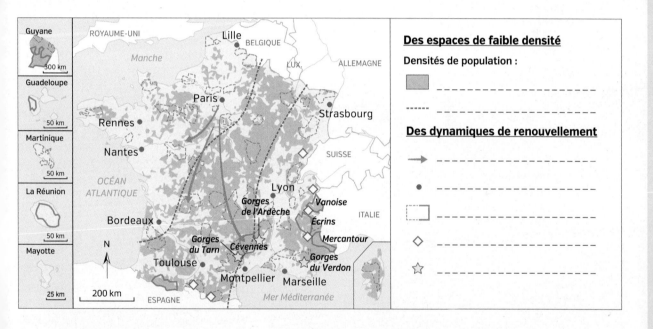

**Des espaces de faible densité**

Densités de population :

▭ _ _ _ _ _ _ _ _ _ _ _ _ _ _ _ _

----- _ _ _ _ _ _ _ _ _ _ _ _ _ _ _

**Des dynamiques de renouvellement**

→ _ _ _ _ _ _ _ _ _ _ _ _ _ _ _ _

● _ _ _ _ _ _ _ _ _ _ _ _ _ _ _ _

▢ _ _ _ _ _ _ _ _ _ _ _ _ _ _ _ _

◇ _ _ _ _ _ _ _ _ _ _ _ _ _ _ _ _

☆ _ _ _ _ _ _ _ _ _ _ _ _ _ _ _ _

## MON BILAN DE COMPÉTENCES

| Domaines du socle | Compétences travaillées | Pages du chapitre |
|---|---|---|
| **D1** Les langages pour penser et communiquer | Je sais pratiquer différents langages en géographie<br>Je sais raisonner et justifier une démarche et les choix effectués | Étude de cas ........... p. 252-253<br>Étude de cas ........... p. 254-255 |
| **D2** Méthodes et outils pour apprendre | Je sais conduire un projet<br>Je comprends le monde<br><br>Je sais organiser mon travail personnel | Étude de cas ........... p. 254-255<br>Des études de cas à la France ........... p. 256-257<br>Apprendre à apprendre ........... p. 262 |
| **D4** Les systèmes naturels et les systèmes techniques | Je sais formuler des hypothèses et les vérifier | Des études de cas à la France ........... p. 256-257 |
| **D5** Les représentations du monde et de l'activité humaine | Je sais établir des liens entre l'espace et l'organisation des sociétés<br>Je sais me repérer dans l'espace | Étude de cas ........... p. 252-253<br><br>À l'échelle nationale ........... p. 258-259 |

# Parcours ARTS

# Le *Land Art* et les espaces de faible densité : une expérience géographique et artistique

**Question clé** Comment les artistes de *Land Art* tirent-ils profit de la faible densité des paysages ?

France
Puy-de-Dôme • Mont-Dore
Alpes-de-Haute-Provence

**1** *La Sentinelle*, une œuvre d'Andy Goldsworthy, 2013

*La Sentinelle* d'Authon est l'un des trois cairns d'Andy Goldsworthy installés dans la réserve naturelle géologique de Haute-Provence entre 1999 et 2001.

**INFOS**

Reliant trois *Sentinelles*[1], *Refuge d'Art* est une œuvre d'art à « parcourir » en une dizaine de jours de marche. Conçu par l'artiste britannique Andy Goldsworthy, ce parcours traverse sur 150 km les paysages de la réserve géologique de Haute-Provence et croise les traces d'une vie agricole autrefois intense.

www.refugedart.fr

1. Cairns (monticules en pierre sèche) au cœur de trois vallées.

**2** ***Passage d'horizon*** **au col de la Croix Saint-Robert, une œuvre de Christophe Gonnet, 2013**

Installation de 100 m² en troncs et planches de bois, réalisée par l'artiste français Christophe Gonnet.

Mont-Dore (Puy-de-Dôme), 2013.

 **mémo ART**

## Le *Land Art*

### Présentation

▶ Le *Land Art* est un **mouvement artistique** apparu aux États-Unis dans les années 1960, caractérisé par un travail sur et dans la nature. Profitant de **grands espaces**, les artistes de *Land Art* interviennent sur les paysages naturels, en mettant en valeur la **préservation de lieux** choisis pour leur caractère sauvage.

### Techniques

▶ Les œuvres sont fabriquées *in situ*, directement sur le lieu, à partir de matériaux ramassés dans la nature (bois, terre, pierres, sable, rochers...). Cet art est éphémère, l'œuvre étant peu à peu dégradée par le temps.

## QUESTIONS

**Je présente et je décris les œuvres d'art**

**1** Présentez chacune des œuvres (date, auteur, technique...).

**2** À quel mouvement artistique ces deux œuvres se rattachent-elles ?

**3** Quels matériaux ont été utilisés pour les construire ?

**4** Quelle est la forme des œuvres ?

**J'explique le sens**

**5** D'après vous, quelles raisons ont poussé les artistes à choisir ces sites d'installation ?

# Partie 2

# Pourquoi et comment

**QUESTION CLÉ**

→ Quelles politiques d'aménagement les pouvoirs publics peuvent-ils mettre en œuvre pour réduire les inégalités entre les territoires ?

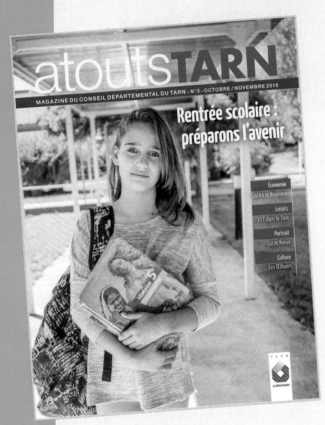

Magazine *Atouts Tarn*, n°3, octobre-novembre 2015.

Revue *Population et Avenir*, n°722, mars-avril 2015.

**ENJEU 1** Aménager pour réduire les inégalités croissantes

▶ Quels sont les enjeux des politiques d'aménagement des territoires ?

▶ Qui sont les acteurs des politiques françaises et européennes d'aménagement des territoires ?

→ Chapitre 15, p. 270-291

# aménager le territoire ?

Affiche du Mémorial ACTe, Centre caribéen d'expressions et de mémoire de la traite et de l'esclavage (Guadeloupe), 2016.

**ENJEU 2** **Aménager les territoires ultramarins français**

▶ Quelles caractéristiques spécifiques présentent les territoires ultramarins ?

▶ Comment les politiques publiques d'aménagement permettent-ils d'y répondre ?

→ **Chapitre 16, p. 292-307**

Affiche émise par le syndicat du sucre de La Réunion, 2015.

# Aménager pour réduire les inégalités croissantes

→ Quelles sont les inégalités entre les territoires français ? Comment l'aménagement du territoire peut-il les réduire ?

**Au cycle 4, en 5ᵉ**

J'ai appris que les inégalités de développement et de richesse existent à toutes les échelles, y compris dans les pays les plus développés comme la France.

**Au cycle 4, en 4ᵉ**

J'ai découvert comment la mondialisation profite à certains espaces bien connectés aux réseaux d'échanges, tandis que d'autres restent à l'écart.

**Ce que je vais découvrir**

L'action de l'État et des collectivités locales a pour but d'aménager et de réduire les inégalités entre les territoires (économiques, sociales, ou concernant l'accès aux équipements publics).

France
Lyon
Saint-Gaudens

**1** La démolition de la « barre 230 » dans le quartier de La Duchère à Lyon, 2015

**Le savez-vous ?**

La loi du 4 février 1995 d'aménagement et de développement du territoire prévoit qu'aucune partie du territoire français métropolitain continental ne se trouvera éloignée de plus de 50 kilomètres ou de 45 minutes d'automobile d'une autoroute, ou d'une gare desservie par le réseau ferré à grande vitesse.

**2** L'échangeur autoroutier (A64) de Saint-Gaudens (Haute-Garonne), 2014

**SOCLE** Compétences
▸ **Domaine 1** : Je m'initie aux techniques de l'argumentation
▸ **Domaine 5** : J'établis des liens entre l'espace
et l'organisation des sociétés

# La ligne à grande vitesse Sud Europe Atlantique

**Question clé**  Quels sont les enjeux de l'aménagement
de la ligne Sud Europe Atlantique (SEA) ?

## A  Une LGV pour réduire les inégalités de transport

ÉCHELLE RÉGIONALE

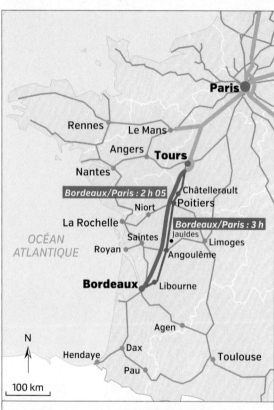

**1**  **La ligne à grande vitesse
Sud Europe Atlantique (SEA)**

Légende de la carte :
— Ligne à grande vitesse SEA Tours-Bordeaux
— Lignes à grande vitesse existantes
— Autres grandes lignes ferroviaires
— Ligne ferroviaire existante qui sera principalement
utilisée pour développer le trafic régional et le fret

**2**  **Des enjeux et des attentes**

**Alicia** : « Bordeaux est une des dernières grandes métropoles non raccordées à la très grande vitesse. L'entrée en service de la LGV constitue à ce titre une remise à niveau susceptible de fortifier l'économie et l'attractivité de la ville. »

**Jérôme** : « La LGV devrait accélérer le développement du territoire bordelais. Malgré l'attractivité qu'elle exerce, Bordeaux manque de centres de décision, de services aux entreprises. Or l'arrivée de la LGV peut encourager des sociétés de taille moyenne à y implanter leurs sièges. »

**Luc** : « La région attend depuis longtemps la LGV qui permettra de conforter son attractivité et d'envisager de meilleures réponses aux besoins de mobilité, aux défis environnementaux et de liaisons de qualité entre les villes qui composeront la très grande région de demain. »

■ D'après *LISEA Express*, n°11, avril 2015.

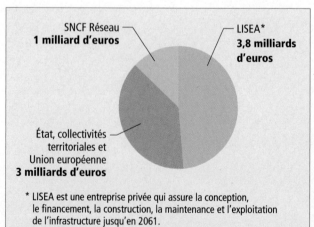

SNCF Réseau
**1 milliard d'euros**

LISEA*
**3,8 milliards
d'euros**

État, collectivités
territoriales et
Union européenne
**3 milliards d'euros**

\* LISEA est une entreprise privée qui assure la conception,
le financement, la construction, la maintenance et l'exploitation
de l'infrastructure jusqu'en 2061.

Source : www.lgv-sea-tours-bordeaux.fr, 2015.

**3**  **Le financement de la LGV SEA**

---

**VOCABULAIRE**

▸ **Ligne à grande vitesse (LGV)**
Ligne ferroviaire construite pour des trains roulant au-delà de 220 km/h et nécessitant un tracé et une signalisation spécifiques.

**4** Un viaduc en construction près de Bordeaux pour le passage des TGV, 2014

## 5 Un aménagement essentiel

La France ne doit et ne peut se résumer dans une relation entre Paris et les grandes métropoles.

La LGV est un outil au service de l'égalité et de l'aménagement des territoires du développement économique, du service public, du développement durable. C'est enfin un équipement de transport essentiel pour les déplacements de tous.

La gare TGV d'Angoulême rayonne au-delà de l'agglomération et du département. De nombreux habitants de la Dordogne, du Limousin, de la Charente-Maritime et du nord de la Gironde viennent prendre leur train en gare d'Angoulême pour des raisons de proximité, dans un esprit de rationalisation de leurs déplacements et de préoccupation en matière de développement durable.

■ Éric Savin, maire de Jauldes, délibérations du conseil municipal, 20 avril 2015.

## Activités

**Question clé** Quels sont les enjeux de l'aménagement de la ligne Sud Europe Atlantique (SEA) ?

### ITINÉRAIRE 1

▶ **Je comprends et j'analyse les documents**

**1** **Doc 1 et 4.** En quoi consiste l'aménagement de la LGV SEA ?

**2** **Doc 3.** Quels acteurs interviennent dans la réalisation de ce projet ?

**3** **Doc 1, 2 et 5.** Relevez les bénéfices que la LGV apportera à toute la région.

**4** **Doc 1, 2 et 5.** Quelle inégalité spatiale la LGV réduira-t-elle ?

**OU**

### ITINÉRAIRE 2

▶ **J'extrais et je hiérarchise des informations dans un tableau (étape 1)**

À l'aide des documents 1 à 5, reproduisez puis complétez ce tableau pour répondre à la question clé.

| | 1. Un aménagement et des acteurs (Où ? Quoi ? Combien ? Quand ? Qui ?) | 2. Objectifs et enjeux de l'aménagement (Inégalité ? Objectifs ? Enjeux ? Bénéfices ? Risques ?) |
|---|---|---|
| À l'échelle régionale | → Doc 1, 3 et 4 | → Doc 1, 2 et 5 |
| À l'échelle locale | → p. 275 | → p. 275 |

## B LGV et aménagement urbain : le projet Euratlantique à Bordeaux

ÉCHELLE LOCALE

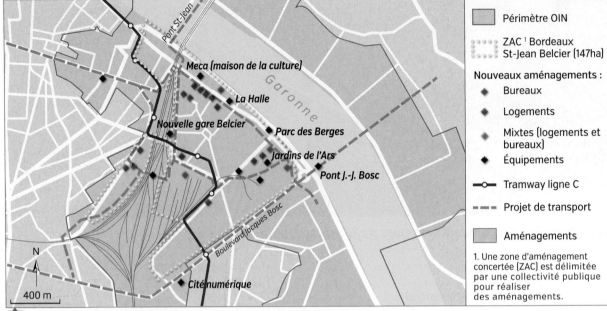

**Légende :**
- Périmètre OIN
- ZAC [1] Bordeaux St-Jean Belcier (147ha)
- Nouveaux aménagements :
  - ◆ Bureaux
  - ◆ Logements
  - ◆ Mixtes (logements et bureaux)
  - ◆ Équipements
- ●━━● Tramway ligne C
- ▬ ▬ ▬ Projet de transport
- Aménagements

1. Une zone d'aménagement concertée (ZAC) est délimitée par une collectivité publique pour réaliser des aménagements.

*(Repères sur la carte : Pont St-Jean, Meca (maison de la culture), La Halle, Nouvelle gare Belcier, Garonne, Parc des Berges, Jardins de l'Ars, Pont J.-J. Bosc, Boulevard Jacques Bosc, Cité numérique, N, 400 m)*

**6** Le projet Euratlantique, une opération d'intérêt national (OIN), 2015

**7** Objectifs d'aménagement urbain de Saint-Jean Belcier

Le site du projet est un vaste territoire complexe composé de quartiers populaires anciens et de grands espaces d'activités à restructurer pour accompagner l'arrivée des lignes à grande vitesse et d'un centre des affaires.

**Objectifs généraux :**
- Tirer parti de l'arrivée à moyen et à long termes de la LGV pour doter l'agglomération bordelaise d'un centre des affaires de rayonnement national et européen. [...]
- Opérer la mutation des friches ferroviaires et des terrains aujourd'hui peu valorisés pour développer un nouveau quartier offrant mixité sociale et fonctionnelle.
- Connecter le quartier et l'intégrer au reste de l'agglomération par les transports (renforcement du réseau de transports en commun, création de nouvelles voies de desserte, d'un nouveau franchissement des voies ferrées).
- Inciter de nouveaux modes de vie et de nouveaux usages de la ville par une conception durable et sociale des quartiers.

■ Orientations d'aménagement urbain, Fiche B18, 2014.

### CHIFFRES CLÉS

➡ **15 000** nouveaux **logements**.

➡ **400 000** m² de **bureaux** (centre des affaires).

➡ **40 000** m² de **commerces**.

➡ **50** hectares d'**espaces verts**.

➡ **100 millions** d'euros de **subventions publiques** :
- 35 % par l'État,
- 35 % par la Communauté urbaine de Bordeaux,
- 20 % par la ville de Bordeaux,
- 10 % par les villes de Bègles et Floirac.

### VOCABULAIRE

▶ **Opération d'intérêt national (OIN)**
Outil d'aménagement urbain pour l'État de certains espaces jugés stratégiques et prioritaires.

▶ **Mixité fonctionnelle**
Diversification des fonctions d'un quartier (logements, travail, achats, loisirs). Elle permet de limiter les déplacements quotidiens.

▶ **Mixité sociale**
Diversification de la composition sociale d'un quartier pour lutter contre la séparation spatiale des habitants selon leur niveau de vie.

### 8 Le projet Euratlantique autour de la nouvelle gare Saint-Jean

L'arrivée de la LGV SEA en 2017 nécessite des aménagements dans la nouvelle gare :
plate-forme d'échanges multimodale (bus, tramway, vélos, piétons, taxis et stationnement),
mais aussi un espace de vie et de services pour le quartier Saint-Jean Belcier.

### 9 Logements et équipements de proximité

Le principal enjeu métropolitain est de produire du logement abordable (maîtrise des prix) et de qualité, pour tous, en favorisant la diversité des populations et des usages de la ville au sein d'un même quartier.

Les logements doivent répondre aux besoins de la société actuelle : plus de grands logements (familles nombreuses et recomposées, colocations, accueil de parents âgés, etc.), des logements qui privilégient l'ouverture sur l'extérieur (loggias, terrasses), la mutualisation d'espaces fonctionnels (parking, buanderie, etc.) et des services de proximité.

105 000 m² soit environ 1 500 logements seront construits sur la première phase de la ZAC[1] Bordeaux Saint-Jean Belcier. Des résidences pour les étudiants et les personnes âgées sont programmées. Ces structures seront accompagnées de l'aménagement d'espaces publics et paysagers, d'un groupe scolaire, d'une crèche, d'un centre de loisirs, d'une piscine et d'une clinique à proximité des jardins de l'Ars.

■ Bordeaux Euratlantique,
*Un projet métropolitain et européen*, 2013.
1. Zone d'aménagement concertée.

## Activités

**Question clé** Quels sont les enjeux de l'aménagement de la ligne Sud Europe Atlantique (SEA) ?

### ITINÉRAIRE 1

▶ **Je prélève des informations dans les documents**

**1 Doc 6 à 9.** Que prévoit le projet Euratlantique ? Présentez l'aménagement.

**2 Doc 6, 7 et chiffres clés.** Quels acteurs interviennent dans la réalisation de ce projet ? Comment ?

**3 Doc 7 à 9.** Relevez les avantages de cet aménagement pour Bordeaux.

▶ **J'argumente à l'écrit**

**4** Répondez à la question clé en organisant votre texte en deux parties :
• à l'échelle régionale, en vous appuyant sur l'aménagement de la LGV SEA ;
• à l'échelle locale, en reprenant vos découvertes de l'aménagement de Bordeaux Euratlantique.

**ou**

### ITINÉRAIRE 2

▶ **J'extrais et je hiérarchise des informations dans un tableau (étape 2)**

À l'aide des documents 6 à 9, terminez de compléter le tableau commencé p. 273, pour répondre à la question clé.

| | 1. Un aménagement et des acteurs (Où ? Quoi ? Combien ? Quand ? Qui ?) | 2. Objectifs et enjeux de l'aménagement (Inégalité ? Objectifs ? Enjeux ? Bénéfices ? Risques ?) |
|---|---|---|
| À l'échelle régionale | → p. 273 | → p. 273 |
| À l'échelle locale | → Doc 6, 7, 8 et Chiffres clés | → Doc 6 à 9 |

**SOCLE** Compétences
▶ **Domaine 5** : Je comprends le monde
▶ **Domaine 4** : Je formule des hypothèses et je les vérifie

# Comment les aménagements peuvent-ils réduire les inégalités entre les territoires ?

MISE EN PERSPECTIVE

**ÉTAPE 1**

## Je compare les deux aménagements de mon étude de cas

**A** Recopiez le tableau suivant.

| | 1. La LGV Sud Europe Atlantique | 2. Le projet Bordeaux Euratlantique |
|---|---|---|
| **Des inégalités entre les territoires** | | |
| **Des politiques et des projets d'aménagement** | | |

**B** D'après ce que vous avez appris de l'étude des deux exemples d'aménagements, remplissez le tableau avec les phrases ci-dessous.
Attention, une même phrase peut correspondre à plusieurs cas.

1. Importance des transports pour le développement et les mobilités
2. Inégalité dans l'offre de transport pour tous
3. Friches industrielles à rénover
4. Région mal desservie par les transports à grande vitesse
5. Réduire les inégalités entre les quartiers urbains à l'échelle locale
6. Politique urbaine
7. Emplois et activités peu présents
8. Politique de transport
9. Espaces très éloignés des gares TGV
10. Financement de l'Union européenne
11. Soutien de l'État et des collectivités locales
12. Logements insuffisants en quantité et en qualité
13. Réduire les inégalités de transport à l'échelle nationale
14. Quartiers pour des populations pauvres, ou d'autres aisées

**C** Entourez dans le tableau les phrases communes aux deux colonnes.

**ÉTAPE 2**

## Je formule des hypothèses

**D** À partir de l'exemple travaillé et du tableau ci-dessus, rédigez trois phrases expliquant les inégalités entre les territoires et comment elles doivent être compensées par l'aménagement du territoire.

1. Les inégalités entre les territoires se manifestent par...
2. L'aménagement du territoire recherche...
3. Les acteurs de l'aménagement des territoires sont...

**ÉTAPE 3**

## Je vérifie si mes hypothèses sont justes

**E** Prenez connaissance des documents 1 à 3 ci-contre.
Indiquez à quelle hypothèse retenue dans l'étape 2 correspond chacun de ces documents.

## 1 La politique d'aménagement régional du Limousin

Le développement s'appuie sur tous les territoires qui le composent. Chacun a un rôle à jouer. L'articulation est nécessaire entre les différentes politiques de l'Union européenne, les politiques nationales, régionales, départementales.

L'équité[1] est un principe fondateur des politiques territoriales régionales. En effet, si l'égalité parfaite des territoires est immédiatement inaccessible, la Région veut, en revanche, favoriser l'égalité des chances par une prise en compte des réalités locales. À ce titre, elle considère qu'elle doit soutenir les collectivités les plus fragiles dans leurs projets, qu'elle doit accompagner des actions spécifiques de développement local dans les territoires.

Cela se concrétisera par la mise en œuvre de logiques de rééquilibrage de ses actions au profit des territoires les plus fragilisés, en particulier par la prise en compte d'un souci de justice territoriale.

▪ Guide Région Limousin des politiques territoriales 2015-2020.

1. L'équité territoriale est un principe qui consiste à aider les territoires qui en ont le plus besoin pour viser l'égalité.

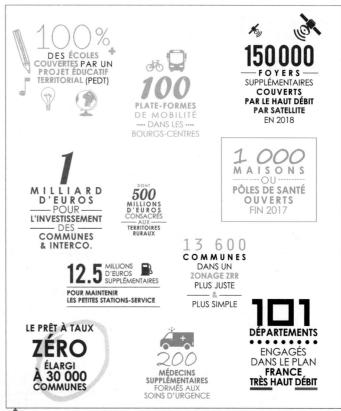

## 2 L'aménagement des territoires ruraux

Quelques actions d'aménagement mises en place par le Commissariat général à l'égalité des territoires (CGET) pour améliorer le quotidien des habitants et l'attractivité des territoires ruraux.

Brochure du Commissariat général à l'égalité des territoires (CGET), septembre 2015.

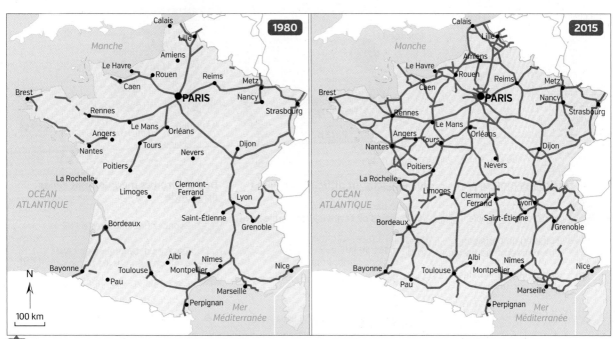

## 3 L'évolution du réseau autoroutier français

# Inégalités et aménagement du territoire français

▶ **Je situe dans l'espace**

**①** Quel espace domine l'organisation du territoire français ?

**②** Comment l'aménagement du territoire compense-t-il les inégalités ? Relevez trois exemples.

**③** Quelle partie du territoire national est bien intégrée à l'Union européenne ?

**④** À quel type d'espace le territoire de votre collège appartient-il ?

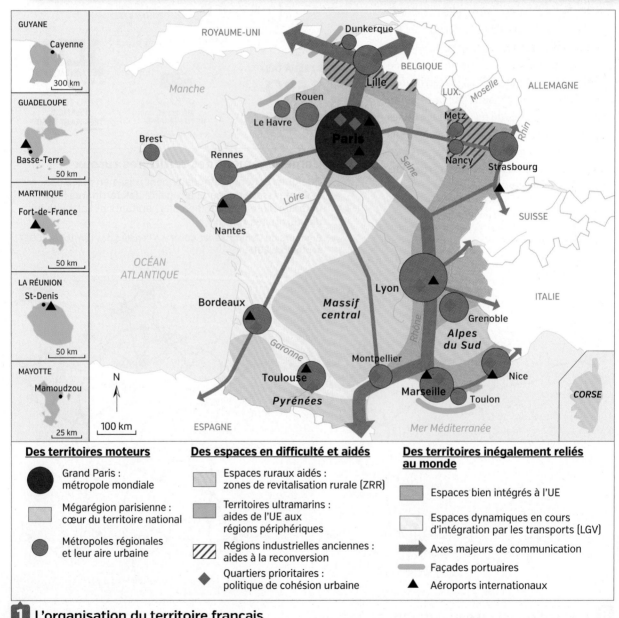

GUYANE
Cayenne
300 km

GUADELOUPE
Basse-Terre
50 km

MARTINIQUE
Fort-de-France
50 km

LA RÉUNION
St-Denis
50 km

MAYOTTE
Mamoudzou
25 km

ROYAUME-UNI · Dunkerque · BELGIQUE · LUX. · Moselle · ALLEMAGNE · Manche · Lille · Rouen · Metz · Rhin · Le Havre · Brest · Paris · Nancy · Strasbourg · Rennes · Seine · SUISSE · Loire · Nantes · OCÉAN ATLANTIQUE · Lyon · ITALIE · Bordeaux · Massif central · Grenoble · Rhône · Alpes du Sud · Garonne · Montpellier · Nice · Toulouse · Marseille · CORSE · Pyrénées · Toulon · N · 100 km · ESPAGNE · Mer Méditerranée

**Des territoires moteurs**

⬤ Grand Paris : métropole mondiale

▢ Mégarégion parisienne : cœur du territoire national

⬤ Métropoles régionales et leur aire urbaine

**Des espaces en difficulté et aidés**

▢ Espaces ruraux aidés : zones de revitalisation rurale (ZRR)

▢ Territoires ultramarins : aides de l'UE aux régions périphériques

▨ Régions industrielles anciennes : aides à la reconversion

◆ Quartiers prioritaires : politique de cohésion urbaine

**Des territoires inégalement reliés au monde**

▢ Espaces bien intégrés à l'UE

▢ Espaces dynamiques en cours d'intégration par les transports (LGV)

➤ Axes majeurs de communication

━ Façades portuaires

▲ Aéroports internationaux

**1** L'organisation du territoire français

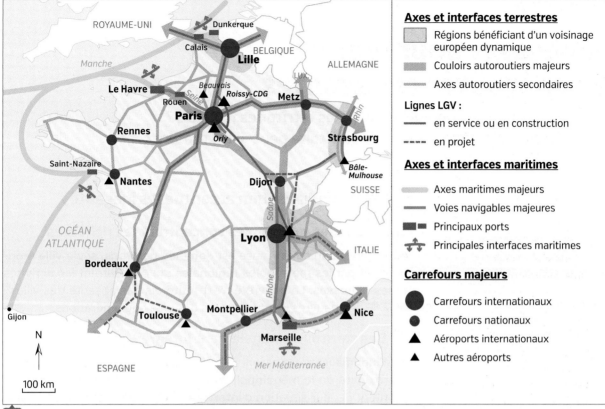

**Axes et interfaces terrestres**

Régions bénéficiant d'un voisinage européen dynamique

Couloirs autoroutiers majeurs

Axes autoroutiers secondaires

**Lignes LGV :**

en service ou en construction

en projet

**Axes et interfaces maritimes**

Axes maritimes majeurs

Voies navigables majeures

Principaux ports

Principales interfaces maritimes

**Carrefours majeurs**

Carrefours internationaux

Carrefours nationaux

Aéroports internationaux

Autres aéroports

**2** Le réseau de transport de l'espace français

site élève
↓ croquis à imprimer

**ÉTAPE 2** — Je passe au croquis

**5** En vous aidant des cartes 1 et 2, identifiez chacun des figurés cartographiques utilisés sur ces trois schémas. Puis, construisez la légende du croquis disponible sur le site élève. Chacun des petits schémas correspond à une partie de la légende.

**MÉTHODE**

▶ Pour réaliser le croquis, réunissez les informations cartographiées sur ces trois schémas.

▶ Ajoutez le nom des grands repères géographiques (métropoles, régions, mers et océan...).

▶ Donnez un titre à votre croquis.

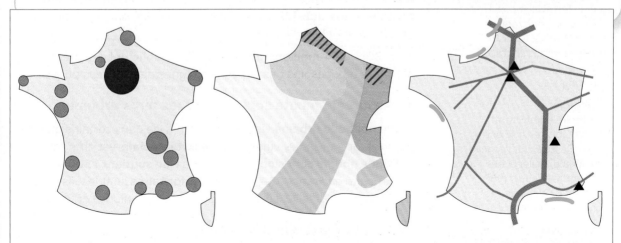

**1. Un réseau dominant de métropoles**     **2. Des contrastes spatiaux**     **3. Des disparités de transports**

# Aménager pour réduire les inégalités croissantes

→ **Quelles sont les inégalités entre les territoires français ?**
**Comment l'aménagement du territoire peut-il les réduire ?**

## VOCABULAIRE

▸ **Aménagement**
Ensemble des actions et/ou des politiques mises en œuvre pour réduire les inégalités entre les territoires.

▸ **Collectivités territoriales**
Communes, départements, régions.

▸ **Décentralisation**
Transfert de compétences de l'État vers les collectivités territoriales (communes, départements, régions)

▸ **Interface**
Zone de contacts et d'échanges privilégiés entre deux espaces distincts.

▸ **Ligne ferroviaire à grande vitesse (LGV)**
Ligne ferroviaire construite pour des trains roulant au-delà de 220 km/h et nécessitant un tracé et une signalisation spécifiques.

▸ **Région**
Territoire administratif intermédiaire situé entre l'échelle locale et l'échelle nationale. Collectivité territoriale depuis 1982, elle est dirigée par un conseil régional.

▸ **Territoire**
Espace vécu et approprié par ses habitants.

## A La mondialisation accentue les inégalités

### 1. Paris et les métropoles concentrent les richesses

● L'organisation de la France est **dominée par Paris**, seule **ville mondiale**, et par les **métropoles régionales** qui concentrent les **activités** et les **richesses**. La pauvreté n'est toutefois pas absente des villes : 65,2 % des pauvres vivent dans les grandes agglomérations.

### 2. Des territoires inégalement intégrés aux réseaux

● La **mondialisation** a accentué les **inégalités**. Les **régions frontalières** à proximité de la mégalopole européenne et les **façades littorales** profitent de leur situation d'**interface** pour se développer, tandis que les espaces ruraux, mal intégrés aux réseaux, sont souvent en déprise.

### 3. La grande vitesse pour tous ?

● Pour rapprocher les **territoires**, l'UE et la France aménagent des **lignes ferroviaires à grande vitesse (LGV)**. L'ouverture de la LGV Bretagne-Pays de la Loire et de la LGV Sud Europe Atlantique améliore l'**intégration européenne des territoires français de l'Ouest et du Sud-Ouest**, en particulier des métropoles comme Bordeaux.

## B Les enjeux de l'aménagement du territoire

### 1. Réduire les difficultés des espaces ruraux

● Les **espaces ruraux** sont soutenus par une politique de **zones de revitalisation rurale (ZRR)** pour limiter leur déclin économique et démographique (→ chap. 14 p. 250).

● En 2015, 364 **maisons de services au public** ont été créées pour répondre aux besoins des citoyens éloignés des services publics.

### 2. Assurer la mixité sociale dans les aires urbaines

● Une **politique urbaine** vise à améliorer la vie dans certains quartiers pauvres des grandes villes où la **mixité sociale** est très faible. La **politique pour la cohésion urbaine et la ville soutient 1 500 quartiers** en difficulté en France. Ces **quartiers prioritaires** sont localisés en Île-de-France, à Marseille, Lille, Lyon, Strasbourg, Toulouse et Bordeaux.

### 3. Garantir la mobilité pour tous

● Les **politiques publiques** souhaitent garantir les **déplacements** des populations. Par exemple, l'ouverture de l'autoroute A75 a pour

280

objectif de désenclaver le Massif central. Les politiques urbaines locales financent des **transports en commun** : tramway à Besançon, Tours, Dijon ou Brest par exemple.

## C Les acteurs de l'aménagement du territoire

### 1. Une politique nationale et européenne

● **L'UE** est le premier financeur de l'**aménagement du territoire français**. Le **Commissariat général à l'égalité des territoires** (**CGET**) conseille le gouvernement français pour lutter contre les inégalités territoriales.

### 2. La région, un acteur majeur de l'aménagement

● Les **collectivités territoriales** sont des acteurs de plus en plus impliqués. La **décentralisation** donne aux **régions françaises** des compétences plus grandes en matière d'aménagement du territoire : gestion des lycées, transport ferroviaire, etc.

### 3. Les habitants participent à l'aménagement local

● Les **habitants** sont des **acteurs** influents dans l'**aménagement local**. Ils interviennent lors des enquêtes publiques ou dans les conseils de quartier pour exprimer leurs opinions et parfois leurs oppositions.

**REPÈRES**

**Les 13 régions métropolitaines en 2016**

→ Voir atlas p. 370

**CHIFFRES CLÉS**

➡ **18** **régions** dont **13** régions métropolitaines

➡ **5** DROM

➡ **101** **départements** dont **96** en France métropolitaine

➡ **35 000** **communes**

---

**Je retiens autrement**

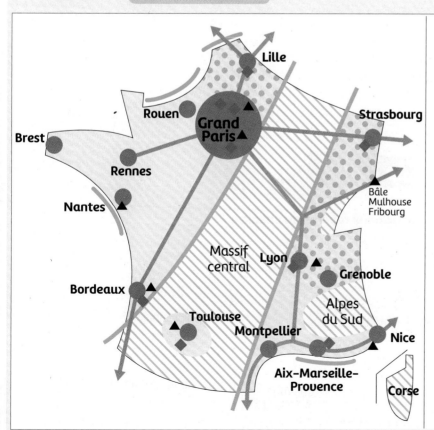

**Contrastes et dynamiques du territoire**

- ● Les centres : 14 métropoles
- ▢ Espaces dynamiques
- ▦ Espaces bien intégrés au cœur économique de l'UE
- ⌒ Façades maritimes
- — Diagonales des faibles densités

**Des aménagements pour développer les territoires et réduire les inégalités**

- — Principaux axes de transport
- ▲ Principaux aéroports
- ◆ Quartiers prioritaires
- ▨ Zones de revitalisation rurale

*Carte : Lille, Rouen, Brest, Grand Paris, Strasbourg, Bâle Mulhouse Fribourg, Rennes, Nantes, Massif central, Lyon, Grenoble, Bordeaux, Alpes du Sud, Toulouse, Montpellier, Nice, Aix-Marseille-Provence, Corse*

## Comment apprendre ma leçon ?

### J'apprends en m'enregistrant

Parfois, on retient mieux ce que l'on entend. Pour mémoriser le cours, on peut s'enregistrer en récitant sa leçon, puis s'écouter plusieurs fois.

▶ **Étape 1**

- Pour commencer, il faut vous assurer que vous avez bien compris votre leçon. Classez les connaissances du chapitre en 3 parties.

▶ **Étape 2**

- Enregistrez-vous en lisant ou en racontant votre leçon. Pour cela, vous pouvez utiliser votre téléphone portable, un dictaphone ou un ordinateur (et des logiciels comme Audacity).

💡 Lorsque vous vous enregistrez, faites des phrases claires et audibles ; ne parlez pas trop vite, il faut que cela soit agréable à écouter.

1. La mondialisation accentue les inégalités

2. Les enjeux de l'aménagement du territoire

3. Des acteurs de l'aménagement du territoire

▶ **Étape 3**

- Pour écouter votre enregistrement, mettez-vous au calme et concentrez-vous.

## Je révise chez moi

● **Je vérifie que je connais les principaux repères du chapitre.**

Je sais définir et utiliser dans une phrase :

- aménagement
- territoire
- région
- décentralisation
- collectivités territoriales

Je sais situer sur une carte :

- les 13 régions métropolitaines ;
- les principales métropoles ;
- les grands axes de communication.

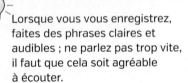
site élève
⬇ fond de carte

Je sais expliquer :

- l'organisation du territoire.
- les inégalités au sein du territoire français.
- la nécessité d'aménager pour réduire les inégalités.

mes connaissances

## 1 Qui suis-je ?

> Je suis un territoire administratif comme les communes, départements, régions.

> Je suis un ensemble d'actions mises en œuvre pour réduire les inégalités entre les territoires.

> Je suis un territoire administratif intermédiaire situé entre l'échelle locale et l'échelle nationale.

> Je suis un espace vécu et approprié par ses habitants.

## 2 J'organise mes idées dans un schéma.

**Je complète le schéma en replaçant au bon endroit les idées découvertes dans le chapitre.**

- Coût des aménagements
- Des acteurs privés : entreprises, habitants
- Réduire les inégalités liées au transport
- Contestation par les habitants
- Un territoire dominé par les métropoles
- Des acteurs publics : UE, État, collectivités
- Une concurrence accrue par la mondialisation
- Favoriser un développement durable

site élève
↧ schéma à imprimer

Réduire les inégalités :

Des enjeux :

**Aménager le territoire**

Des acteurs :

Des difficultés :

## 3 J'utilise mes repères géographiques.

**Je localise les éléments cités ci-dessous sur le fond de carte.**

- Le principal axe de communication en France.
- 5 régions administratives de mon choix parmi les 13 régions métropolitaines.
- Paris et les 10 plus grandes métropoles françaises.

site élève
↧ fond de carte à imprimer

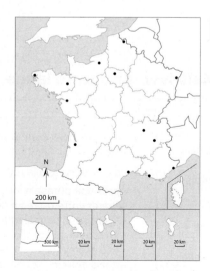

N

200 km

500 km | 20 km | 20 km | 20 km | 20 km

## 4 Retrouvez d'autres exercices sous forme interactive sur le site Nathan.

site élève
↧ exercices interactifs

## EXERCICE **1** Analyser et comprendre des documents [20 points]

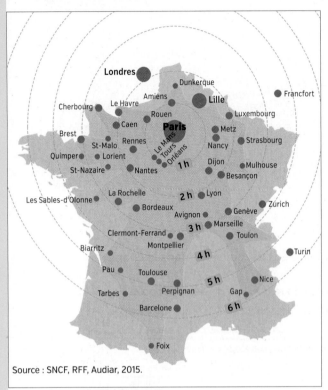

Source : SNCF, RFF, Audiar, 2015.

### Carte isochrone de la France TGV en 2015

Une carte isochrone est une représentation schématique d'un espace. Les surfaces sont modifiées en fonction des courbes qui renvoient à des distances-temps.

### QUESTIONS
site élève
⬇ analyser un cartogramme

❶ Comment s'appelle ce document ? Que représente-t-il ?

❷ Quel type d'inégalités territoriales la carte isochrone met-elle en évidence ?

❸ D'après vos connaissances, citez au moins deux projets d'aménagement qui permettent de réduire ces inégalités. Quels en sont les acteurs ?

❹ Expliquez l'intérêt de ce type de représentation cartographique pour présenter la France TGV.

### MÉTHODE

**Je porte un regard critique sur un document [→ Question ❹]**

▶ Commencez par bien identifier ce que représente le document [prélèvement d'informations].

▶ Comparez les informations du document avec les connaissances que vous avez acquises sur le sujet.

▶ Recherchez dans ce chapitre les éléments concernant l'aménagement des territoires par les lignes à grande vitesse.

▶ Mettez en relation cette carte isochrone avec les notions clés du chapitre : *urbanisation – aménagement – inégalités entre les territoires.*

## EXERCICE **2** Maîtriser différents langages [20 points]

**CONSIGNE** Sous la forme d'un développement construit d'une vingtaine de lignes et en vous appuyant sur les exemples travaillés en classe, expliquez pourquoi et comment des politiques d'aménagement sont mises en œuvre à l'échelle des territoires français.

### CONSEILS

→ Interrogez-vous sur le sens du sujet en vous attachant aux mots clés, puis listez les points de votre leçon liés au sujet.

→ Passez ensuite à la rédaction.

→ Après une phrase d'introduction qui présente le sujet, vous pouvez séparer votre texte en deux parties qui montrent :
• les raisons pour lesquelles des politiques d'aménagement sont mises en œuvre à l'échelle des territoires français ;
• des exemples de politiques d'aménagement : quels aménagements ? quels acteurs ? quels enjeux ?

→ Utilisez le vocabulaire adapté :
*aménagement – compétitivité – acteurs – continuité territoriale – CGET*

## SUJET BLANC

## EXERCICE 1 Analyser et comprendre des documents (20 points)

### EuroRennes, de nombreux enjeux

EuroRennes, ce n'est pas uniquement un projet de nouvelle gare. Le projet concerne un vaste secteur urbain intégrant les gares ferroviaires et routières ainsi que leurs abords immédiats.

Deux événements majeurs ont déclenché la réflexion sur le pôle d'échanges multimodal en 2006 et plus largement sur le projet urbain EuroRennes : le projet de Ligne à grande vitesse (LGV) Bretagne–Pays de la Loire – Rennes se situera alors à 1 h 27 de Paris – et la mise en service d'une 2e ligne de métro à l'horizon 2019. La LGV permettra de développer de manière significative la desserte de la Bretagne et des Pays de la Loire, en réduisant la position périphérique de l'Ouest et en renforçant son accessibilité vers les autres régions françaises.

À l'échelle de la ville, les élus sont persuadés que le nouveau quartier peut rééquilibrer la ville et s'intégrer au centre. Son aménagement très vert doit l'imposer comme un espace de balade.

Début 2018, le cinéma d'art et d'essai l'Arvor implantera ses cinq salles de projection à côté de la gare. Enfin, 1 400 logements y seront bâtis d'ici à 2025. Sans oublier les nouveaux hôtels autour de l'avenue Janvier, à proximité du centre des congrès, qui devraient profiter du développement du tourisme urbain grâce à la LGV.

EuroRennes va faire naître d'ici 15 ans un nouveau quartier résidentiel et d'activités. L'offre d'habitat va répondre aux besoins de la croissance démographique dans un esprit de mixité sociale et de densité.

■ D'après www.eurorennes.fr et *L'Express*, mai 2014.

### QUESTIONS

**1** De quel projet d'aménagement est-il question ici ? Localisez-le à l'échelle de la France.

**2** Complétez le tableau suivant :

| Échelle | Objectifs du projet |
|---|---|
| Locale (la métropole rennaise) | |
| Régionale | |
| Nationale et européenne | |

**3** Ce projet permet-il de réduire les inégalités entre les territoires ? Justifiez votre réponse.

**4** Expliquez le nom choisi pour ce projet « EuroRennes ».

## EXERCICE 2 Maîtriser différents langages (20 points)

**CONSIGNE** Sous la forme d'un développement construit d'une vingtaine de lignes et en vous appuyant sur des exemples travaillés en classe, décrivez les principales inégalités entre les territoires en France.

## MON BILAN DE COMPÉTENCES

| Domaines du socle | | Compétences travaillées | Pages du chapitre | |
|---|---|---|---|---|
| D1 | Les langages pour penser et communiquer | Je m'initie aux techniques de l'argumentation | Étude de cas | p. 272-275 |
| D2 | Méthodes et outils pour apprendre | Je sais organiser mon travail personnel | Apprendre à apprendre | p. 282 |
| D4 | Les systèmes naturels et les systèmes techniques | Je sais formuler des hypothèses et les vérifier | De l'étude de cas à la France | p. 276-277 |
| D5 | Les représentations du monde et de l'activité humaine | Je sais établir des liens entre l'espace et l'organisation des sociétés<br>Je comprends le monde<br>Je sais me repérer dans l'espace | Étude de cas<br>De l'étude de cas à la France<br>À l'échelle nationale | p. 272-275<br>p. 272-275<br>p. 278-279 |

## Les enjeux d'un aménagement de proximité : l'écoquartier de l'Union près de Lille

Quartier de l'Union
Lille
France

**CONSIGNE**

Répartis en équipes et à l'aide de l'ensemble des documents, réalisez une enquête sur un exemple d'aménagement de proximité : l'écoquartier de l'Union, dans la métropole lilloise.

Vous décrirez le projet dans un diaporama, et présenterez les évolutions futures de l'espace urbain aménagé dans les vingt prochaines années.

**1** L'écoquartier de l'Union, une vaste opération de rénovation urbaine

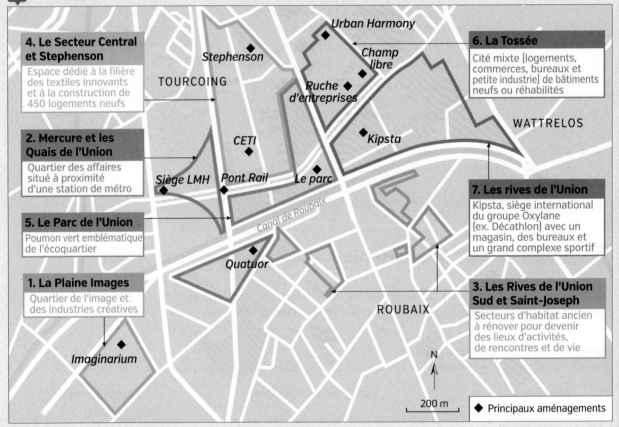

**4. Le Secteur Central et Stephenson**
Espace dédié à la filière des textiles innovants et à la construction de 450 logements neufs

**2. Mercure et les Quais de l'Union**
Quartier des affaires situé à proximité d'une station de métro

**5. Le Parc de l'Union**
Poumon vert emblématique de l'écoquartier

**1. La Plaine Images**
Quartier de l'image et des industries créatives

**6. La Tossée**
Cité mixte (logements, commerces, bureaux et petite industrie) de bâtiments neufs ou réhabilités

**7. Les rives de l'Union**
Kipsta, siège international du groupe Oxylane (ex. Décathlon) avec un magasin, des bureaux et un grand complexe sportif

**3. Les Rives de l'Union Sud et Saint-Joseph**
Secteurs d'habitat ancien à rénover pour devenir des lieux d'activités, de rencontres et de vie

TOURCOING — WATTRELOS — ROUBAIX

Urban Harmony · Stephenson · Champ libre · Ruche d'entreprises · CETI · Kipsta · Siège LMH · Pont Rail · Le parc · Canal de Roubaix · Quatuor · Imaginarium

N

200 m

◆ Principaux aménagements

Le site de l'Union, situé à la jonction de Roubaix, Tourcoing et Wattrelos, est le premier écoquartier de la métropole lilloise et l'un des plus importants projets de renouvellement urbain français. À l'Union, 80 hectares d'anciens sites industriels et d'habitat du début du XXᵉ siècle se transforment en un quartier attractif, mixant finement activités économiques, équipements, logements et espaces naturels.

■ Brochure promotionnelle, *L'Union, la ville de demain*, Lille Métropole, 2014.

## 2 Un quartier industriel ancien et rénové

Une « ruche d'entreprises » a été construite pour offrir des bureaux à de jeunes entreprises innovantes. Photographie prise en 2015.

## 3 Le projet d'aménagement de l'Union

Porté par Lille Métropole, les villes de Roubaix, Tourcoing et Wattrelos, en partenariat avec les acteurs économiques de la métropole, le projet a débuté en 2007. L'Union existe déjà dans sa dimension d'accueil d'activités économiques : 135 entreprises (1 400 salariés) y sont déjà implantées, autour notamment de deux filières économiques d'excellence : les métiers de l'image et les textiles innovants.

Le projet de l'Union conjugue la recherche de l'innovation, la préservation de l'héritage industriel et les principes d'un développement plus durable. Il a obtenu le Grand prix national Écoquartier en 2011.

Le quartier devrait accueillir 250 habitants (100 logements) et 2 300 salariés, et à terme, 3 500 habitants et 6 000 salariés.

■ L'Union, dossier de Presse. Lille Métropole, 2014.

### CHIFFRES CLÉS

**L'aménagement urbain de l'Union représente :**

➡ **1 400** salariés,
**135** entreprises implantées.

➡ **250 000** m² d'activités économiques à construire.

➡ **140 000** m² de logements ; 30 % de logements sociaux.

➡ En **2020** : **3 500** habitants et **6 000** salariés.

## ÉTAPE 1

### Quelles sont les caractéristiques de l'aménagement ?

❶ Localisez l'aménagement dans la ville, la commune, le département, la région.

❷ Précisez la nature de l'aménagement : transports, urbain, environnement, santé, culture, économie, etc.

❸ Relevez les caractéristiques principales du territoire et de l'aménagement : date de décision, de réalisation, architecte, commanditaires, réalisations, superficie, coût, transports, etc.

### MÉTHODE

**Je mène une enquête de terrain pour un aménagement à proximité de mon collège**

➔ Commencez par présenter les caractéristiques de l'aménagement choisi.

▶ Repérez cet aménagement sur le terrain. Observez et décrivez le paysage.

▶ Prenez des photographies qui vous serviront à comparer avec des documents plus anciens, ou réalisez une courte vidéo.

▶ Insérez un commentaire permettant de localiser et d'identifier cet aménagement.

**4** **Les immeubles Urban Harmony, premiers logements neufs de l'Union**
Photographie prise en 2015.

## 5 Un projet qui suscite interrogations et réticences

« Avant, la rue de Tourcoing, c'était des habitations, des commerces. Aujourd'hui je suis tout seul, et rien ne me fera partir. », se souvient Michel. Pour lui, tout a changé il y a une quinzaine d'années, lorsque Lille Métropole a lancé le projet de l'écoquartier. Les maisons ont été murées les unes après les autres, avant d'être définitivement rasées. Le paysage s'est métamorphosé.

« Il faut que ça bouge », insiste Lino Sferrazza. Installé rue Stephenson depuis 1970, il s'est battu pour que sa maison reste debout. Pendant quatre ans, toute la rue s'est mobilisée pour défendre le territoire. L'association *Rase pas mon quartier* n'a pas cédé. « Au départ, tout devait être rasé, mais on ne s'est pas laissé faire », explique-t-il fièrement.

Aujourd'hui, il n'est pas opposé au projet. Il est plutôt optimiste quant à l'avenir. « Les gens reviennent petit à petit. » Quelques entreprises fleurissent dans les rues de l'Union. C'est un bon début.

■ Victoire Haffreingue-Moulart, « Immersion dans le quartier de l'Union, entre nostalgie et renouveau », *Nord Éclair*, 26 août 2015.

## ÉTAPE 2

**Quels sont les acteurs de l'aménagement ?**

**4** Repérez et classez tous les acteurs qui interviennent dans la réalisation de cet aménagement (acteurs publics, privés, habitants).

**5** Quand et comment cet aménagement a-t-il été choisi ?

**6** Quel est le rôle de ces acteurs (bénéficiaire, financeur, opposant, etc.) ?

### MÉTHODE

site élève
⬇ réaliser une interview

**Je mène une enquête de terrain pour un aménagement à proximité de mon collège**

→ Intéressez-vous aux individus, entreprises, associations et organismes qui participent à l'aménagement.

▶ Réalisez une interview de l'aménageur ou d'un élu d'une collectivité territoriale. Prenez rendez-vous avec cette personne et préparez un questionnaire.

▶ Enquêtez auprès des habitants sur leurs attentes, leurs critiques, leur implication dans la réalisation du projet. Vous pouvez faire des « micros-trottoirs » avec des questions préparées à l'avance.

**6** **L'entreprise Ankama installée depuis 2007 dans une ancienne usine de textile**

Ankama est une société de création numérique, spécialisée dans la conception de jeux vidéo. Photographie prise en 2015.

**7** **Les enjeux attachés au projet de l'Union**

Le déclin des activités industrielles dès les années 1970 et accentué par la crise du textile dans les années 1980 a posé avec force la question de la reconversion économique, sociale et urbaine de ce territoire durement touché. L'étendue des friches industrielles, la forte présence de pollution, le chômage et la précarité qui ont accompagné la fermeture des activités, imposaient une intervention publique pour redynamiser ce territoire.

Le projet de l'Union doit répondre à la fois à des enjeux tenant au passé du site (la valorisation des ressources, la prise en considération de son histoire), à son présent (le bénéfice pour les habitants du territoire touchés par le déclin économique, la vie du site durant les années de réaménagement...), à son futur (retournement d'image du secteur, développement d'innovation dans l'aménagement...).

■ *Référentiel Dynamique Développement Durable (R3D), n°2, mars 2015.*

## ÉTAPE 3

**Quels sont les enjeux de l'aménagement pour demain ?**

**7** À quoi doit servir cet aménagement ? Quels sont les objectifs ?

**8** Quels sont les effets prévus de l'aménagement sur les personnes, les activités, les territoires et à différentes échelles ?

**9** Quelles seront les conséquences si cet aménagement n'atteint pas ses objectifs dans 20 ans ?

### MÉTHODE

site élève
↧ coup de pouce

**Je réalise un compte-rendu de mon enquête de terrain**

→ **Intéressez-vous aux enjeux de l'aménagement.**

▌ Réalisez un diaporama présentant le projet d'aménagement, ainsi que les acteurs et les objectifs.

▌ Analysez les enjeux du projet et concevez deux scénarios de prospective territoriale qui complèteront le diaporama. L'un montrera comment l'aménagement atteint dans les 20 prochaines années les objectifs fixés aujourd'hui, l'autre non.

# Notre-Dame-des-Landes et son projet d'aéroport : un espace à aménager ou une zone à défendre ?

DÉBAT

**Question clé** Comment participer au débat soulevé par l'aménagement du territoire ?

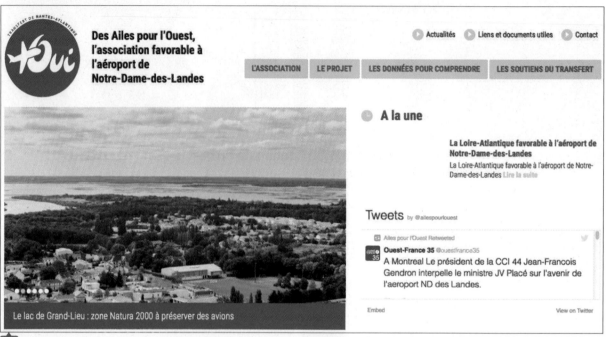

Le lac de Grand-Lieu : zone Natura 2000 à préserver des avions

**1** Le site Internet « Des Ailes pour l'Ouest » en faveur du projet

**CHIFFRES CLÉS**

➡ **Le projet d'aéroport**

- Superficie : **1 650** hectares.
- Coût estimé : **550 millions** d'**euros** dont 446 pour le seul aéroport.

➡ **Fréquentation**

- Aéroport de Nantes Atlantique : **2 millions** de **passagers** en **2000** ; 4,4 millions en 2015
- Aéroport de Notre-Dame-des-Landes : estimée à **9 millions** en 2050

**2** Une géographe analyse le blocage du projet

Aujourd'hui, nul ne sait quand les travaux d'aménagement de cette infrastructure, destinée à remplacer l'actuel aéroport de Nantes, pourront être mis en œuvre. Les voix des opposants n'ont cessé de se faire entendre. Plus d'une centaine d'entre eux se sont même installés sur la zone d'aménagement différée (ZAD), rebaptisée « zone à défendre ». Cécile Rialland-Juin, géographe à l'université d'Angers : « Dans les années 1960, cette zone était faiblement peuplée et l'agriculture n'était pas considérée comme prioritaire. Toutes les conditions étaient réunies pour que l'aéroport se fasse. »

Les paysans concernés vont pourtant s'organiser contre le projet et s'engager dans les luttes sociales et la défense de l'environnement. « Entre-temps, l'étalement urbain a fait son œuvre et de plus en plus de pavillons ont poussé autour de Notre-Dame-des-Landes, poursuit Cécile Rialland. Cette hausse de la population riveraine ne pouvait que mener au conflit. »

■ « Notre-Dame-des-Landes, du projet local à l'enjeu national », *La Croix*, 28 janvier 2016.

**3** **Le site Internet d'une association contre le projet**

L'Association Citoyenne Intercommunale des Populations concernées par le projet d'Aéroport de Notre-Dame-des-Landes (ACIPA) lutte contre la création d'un autre aéroport à Nantes (Loire-Atlantique).

**INFOS**

L'aéroport de **Nantes Atlantique** connaît une **forte progression de sa fréquentation**. L'État et les **collectivités locales** ont décidé de transférer cet aéroport à **Notre-Dame-des-Landes**, au nord de l'agglomération nantaise. Les **partisans** et les **adversaires** de ce projet s'opposent depuis des années.

**4** **L'analyse du géographe Jean Varlet**

La piste actuelle de Nantes-Atlantique (2 900 m de long) a accueilli un trafic de 4 millions de passagers en 2014. Est-elle saturée ? À titre de comparaison, Roissy enregistre un trafic moyen par piste de 16 millions de passagers ! Comment affirmer qu'avec 4 millions, c'est-à-dire le quart d'une piste de Roissy, la piste de Nantes Atlantique serait saturée ?

En tant que plus grande agglomération de l'Ouest, Nantes pourrait raisonnablement prétendre devenir l'aéroport du Grand Ouest. Mais le projet Notre-Dame-des-Landes n'adopte pas de desserte ferroviaire directe à l'aérogare, grande vitesse comprise, avec les diverses régions proches et vers Paris.

L'aéroport Notre-Dame-des-Landes ne sera que l'aéroport de Nantes et de sa région proche.

■ D'après *Presse Océan*, 12 janvier 2016.

## QUESTIONS

**Je prends connaissance du thème du débat**

❶ **Doc 1 à 4.** Présentez le projet d'aménagement (nature, date, acteurs, objectifs).

**Je formule mon point de vue et le confronte à celui des autres**

➜ Rendez-vous sur les sites www.desailespourlouest.fr et www.acipa-ndl.fr.

❷ **Doc 1 et 3.** Dans un tableau à deux colonnes, classez les arguments pour et contre la construction d'un nouvel aéroport à Notre-Dame-des-Landes.

**Je découvre l'analyse de géographes**

❸ **Doc 2 et 4.** Quels sont les arguments avancés par les deux géographes ? Complétez le tableau.

**Je nuance mon point de vue**

❹ Après avoir étudié les documents et effectué des recherches complémentaires sur Internet pour vous informer, rédigez vos arguments favorables et/ou opposés à ce projet de nouvel aéroport avant de les présenter dans un débat qui aura lieu en classe.

→ Quelles particularités ces territoires ultramarins présentent-ils ? Quelles en sont les conséquences sur leur aménagement ?

### Au cycle 4, en 5ᵉ

J'ai appris que, pour répondre aux effets du changement global, les sociétés réfléchissent à la façon d'aménager leur territoire.

### Au cycle 4, en 4ᵉ

J'ai compris que la mondialisation accentue les inégalités entre les territoires à toutes les échelles.

### Ce que je vais découvrir

L'aménagement des territoires cherche à réduire les inégalités entre les populations et les territoires, particulièrement dans les territoires ultramarins où les contraintes sont fortes.

**1** **L'île de Bora-Bora, archipel de la Société en Polynésie française**

Bora-Bora, qui compte près de 9 600 habitants, est située à 260 km de Tahiti, la capitale de la Polynésie française.

**1** Bora-Bora **2** Accès au port **3** Aéroport **4** Récif de corail

17 000 kilomètres séparent la Nouvelle-Calédonie de la France, 1 200 km de l'Australie et 1 500 km de la Nouvelle-Zélande. Il faut 23h d'avion pour rejoindre l'île depuis la France, avec une escale à Tokyo, Auckland ou Sydney.

Polynésie française

Nouvelle-Calédonie

## 2 Le port de Nouméa (Nouvelle-Calédonie)

Premier port français d'outremer, il a été aménagé en zone industrialo-portuaire moderne.

❶ Quais pour conteneurs
❷ Quais pour la pêche
❸ Quais pour le trafic passagers et les croisières
❹ Cimenterie
❺ Installations d'hydrocarbures

# Les territoires ultramarins de la France

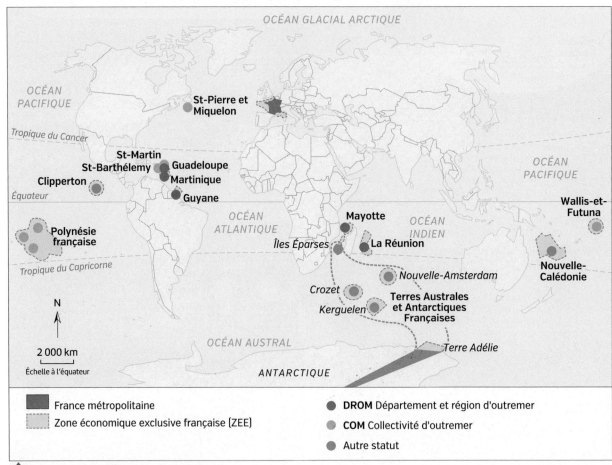

**1** Les territoires ultramarins

## QUESTIONS

▸ **Je situe dans l'espace**

❶ **Doc 1.** Montrez que les territoires ultramarins assurent une présence française dans toutes les mers du globe.

❷ **Doc 1.** Pourquoi la France est-elle la 2e puissance maritime mondiale grâce à ses territoires ultramarins ?

❸ **Doc 2.** Sur quelles parties du territoire de chaque DROM se concentre la population ? Pourquoi ?

❹ **Doc 2.** Quelles activités économiques sont présentes dans les DROM ?

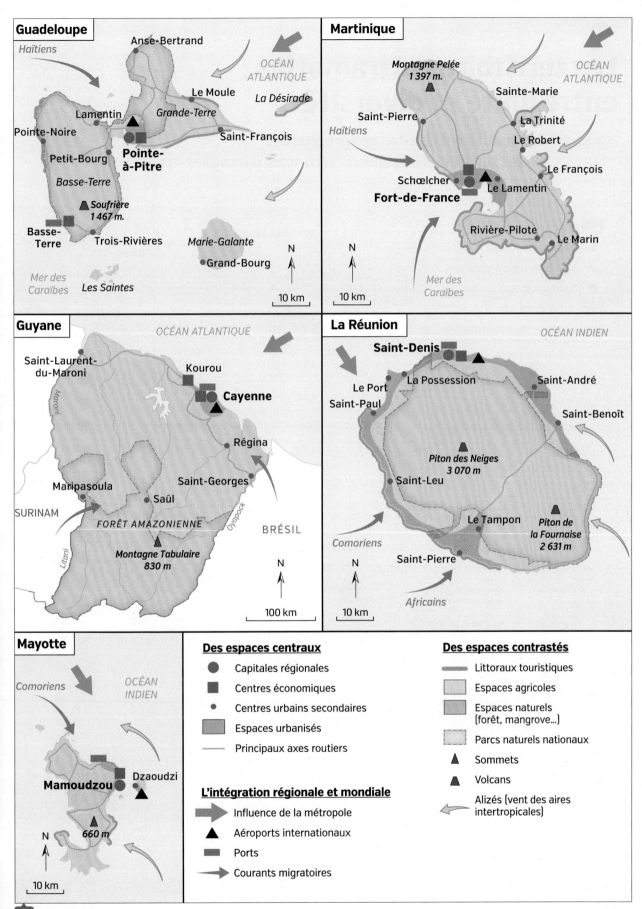

## Guadeloupe

Haïtiens

OCÉAN ATLANTIQUE

Anse-Bertrand

Le Moule

*La Désirade*

*Grande-Terre*

Lamentin

Pointe-Noire

Saint-François

Petit-Bourg

**Pointe-à-Pitre**

*Basse-Terre*

▲ *Soufrière*
*1 467 m.*

**Basse-Terre**

Trois-Rivières

*Marie-Galante*

Grand-Bourg

*Mer des Caraïbes*

*Les Saintes*

N

10 km

## Martinique

*Montagne Pelée*
*1 397 m.*

OCÉAN ATLANTIQUE

Sainte-Marie

Saint-Pierre

La Trinité

Haïtiens

Le Robert

Le François

Schœlcher

Le Lamentin

**Fort-de-France**

Rivière-Pilote

Le Marin

N

10 km

*Mer des Caraïbes*

## Guyane

OCÉAN ATLANTIQUE

Saint-Laurent-du-Maroni

Kourou

*Maroni*

**Cayenne**

Régina

Maripasoula

Saint-Georges

Saûl

*Oyapock*

SURINAM

*FORÊT AMAZONIENNE*

BRÉSIL

*Litani*

▲ *Montagne Tabulaire*
*830 m*

N

100 km

## La Réunion

OCÉAN INDIEN

**Saint-Denis**

Le Port

La Possession

Saint-André

Saint-Paul

Saint-Benoît

▲ *Piton des Neiges*
*3 070 m*

Saint-Leu

Le Tampon

▲ *Piton de la Fournaise*
*2 631 m*

*Comoriens*

Saint-Pierre

N

10 km

*Africains*

## Mayotte

*Comoriens*

OCÉAN INDIEN

Dzaoudzi

**Mamoudzou**

▲ *660 m*

N

10 km

## Des espaces centraux

● Capitales régionales

■ Centres économiques

• Centres urbains secondaires

▨ Espaces urbanisés

— Principaux axes routiers

## L'intégration régionale et mondiale

➡ Influence de la métropole

▲ Aéroports internationaux

▬ Ports

➡ Courants migratoires

## Des espaces contrastés

━ Littoraux touristiques

▨ Espaces agricoles

▨ Espaces naturels (forêt, mangrove...)

▨ Parcs naturels nationaux

▲ Sommets

▲ Volcans

⬅ Alizés (vent des aires intertropicales)

**2** Les DROM

**SOCLE** Compétences
- **Domaine 1** : Je maîtrise la langue française à l'écrit
- **Domaine 5** : Je comprends les principales caractéristiques du territoire national

# Les territoires ultramarins : entre unité et diversité

**Question clé** Quelles spécificités géographiques les territoires ultramarins français partagent-ils ?

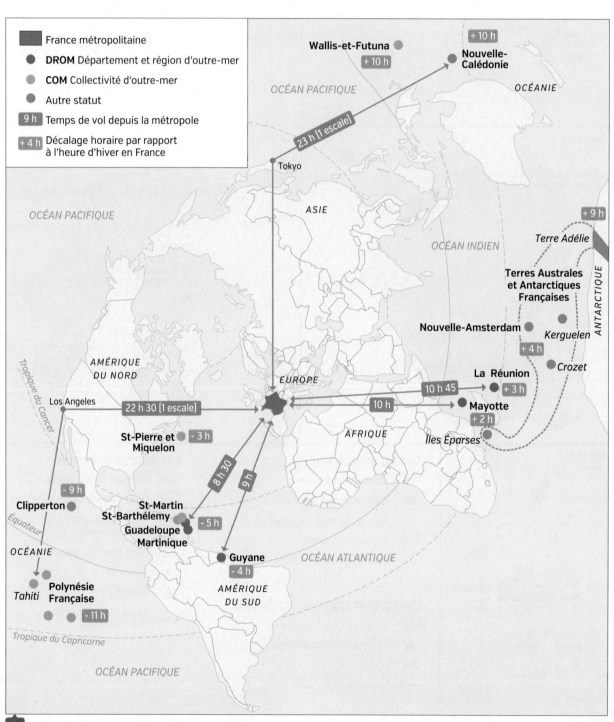

**1 Des territoires sur toute la planète**

## 2 Les points communs des territoires ultramarins

L'insularité constitue un facteur d'isolement pour l'outremer français, à l'exception de la Guyane. Pour certains territoires, l'insularité se conjugue avec un grand émiettement : la Polynésie française compte ainsi plus d'une centaine d'îles, composant cinq archipels dispersées sur 2,5 millions de km².

Ces facteurs naturels d'isolement sont accentués par une faible intégration régionale. La France d'outremer n'entretient que très peu de relations avec les pays voisins. Héritage du système économique colonial qui attribuait un monopole commercial à la métropole, cette dernière reste le plus souvent le premier partenaire commercial, surtout dans les DROM.

■ www.ladocumentationfrancaise.fr, 25 mars 2016.

## 3 La piste d'atterrissage de Saint-Barthélemy, 2014

Avec ses 651 m de long, c'est l'une des pistes d'atterrissage les plus courtes au monde.

## 4 Les spécificités des milieux ultramarins

Les territoires ultramarins, en dehors de Saint-Pierre-et-Miquelon et des TAAF, sont caractérisés par la tropicalité. Le climat est marqué par une température minimale moyenne de 18 °C et des précipitations suffisantes pour permettre des cultures non irriguées.

Exception faite de la Guyane, les territoires ultramarins de la zone intertropicale[1] sont des îles. Elles sont soumises aux alizés, vents chargés en humidité, qui provoquent de fortes pluies : on observe une division très nette des îles entre la côte au vent et la côte sous le vent, plus abritée et moins arrosée. Le relief est souvent volcanique : le centre de l'île est alors occupé par des montagnes aux pentes raides et aux versants formés par des coulées de lave. Les territoires ultramarins offrent de vastes massifs forestiers. La Guyane est ici un cas particulier puisque 90 % du territoire est couvert par une forêt tropicale humide, qui appartient à la forêt amazonienne.

■ D'après M. Reghezza-Zitt, *La France dans ses territoires*, SEDES, 2011.

1. Zone située entre les tropiques du Cancer et du Capricorne.

## Activités

**Question clé** Quelles spécificités géographiques les territoires ultramarins français partagent-ils ?

### ITINÉRAIRE 1

▶ **Je localise, je décris et j'explique**

❶ **Carte 2 p. 295 et doc 1, 2 et 4.** Quelles sont les particularités des territoires ultramarins de la zone intertropicale ? Citez des exemples.

❷ **Doc 1 à 3.** Quels sont les deux points communs à presque tous les territoires ultramarins français ?

❸ **Doc 2 et 4.** Quelles sont les caractéristiques spécifiques de la Guyane par rapport aux autres territoires ultramarins ?

▶ **J'argumente à l'écrit**

❹ À l'aide des réponses aux questions, rédigez un paragraphe pour répondre à la question clé.

**OU**

### ITINÉRAIRE 2

▶ **Je complète un schéma**

À l'aide des documents, complétez le schéma suivant.

| Unité (Points communs) | ⟷ | Territoires ultramarins français | ⟷ | Diversité (Différences) |

**Je découvre**

**SOCLE** Compétences

▶ **Domaine 1** : Je maîtrise la langue française à l'écrit
▶ **Domaine 5** : Je comprends les principales caractéristiques du territoire national

# Les territoires ultramarins dans leur espace régional

**Question clé** L'aménagement des territoires ultramarins permet-il une meilleure intégration dans leur espace régional ?

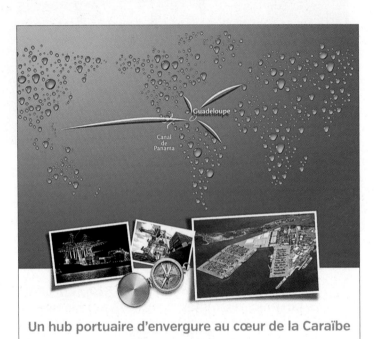

Un hub portuaire d'envergure au cœur de la Caraïbe

## 1 La Guadeloupe, un port français dans la Caraïbe

Le canal de Panamá est un passage stratégique entre l'océan Pacifique et la mer des Caraïbes.

Affiche du port autonome de Guadeloupe, 2015.

L'aménagement du pont sur l'Oyapock est terminé depuis 2001, mais l'ouverture n'est prévue qu'en 2016.

**1** Oiapoque (Brésil).

**2** Fleuve Oyapock.

**3** Rive française (St-Georges-de-l'Oyapock est à 5 km).

## 2 Le pont sur l'Oyapock entre la Guyane et le Brésil

Au loin, les pylônes de 83 m surgissent au-dessus de l'épaisse forêt amazonienne. Suspendu entre deux mondes, ce pont est le nouveau lien entre la France et le Brésil, entre l'Europe et l'Amérique du Sud.

D'un côté, en France, Saint-Georges-de-l'Oyapock, petite commune de 4 000 habitants. De l'autre, au Brésil, Oiapoque. Oiapoque, c'est le far west : insécurité, drogue, prostitution. Saint-Georges-de-l'Oyapock, sur l'autre rive, semble si tranquille.

Chaque matin, une valse incessante de pirogues commence : des collégiens passent la frontière pour aller à l'école, en France. Pas de passeport. Pas de passage au poste de police. Pour eux, traverser l'Oyapock, c'est comme traverser une rue.

Les autorités françaises trépignent d'impatience de voir un jour le premier véhicule rouler sur ce tapis de béton. Mais l'inauguration est sans cesse reportée. Du côté brésilien, les infrastructures sont encore loin d'être terminées : aucun bâtiment n'est construit pour recevoir les services de douanes et de police.

Mais ce pont peut-il réellement aider au développement de la région quand on sait qu'aujourd'hui les échanges commerciaux entre la Guyane et le Brésil sont marginaux ?

■ D'après Nicolas Ransom, « L'inutile pont d'Oyapock », *Le Bien public*, 24 août 2013.

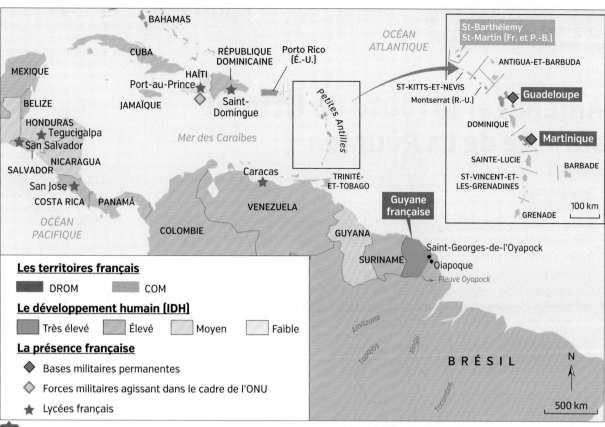

**3** Les territoires ultramarins français dans l'espace caribéen

**Les territoires français**
- DROM
- COM

**Le développement humain (IDH)**
- Très élevé
- Élevé
- Moyen
- Faible

**La présence française**
- ◆ Bases militaires permanentes
- ◇ Forces militaires agissant dans le cadre de l'ONU
- ★ Lycées français

---

## Activités

**Question clé** L'aménagement des territoires ultramarins permet-il une meilleure intégration dans leur espace régional ?

### 4 Des territoires attractifs

L'ampleur des flux financiers venant de métropole fait de chaque territoire ultramarin un véritable îlot de richesse au sein d'un environnement relativement pauvre.

Qu'il s'agisse du PIB par habitant, de l'indice de développement humain (IDH) ou de l'espérance de vie à la naissance, la France d'outre-mer contraste avec les États voisin, posant des problèmes d'immigration, tout particulièrement à Mayotte, en Guyane et à Saint-Martin. Mais cette prospérité est largement due aux très importantes aides de l'État et de l'Union européenne sous forme d'aides diverses, de prestations sociales ou de salaires artificiellement élevés.

■ D'après article de J.-F. Gay, www.ladocumentationfrancaise.fr, 29 avril 2009.

**ITINÉRAIRE 1**

▶ **Je situe, je décris et j'explique**

**1** Doc 3 et 4. Quelle place occupent les territoires français dans leur espace régional ?

**2** Doc 1 à 3. Quels types d'aménagements la France réalise-t-elle dans ces territoires ? Dans quels buts ?

**3** Doc 2 à 4. Les territoires français ultramarins sont-ils bien intégrés dans leur espace régional ? Pourquoi ?

▶ **Je réalise une carte mentale**

**4** À l'aide de vos réponses aux questions, réalisez une carte mentale pour répondre à la question clé.

**OU**

**ITINÉRAIRE 2**

▶ **Je m'exprime à l'écrit**

Rédigez, à l'aide des documents, un paragraphe d'une quinzaine de lignes pour répondre à la question clé.

**MÉTHODE**
- ▶ Identifiez les différents types d'aménagements réalisés (nature, acteurs, objectifs).
- ▶ Ces aménagements favorisent-ils l'intégration des territoires dans leur espace régional ? Pourquoi ?

# Aménager la route du littoral sur l'île de La Réunion

**CONSIGNE**

La construction d'une nouvelle route du littoral sur l'île de La Réunion fait couler beaucoup d'encre… Tous les acteurs de l'île ne sont pas du même avis : certains sont très favorables à ce projet, d'autres beaucoup moins. *Géo Ado* souhaite publier un reportage sur le sujet. Il lance donc un concours : la meilleure proposition réalisée en classe sera envoyée au comité de rédaction à Paris. Vous décidez d'y participer.

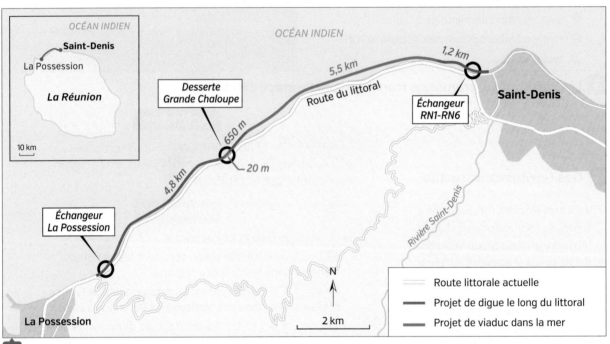

**1** Le projet de route du littoral

## **2** L'avis du président de la région

    Ce projet pharaonique est une prouesse technique mondiale. « Une nécessité absolue », justifie Didier Robert, le président de la région Réunion : l'actuelle route qui relie le chef-lieu de La Réunion, Saint-Denis, au centre du port, au pied des falaises volcaniques de l'île et au bord de l'eau, subit régulièrement les éboulements et les assauts des vagues. « Nous sommes obligés de fermer des voies trente à quarante jours par an, ce qui provoque de gros problèmes de circulation ».

■ D'après www.challenges.fr, avril 2014.

**CHIFFRES CLÉS**

➡ **La nouvelle route du littoral**
● 12 km (2×3 voies)
● 1,66 milliard d'euros
● Travaux prévus sur 7 ans

➡ **Le viaduc**
● 5,5 km (le plus long de France)
● 715 millions d'euros
● Fin des travaux : 2018

➡ **Le financement**
● **Région** : 42 %
● **État** : 49 %
● **UE** : 9 %

**3** **Image de synthèse de la future route du littoral, 2015**

Sur le viaduc, deux voies seront dédiées aux modes de transport doux (bus, piétons, cyclistes).

**1** Viaduc **2** Digue

**4** **Un citoyen s'exprime contre le projet**

Le coût de cette nouvelle route est au détriment de toutes les dépenses dont l'île aurait besoin : formation, lycées, transports en commun, remise en état des sentiers, transition énergétique, etc. Alors que 30 % des habitants n'ont pas de voiture (pauvreté), l'île ne dispose ni de train, ni de tramway. Le réseau de bus ne dessert pas la totalité de l'île et ne circule pas en soirée. Notons que la route du littoral actuelle est empruntée par seulement 4 % des Réunionnais. Le projet de tram-train[1] projeté par l'ancienne majorité régionale sur le même tronçon a été abandonné. Son but était double : réduire la circulation automobile de plus en plus problématique et soutenir la transition écologique de l'île.

◼ « Nouvelle route du littoral : un projet pharaonique sous les tropiques ». Blog *Mr Mondialisation*, 19 août 2015.

1. Véhicule qui peut circuler à la fois sur des voies de tramway et sur le réseau ferroviaire.

---

**COUP DE POUCE**

Pour vous aider à réaliser votre reportage, recopiez le tableau suivant. Complétez-le en précisant si, d'après le document, le projet aura un impact positif (+) ou négatif (–) sur l'économie, la vie sociale ou l'environnement.

|  | Doc 1 | Doc 2 | Doc 3 | Doc 4 | Doc 5 |
|---|---|---|---|---|---|
| Économie |  |  |  |  |  |
| Société |  |  |  |  |  |
| Environnement |  |  |  |  |  |

**5** **Des inquiétudes environnementales**

L'île de la Réunion est une île à la biodiversité exceptionnelle reconnue mondialement. Elle a été inscrite au patrimoine mondial par l'UNESCO.

Or le projet de nouvelle route du littoral va perturber, endommager et/ou détruire des espèces protégées et leurs habitats naturels mais aura également un impact sur tous les chantiers futurs.

La baleine à bosse et le grand dauphin de l'Indo-Pacifique sont deux espèces protégées bien connues de nos côtes. Ces deux espèces, et bien d'autres encore, sont menacées par le projet.

Toutes les instances scientifiques reconnues au niveau national (Conseil National pour la Protection de la Nature) et au niveau régional (Conseil Scientifique Régional du Patrimoine Naturel de la Réunion) affirment qu'il existe un risque réel pour la conservation des espèces impactées par le projet.

◼ SREPEN Réunion Nature Environnement. Association de protection de l'environnement de la Réunion, 2013.

**Leçon**

# Aménager les territoires français ultramarins

➡️ **Quelles particularités ces territoires ultramarins présentent-ils ?**
**Quelles en sont les conséquences sur leur aménagement ?**

## A Des territoires éloignés et spécifiques

### 1. La discontinuité géographique

■ Très éloignés de la France métropolitaine, sous les tropiques ou dans les mers des régions polaires, les **territoires ultramarins** sont composés **d'îles ou d'ensemble d'îles de petite taille**. Seule la **Guyane** fait figure d'exception ; mais, bordée par l'océan Atlantique et par la forêt amazonienne, elle apparaît également très isolée du reste du continent américain.

■ Ces territoires partagent donc tous un certain nombre de **caractères communs**, au-delà de leurs identités et leurs caractéristiques propres.

### 2. Des paysages et un environnement remarquables

■ Qu'ils appartiennent à la zone intertropicales ou aux régions polaires, ces lieux abritent une **biodiversité exceptionnelle**. Souvent volcaniques, les îles tropicales, comme les Antilles ou La Réunion, offrent des paysages paradisiaques. Elles constituent des **destinations touristiques prisées**, surtout par les habitants de la métropole.

■ Cependant, **différents aléas affectent ces territoires** (cyclone, séisme, éruption volcanique, tsunami, tempête tropicale...) et peuvent avoir des conséquences catastrophiques. Le **changement climatique** et la **montée du niveau des océans** peuvent amplifier ces risques et la vulnérabilité des populations (ex : érosion côtière).

## B Une difficile intégration régionale

### 1. Des spécificités socio-économiques

■ Le **niveau de développement** des territoires d'outremer reste **inférieur** à celui des autres régions de la France et de l'Union européenne.

■ Leur économie est fortement **dépendante** des subventions nationales ou européennes et des prestations sociales. Elle est marquée par la **faiblesse des industries** et **l'importance des services**. Le **chômage** y est souvent élevé.

### 2. Des territoires localement attractifs

■ Au cœur de régions faiblement développées, les territoires ultramarins français sont **des îlots de développement attractifs pour la population des États voisins** : le Surinam ou le Brésil pour la Guyane, les Comores pour Mayotte ou le Vanuatu pour la Nouvelle-Calédonie. Ces inégalités de développement engendrent des **flux migratoires régionaux**, en partie illégaux, vers les territoires français.

## C Des territoires inégalement mis en valeur

### 1. D'importants déséquilibres spatiaux

● Les littoraux concentrent **l'essentiel des populations et des activités**. Dans les îles tropicales (Antilles, La Réunion), l'opposition entre les côtes « au vent », plus humides, et les côtes « sous le vent », plus accueillantes, reste marquée et explique les **inégalités de peuplement**.

● De manière générale, **les espaces intérieurs**, sous-peuplés, offrent un riche patrimoine naturel protégé et favorable au développement du **tourisme durable** (Guyane, La Réunion).

### 2. Des aménagements pour développer les territoires

● **Les infrastructures de transport** (ponts, aéroports, ports...), bien que parfois contestées, constituent des aménagements privilégiés : elles permettent **d'assurer les liaisons** entre les îles d'un archipel, avec les pays voisins et avec la métropole.

● Les aménagements ont également vocation à permettre le **développement du tourisme**, secteur d'activité fondamental pour l'économie des territoires ultramarins. L'avenir de ces territoires repose en effet sur le **développement de l'écotourisme**. Des **aménagements portuaires ou hôteliers** sont indispensables pour répondre à la demande internationale sans dégrader l'environnement.

## Je retiens autrement

### Les territoires ultramarins français : des territoires spécifiques

| Des spécificités géographiques | Des spécificités socio-économiques | Des territoires inégalement mis en valeur |
|---|---|---|
| • **Discontinuité et isolement territorial**<br>– Éloignement de la métropole<br>– Archipels<br><br>• **Des territoires d'une grande biodiversité mais soumis à des aléas**<br>– Forêt amazonienne, atolls et récifs coralliens, terres australes…<br>– Cyclone, séisme, éruption volcanique… | • **Des inégalités de développement**<br>– Avec la métropole<br>– Avec les pays voisins<br><br>• **Des financements pour soutenir le développement local**<br>– Aides de la métropole<br>– Aides de l'UE<br><br>• **Territoires attractifs à l'échelle de leur région** | • **Concentration des populations et des activités sur les littoraux**<br><br>• Dans les îles tropicales, **déséquilibre entre les côtes** « au vent » et les côtes « sous le vent », abritées et plus aménagées<br><br>• **Aménagements touristiques littoraux** |

*Nécessitent* ↓ ↑ *Compensent*   *Nécessitent* ↓ ↑ *Compensent*   *Nécessitent* ↓ ↑ *Compensent*

### Des aménagements spécifiques

• **Liés aux transports** : ports, aéroports, routes, ponts…

• **Liés** au développement du **tourisme**

• **Liés** au **développement** de ces territoires : zones d'aménagement urbain (ex : Noumea en Nouvelle-Calédonie)

## Comment apprendre ma leçon ?

### J'apprends à organiser mes révisions pour le Brevet

En troisième, vous avez une épreuve écrite d'histoire-géographie-enseignement moral et civique au Brevet. Organisez-vous pour faciliter vos révisions de fin d'année.
Gardez des traces de vos révisions avec des post-it, par exemple, que vous collerez dans votre cahier ou votre carnet de révision (voir p. 224).

Titre : AMÉNAGER LES TERRITOIRES ULTRAMARINS FRANÇAIS

**Maîtrisé !**

**À revoir !**

Question clé : Quelles particularités ces territoires ultramarins présentent-ils ? Quelles en sont les conséquences sur leur aménagement ?

Plan :

I. Des territoires éloignés et spécifiques
• archipels
• grande biodiversité (forêt amazonienne, atolls…), mais aléas (cyclones, séismes…)
…

II. Une difficile intégration régionale
• niveau de développement plus bas qu'ailleurs en France ou en Europe
• territoires attractifs à l'échelle régionale
…

Utilisez un code couleurs pour vos post-it : en jaune les leçons qui vous ont posé un problème de mémorisation, en bleu les leçons que vous n'avez pas du tout comprises (n'hésitez pas à aller voir votre professeur-e), en rose celles qui sont bien maîtrisées…

## Je révise chez moi

● **Je vérifie que je connais les principaux repères du chapitre.**

**Je sais définir et utiliser dans une phrase :**

▶ territoire ultramarin
▶ DROM
▶ COM

**Je sais situer sur un planisphère :**

▶ les 5 DROM ;
▶ les autres territoires ultramarins français.

**site élève**
⬇ fond de carte

**Je sais expliquer :**

▶ quelles sont les spécificités des territoires ultramarins.
▶ pourquoi les aménagements visent à réduire les inégalités à l'intérieur des territoires.
▶ pourquoi les aménagements visent à réduire les inégalités entre les territoires ultramarins et métropolitains.

## Je vérifie mes connaissances

**1** Je connais les différents territoires ultramarins.

**1.** Je relie chaque territoire au statut qui lui correspond.

- **1.** Guadeloupe
- **2.** Mayotte
**a.** DROM •
- **3.** Polynésie française
- **4.** La Réunion
- **5.** Saint-Barthélémy
- **6.** Saint-Martin
- **7.** Guyane
**b.** COM •
- **8.** Martinique
- **9.** Saint-Pierre-et-Miquelon
- **10.** Wallis-et-Futuna

**2** J'explique à partir de photographies.

**1.** Je rédige une phrase ou j'explique oralement quelle spécificité des territoires ultramarins illustre chaque photographie.

**a.** L'aéroport de la ville de Saint-Pierre [Saint-Pierre-et-Miquelon], 2014

**b.** Paysage de l'île de Moorea dans l'archipel de la Société [Polynésie française], 2016

**c.** Un bidonville en périphérie de Mamoudzou [Mayotte], 2013

**3** J'indique la (ou les) bonne(s) réponse(s).

**1. Les territoires ultramarins :**

**a.** sont pour l'essentiel des îles.

**b.** bénéficient tous d'un climat tropical.

**c.** sont des territoires très éloignés de la métropole.

**2. Les territoires ultramarins français dans leur région sont :**

**a.** en retard de développement.

**b.** attractifs pour la population des pays voisins.

**c.** sans écart particulier avec les pays voisins.

**3. L'aménagement des territoires ultramarins est nécessaire :**

**a.** pour réduire les inégalités à l'intérieur des territoires.

**b.** pour réduire les inégalités avec les pays voisins.

**c.** pour réduire les inégalités avec la métropole.

**4** Retrouvez d'autres exercices sous forme interactive sur le site Nathan.

site élève
⬇ exercices interactifs

## EXERCICE 1 Analyser et comprendre des documents (20 points)

### Les inégalités en outremer

Les inégalités s'incarnent et se mesurent dans les écarts de richesse, mais elles connaissent malheureusement bien d'autres illustrations corrélatives : le logement, la situation sanitaire des populations, le taux de scolarisation ou bien le niveau d'instruction.

Des problématiques spécifiques à chaque territoire, comme le vieillissement démographique pour les Antilles, le phénomène d'immigration massif pour la Guyane et Mayotte ou les difficultés liées à la cohabitation interethnique en Nouvelle-Calédonie contribuent à la complexité du travail de réduction des inégalités dans les outremer. Une approche exclusivement budgétaire ne peut suffire. Les solutions seront nécessairement multiples et devront être combinées. Une action efficace ne peut être menée qu'en synergie sur le front de l'accompagnement social et sur celui du développement économique et de la création d'emploi.

■ D'après le discours de Serge Larcher (sénateur de la Martinique, président de la délégation sénatoriale à l'outremer), « Comment corriger les inégalités dans les outremer ? », 25 juin 2014.

### QUESTIONS

❶ À quel territoire appartient l'auteur de ce texte ?

❷ Citez trois exemples d'inégalités entre les populations et les territoires.

❸ D'après l'auteur, pourquoi le travail de réduction des inégalités est-il plus complexe dans les territoires ultramarins ?

❹ Identifiez les deux domaines d'action proposés dans le document pour réduire les inégalités.

### MÉTHODE

**J'extrais des informations pertinentes, je les classe et je les hiérarchise**

▶ Il s'agit d'abord de relever tous les éléments qui permettent de répondre aux questions. Pour cela, il faut identifier :
  – **dans un texte :** les noms de lieux et d'acteurs, les dates, les idées principales et les mots clés.
  – **dans une image :** les espaces, les personnages et les actions représentés, les couleurs et la manière dont l'image est organisée.

▶ Il faut ensuite classer ces informations, c'est-à-dire placer ensemble celles qui partagent des points communs, puis les hiérarchiser en mettant en avant celles qui vous semblent les plus importantes.

## EXERCICE 2 Maîtriser différents langages (20 points)

**1** Sous la forme d'un développement construit d'une vingtaine de lignes et en vous appuyant sur des exemples travaillés en classe, décrivez les problématiques propres aux territoires ultramarins français et les aménagements réalisés pour y répondre.

**2** Localisez et nommez les 5 DROM sur un planisphère.

### CONSEILS

→ Interrogez-vous sur le sens du sujet en vous attachant aux mots clés, puis listez les points de votre leçon liés au sujet.

→ Passez ensuite à la rédaction.

→ Après une phrase d'introduction qui présente le sujet, vous pouvez séparer votre texte en deux parties qui montrent :
  • que les territoires ultramarins français sont des territoires qui connaissent un certain nombre de problématiques ;
  • que des aménagements peuvent répondre à ces spécificités.

→ Utilisez le vocabulaire adapté :
  *DROM – COM – insularité – atout – éloignement – gestion durable*

## SUJET BLANC

## EXERCICE ①  Analyser et comprendre des documents [20 points]

**Campagne publicitaire pour la Guadeloupe**

Projet de campagne de communication par des étudiants d'une école de graphisme, 2013.

### QUESTIONS

❶ Identifiez la nature du document et l'espace géographique concerné.

❷ Quel est l'objectif de ce document ?

❸ Quels éléments caractérisant l'espace géographique concerné l'auteur met-il en valeur ?

❹ Cette campagne publicitaire montre-t-elle toutes les caractéristiques de ce territoire ultramarin ? Justifiez votre réponse.

## EXERCICE ②  Maîtriser différents langages [20 points]

**CONSIGNE**  Sous la forme d'un développement construit d'une vingtaine de lignes et en vous appuyant sur des exemples travaillés en classe, montrez quelles sont les caractéristiques des territoires ultramarins français.

## MON BILAN DE COMPÉTENCES

| Domaines du socle | Compétences travaillées | Pages du chapitre |
|---|---|---|
| **D1** Les langages pour penser et communiquer | Je maîtrise la langue française à l'écrit | **Je découvre** ............ p. 296-297<br>p. 298-299 |
| **D2** Méthodes et outils pour apprendre | Je sais organiser mon travail personnel | **Apprendre à apprendre** .... p. 304 |
| **D3** La formation de la personne et du citoyen | Je réfléchis et je sais argumenter avec discernement | **Étude de cas** ............ p. 300-301 |
| **D5** Les représentations du monde et de l'activité humaine | Je sais me repérer dans l'espace<br>Je comprends les principales caractéristiques du territoire national<br>Je comprends les grandes questions et les principaux enjeux du développement du territoire | **Cartes** ............ p. 294-295<br>**Je découvre** ............ p. 296-297<br>p. 298-299<br>**Étude de cas** ............ p. 300-301 |

**QUESTION CLÉ**

→ Quelles sont les caractéristiques de l'Union européenne et quelle place y tient la France ?

Une d'*Alternatives économiques*, n°289, mars 2010.

Magazine du pôle travaux publics du groupe Fayat, n°3, février 2013.

**ENJEU 1** L'Union européenne, un « nouveau territoire »

▶ Quelles sont les principales caractéristiques du territoire de l'Union européenne ?

▶ Quelle est la place de la France dans cette géographie européenne ?

→ **Chapitre 17, p. 310-327**

# l'Union européenne

Une de *Europa*, n°1, janvier 2010.

Une de *Population et Avenir*,
n°693, mai-juin 2009.

**ENJEU 2** La France et l'Europe dans le monde

▶ Quelles sont la place et l'influence de la France
et de l'Europe dans le monde ?

➔ **Chapitre 18, p. 328-345**

# 17

# L'Union européenne, un « nouveau territoire »

→ Quelles sont les caractéristiques du territoire de l'Union européenne et quelle place y occupe la France ?

**Au cycle 4, en 3ᵉ**
**En histoire (chapitre 7)**, je comprends les enjeux du projet européen et j'apprends les principales étapes de sa construction.

**Au cycle 4, en 3ᵉ**
**En EMC (chapitre 19)**, j'étudie les principes, valeurs et symboles de la citoyenneté européenne.

**Ce que je vais découvrir**
Je vais voir de quelle manière s'organise le territoire de l'Union européenne, les politiques d'aménagement dont il fait l'objet et quelle place y occupe la France.

**1** **Le Thalys, ici en gare de Cologne (2015), dessert plusieurs pays**
Thalys International est un ensemble d'entreprises ferroviaires gérant des liaisons en train entre la France, la Belgique, l'Allemagne et les Pays-Bas.

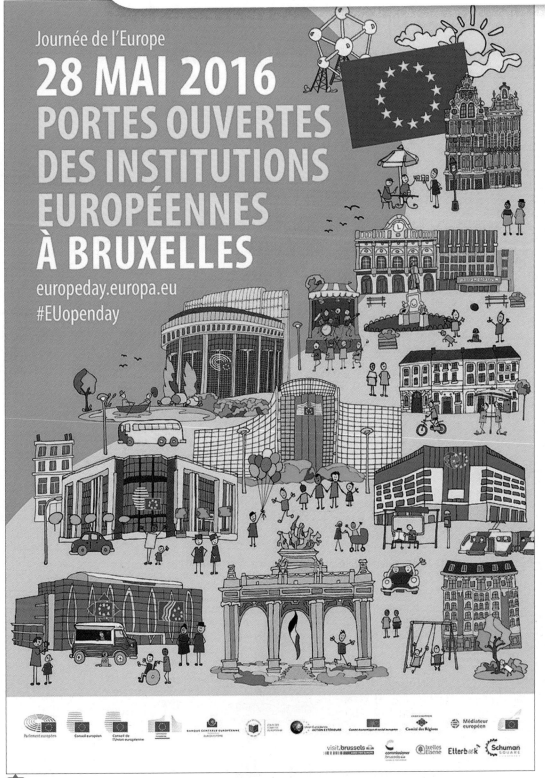

Selon un sondage de l'IFOP publié en mai 2015, 62 % des Français considèrent que l'appartenance de la France à l'UE est une bonne chose et 60 % sont favorables à l'élection d'un président de l'Europe au suffrage universel.

Journée de l'Europe
**28 MAI 2016**
**PORTES OUVERTES**
**DES INSTITUTIONS**
**EUROPÉENNES**
**À BRUXELLES**
europeday.europa.eu
#EUopenday

**2** **Une journée « portes ouvertes » des institutions européennes à Bruxelles**

Chaque année, la Commission (Bruxelles), la Cour de justice (Luxembourg) et le Parlement (Strasbourg) européens accueillent les visiteurs qui souhaitent découvrir les « coulisses de l'Europe ».

Affiche, 28 mai 2016.

# Je découvre

**SOCLE** Compétences

▶ **Domaine 5** : J'établis des liens entre l'espace et l'organisation des sociétés
▶ **Domaine 1** : Je sais me construire des outils de travail pour apprendre

# L'Union européenne : un territoire d'appartenance original

**Question clé** Quelles caractéristiques font de l'UE un territoire unique dans le monde ?

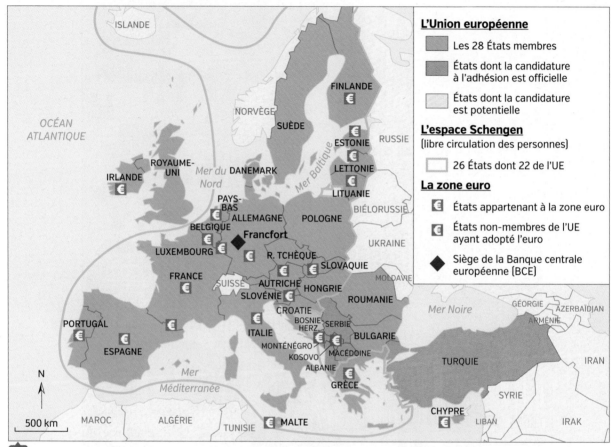

**1** L'Union européenne au 1er janvier 2016, un territoire à géométrie variable

**2** L'influence de l'UE sur la vie quotidienne

Le permis de conduire d'un pays membre est valable dans l'ensemble des 28 États membres, et les normes de sécurité CE pour les produits de consommation sont obligatoires.

### 3 Les capitales européennes de la culture

*Chaque année, une ville est désignée capitale européenne de la culture.*

Le but de cette manifestation est, selon la Commission européenne, de « mettre en valeur la diversité de la richesse culturelle en Europe et les liens qui nous unissent en tant qu'Européens ». Il s'agit, pour les villes ainsi mises à l'honneur, de promouvoir leur patrimoine et leur dynamisme culturel à travers l'organisation de dizaines d'expositions, festivals et autres événements, tout en bénéficiant d'une couverture médiatique non négligeable grâce à la labellisation européenne.

L'organisation d'une telle manifestation est synonyme de financements européens. Mais l'intérêt pour les villes désignées dépasse le simple cadre des subventions européennes ; il se trouve principalement dans les retombées positives en termes économiques et d'image de marque. Quatre villes françaises se sont déjà vu décerner le titre de capitale européenne de la culture : Paris en 1989, Avignon en 2000, Lille en 2004 et Marseille en 2013. En 2028, une ville française sera à nouveau à l'honneur.

■ www.touteleurope.eu, mars 2016.

9 MAI la journée de l'Europe

PLUS FORTS ENSEMBLE

### 4 « Plus forts ensemble »
Affiche pour la Journée de l'Europe, mai 2012.

---

## Activités

**Question clé** | **Quelles caractéristiques font de l'UE un territoire unique dans le monde ?**

### ITINÉRAIRE 1

ou

### ITINÉRAIRE 2

▶ **J'extrais des informations pertinentes des documents**

❶ **Doc 1.** Quelle est la différence entre l'Europe et l'Union européenne ?

❷ **Doc 1.** Identifiez et nommez les États membres de la zone euro puis de l'espace Schengen. Que constatez-vous ?

❸ **Doc 2 à 4.** Quels types de liens unissent les Européens ?

❹ **Doc 1 à 4.** Comment se manifeste l'appartenance de la France à l'UE ?

▶ **Je rédige un texte**

❺ Montrez en quelques lignes que l'UE est à la fois un projet politique (différents liens qui unissent les États membres) et un territoire inachevé à géométrie variable.

▶ **Je réalise une production graphique**

À l'aide de l'ensemble des documents, construisez une carte mentale qui réponde à la question clé.

**MÉTHODE**

▶ Inscrivez au centre de votre feuille le titre de votre carte mentale : « L'UE, un territoire d'appartenance original »

▶ Dans les différentes branches de votre carte, utilisez les expressions clés suivantes : *territoire inachevé à géométrie variable – territoire qui unit dans de nombreux domaines*

Je découvre

SOCLE Compétences
▶ Domaine 5 : J'établis des liens entre l'espace
et l'organisation des sociétés
▶ Domaine 1 : Je produis des croquis

# L'UE, un territoire de contrastes

**Question clé** Comment l'Union européenne cherche-t-elle à réduire les inégalités entre ses territoires ?

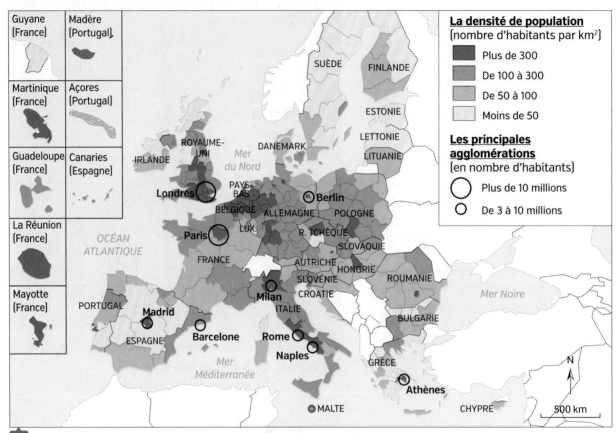

**1** Des densités de population inégales

**2** Ramassage du foin à Viscri (Roumanie), 2014

**3** Récolte de blé mécanisée à Lérida (Espagne), 2014

## 4 Réduire les inégalités entre les territoires

La politique régionale de l'Union européenne (UE), désignée par le traité de Lisbonne[1] comme politique de cohésion économique, sociale et territoriale, vise à réduire les écarts de richesse entre les régions des pays membres de l'UE, qui se sont accentués avec les élargissements.

Pour 2014-2020, la majeure partie des dépenses bénéficie aux régions les plus pauvres. Ainsi, plus de la moitié (182 milliards d'euros) du budget de la politique de cohésion est destinée à 27 % de la population, celle des régions dont le PIB par habitant est inférieur à 75 % de la moyenne de l'UE. Par ailleurs, la concentration sur certains domaines (recherche et innovation, technologies de l'information et de la communication, compétitivité des petites et moyennes entreprises, transition énergétique) renforce l'efficacité de cette politique.

■ vie-publique.fr, mars 2016.

1. Le traité de Lisbonne est un traité signé en 2009 pour permettre à l'Europe des 28 de fonctionner de manière plus efficace et démocratique.

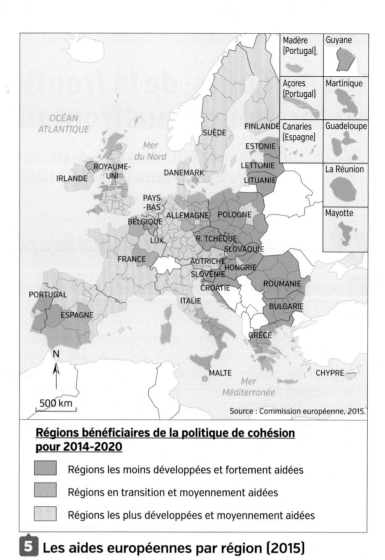

Source : Commission européenne, 2015.

**Régions bénéficiaires de la politique de cohésion pour 2014-2020**

- Régions les moins développées et fortement aidées
- Régions en transition et moyennement aidées
- Régions les plus développées et moyennement aidées

**5 Les aides européennes par région (2015)**

---

## Activités

**Question clé** — Comment l'Union européenne cherche-t-elle à réduire les inégalités entre ses territoires ?

### ITINÉRAIRE 1

**OU**

### ITINÉRAIRE 2

▶ **Je décris et j'explique**

❶ **Doc 1.** Quelles régions de l'UE sont les plus densément peuplées ? Les moins densément peuplées ?

❷ **Doc 2, 3 et 5.** Pourquoi peut-on dire que les Européens ont des conditions de vie différentes ?

❸ **Doc 4 et 5.** Comment l'UE tente-t-elle de réduire les inégalités entre les territoires ?

❹ **Doc 2 et 5.** Quelles régions reçoivent le plus d'aides de l'UE ? Pourquoi ?

▶ **Je justifie une démarche, une interprétation**

❺ Justifiez en quelques lignes le titre de cette double page : « L'UE, un territoire de contrastes ».

▶ **Je réalise une production graphique**

À l'aide des documents, réalisez un schéma cartographique simplifié de l'UE en identifiant trois types d'espaces dans l'UE :
- le cœur de l'UE ;
- les espaces centraux autour du cœur ;
- les régions périphériques.

**MÉTHODE**

▶ Tracez un rectangle représentant l'UE, puis construisez une légende en indiquant pour chacun des trois espaces :
  – les densités de population,
  – le niveau de développement et l'importance des aides reçues de l'UE.
▶ Délimitez ces trois espaces et coloriez-les.

# Étude de cas

SOCLE Compétences
▸ Domaine 1 : J'analyse et je comprends des documents
▸ Domaine 1 : Je pratique différents langages en géographie

# Les Pyrénées, de la frontière au territoire transfrontalier

**Question clé** Comment l'UE contribue-t-elle au développement des relations entre les populations et les territoires des régions frontalières ?

## A La coopération transfrontalière pour unir

### 1 Le projet « Eurocité express »

Si le Pays basque veut ressembler demain à une métropole, il doit relier ses hommes et ses femmes. Pour faire de ce slogan une réalité, le moyen est identifié depuis plus de dix ans. Il s'appelle l'Eurocité[1] express, sorte de RER du littoral basque. Les feux seraient au vert pour obtenir un jour ce train cadencé (des départs toutes les 25 minutes) qui parcourra en moins d'une heure et huit arrêts les 51 km séparant Bayonne de San Sebastian. Les arguments du Pays basque français [portent] sur le désengorgement du trafic, le développement économique autour de cet axe et la demande croissante des usagers. Pour les élus, les 600 000 habitants de l'Eurocité méritent ce projet.

■ T. Villepreux, *Sud-Ouest*, 10 septembre 2014.

1. Corridor urbain et côtier entre Bayonne (France) et San Sebastian (Espagne).

### 2 Un parc national transfrontalier

Les parcs nationaux des Pyrénées (France) et d'Ordesa y Monte perdido (Espagne) bénéficient de mesures de protection de l'environnement, financées notamment par l'UE.

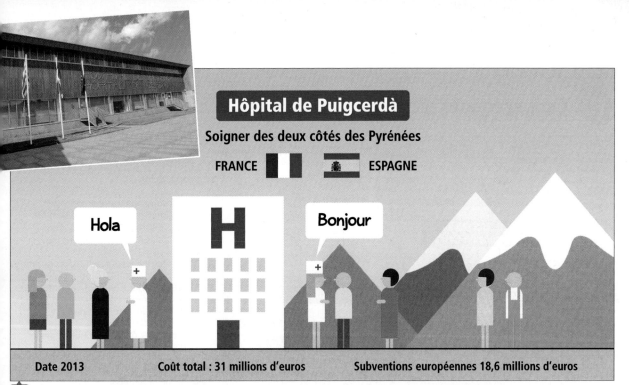

## Hôpital de Puigcerdà

**Soigner des deux côtés des Pyrénées**

FRANCE  ESPAGNE

Hola

Bonjour

Date 2013     Coût total : 31 millions d'euros     Subventions européennes 18,6 millions d'euros

**3** **Partager de nouveaux équipements : l'hôpital de Cerdagne à Puigcerdà**

Les populations française et espagnole n'atteignaient pas séparément la taille nécessaire pour justifier la construction de deux hôpitaux. Avec le soutien de l'UE, cet hôpital transfrontalier a ouvert ses portes en 2013.

D'après www.europe-en-france.gouv.fr, 2015.

---

### CHIFFRES CLÉS

➡ **7 territoires bordant la chaîne des Pyrénées :**
- **2 régions françaises** (Aquitaine-Limousin-Poitou-Charentes et Midi-Pyrénées-Languedoc-Roussillon).
- **4 communautés autonomes espagnoles** (Catalogne, Aragon, Navarre, Pays-Basque).
- **1 principauté** (Andorre).

➡ **Dimension :**
- **220 000 km²** et près de **18 millions d'habitants**.

➡ **Financement :**
- **189 millions d'euros** pour la **mise en œuvre de projets transfrontaliers**.

### VOCABULAIRE

▸ **Coopération transfrontalière européenne (CTE)**
Ensemble des politiques de l'UE ayant pour objectif le développement des liens entre les territoires et les populations séparés par une frontière d'État.

---

### Activités

**Question clé** **Comment l'UE contribue-t-elle au développement des relations entre les populations et les territoires des régions frontalières ?**

#### ITINÉRAIRE 1

➤ **J'analyse des documents**

**1** **Doc 1 et 2.** Quelles sont ici les caractéristiques de la frontière entre la France et l'Espagne ?

**2** **Doc 1 à 3.** Dans quels domaines la CTE s'y applique-t-elle ?

**3** **Doc 1.** Quelles sont les caractéristiques du projet d'Eurocité express ?

**4** **Doc 3.** Pour quelle raison l'UE a-t-elle financé la construction de cet hôpital ?
Selon vous, quels avantages en tirent les habitants ?

**OU**

#### ITINÉRAIRE 2

➤ **Je complète un tableau (étape 1)**

Classez dans ce tableau les caractéristiques de la CTE que le cas des Pyrénées met en évidence.

| La CTE dans les Pyrénées | Doc 1 | Doc 2 | Doc 3 |
|---|---|---|---|
| Domaine | | | |
| Réalisation | | | |

## B Coopérer pour réduire les inégalités

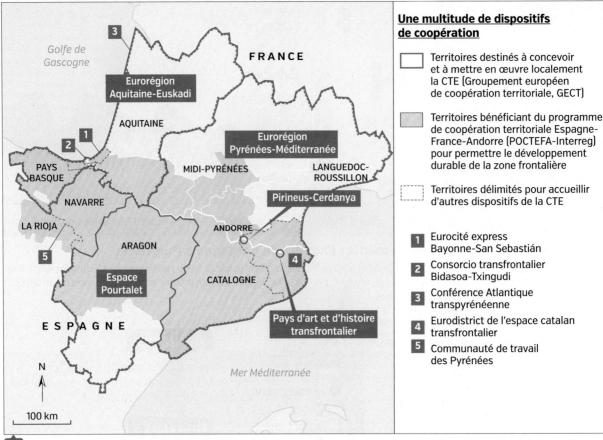

**Une multitude de dispositifs de coopération**

☐ Territoires destinés à concevoir et à mettre en œuvre localement la CTE (Groupement européen de coopération territoriale, GECT)

▨ Territoires bénéficiant du programme de coopération territoriale Espagne-France-Andorre (POCTEFA-Interreg) pour permettre le développement durable de la zone frontalière

⦙ Territoires délimités pour accueillir d'autres dispositifs de la CTE

**1** Eurocité express Bayonne-San Sebastián

**2** Consorcio transfrontalier Bidasoa-Txingudi

**3** Conférence Atlantique transpyrénéenne

**4** Eurodistrict de l'espace catalan transfrontalier

**5** Communauté de travail des Pyrénées

**4** La politique régionale européenne dans les Pyrénées

### 5 Trouver des solutions communes à des enjeux communs

Dans le cadre de son soutien aux régions européennes, l'Union européenne favorise la coopération entre les pays. Des porteurs de projets de différents pays de l'Union européenne peuvent s'associer pour financer leurs projets dans les domaines du développement rural, urbain et côtier, de l'emploi, des services publics, des transports, de l'environnement, de la santé, de la culture et du tourisme, etc. La coopération territoriale européenne (CTE) se décline en 3 volets :

**1. La coopération transfrontalière :** les porteurs de projets sont issus de pays aux frontières communes, tant terrestres (entre la France et l'Espagne par exemple) que maritimes (entre la France et le Royaume-Uni, etc.).

**2. La coopération transnationale :** les projets sont réalisés à l'échelle de grands espaces européens (espace alpin, espace atlantique, etc.).

**3. La coopération interrégionale :** les projets peuvent être réalisés par des porteurs de projets de tous les États membres, et visent à favoriser la mise en réseau, les échanges d'expériences et de bonnes pratiques entre différents pays européens.

■ europe-en-france.gouv.fr, 2015.

**VOCABULAIRE**

▸ **Cohésion sociale et territoriale**
Principe qui vise à réduire les écarts de richesse et de développement entre les territoires et les habitants des États membres de l'UE.

Trouver des solutions communes à des enjeux communs au-delà des frontières

 **ET**

favoriser ainsi la création de partenariats entre acteurs publics et/ou privés de plusieurs pays

**POUR**

mieux répondre aux besoins partagés des populations et des entreprises de régions frontalières ou de larges espaces géographiques

**AFIN** d'améliorer la qualité de vie des citoyens de l'Union européenne

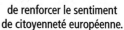

**ET** de renforcer le sentiment de citoyenneté européenne.

**6** **La CTE, un outil de la politique de cohésion sociale et territoriale**
D'après www.europe-en-france.gouv.fr, 2015.

---

 **Objectif 1**     **Objectif 2**

**Emploi**     **Recherche et développement**

**75 %** de la population âgée de 20 à 64 ans pourvue d'un emploi

**3 %** du PIB de l'UE consacrés à la recherche et au développement

 **Objectif 3**     **Environnement**

**– 20 %** de gaz à effet de serre

**20 %** de l'utilisation d'énergie provenant de sources renouvelables

**20 %** d'augmentation de l'efficacité énergétique

 **Objectif 4**     **Éducation**

moins de **10 %** d'élèves en décrochage scolaire

au moins **40 %** des 30-34 ans titulaires d'un diplôme de l'enseignement supérieur

 **Objectif 5**     **Lutte contre la pauvreté**

**– 20 millions** de personnes en situation de pauvreté dans l'Union européenne

www.europe-en-france.gouv.fr, 2015.

 **Les axes prioritaires de la stratégie « Europe 2020 »**

---

## Activités

**Question clé**   **Comment l'Europe contribue-t-elle au développement des relations entre les populations et les territoires des régions frontalières ?**

### ITINÉRAIRE 1

▶ **Je comprends le sens des documents**

**5** **Doc 4 et 5.** Quels sont les différents dispositifs de la politique régionale de l'Europe dans les Pyrénées ?

**6** **Doc 4 à 7.** Quels sont les objectifs de ces mesures ? Comment peuvent-elles réduire les inégalités entre les régions concernées ?

**7** **Doc 7.** Quels sont les domaines et les principes d'organisation du programme « Europe 2020 » ?

▶ **J'argumente à l'écrit**

**8** À l'aide de l'ensemble de vos réponses, répondez à la question clé. N'oubliez pas de donner des exemples localisés.

**ou**

### ITINÉRAIRE 2

▶ **Je raisonne à différentes échelles (étape 2)**

En vous appuyant sur les documents 1 à 7 et sur le tableau réalisé à l'étape 1 (p. 317), complétez le schéma suivant et donnez-lui un titre adapté.

| Le principe de cohésion sociale et territoriale en Europe | La coopération transfrontalière européenne |
|---|---|
| • Définition<br>• Caractéristiques<br>• Exemples | • Définition<br>• Caractéristiques<br>• Exemples |

# La France dans l'Union européenne

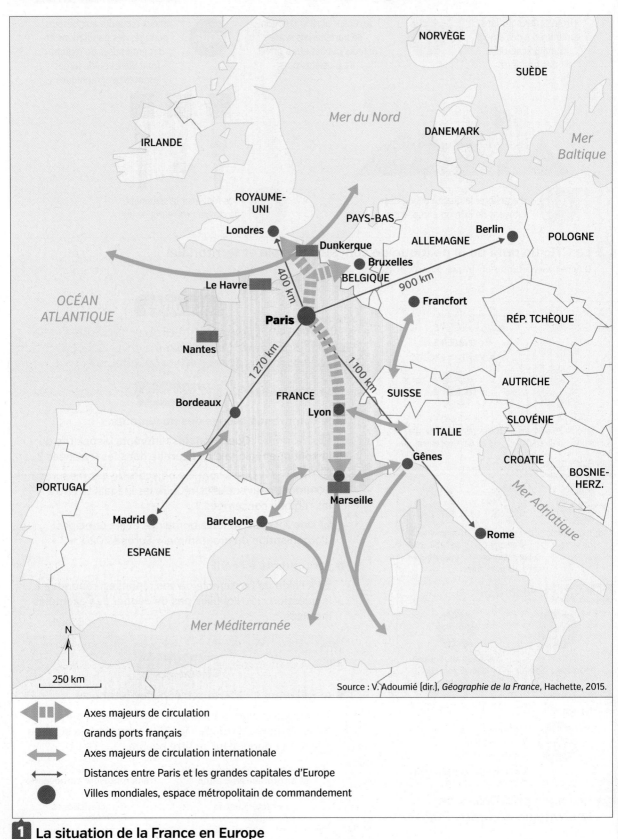

Source : V. Adoumié (dir.), *Géographie de la France*, Hachette, 2015.

Axes majeurs de circulation

Grands ports français

Axes majeurs de circulation internationale

Distances entre Paris et les grandes capitales d'Europe

Villes mondiales, espace métropolitain de commandement

**1** La situation de la France en Europe

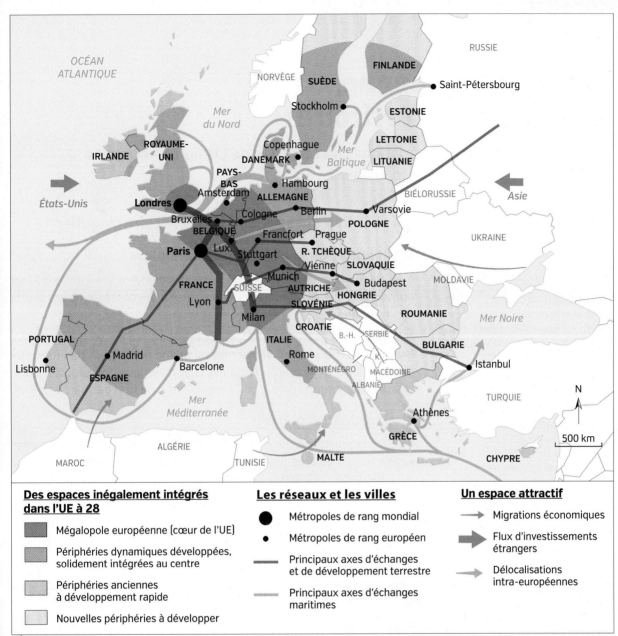

OCÉAN
ATLANTIQUE

RUSSIE

NORVÈGE SUÈDE FINLANDE

• Saint-Pétersbourg

Mer
du Nord

Stockholm • ESTONIE

LETTONIE

Copenhague
Mer
Baltique LITUANIE

DANEMARK

ROYAUME-
UNI

IRLANDE

États-Unis

Asie

PAYS-
BAS
Hambourg
Amsterdam ALLEMAGNE
BIÉLORUSSIE

Londres
Cologne • Berlin
Varsovie

Bruxelles POLOGNE UKRAINE

BELGIQUE
Francfort Prague

Paris Lux. Stuttgart R. TCHÈQUE

Lyon Munich Vienne SLOVAQUIE
MOLDAVIE

FRANCE SUISSE AUTRICHE Budapest

SLOVÉNIE HONGRIE

Milan ROUMANIE Mer Noire

CROATIE

PORTUGAL ITALIE B.-H. SERBIE
Madrid Rome BULGARIE

Istanbul

Lisbonne Barcelone MONTÉNÉGRO K. MACÉDOINE

ESPAGNE ALBANIE TURQUIE

N

Mer
Méditerranée
500 km

ALGÉRIE Athènes

GRÈCE CHYPRE

MAROC TUNISIE MALTE

**Des espaces inégalement intégrés dans l'UE à 28**

- ⬛ Mégalopole européenne (cœur de l'UE)
- ⬛ Périphéries dynamiques développées, solidement intégrées au centre
- ⬛ Périphéries anciennes à développement rapide
- ⬜ Nouvelles périphéries à développer

**Les réseaux et les villes**

- ● Métropoles de rang mondial
- • Métropoles de rang européen
- — Principaux axes d'échanges et de développement terrestre
- — Principaux axes d'échanges maritimes

**Un espace attractif**

- → Migrations économiques
- ⇒ Flux d'investissements étrangers
- → Délocalisations intra-européennes

**2** L'organisation de l'espace européen

## QUESTIONS

▶ **Je situe dans l'espace**

**❶ Doc 1.** Quelles métropoles sont reliées par les principaux axes français de circulation ?

**❷ Doc 1.** Pourquoi peut-on dire que la France est un carrefour de circulation pour l'Union Européenne ?

**❸ Doc 2.** Comment appelle-t-on la région la plus dynamique de l'UE ?

**❹ Doc 1 et 2.** Le territoire français est-il bien intégré dans l'UE ? Justifiez votre réponse.

## REPÈRES

**Une Europe à géométrie variable**

EUROPE

Espace Schengen

UE à 28

Zone euro

États candidats

Source : Commission européenne, 2015.

**Leçon**

# L'Union européenne, un « nouveau territoire »

→ Quelles sont les caractéristiques du territoire de l'Union européenne et quelle place y occupe la France ?

## A L'Union européenne : un territoire singulier

### 1. Un ensemble à « géométrie variable »

▪ L'Union européenne (UE) est un rassemblement volontaire d'États autour de valeurs communes telles que la **démocratie** et les **droits de l'homme**.

▪ Depuis sa création en 1957, son périmètre n'a cessé de s'étendre. Elle compte aujourd'hui **28 membres**, qui ne participent pas tous aux mêmes politiques communautaires : seuls 19 pays ont adopté l'euro ; l'**espace Schengen** comprend 26 pays dont 4 ne font pas partie de l'UE.

### 2. Une identité plurielle

▪ L'UE se caractérise par une très **grande diversité de milieux**, de **paysages** et de **cultures** : elle compte 24 langues officielles. Ses institutions (Parlement, Cour de justice, Conseil européen, Commission, Banque centrale, Cour des comptes) interviennent dans tous les domaines.

▪ Progressivement, l'UE est devenue un **territoire de référence** pour ses 506 millions d'habitants qui, s'ils ne représentent que 7 % de l'humanité, produisent le quart de la richesse mondiale.

## B Renforcer la cohésion de l'UE : une priorité forte

### 1. Des disparités importantes

▪ Le territoire de l'UE est marqué par d'importantes **inégalités de développement** entre ses États membres et ses régions : à eux seuls, l'Allemagne, la France, le Royaume-Uni et l'Italie produisent les deux tiers de la richesse européenne.

▪ Ces contrastes justifient la mise en œuvre de politiques de **cohésion sociale et territoriale**. Elles ont pour objectif de permettre à tous les Européens de vivre dans des conditions équivalentes d'accès à l'emploi, à la culture, aux transports, à l'éducation, à la santé.

### 2. Agir à toutes les échelles

▪ Reposant sur la **solidarité entre les États membres**, ces politiques consistent à financer des **projets d'aménagement** et de **développement** à l'échelle locale, régionale ou continentale. Qu'il s'agisse de la **coopération transfrontalière européenne**, des mesures de solidarité déployées en faveur des régions d'outre-mer ou des quartiers urbains en difficulté, ce sont autant de moyens de renforcer le sentiment d'appartenance des Européens à un territoire commun.

## C La France dans l'UE : de nouveaux enjeux

### 1. Un acteur majeur de l'Europe

● La **position géographique** de la France en fait une **double interface** : océanique et maritime d'une part, terrestre et continentale d'autre part.

● Membre fondateur de l'UE, son rôle est essentiel. Le pays se situe au deuxième rang à la fois pour sa participation au **budget de l'UE** et pour les **aides** qu'elle perçoit. Son économie et celle de l'Union sont étroitement liées : 60 % des exportations françaises sont orientées vers les autres États membres.

### 2. Des risques de marginalisation ?

● Les élargissements successifs de l'UE ont déplacé le centre de gravité du territoire européen vers l'est. Ils ont renforcé la **mégalopole européenne** à laquelle la France n'est directement rattachée que par le Bassin parisien et les régions de l'arc Nord-Est.

● L'**intégration européenne** a ainsi accentué le caractère de « **finisterre** » des territoires de l'ouest de l'UE. Certaines régions françaises sont soumises à des difficultés économiques et démographiques majeures.

## Je retiens autrement

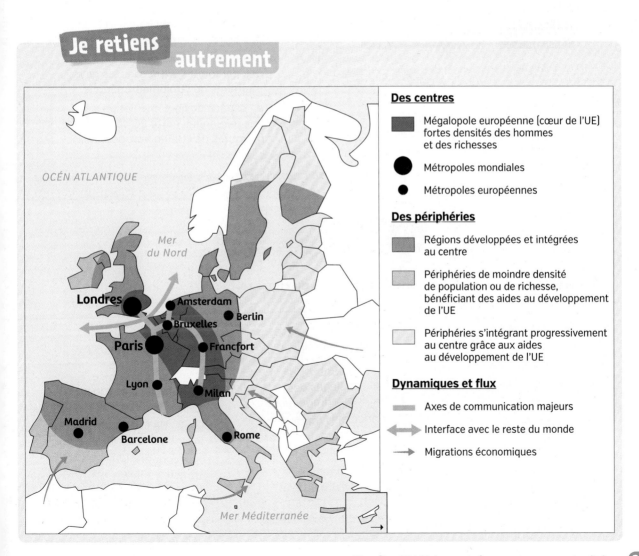

**Des centres**

■ Mégalopole européenne (cœur de l'UE) fortes densités des hommes et des richesses

● Métropoles mondiales

● Métropoles européennes

**Des périphéries**

■ Régions développées et intégrées au centre

□ Périphéries de moindre densité de population ou de richesse, bénéficiant des aides au développement de l'UE

□ Périphéries s'intégrant progressivement au centre grâce aux aides au développement de l'UE

**Dynamiques et flux**

━ Axes de communication majeurs

◀━▶ Interface avec le reste du monde

→ Migrations économiques

Carte : OCÉN ATLANTIQUE, Mer du Nord, Londres, Amsterdam, Berlin, Bruxelles, Paris, Francfort, Lyon, Milan, Madrid, Barcelone, Rome, Mer Méditerranée

# Apprendre à apprendre

## Comment apprendre ma leçon ?

### J'apprends en créant des jeux

Préparer des jeux vous permettra de mobiliser du vocabulaire, des notions importantes de la leçon.

▶ **Étape 1**
- Listez les éléments essentiels à retenir.

▶ **Étape 2**
- Préparez des quiz, des pendus, des exercices avec intrus, des cartes pour les repères géographiques...

 Des sites internet (2Reply, Quizworks...) permettent de créer rapidement des quiz. Créez des jeux interactifs pour les envoyer à des camarades.

**2Reply**    **Quizworks**

▶ **Étape 3**
- Si vous le souhaitez, vous pouvez vous entraîner avec vos camarades : posez-vous des questions et répondez-y à l'écrit ou à l'oral.

### BOÎTE À IDÉES

**Je coche la bonne réponse**

- En 2016, l'Union européenne compte :
  - ☐ 26 États membres.
  - ☐ 27 États membres.
  - ☐ 28 États membres.

**Chassez l'intrus !**

- Que désigne l'espace Schengen ?
  - a. un espace de libre circulation des biens.
  - b. un espace de libre circulation des personnes entre tous les pays membres de l'Union européenne.
  - c. un espace de libre circulation des personnes entre 26 des États membres de l'Union européenne.

## Je révise chez moi

● **Je vérifie que je connais les principaux repères du chapitre.**

**Je sais définir et utiliser dans une phrase :**

- ▶ cohésion sociale et territoriale
- ▶ coopération transfrontalière européenne
- ▶ interface
- ▶ mégalopole européenne
- ▶ espace Schengen

**Je sais situer sur une carte :**

- ▶ les États membres de l'UE et les sièges des institutions européennes ;
- ▶ les principales métropoles européennes ;
- ▶ la mégalopole européenne ;
- ▶ l'exemple de région transfrontalière étudié.

**site élève** ⬇ fond de carte

**Je sais expliquer :**
- ▶ la place de la France, son influence et son insertion dans le territoire de l'UE.
- ▶ le rôle de l'UE pour réduire les inégalités entre les régions.
- ▶ une coopération transfrontalière, ses objectifs et sa mise en œuvre.

## Je vérifie mes connaissances

### 1 J'indique la bonne réponse.

**1. En 2015, la zone euro compte :**
- **a** 12 pays.
- **b** 19 pays.
- **c** 28 pays.

**2. Avec l'emploi, l'éducation, l'environnement et la recherche, quel est le 5ᵉ objectif de la stratégie « Europe 2020 » ?**
- **a** La lutte contre la pauvreté.
- **b** La santé.
- **c** L'égalité filles-garçons.

**3. Dans quelle ville siège le Parlement européen ?**
- **a** Bruxelles.
- **b** Luxembourg.
- **c** Strasbourg.

**4. En 2015, l'Union européenne compte ?**
- **a** 28 États membres.
- **b** 27 États membres.
- **c** 25 États membres.

### 2 Je révise le vocabulaire.

Je recopie les paragraphes suivants en remplaçant les expressions soulignées par le mot de vocabulaire qui correspond.

L'UE est un territoire inégalement développé. L'essentiel des hommes et des richesses se concentrent <u>dans une région qui s'étend de Londres à Milan</u>.

Des politiques <u>pour réduire ces inégalités</u> sont mises en œuvres. Elles doivent permettre à tous les Européens de vivre dans des conditions égales.

Un des moyens pour y arriver est favoriser les aménagements et les projets entre pays voisins, afin que la frontière ne soit plus une séparation mais bien <u>un lieu privilégié de contact et d'échange</u>.

### 3 J'analyse une photographie à l'aide de mes connaissances et j'utilise les mots ci-dessous.

Frontière

coopération transfrontalière

espace Schengen

espace transfrontalier    libre circulation

Union européenne        interface

continuité des axes de transport

### 4 Retrouvez d'autres exercices sous forme interactive sur le site Nathan.

site élève
⬇ exercices interactifs

# Brevet

## EXERCICE 1 Analyser et comprendre des documents (20 points)

**Le « Brexit » à la une du sommet européen à Bruxelles**

Le principal sujet du sommet des chefs d'État de l'Union européenne à Bruxelles (février 2016) est le « Brexit » (*British Exit*), c'est-à-dire une éventuelle sortie du Royaume-Uni de l'Union européenne, qui inquiète l'Europe.

1 David Cameron, Premier ministre du Royaume-Uni au 18 février 2016.

Dessin de Vadot (Belgique), publié dans *L'Écho*, 18 février 2016.

**QUESTIONS**

site élève
⬇ analyser un dessin de presse

1 Identifiez l'auteur, la date et la source de ce dessin de presse.

2 À quelle occasion ce dessin a-t-il été réalisé ?

3 Décrivez le dessin.

4 D'après vos connaissances, pourquoi ce dessin illustre-t-il l'idée de « géométrie variable » de l'Union européenne ?

**MÉTHODE**

**J'identifie le point de vue particulier d'un document**

▶ Un dessin de presse illustre la position du dessinateur sur le sujet évoqué. Il s'agit donc de bien de décrypter le dessin comme étant une façon subjective de représenter la scène ; un autre dessinateur aurait pu proposer un autre dessin pour illustrer le même sujet.

→ *Exemple :* ici, vous devez expliquer pourquoi la tasse de thé est fêlée et ce qui va se passer lorsque David Cameron va tomber dedans.

## EXERCICE 2 Maîtriser différents langages (20 points)

**CONSIGNE** Sous la forme d'un développement construit d'une vingtaine de lignes, décrivez les inégalités qui existent au sein de l'Union européenne, ainsi que les politiques mises en œuvre pour renforcer la cohésion en Europe.

**CONSEILS**

→ Interrogez-vous sur le sens du sujet en vous attachant aux mots clés, puis listez les points de votre leçon liés au sujet.

→ Passez ensuite à la rédaction.

→ Après une phrase d'introduction qui présente le sujet, vous pouvez séparer votre texte en deux parties qui montrent :
• que de nombreuses inégalités existent au sein de l'UE ;
• que l'UE cherche à renforcer la cohésion territoriale et sociale par un ensemble de mesures financières, mais aussi des programmes de coopération à toutes les échelles.

→ Utilisez le vocabulaire adapté :
*inégalités – contrastes – cohésion sociale et territoriale – coopération transfrontalière*

## SUJET BLANC

## EXERCICE 1 Analyser et comprendre des documents (20 points)

### Les inégalités en Europe

Jusqu'à ce que la crise survienne en 2008, les écarts entre économies régionales tendaient à se combler au sein de l'UE [...]. En 2000, le PIB moyen par habitant des 20 % de régions les plus développées était 3,5 fois supérieur environ à celui des 20 % de régions les moins développées. En 2008, il n'était plus que 2,8 fois supérieur – une évolution provenant principalement de ce que les régions ayant les PIB par habitant les moins élevés [...] effectuent un rattrapage par rapport aux régions plus prospères.

La crise semble toutefois avoir donné un coup d'arrêt à une évolution dans ce sens puisque les disparités régionales se sont accrues entre 2008 et 2011. [...]

[Elle] affecte à la fois les économies avancées et celles qui le sont moins. [...]

Les disparités entre régions d'un même pays se sont, elles aussi, fortement accentuées entre 2000 et 2011 [...]. Le phénomène a été marqué en Bulgarie et en Roumanie [...], en raison principalement d'un taux élevé de croissance dans la région-capitale. Le PIB par habitant des autres régions de ces deux pays a poursuivi sa convergence vers la moyenne de l'UE, mais à un rythme beaucoup plus lent. Les disparités régionales se sont également accentuées en Grèce et au Royaume-Uni.

■ Extrait du 6ᵉ rapport sur la cohésion économique, sociale et territoriale, Commission européenne, 2014.

### QUESTIONS

**1** De quel document est extrait ce texte ? Quelle institution en est l'auteure ?

**2** Relevez les éléments qui montrent que :
● des inégalités existent entre les États de l'UE ;
● des inégalités existent au sein même des États de l'UE.

**3** Quel effet a eu la crise de 2008 sur ces inégalités ?

**4** D'après vos connaissances, comment l'UE agit-elle pour réduire ces inégalités ?

## EXERCICE 2 Maîtriser différents langages (20 points)

**CONSIGNE** Sous la forme d'un développement construit d'une vingtaine de lignes, expliquez quelle place occupe la France au sein de l'Union européenne.

## MON BILAN DE COMPÉTENCES

| Domaines du socle | | Compétences travaillées | Pages du chapitre | |
|---|---|---|---|---|
| **D1** | Les langages pour penser et communiquer | Je sais me construire des outils de travail pour apprendre | Je découvre | p. 312-313 |
| | | Je sais produire des croquis | Je découvre | p. 314-315 |
| | | Je sais analyser et comprendre des documents | Étude de cas | p. 316-319 |
| | | Je sais pratiquer différents langages en géographie | Étude de cas | p. 316-319 |
| **D2** | Méthodes et outils pour apprendre | Je sais organiser mon travail personnel | Apprendre à apprendre | p. 324 |
| **D5** | Les représentations du monde et de l'activité humaine | Je sais établir des liens entre l'espace et l'organisation des sociétés | Je découvre | p. 312-313 |
| | | | | p. 314-315 |
| | | Je sais me repérer dans l'espace | Cartes | p. 320-321 |

# 18 La France et l'Europe dans le monde

→ **Quelle influence la France et l'Europe exercent-elles dans le monde ?**

### Au cycle 4, en 4ᵉ

J'ai appris que la moitié des touristes dans le monde sont des Européens et que l'Europe est l'une des trois principales régions d'accueil des touristes internationaux.

### Au cycle 4, en 3ᵉ

**En histoire (chapitre 7)**, j'ai compris les étapes et les enjeux de la construction européenne.
**En géographie (chapitre 17)**, j'ai mis en évidence les caractéristiques du territoire européen.

### Ce que je vais découvrir

Je vais voir dans quels domaines la France et l'Union européenne exercent une influence à l'échelle mondiale.

**1 Les missions militaires de l'Union européenne : « l'opération Atalante »**

Depuis 2008, 16 États membres de l'Union européenne participent à la force d'intervention déployée au large des côtes somaliennes pour lutter contre les actes de piraterie dans la région.

Le savez-vous ?

En 2012, le prix Nobel de la paix a été décerné à l'Union européenne pour avoir « contribué, pendant plus de six décennies, à promouvoir la paix et la réconciliation, la démocratie et les droits de l'homme en Europe ».

**2** Affiche du film d'animation *Le Petit Prince* pour sa sortie au Japon (2015)

Adapté de l'œuvre d'Antoine de Saint-Exupéry, écrivain et aviateur français (1900-1944), ce film est, à ce jour, le plus gros succès à l'international pour un film d'animation français, avec 12,5 millions d'entrées.

**SOCLE** Compétences

▶ **Domaine 3** : Je connais les principes fondateurs de la République française, la Convention européenne et les grands objectifs du projet européen
▶ **Domaine 5** : J'étudie les caractéristiques et les fonctionnements des sociétés

# L'influence culturelle de la France et de l'Europe dans le monde

**CONSIGNE**

L'UNESCO (organisation des Nations unies pour l'éducation, la science et la culture), dont le siège est à Paris, organise les Journées mondiales de la jeunesse pour la culture. Votre classe est désignée pour présenter les principales caractéristiques des cultures française et européenne et leur influence dans le monde. Vous exposerez à l'oral votre travail en illustrant votre propos de deux ou trois diapositives.

## 1 La Sorbonne et le Louvre aux Émirats arabes unis

Symbole de l'excellence française, le musée d'Abu Dhabi ouvrira à la fin de l'année. Un projet d'une ampleur inouïe qui, avec la Sorbonne du Golfe, a généré près d'1 milliard d'euros de contrats et permis de tisser des réseaux dans toute la région.

C'est presque un petit morceau de France au milieu des sables. Sur l'île encore désertique de Saadiyat, le Louvre Abu Dhabi est sorti de terre. Sa gigantesque coupole en inox et acier de 180 mètres de diamètre projettera bientôt une pluie d'étoiles sur le futur musée. Le 4 novembre dernier, Jean Nouvel, l'architecte français choisi parmi une pléiade de stars internationales, a joué les guides d'un jour sur le chantier.

« C'est un projet inouï par son ampleur ; il va contribuer au rayonnement de la France », a commenté la ministre de la Culture, Fleur Pellerin.

■ D'après Martine Robert, « Le Louvre des sables », *Enjeux Les Échos*, 1er février 2015.

Construction du musée, 2015.

**a. Nombre de touristes par pays** (en millions)

- France : 83,8
- États-Unis : 74,8
- Espagne : 65
- Chine : 55,6
- Italie : 48,6
- Turquie : 39,8
- Allemagne : 33
- Royaume-Uni : 32,6

Source : Ministère de l'Économie, de l'Industrie et du Numérique, juillet 2015.

**b. Répartition du tourisme international par continent**

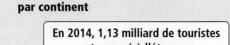

En 2014, 1,13 milliard de touristes ont voyagé à l'étranger.

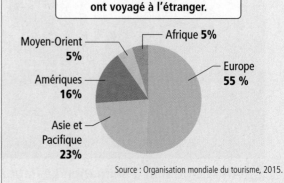

- Afrique 5%
- Moyen-Orient 5%
- Amériques 16%
- Europe 55 %
- Asie et Pacifique 23%

Source : Organisation mondiale du tourisme, 2015.

## 2 La France et l'Europe dans le tourisme mondial, 2014

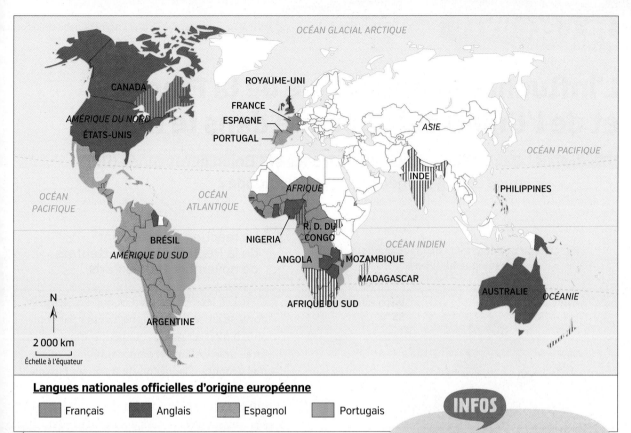

Langues nationales officielles d'origine européenne

■ Français   ■ Anglais   ■ Espagnol   ■ Portugais

**INFOS**

La **francophonie**, c'est un ensemble de **102 pays et territoires** qui rassemblent près de **275 millions de personnes** pouvant s'exprimer en français.

## 3 Les langues européennes dans le monde

## 4 L'art de vivre à la française

Au même titre que le mont Saint-Michel ou le château de Versailles, le « repas gastronomique des Français » appartient désormais au patrimoine de l'humanité. Ce repas inclut les mets, mais aussi les rituels et la présentation qui les entourent. Le comité note que cette gastronomie relève d'une « pratique sociale coutumière destinée à célébrer les moments les plus importants de la vie ». « Les Français aiment se retrouver, bien boire et bien manger, et célébrer un bon moment de cette façon. C'est une partie de nos traditions et une tradition bien vivante », avait plaidé en séance l'ambassadrice de France auprès de l'Unesco.

■ « L'Unesco inscrit la gastronomie française au patrimoine de l'humanité », *Le Parisien*, 16 novembre 2010.

### COUP DE POUCE

Pour organiser votre présentation, vous pouvez :
◗ montrer d'abord comment se manifeste le rayonnement de la culture française et européenne ;
◗ expliquer ensuite que ce rayonnement culturel contribue à l'attractivité internationale de la France et de l'Europe.

## 5 L'Europe, un espace attractif

Dans l'une de ces chambres, Jumana, 36 ans, et son mari Ahmet, au sourire lumineux, semblent avoir réussi à protéger l'innocence de leurs cinq enfants par un humour et une douceur communicatifs. La petite Mawa, 10 ans, impertinente et frondeuse, traduit en anglais mes questions à ses parents et ne cesse de rire tout au long de notre entretien. Jumana raconte le voyage à pied de la frontière syrienne jusqu'à Istanbul, puis le bus jusqu'à Bodrum.

Jeter sa famille dans les dangers de cette route incertaine vers l'Europe n'a pas été une décision facile pour Ahmet. « Lorsque nous serons tous en sécurité en Allemagne, j'aurai accompli mon devoir », avoue-t-il. « La liberté pour mes filles. Et des études. Revenir en Syrie n'est pas une option. Cette guerre ne s'arrêtera jamais. » L'Allemagne, la Suède ou les Pays-Bas sont la destination finale de la plupart des gens que nous rencontrons.

■ D'après Adéa Guillot, « Sur la route de l'Europe avec les migrants », *Le Monde*, 15 mai 2015.

**SOCLE** Compétences

▶ **Domaine 3** : Je connais les engagements européens et internationaux de la France
▶ **Domaine 5** : J'identifie les principaux enjeux du développement humain

# L'influence géopolitique de la France et de l'Union européenne dans le monde

**Question clé** Quelle place occupent la France et l'Union européenne (UE) dans les enjeux géopolitiques du monde ?

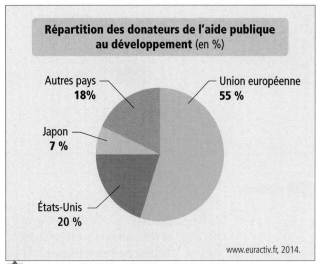

**Répartition des donateurs de l'aide publique au développement** (en %)

- Autres pays **18%**
- Union européenne **55 %**
- Japon **7 %**
- États-Unis **20 %**

www.euractiv.fr, 2014.

**1** L'UE et l'aide publique au développement

## **2** La réaction du président de la République aux attentats de novembre 2015 à Paris

« Les terroristes croient que les peuples libres se laisseraient impressionner par l'horreur. Il n'est est rien. [...] Le peuple français est un peuple vaillant, ardent, courageux, qui se met debout à chaque fois qu'un de ses enfants est à terre » a déclaré le président français qui a annoncé une rencontre à venir avec ses homologues américain et russe, Barack Obama et Vladimir Poutine.

François Hollande montre ainsi vouloir clairement lancer les discussions générales afin d'arriver à « une grande et unique coalition » selon ses termes, pour lutter contre Daech en Syrie et en Irak.

Par ailleurs, il a demandé le soutien des autres pays européens face à la menace terroriste, « un ennemi de l'Europe », et appelé à une réunion du Conseil de sécurité de l'ONU « dans les meilleurs délais pour adopter une résolution marquant cette volonté commune de lutter contre le terrorisme ».

■ *Ouest France*, 17 novembre 2015.

## **3** Les ONG françaises au cœur des actions humanitaires

Médecins sans frontières organise une campagne de vaccination en République centrafricaine, dans un camp de réfugiés, 2016.

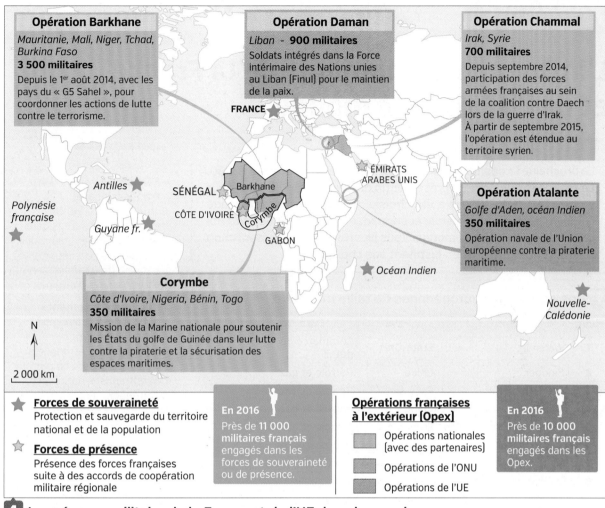

**Opération Barkhane**

*Mauritanie, Mali, Niger, Tchad, Burkina Faso*
**3 500 militaires**

Depuis le 1er août 2014, avec les pays du « G5 Sahel », pour coordonner les actions de lutte contre le terrorisme.

**Opération Daman**

*Liban* - **900 militaires**

Soldats intégrés dans la Force intérimaire des Nations unies au Liban (Finul) pour le maintien de la paix.

**Opération Chammal**

*Irak, Syrie*
**700 militaires**

Depuis septembre 2014, participation des forces armées françaises au sein de la coalition contre Daech lors de la guerre d'Irak.
À partir de septembre 2015, l'opération est étendue au territoire syrien.

**Opération Atalante**

*Golfe d'Aden, océan Indien*
**350 militaires**

Opération navale de l'Union européenne contre la piraterie maritime.

**Corymbe**

*Côte d'Ivoire, Nigeria, Bénin, Togo*
**350 militaires**

Mission de la Marine nationale pour soutenir les États du golfe de Guinée dans leur lutte contre la piraterie et la sécurisation des espaces maritimes.

⭐ **Forces de souveraineté**
Protection et sauvegarde du territoire national et de la population

☆ **Forces de présence**
Présence des forces françaises suite à des accords de coopération militaire régionale

**En 2016** Près de **11 000** militaires français engagés dans les forces de souveraineté ou de présence.

**Opérations françaises à l'extérieur (Opex)**

Opérations nationales (avec des partenaires)

Opérations de l'ONU

Opérations de l'UE

**En 2016** Près de **10 000** militaires français engagés dans les Opex.

**4** **La présence militaire de la France et de l'UE dans le monde**

En 2016, la France est, après les États-Unis, le pays le plus impliqué militairement au niveau international.

## Activités

**Question clé** **Quelle place occupent la France et l'Union européenne (UE) dans les enjeux géopolitiques du monde ?**

**ITINÉRAIRE 1** **OU** **ITINÉRAIRE 2**

▶ **Je comprends le sens général des documents**

**❶ Doc 4.** Dans quelles régions du monde les armées de la France et de l'UE interviennent-elles ?

**❷ Doc 2 et 4.** Quel rôle joue la France dans la lutte contre le terrorisme de Daech ? Et l'UE ?

**❸ Doc 2.** À quelle institution de l'ONU la France appartient-elle pour maintenir la paix dans le monde ?

**❹ Doc 1 et 3.** Comment la France et l'UE manifestent-elles leur soutien aux populations les plus fragiles dans le monde ?

▶ **J'argumente à l'écrit**

**❺** À l'aide de vos réponses et des documents, rédigez une réponse à la question clé.

▶ **Je complète un schéma**

À l'aide des documents 1 à 4, complétez le schéma pour répondre à la question clé.

Interventions militaires
• France : ...
• UE : ...

Relations internationales
• France : ...
• UE : ...

Influence géopolitique

Développement et aide humanitaire
• France : ...
• UE : ...

**SOCLE** **Compétences**
▶ **Domaine 2** : Je prépare un exposé en choisissant une démarche adaptée
▶ **Domaine 5** : Je comprends le monde d'aujourd'hui

# L'influence économique de la France et de l'UE dans le monde

**CONSIGNE**

La prochaine Exposition universelle sera organisée à Dubaï en 2020. La France et l'UE doivent présenter un dossier de candidature pour y participer. Votre classe a été choisie pour réaliser un reportage sur la puissance et l'influence économique qu'exercent aujourd'hui la France et l'UE dans le monde. Vous illustrerez votre présentation de trois photographies en justifiant vos choix.

**VOCABULAIRE**

▶ **FTN (firme transnationale)**
Entreprise qui contrôle des filiales implantées dans plusieurs États et qui produit et réalise une part importante de son chiffre d'affaires en dehors du pays d'origine.

▶ **IDE (investissements directs de/à l'étranger)**
Capitaux placés par des entreprises étrangères dans un pays tiers ou par des entreprises nationales à l'étranger.

## 1 Des entreprises européennes de taille mondiale

| Rang | Nom | Pays | Branche |
|------|-----|------|---------|
| 1 | Wallmart | États-Unis | Commerce de détail |
| 2 | Sinopec | Chine | Pétrole et gaz |
| 3 | Royal Dutch Shell | Pays-Bas | Pétrole et gaz |
| 4 | CNPC | Chine | Pétrole et gaz |
| 5 | ExxonMobil Corporation | États-Unis | Pétrole et gaz |
| 6 | BP | Royaume-Uni | Hydrocarbures |
| 7 | State Grid Corporation | Chine | Électricité |
| 8 | Volkswagen | Allemagne | Automobile |
| 9 | Toyota | Japon | Automobile |
| 10 | Glencore-Xstrata | Suisse | Matières premières |
| 11 | Total | France | Pétrole et gaz |

Classement des plus grandes entreprises mondiales en fonction de leur chiffre d'affaires en 2014. En bleu, les entreprises issues d'un pays membre de l'UE.
*Fortune Global 500*, 2015.

## 3 L'Union européenne et les IDE

*L'UE reçoit 35 % des IDE mondiaux. La confiance accordée à l'Europe se confirme : 59 % des investisseurs étrangers sont confiants dans les perspectives économiques de l'Europe dans les trois prochaines années, contre 38 % en 2012.*

*Interrogés sur les critères d'attractivité de l'Europe, les dirigeants d'entreprises internationales soulignent en premier lieu la stabilité de l'environnement des affaires, la capacité de recherche et d'innovation, la taille du marché, la diversité et la qualité de la main-d'œuvre.*

■ *Business France*, 2015.

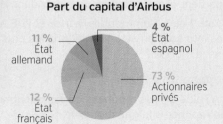

## 2 Airbus, le succès d'un groupe européen

Inauguration du site de production d'Airbus à Mobile (États-Unis) en 2015. Airbus fabrique plus de la moitié des avions de ligne produits dans le monde.

**Part du capital d'Airbus**
- 11 % État allemand
- 4 % État espagnol
- 12 % État français
- 73 % Actionnaires privés

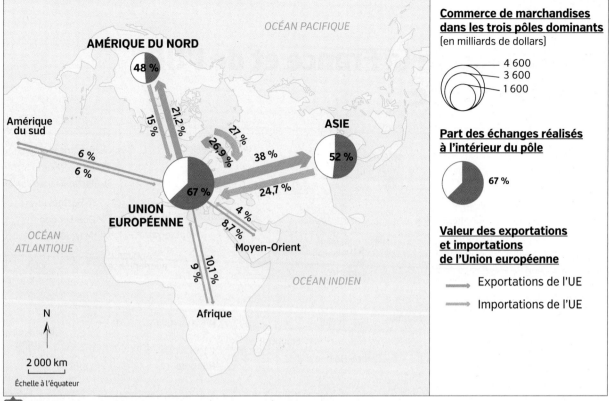

**Commerce de marchandises dans les trois pôles dominants**
(en milliards de dollars)

— 4 600
— 3 600
— 1 600

**Part des échanges réalisés à l'intérieur du pôle**

67 %

**Valeur des exportations et importations de l'Union européenne**

→ Exportations de l'UE
→ Importations de l'UE

OCÉAN PACIFIQUE

AMÉRIQUE DU NORD
48 %

Amérique du sud

15 %
21,2 %

27 %
26,9 %

38 %

ASIE
52 %

UNION EUROPÉENNE
67 %

6 %
6 %

24,7 %

4 %
8,7 %

Moyen-Orient

OCÉAN ATLANTIQUE

10,1 %
9 %

OCÉAN INDIEN

Afrique

N

2 000 km
Échelle à l'équateur

**4** L'Union européenne dans le commerce mondial

**5** La France, une grande puissance économique en crise ?

La France se place au 5e rang en matière de flux commerciaux et financiers, ce qui la situe parmi les pays les plus actifs du monde. Les produits à haute valeur ajoutée constituent la majorité des transactions ; l'ensemble des treize régions françaises métropolitaines exportent plus qu'elles n'importent.

Mais depuis 2004, le solde commercial[1] français n'a cessé de se détériorer. Le déficit s'explique par l'augmentation du prix de l'énergie et de certaines matières premières et la croissance moins vive des exportations. Il s'est surtout creusé avec les pays industrialisés.

■ V. Adoumié (dir), *Géographie de la France*, Hachette supérieur, 2015.

1. Différence entre la valeur des exportations et celle des importations.

**6** « H&M », une FTN européenne dans la mondialisation

Publicité pour l'entreprise suédoise « H&M » à Beijing (Chine). En 2016, le pays compte 300 magasins.

**COUP DE POUCE**

Pour vous aider à préparer votre présentation, vous pouvez compléter le schéma suivant.

L'UE, une puissance économique majeure
→ Doc 1 et 4

Influence économique de la France et de l'UE

Une attractivité et du dynamisme malgré certaines difficultés
→ Doc 3 et 5

Des exemples de réussite industrielle et commerciale
→ Doc 2 et 6

# L'influence de la France et de l'UE dans le monde

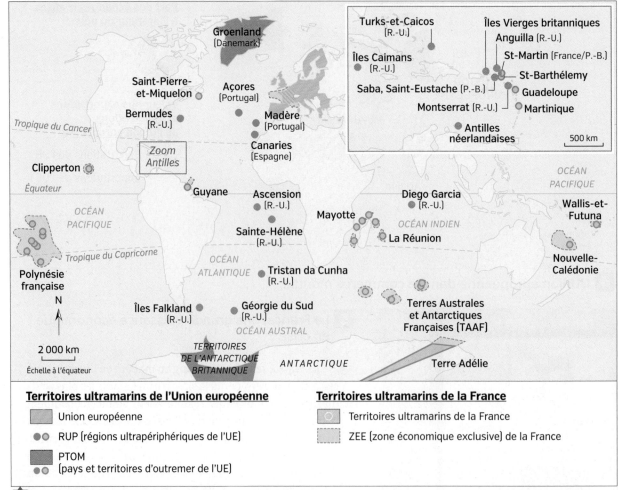

**Territoires ultramarins de l'Union européenne**

- ▨ Union européenne
- ●● RUP (régions ultrapériphériques de l'UE)
- ■ PTOM
  ●● (pays et territoires d'outremer de l'UE)

**Territoires ultramarins de la France**

- ◎ Territoires ultramarins de la France
- ⬚ ZEE (zone économique exclusive) de la France

**1** **Les territoires ultramarins de la France et de l'UE**

## QUESTIONS

**Je situe dans l'espace**

**❶ Doc 1.** Observez la répartition des territoires français et européens dans le monde. Expliquez pourquoi ces territoires favorisent l'influence de la France et de l'UE dans le monde.

**❷ Doc 2 et 3.** « L'UE a une influence mondiale ». Expliquez cette affirmation à l'aide des 2 cartes.

## CHIFFRES CLÉS

➡ **Régions ultrapériphériques de l'UE**

- **4,5 millions** d'habitants.
- **25 millions** de km².
- **80 %** de la **biodiversité** **européenne.**

➡ **Pays et territoires d'outremer de l'UE**

- **1 million** d'habitants.
- Les **superficies** varient de **100 km²** (île de Montserrat, Caraïbes) à plus de **2 millions** de km² (Groenland).

## VOCABULAIRE

▸ **PTOM (Pays et territoires d'outremer)**
Ils ne font pas partie intégrante de l'UE mais sont liés à l'un des États membres de l'UE.

▸ **RUP (Régions ultrapériphériques)**
Elles font partie intégrante de l'UE et bénéficient du même statut (zone euro, élections au Parlement...).

▸ **ZEE (Zone économique exclusive)**
Espace maritime sur lequel un État possède des droits d'exploitation et d'usage des ressources. Une ZEE s'étend jusqu'à 370 km d'un littoral, voire 648 km en cas d'extension.

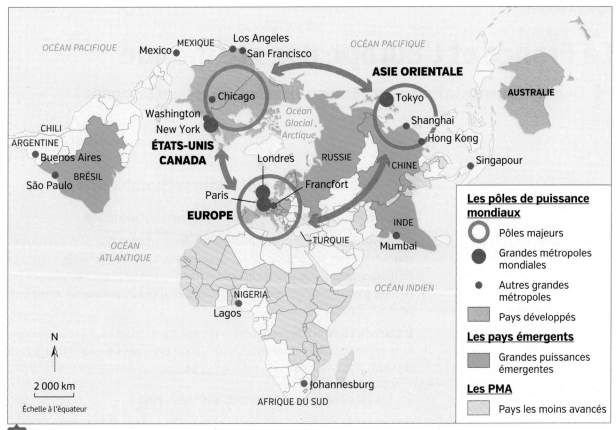

**2** L'Union européenne, l'un des trois pôles majeurs de l'espace mondial

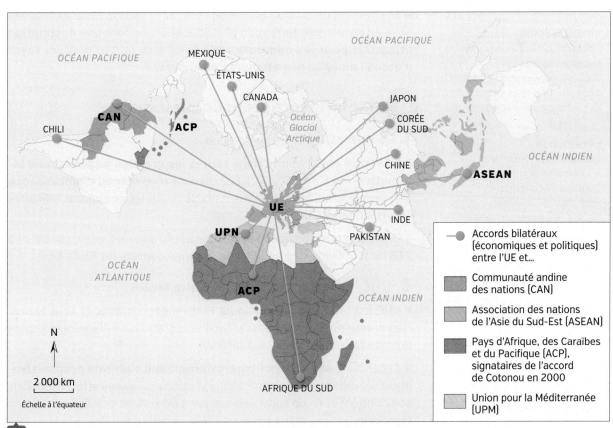

**3** Les accords de coopération signés par l'Union européenne

# La France et l'Europe dans le monde

→ **Quelle influence la France et l'Europe exercent-elles dans le monde ?**

## VOCABULAIRE

▸ **Francophonie**
Ensemble de celles et ceux qui, à des degrés divers, utilisent la langue française.

▸ **FTN (firme transnationale)**
Entreprise qui contrôle des filiales implantées dans plusieurs États et qui produit et réalise une part importante de son chiffre d'affaires en dehors du pays d'origine.

▸ **Géopolitique**
Étude des rapports entre la géographie et la politique des États.

▸ **IDE (investissements directs de/à l'étranger)**
Capitaux placés par des entreprises étrangères dans un pays tiers ou par des entreprises nationales à l'étranger.

▸ **Puissance**
Capacité d'un territoire à exercer une influence politique, économique ou culturelle au-delà de ses frontières.

▸ **Solde commercial**
Différence entre la valeur des exportations et celle des importations.

▸ **ZEE**
Espace maritime sur lequel un État possède des droits d'exploitation et d'usage des ressources. Une ZEE s'étend jusqu'à 370 km d'un littoral voire 648 km en cas d'extension.

## **A** Une influence culturelle prépondérante

### **1.** La culture française, une référence mondiale

● La France est présente sous toutes les latitudes par son **territoire**, mais aussi par sa **langue** (5e rang mondial). La **francophonie** assure la diffusion de la langue et de la culture françaises. Elle est relayée par un réseau très dense de **centres culturels** et d'**établissements scolaires** partout dans le monde.

● **L'art de vivre « à la française »** (mode, gastronomie...) est universellement connu. À Shanghai (Chine), un centre commercial dédié à l'art de vivre à la française a ouvert en 2014.

### **2.** La richesse des cultures européennes

● La grande diversité culturelle et artistique de l'UE fait d'elle le **premier pôle touristique mondial** (620 millions de visiteurs, 55 % des flux internationaux).

● Ses valeurs de démocratie et de paix, ainsi qu'une offre exceptionnelle en matière de formation et d'éducation, en font une **destination attractive pour les migrants :** elle reste à ce jour le **premier foyer d'accueil mondial des étudiants étrangers.**

## **B** Une influence géopolitique inégale

### **1.** Le rôle affirmé de la France

● La France est présente **dans toutes les grandes organisations internationales** (ONU, OTAN...). Elle dispose d'un **réseau d'ambassades** très développé. Elle est investie dans de multiples opérations militaires internationales (Liban, Syrie, Sahel...).

● Grâce à l'importance de ses territoires ultramarins, elle contrôle une **ZEE** de 11 millions de km² (2e rang mondial derrière les États-Unis).

### **2.** L'UE, un rayonnement politique limité

● L'UE est une **association de 28 États indépendants et souverains**. Définir une position commune face aux grands enjeux **géopolitiques** du monde contemporain est **difficile**.

● Cependant, **son rôle politique international s'affirme progressivement :** l'évolution du nombre d'interventions militaires effectuées sous son contrôle et l'aide accordée aux pays en voie de développement en témoigne.

## C L'influence économique majeure de l'Europe

### 1. L'UE, première puissance économique mondiale

● L'Union européenne concentre **23 % de la richesse mondiale**. Elle tire des bénéfices importants des **activités de services** (assurances, transports, grande distribution) et des **industries de haute technologie** (aéronautique, chimie, etc.). De nombreuses **FTN** dominent leurs marchés respectifs (Shell, Philips...).

● Centre majeur du commerce international, elle est également au cœur des **transactions financières planétaires** grâce à des **Bourses de dimension mondiale** (Londres, Paris, Francfort) et à sa capacité d'émission et de réception des **IDE**.

### 2. La France, une influence économique contestée

● **6e puissance** mondiale (2016), la France se situe au **3e rang européen derrière l'Allemagne et le Royaume-Uni**. L'économie française est ouverte sur l'Europe et sur le monde : 20 000 entreprises étrangères employant 2 millions de salariés y sont implantées, 17 de ses grands groupes figurent parmi les 200 premières sociétés internationales.

● Cependant, fortement dépendante des importations de matières premières et soumise à une concurrence internationale de plus en plus vive, la France a un **solde commercial** très largement **déficitaire**.

**CHIFFRES CLÉS**

|  | France | UE à 28 |
|---|---|---|
| **Population** (millions d'habitants) | 66 | 510 |
| **Superficie** (millions de km²) | 0,67 | 4,5 |
| **Nombre de FTN** parmi les 20 premières mondiales | 2 | 7 |

*Banque mondiale, FMI (2015).*

---

## Je retiens autrement

### La France et l'Union européenne, des puissances d'influence mondiale

| France  | | Union européenne  |
|---|---|---|
| • **Francophonie** (5e langue au monde)<br>• Prestige de la **culture française** | **Influence culturelle** | • Des valeurs : **démocratie, paix, justice**<br>• **Destination attractive** pour les touristes et les migrants |
| • **Territoires ultramarins**<br>• 2e puissance maritime mondiale (**ZEE**)<br>• Présence **militaire** et **diplomatique** importante | **Influence économique** | • **1er pôle économique et commercial** du monde<br>• **Puissantes entreprises** industrielles, de haute technologie et de services |
| • 6e puissance mondiale, 3e rang européen<br>• Des **FTN** : hydrocarbures, agroalimentaire, luxe, pharmacie | **Influence géopolitique** | • **Un rôle politique international qui s'affirme** (aide aux pays en développement)<br>• **Des territoires ultramarins** sur tous les continents |
| • **Solde commercial déficitaire**<br>• **Forte concurrence mondiale** (États-Unis, BRICS...) | **Des limites** | • Présence sur la **scène internationale** encore faible (géopolitique et militaire)<br>• **Puissance incomplète** (pas de défense commune) |

# Apprendre à apprendre

## Comment apprendre ma leçon ?

### Je fabrique mes outils de révision : l'affiche

Quand on retient mieux lorsqu'on est en activité, on peut fabriquer des outils comme des affiches pour apprendre sa leçon.

▶ **Étape 1**

- Pour commencer, il faut vous assurer que vous avez bien compris votre leçon. Relevez le titre du chapitre, la question clé, le vocabulaire et les idées principales.
- Il est préférable d'utiliser un code couleurs pour organiser toujours de la même manière les informations importantes.

▶ **Étape 2**

- Vous pouvez réaliser votre affiche.

---

## TITRE DE L'AFFICHE

*Indiquez le titre de la leçon*

*La question clé de la leçon :*

Quelle influence la France et l'Europe exercent-elles dans le monde ?

**Illustrations :**
*Vous pouvez coller des documents illustrant la leçon*

- Une attractivité importante
  › En 2014, 83,8 millions de touristes ont visité la France (1ʳᵉ destination mondiale).
- Idée principale n° 2
  › Exemple
- Idée principale n° 3
  › Exemple

**Les repères géographiques :**

*Utilisez les fonds de carte fournis sur le site Nathan pour coller un planisphère avec les repères du chapitre.*

collegien.nathan.fr/hg3

**Vocabulaire à retenir**
- Puissance
- ZEE
- ...

---

## Je révise chez moi

● **Je vérifie que je connais les principaux repères du chapitre.**

**Je sais définir et utiliser dans une phrase :**
- ▶ puissance
- ▶ francophonie
- ▶ solde commercial
- ▶ ZEE

**Je sais situer sur un planisphère :**
- ▶ le territoire de la France en Europe et dans le monde ;
- ▶ le territoire de l'Union européenne.

**site élève**
↧ fond de carte

**Je sais expliquer :**
- ▶ comment se traduit l'influence culturelle, géopolitique et économique de la France, en citant deux exemples ;
- ▶ comment se traduit l'influence culturelle, géopolitique et économique de l'UE, en citant un exemple.

# Exercices

## Je vérifie mes connaissances

### 1 Je vérifie que j'ai compris la leçon.

J'indique pour chacune des propositions suivantes si elle est vraie ou fausse,
puis je corrige les propositions fausses.

**a.** L'Europe est la première destination touristique dans le monde.

**b.** Les IDE permettent de mesurer l'influence culturelle d'un État.

**c.** La France est très engagée dans les opérations de maintien de la paix.

**d.** L'UE est un centre majeur du commerce international.

**e.** La France est la 3e puissance économique mondiale.

### 2 Je classe les mots importants de la leçon.

Recopiez les encadrés puis placez chaque élément dans l'encadré qui convient.

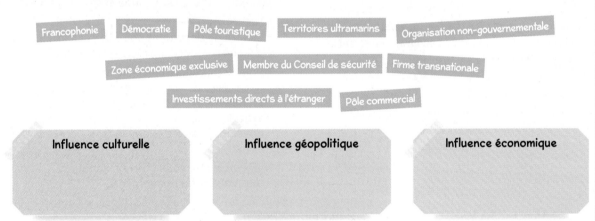

Francophonie   Démocratie   Pôle touristique   Territoires ultramarins   Organisation non-gouvernementale

Zone économique exclusive   Membre du Conseil de sécurité   Firme transnationale

Investissements directs à l'étranger   Pôle commercial

| Influence culturelle | Influence géopolitique | Influence économique |
| --- | --- | --- |

### 3 J'argumente en complétant l'idée générale.

Recopiez et complétez les phrases suivantes en apportant un exemple concret
pour chaque idée proposée.

1. La France a une influence culturelle dans le monde, par exemple...

3. La France et l'Europe sont des grandes puissances économiques, puisque...

2. L'Europe est un territoire qui attire dans le monde entier, ainsi...

4. L'Union européenne est une puissance incomplète parce que...

### 4 Retrouvez d'autres exercices sous forme interactive sur le site Nathan.

site élève
⬇ exercices interactifs

# Brevet

## EXERCICE 1 — Analyser et comprendre des documents (20 points)

Jeudi 21 mai, le patron du groupe américain Hexcel a lancé officiellement à Roussillon (Isère), au cœur de la « vallée de la chimie », un des plus grands investissements étrangers en cours en France : la construction d'une usine de polyacrylonitrile, la matière première de la fibre de carbone, un chantier de 200 millions d'euros. Une parfaite illustration de la reprise actuelle des investissements étrangers en Europe, y compris dans l'Hexagone.

En 2014, quelques 4 341 projets d'implantation et d'extension de sites ont été annoncés dans l'Europe au sens large (y compris la Russie), soit 10 % de plus en un an. Ces projets devraient aboutir à la création de plus de 185 500 emplois, « un niveau record ». Le retour, même timide, de la croissance en Europe encourage en effet les groupes étrangers à s'y implanter. La baisse de l'euro alimente aussi le mouvement : elle redonne de la compétitivité aux exportations européennes, et incite à produire davantage en zone euro.

■ Denis Cosnard, « Les investisseurs étrangers plébiscitent l'Europe », *Le Monde*, 27 mai 2015.

### QUESTIONS

❶ Quelle est la source de ce document ?

❷ D'après l'auteur, quel phénomène économique touche actuellement la France et l'Union européenne ?

❸ Donnez un titre au document.

❹ D'après l'auteur, quelles explications peut-on trouver à ce retour de la croissance dans les pays de l'Union européenne ?

### MÉTHODE

**Je comprends le sens général d'un document (→ Question ❸)**

▶ Le titre du document doit refléter la principale idée qu'a voulu transmettre son auteur.

▶ Pour comprendre l'idée clé du texte, il est nécessaire de commencer par le lire dans son intégralité avant d'en dégager les principales articulations, notamment en relevant l'idée développée et les exemples qui viennent l'illustrer.

→ *Exemple :* ici, vous pouvez identifier des causes du phénomène.

## EXERCICE 2 — Maîtriser différents langages (20 points)

**CONSIGNE** Sous la forme d'un développement construit d'une vingtaine de lignes, décrivez l'influence de la France et de l'Europe dans le monde.

### CONSEILS

→ Interrogez-vous sur le sens du sujet en vous attachant aux mots clés, puis listez les points de votre leçon liés au sujet.

→ Passez ensuite à la rédaction.

→ Après une phrase d'introduction qui présente le sujet, vous pouvez séparer votre texte en trois parties qui montrent :
- que l'influence de la France et de l'Europe dans le monde est une réalité sur le plan géopolitique et économique ;
- que l'influence de la France et de l'Europe dans le monde est une réalité sur le plan culturel ;
- que l'influence de la France et de l'Europe dans le monde connaît néanmoins des limites.

→ Utilisez le vocabulaire adapté : *puissance – influence – FTN – IDE*

## EXERCICE 1 — Analyser et comprendre des documents (20 points)

### 1 La politique européenne de voisinage (PEV)

Entourer l'Union européenne d'un cercle d'États amis afin d'en stabiliser les frontières : telle est la raison d'être de la politique européenne de voisinage (PEV). Cette initiative, lancée en 1995 sous le nom de « processus de Barcelone », puis réactualisée au début des années 2000, concerne tous les États partageant une frontière terrestre ou maritime avec l'un des pays membres de l'UE. Son objectif est de créer un espace de prospérité et de stabilité autour de l'UE en entretenant une coopération étroite avec des États qui n'ont pas vocation à y rentrer.

Le bilan de la PEV est dans l'ensemble positif : elle a permis une augmentation considérable des échanges commerciaux et une accélération du rythme des réformes dans un certain nombre d'États. Aujourd'hui, la PEV donne la priorité aux engagements démocratiques des pays partenaires.

■ « Les politiques européennes de voisinage », www.touteleurope.eu, 28 octobre 2014.

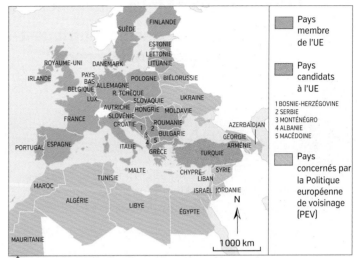

### 2 L'Union européenne et les États de son voisinage

**QUESTIONS**

❶ Expliquez ce qu'est la PEV.

❷ Quelles aires géographiques sont concernées par la PEV ?

❸ Quels sont les objectifs principaux de l'Union européenne dans la mise en place de cette politique ?

❹ À l'aide vos connaissances, expliquez quelles autres actions sont menées par l'Union européenne pour étendre son influence dans le monde.

## EXERCICE 2 — Maîtriser différents langages (20 points)

**CONSIGNE** Sous la forme d'un développement construit d'une vingtaine de lignes, expliquez ce qui fait de la France et de l'Europe deux puissances d'influence mondiale.

## MON BILAN DE COMPÉTENCES

| Domaines du socle | Compétences travaillées | Pages du chapitre |
|---|---|---|
| **D2** Méthodes et outils pour apprendre | Je sais préparer un exposé en choisissant une démarche adaptée<br>Je sais organiser mon travail personnel | J'enquête........ p. 334-335<br>Apprendre à apprendre........ p. 340 |
| **D3** La formation de la personne et du citoyen | Je connais les principes fondateurs de la République française, la Convention européenne et les grands objectifs du projet européen<br>Je connais les engagements européens et internationaux de la France | J'enquête........ p. 330-331<br>Je découvre.... p. 332-333 |
| **D5** Les représentations du monde et de l'activité humaine | J'étudie les caractéristiques et les fonctionnements des sociétés<br>Je sais identifier les principaux enjeux du développement humain<br>Je comprends le monde d'aujourd'hui<br>Je sais me repérer dans l'espace | J'enquête........ p. 330-331<br>Je découvre.... p. 332-333<br>J'enquête........ p. 334-335<br>Cartes........ p. 336-337 |

# Le rayonnement du cinéma français à l'international

**Question clé** Comment le cinéma contribue-t-il à l'influence culturelle de la France dans le monde ?

**mémo ART**

▶ Traditionnellement désigné comme le « 7ᵉ art », le cinéma contribue activement au rayonnement culturel de la France, bien au-delà de ses frontières.

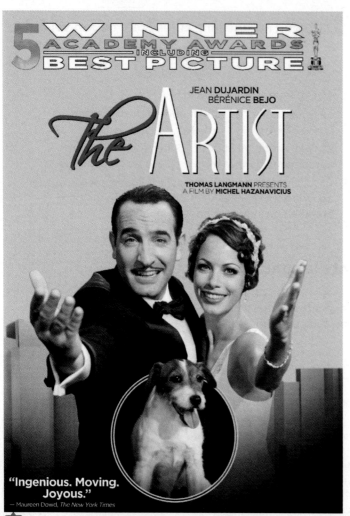

**1 Le cinéma français, une reconnaissance internationale**

*The Artist* est un film français réalisé par Michel Hazanavicius en 2011. Il a reçu plus de 100 récompenses internationales dont 5 Oscars américains en 2012.

**CHIFFRES CLÉS**

**Une fréquentation en progression**

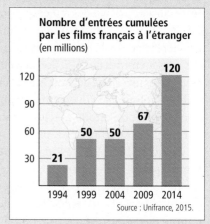

Nombre d'entrées cumulées par les films français à l'étranger (en millions)

| Année | Entrées |
|-------|---------|
| 1994 | 21 |
| 1999 | 50 |
| 2004 | 50 |
| 2009 | 67 |
| 2014 | 120 |

Source : Unifrance, 2015.

**2 Le cinéma français s'exporte de plus en plus**

Les exportations de films tricolores ont bondi de 119 % en 2014. Ce formidable engouement hors de nos frontières s'est traduit par une hausse spectaculaire des recettes.

Après le record de 2012, année de la sortie d'*Intouchables*, durant laquelle 144 millions de billets ont été écoulés, c'est la deuxième fois en vingt ans que les films français franchissent la barre symbolique des 100 millions d'entrées. 70 longs-métrages font plus de 100 000 entrées et 14 films ont rassemblé plus de 1 million de téléspectateurs hors de nos frontières. Petit bémol : les films en langue française ne représentent que 28,5 % des entrées...

■ Caroline Sallé, « 2014, année record pour le cinéma français à l'étranger », *Le Figaro*, 16 janvier 2015.

### 3 Un cinéma français reconnu dans le monde

La France reste le deuxième exportateur de films au monde, après les États-Unis. La France veut à son tour parier sur les retombées économiques du rayonnement international de ses films (en termes de tourisme, de consommation de produits français dérivés et d'emplois). UniFrance[1] a présenté une étude auprès de cinéphiles de quatorze pays sur leur rapport à la production française. Après les États-Unis, le cinéma français reste, selon l'étude, le plus apprécié à l'international. En tête des genres les plus appréciés, on retrouve sans surprise la comédie (*Le Fabuleux Destin d'Amélie Poulain* est le film le plus connu dans le monde, devant *Intouchables* et la quadrilogie *Taxi*) et sa version romantique, plutôt que les films d'auteurs.

Les spectateurs étrangers qualifient globalement le cinéma français d'«esthétique», «émouvant» et «intelligent».

■ Vincent Dozol, « Le cinéma français continue de briller dans le monde », *France-Amérique, le Journal des Français d'Amérique*, 5 mai 2014.

1. Organisme chargé de promouvoir le cinéma français à l'étranger.

### 4 Affiche du film *Intouchables* à Hong Kong en Chine (2011)

### 5 Une production cinématographique variée

| Rang | Film | Genre | Année | Entrées dans le monde (en millions) |
|------|------|-------|-------|-------------------------------------|
| 1 | *Lucy* | Science-fiction | 2014 | 52,1 |
| 2 | *Taken 2* | Action | 2012 | 47,8 |
| 3 | *Le Cinquième Élément* | Science-fiction | 1997 | 35,7 |
| 4 | *Intouchables* | Comédie | 2011 | 31,9 |
| 5 | *Taken* | Action | 2008 | 31,8 |
| 6 | *Le Fabuleux Destin d'Amélie Poulain* | Comédie | 2001 | 23,1 |
| 7 | *La Marche de l'empereur* | Documentaire | 2005 | 20 |
| 8 | *Le Pianiste* | Drame | 2002 | 17,8 |
| 9 | *Le Transporteur* | Action | 2002 | 17,1 |
| 10 | *Astérix et Obélix contre César* | Comédie | 1999 | 15,9 |

■ www.allocine.fr

## QUESTIONS

❶ **Doc 1 à 5.** Montrez que le cinéma français est de plus en plus apprécié à l'étranger.

❷ **Doc 3, 4 et 5.** Quelles sont les caractéristiques du cinéma français qui rayonne à l'international ?

❸ **Doc 1, 3 et 4.** En quoi ces documents illustrent-ils l'influence de la culture française dans le monde ?

### Je fais le lien entre art et géographie

❹ À l'aide des réponses obtenues, construisez un poster sur « le cinéma français dans le monde ».

**MÉTHODE**

1. Évoquez l'évolution de la fréquentation.
2. Montrez la diversité des productions.
3. Expliquez comment le cinéma contribue à l'influence culturelle internationale de la France.

# Enseignement moral et civique

**1** La France est **une République indivisible, laïque, démocratique et sociale**. Elle assure l'égalité devant la loi, sur l'ensemble de son territoire, de tous les citoyens. Elle respecte toutes les croyances.

**2** La République laïque organise **la séparation des religions et de l'État**. L'État est neutre à l'égard des convictions religieuses ou spirituelles. Il n'y a pas de religion d'État.

## • • LA RÉPUBLIQUE EST LAÏQUE • •

**3** La laïcité garantit **la liberté de conscience** à tous. **Chacun est libre de croire ou de ne pas croire.** Elle permet la libre expression de ses convictions, dans le respect de celles d'autrui et dans les limites de l'ordre public.

**4** La laïcité permet l'exercice de la citoyenneté, en conciliant **la liberté de chacun** avec **l'égalité et la fraternité de tous** dans le souci de l'intérêt général.

**5** La République assure dans les établissements scolaires le respect de chacun de ces principes.

# CHARTE DE LA LAÏCITÉ À L'ÉCOLE

*La Nation confie à l'École la mission de faire partager aux élèves les valeurs de la République.*

**6** La laïcité de l'École offre aux élèves les conditions pour forger leur personnalité, exercer leur libre arbitre et faire l'apprentissage de la citoyenneté. **Elle les protège de tout prosélytisme et de toute pression** qui les empêcheraient de faire leurs propres choix.

**7** La laïcité assure aux élèves l'accès à **une culture commune et partagée**.

**8** La laïcité permet l'exercice de **la liberté d'expression** des élèves dans la limite du bon fonctionnement de l'École comme du respect des valeurs républicaines et du pluralisme des convictions.

**10** Il appartient à tous les personnels de transmettre aux élèves le sens et la valeur de la laïcité, ainsi que des autres principes fondamentaux de la République. Ils veillent à leur application dans le cadre scolaire. Il leur revient de porter la présente charte à la connaissance des parents d'élèves.

**9** La laïcité implique **le rejet de toutes les violences et de toutes les discriminations**, garantit **l'égalité entre les filles et les garçons** et repose sur une culture du **respect** et de la compréhension de l'autre.

**11** Les personnels ont un **devoir de stricte neutralité** : ils ne doivent pas manifester leurs convictions politiques ou religieuses dans l'exercice de leurs fonctions.

## • • L'ÉCOLE EST LAÏQUE • •

**12** **Les enseignements sont laïques.** Afin de garantir aux élèves l'ouverture la plus objective possible à la diversité des visions du monde ainsi qu'à l'étendue et à la précision des savoirs, **aucun sujet n'est a priori exclu du questionnement scientifique et pédagogique.** Aucun élève ne peut invoquer une conviction religieuse ou politique pour contester à un enseignant le droit de traiter une question au programme.

**13** Nul ne peut se prévaloir de son appartenance religieuse pour refuser de se conformer aux règles applicables dans l'École de la République.

**15** Par leurs réflexions et leurs activités, **les élèves contribuent à faire vivre la laïcité** au sein de leur établissement.

**14** Dans les établissements scolaires publics, les règles de vie des différents espaces, précisées dans le règlement intérieur, sont respectueuses de la laïcité. **Le port de signes ou tenues par lesquels les élèves manifestent ostensiblement une appartenance religieuse est interdit.**

Liberté • Égalité • Fraternité
RÉPUBLIQUE FRANÇAISE

ministère
éducation
nationale

# 19

# La citoyenneté française et européenne

→ Qu'est-ce qu'être citoyen en France et dans l'Union européenne ?

### Au cycle 4, en 3ᵉ

**Chapitre 7**
Depuis la Seconde Guerre mondiale, l'Europe s'est construite pour garantir une paix durable. Le traité de Maastricht en 1992, institue une citoyenneté européenne pour construire l'identité d'un espace reposant sur les mêmes valeurs démocratiques.

### Au cycle 4, en 3ᵉ

**Chapitre 17**
Le territoire de l'Union européenne est marqué par de grandes inégalités de développement. Des politiques de cohésions sociale et territoriale sont mises en œuvre pour permettre à tous les Européens de vivre dans des conditions d'égalité.

### Ce que je vais découvrir

La République française et l'Union européenne reposent sur des valeurs démocratiques.
Être citoyen français et européen, c'est s'engager pour participer à la défense de ces valeurs, respecter les droits et les devoirs qui leur sont liés.

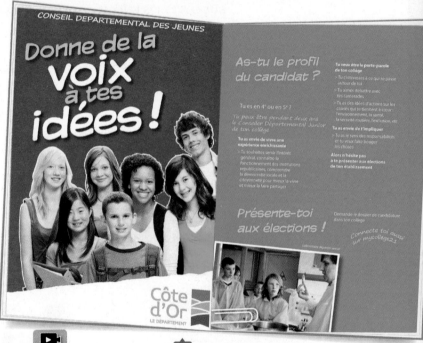

**1** **Devenir citoyen**
Livret du conseil départemental des jeunes de la Côte-d'Or, 2014.

**2** **Un conseil départemental des jeunes**
Les 59 nouveaux élus du conseil départemental junior de Vendée se sont réunis pour préparer leur mandat 2014-2016.

site élève
⬇ lien vers la vidéo

« Le citoyen est celui qui participe de son plein gré à la vie de la cité. Si tu ne votes pas, [...] tu laisseras les autres décider à ta place [...]. Mais alors, tu ne pourras pas venir te plaindre si un jour, par malheur, le gouvernement sorti des urnes décide d'interdire le rap sur les antennes. »

Régis Debray, *La République expliquée à ma fille*, Seuil, 1998.

**ÉLECTIONS EUROPÉENNES DE 2014**
COMMENT CONQUÉRIRLA **PARTICIPATION CITOYENNE** ?
avec **Gérard Onesta**, Vice-président de la Région Midi-Pyrénées

JEUDI 5 SEPTEMBRE / 18H-20H
TOULOUSE / SALLE DU SÉNÉCHAL, 17 RUE DE RÉMUSAT

**Les Jeunes Européens**
Toulouse

HAUTE GARONNE
CONSEIL GENERAL

MAIRIE DE TOULOUSE

**3** **Être citoyen européen**
Mairie de Toulouse, 2014.

**SOCLE** Compétences
> **Domaine 3** : Je sais exprimer mes sentiments et mes émotions en utilisant un vocabulaire précis
> **Domaine 5** : Je sais me poser des questions sur une œuvre d'art

# Les symboles de la citoyenneté française

**Question clé** Pourquoi le drapeau et l'hymne national rassemblent-ils les citoyens ?

« L'emblème national [de la France] est le drapeau tricolore, bleu, blanc, rouge », dit l'article 2 de la Constitution de 1958. Il est présent sur tous les bâtiments publics.
Avec *La Marseillaise*, hymne national, il participe à toutes les commémorations nationales et à toutes les rencontres sportives internationales. Symboles de la France, le drapeau et l'hymne rassemblent les citoyens autour d'une mémoire commune et de ses valeurs.

**INFOS**

Le **drapeau tricolore** est né sous la Révolution française de la réunion des couleurs du roi (blanc) et de la ville de Paris (bleu et rouge). Il disparaît avec le retour de la monarchie entre 1814 et 1830, remplacé par le drapeau blanc. Il est, depuis la révolution de 1830, le **drapeau de la France**.

**1** **Le drapeau bleu, blanc, rouge**
Claude Monet, *La Rue Montorgueil à Paris. Fête du 30 juin 1878*, huile sur toile, 81 x 50 cm, musée d'Orsay, Paris.

*mémo* **ART**

## Forme et technique
> C'est un petit tableau (81 x 50 cm), peint en plein air, sur le vif. **Claude Monet** raconte : « J'aimais les drapeaux. Je me promenais rue Montorgueil. La rue était très pavoisée avec un monde fou, j'avise un balcon, je monte... » Monet saisit cet instant de fête sur sa toile.

## Sens
> Cette toile offre une image d'**union autour de la République**, celle d'une fête nationale symbolisée par le **drapeau**, et celle d'une **fête populaire** exprimée par la joie de la population tout entière.

## Usage
> Monet, ce jour-là, peignit une toile jumelle de celle-ci : *La Rue Saint-Denis. Fête du 30 juin 1878*. Les deux toiles furent présentées lors de l'**Exposition impressionniste** de 1879. On les retrouve souvent pour illustrer la journée du 14 Juillet, tant ce qu'il en ressort est l'image d'une **fête nationale**.

**2** *La Marseillaise*
Carte postale de 1904.

## Forme

❯ *La Marseillaise* est un **chant patriotique** composé de sept couplets et d'un refrain. La version officielle de la partition date de 1887.

## Sens

❯ Composée en avril 1792 à Strasbourg par le **capitaine Rouget de Lisle**, elle est chantée par les révolutionnaires français qui combattent pour la **liberté** contre les monarchies absolues d'Europe.

## Usage

❯ Elle accompagne toutes les **cérémonies officielles** en France. Depuis 2005, elle doit être apprise par tous les élèves de l'école primaire.

## QUESTIONS

### J'identifie et je situe l'œuvre d'art

❶ **Doc 1.** Quand ce tableau a-t-il été peint ? Par qui ?

❷ **Doc 2.** Par qui ce chant a-t-il été composé et quand ?

❸ **Doc 1 et 2.** Quelles sont les émotions que vous ressentez face à ces œuvres ?

### Je décris l'œuvre et en explique le sens

❹ **Doc 1.** Comment Monet exprime-t-il la joie de cette fête de la République ?

❺ **Doc 2.** Comment *La Marseillaise* exprime-t-elle le combat pour la liberté ?

❻ **Doc 1.** Quels sont les « personnages » principaux du tableau ? Pourquoi ?

❼ **Doc 2.** Pourquoi *La Marseillaise* est-elle un symbole de la citoyenneté française ?

**SOCLE** Compétences

▶ **Domaine 3** : Je me sens membre d'une collectivité
▶ **Domaine 4** : Je sais rendre compte des résultats d'un sondage avec l'outil numérique

# Le 14 Juillet : la fête nationale en France

**Question clé** Pourquoi et comment la fête nationale rassemble-t-elle les Français ?

**1** Les valeurs républicaines héritées de la Révolution française

a. **14 juillet 1789** : prise de la Bastille, peuple souverain, abolition des privilèges, Déclaration des droits de l'homme et du citoyen.

b. **14 juillet 1790** : fête de la Fédération au Champ-de-Mars à Paris, 250 000 citoyens venus de la France entière célèbrent l'union de la nation.

**2** Partager des rituels : une fête populaire

Affiche pour la célébration du 14 juillet 1910 à Cosne, archives municipales de Cosne-Cours-sur-Loire.

**3** Partager des rituels : le défilé militaire

site élève
⬇ lien vers la vidéo

Le défilé militaire du 14 Juillet trouve ses origines dans les guerres révolutionnaires contre les monarchies (1792-1802). Il célèbre aussi la guerre de 1870 et les deux guerres mondiales au cours desquelles, par leur patriotisme, les militaires ont défendu les valeurs de la France.

## 4 14 juillet 2013 : un défilé solidaire

Aux répétitions, au milieu de centaines de militaires au garde-à-vous, Dan semble malgré tout impressionné. Le jeune homme de 21 ans fait partie des 92 jeunes du Service Civique pour la première fois sélectionnés pour participer aux animations d'ouverture et de fermeture du défilé du 14 Juillet. Il portera, avec une cinquantaine de ses camarades du Service Civique, le drapeau représentant la médaille de l'ordre national du Mérite[1].

■ Karen Latour, *Des jeunes du Service Civique au défilé du 14 Juillet*, www.lefigaro.fr, 10 juillet 2013.

**1.** Deuxième ordre après celui de la Légion d'honneur. Il encourage et récompense les mérites de la jeune génération et reconnaît sa place dans la nation française.

INFOS

### Le Service Civique

C'est un engagement volontaire au service de l'intérêt général, ouvert à tous les jeunes **de 16 à 25 ans** ; seuls comptent les savoir-être et la motivation.

http://www.service-civique.gouv.fr/

MAIRIE DE PARIS

*Liberté, égalité, fraternité*

**14 juillet**

**CONCERT DE PARIS > 21H30**
AVEC L'ORCHESTRE NATIONAL DE FRANCE, LE CHOEUR DE RADIO FRANCE
ET LES PLUS GRANDS SOLISTES DIRIGÉS PAR DANIELE GATTI

**FEU D'ARTIFICE > 23H**

LE CONCERT DE PARIS AVEC LE SOUTIEN DE :
francetélévisions 2 — radio france — electron libre — edf — PGO fêtes & feux

## 5 Une fête pour partager les valeurs de la République

Toutes les communes de France célèbrent le 14 Juillet par une manifestation officielle à laquelle participent les habitants (défilé, chant de *La Marseillaise*) et par une fête populaire.

Affiche, 2013.

---

## Activités

**Question clé** — **Pourquoi et comment la fête nationale rassemble-t-elle les Français ?**

### ITINÉRAIRE 1

**ou**

### ITINÉRAIRE 2

▶ **Je prélève des informations dans les documents**

**❶ Doc 1 et 4.** Quelles sont les valeurs républicaines mises à l'honneur le 14 Juillet, hier et aujourd'hui ?

**❷ Doc 3.** Quel est le sens du défilé militaire lors de cette journée ?

**❸ Doc 2, 4 et 5.** Pourquoi le 14 Juillet est-il une fête populaire ?

▶ **J'argumente à l'écrit**

**❹** Pourquoi la fête nationale du 14 juillet est-elle un symbole important pour la République française ?

▶ **J'organise un sondage**

Avec votre classe, vous organisez un sondage auprès des élèves du collège à partir des questions suivantes :

– Que représente pour vous le 14 Juillet ?
– Que faites-vous le 14 Juillet ?
– Que pourriez-vous proposer pour faire vivre la démocratie à l'occasion du 14 Juillet ?

**MÉTHODE**

▶ Préparez des fiches pour collecter vos réponses à l'aide des questionnaires distribués.
▶ Mettez les réponses obtenues en commun.
▶ Communiquez vos résultats sous forme de graphiques (réalisés sur ordinateur) et publiez-les sur le site du collège.

**Je découvre**

**SOCLE** Competences
- Domaine 2 : Je m'engage dans un projet collectif
- Domaine 3 : Je comprends les principes de la laïcité

# La République française, une république laïque

**Question clé** Comment la laïcité permet-elle de faire vivre les valeurs de la République ?

## CHARTE DE LA LAÏCITÉ À L'ÉCOLE

*La Nation confie à l'École la mission de faire partager aux élèves les valeurs de la République.*

**6** | La laïcité de l'École offre aux élèves les conditions pour forger leur personnalité, exercer leur libre arbitre et faire l'apprentissage de la citoyenneté. **Elle les protège de tout prosélytisme et de toute pression** qui les empêcheraient de faire leurs propres choix.

**7** | La laïcité assure aux élèves l'accès à **une culture commune et partagée**.

**8** | La laïcité permet l'exercice de la **liberté d'expression** des élèves dans la limite du bon fonctionnement de l'École comme du respect des valeurs républicaines et du pluralisme des convictions.

**9** | La laïcité implique le rejet de toutes les violences et de toutes les discriminations, garantit l'égalité entre les filles et les garçons et repose sur une culture du respect et de la compréhension de l'autre.

**10** | Il appartient à tous les personnels de transmettre aux élèves le sens et la valeur de la laïcité, ainsi que des autres principes fondamentaux de la République. Ils veillent à leur application dans le cadre scolaire. Il leur revient de porter la présente charte à la connaissance des parents d'élèves.

**11** | Les personnels ont un devoir de stricte neutralité : ils ne doivent pas manifester leurs convictions politiques ou religieuses dans l'exercice de leurs fonctions.

### ••• L'ÉCOLE EST LAÏQUE •••

**12** | **Les enseignements sont laïques.** Afin de garantir aux élèves l'ouverture la plus objective possible à la diversité des visions du monde ainsi qu'à l'étendue et à la précision des savoirs, **aucun sujet n'est a priori exclu du questionnement scientifique et pédagogique.**
Aucun élève ne peut invoquer une conviction religieuse ou politique pour contester à un enseignant le droit de traiter une question au programme.

**13** | Nul ne peut se prévaloir de son appartenance religieuse pour refuser de se conformer aux règles applicables dans l'École de la République.

**14** | Dans les établissements scolaires publics, les règles de vie des différents espaces, précisées dans le règlement intérieur, sont respectueuses de la laïcité. **Le port de signes ou tenues par lesquels les élèves manifestent ostensiblement une appartenance religieuse est interdit.**

**1** La Charte de la laïcité, 2015

## 2 La laïcité dans la vie de tous les jours

*À la sortie du collège.*

**Fetitsa :** Tu m'accompagnes, Olivier, je vais à mon cours de danse au Centre. Ma sœur vient me chercher.

**Olivier :** Tu penses qu'au Centre, la laïcité s'applique comme à l'école ?

**La grande sœur :** Au Centre, chez toi ou dans la rue, tu peux, contrairement à l'école, porter des signes mettant en avant tes idées ou ta religion si tu en as une. [...]

**Olivier :** Être différents, ça n'empêche pas d'être égaux ?

**La grande sœur :** En France, tous les habitants sont considérés égaux en droits, qu'importe ce en quoi ils croient, qu'importent leurs idées. [...] <u>La France n'impose pas une religion. Elle permet à toutes d'exister.</u> [...] On a tous le droit d'exprimer librement ses idées, mais toujours dans le respect des autres et de la loi. [...]

**Olivier :** Tous différents mais unis !

**La grande sœur :** Oui, car la laïcité permet de vivre tous ensemble et en paix, [...] dans un pays libre.

■ *Olivier, sur le chemin de la laïcité*, Cidem, « Repères pour éduquer Junior », 2015.

## 3 Ce que dit la loi

**a. Art. 10.** Nul ne doit être inquiété pour ses opinions, même religieuses, pourvu que leur manifestation ne trouble pas l'ordre public établi par la loi.

■ Déclaration des droits de l'homme et du citoyen, 1789.

**b. Art. 1er.** La République assure la liberté de conscience. Elle garantit le libre exercice des cultes sous les seules restrictions édictées ci-après dans l'intérêt de l'ordre public.

**Art. 2.** La République ne reconnaît, ne salarie ni ne subventionne aucun culte.

■ Loi de séparation des Églises et de l'État, 9 décembre 1905.

## 4 La laïcité à l'école
Ministère de l'Éducation nationale, 2015.

`site élève`
`lien vers la vidéo`

---

## Activités

**Question clé** — Comment la laïcité permet-elle de faire vivre les valeurs de la République ?

### ITINÉRAIRE 1

▶ **Je prélève des informations dans les documents**

❶ **Doc 1.** Relevez les mots et expressions de la Charte de la laïcité (art. 6 à 14) qui garantissent à l'école le respect des valeurs républicaines de liberté, d'égalité et de fraternité.

❷ **Doc 2 à 4.** Expliquez la phrase soulignée (doc 2) par des arguments relevés dans les **doc 3 et 4**.

❸ **Doc 4.** Comment la République française garantit-elle à tous la liberté religieuse ?
Quels devoirs cette liberté impose-t-elle à chacun ?

▶ **J'argumente à l'écrit**

❹ Pourquoi peut-on affirmer que « la laïcité permet de vivre tous ensemble et en paix, dans un pays libre » ?

**OU**

### ITINÉRAIRE 2

▶ **J'organise la Journée de la laïcité**

Avec votre classe, vous contribuez à la préparation de la Journée de la laïcité au collège, le 9 décembre.

**MÉTHODE**

▶ **Étape 1.** Reformulez avec vos propres mots un article de la Charte et illustrez-le.

▶ **Étape 2.** Organisez une campagne intitulée « Les murs ont la parole » (→ **Étape 1**).

▶ **Étape 3.** Invitez tous les élèves et adultes du collège à venir accrocher un mot qui représente pour eux la laïcité.

▶ **Étape 4.** Collectez les mots et réalisez un nuage de mots avec l'outil informatique.

**Je découvre**

**SOCLE** Compétences
▶ Domaine 1 : Je m'exprime à l'écrit pour organiser ma pensée
▶ Domaine 3 : Je connais les droits et les devoirs du citoyen en France

# Être citoyen, des droits et des devoirs

**Question clé** Pourquoi être citoyen, c'est avoir des droits mais aussi des devoirs ?

## 1 J'ai voté pour la première fois !

> Mes parents sont français. En 2012, j'ai voté pour la première fois. C'était pour les élections présidentielles. Je m'étais fait recenser à la mairie de ma commune à 16 ans et j'ai reçu ma première carte électorale quelques semaines avant les élections.

> Mes parents sont portugais. Je suis né en France et j'y vis depuis toujours. J'ai voté pour la première fois en 2012 pour les élections présidentielles.

*Zina est française par le droit du sang.*
**Art. 18** – Est français l'enfant dont au moins l'un des parents est français.

■ Code civil.

*Joaquim est français par le droit du sol.*
**Art. 21.7** – Tout enfant né en France de parents étrangers acquiert la nationalité française à sa majorité, s'il a résidé en France pendant une période continue ou discontinue d'au moins 5 ans depuis l'âge de 11 ans.

■ Code civil.

## 2 Ce que dit la loi

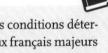

**Art. 3** – Sont électeurs, dans les conditions déterminées par la loi, tous les nationaux français majeurs des deux sexes, jouissant de leurs droits civils et politiques.

■ Constitution de la Vᵉ République, 1958.

**Art. 20.2** – Les citoyens de l'Union [...] ont :
a. le droit de circuler et de séjourner sur le territoire des États membres ;
b. le droit de vote et d'éligibilité aux élections au Parlement européen ainsi qu'aux élections municipales dans l'État membre où ils résident, dans les mêmes conditions que les ressortissants de cet État.

■ Traité sur le fonctionnement de l'Union européenne, 2007.

**CHIFFRES CLÉS**

**L'abstention aux élections**

➡ **Élections présidentielles**
[2012 – 2ᵈ tour] : **19, 6 %**.

➡ **Élections municipales**
[2014 – 1ᵉʳ tour] : **36 %**.

➡ **Élections européennes**
[2014] : **57,5 %**.

➡ **Élections départementales**
[2015] : **50 %**.

PROTECTION SOCIALE

CSG · COTISATIONS SOCIALES · CONTRIBUTIONS PUBLIQUES

Couverture de base

SÉCURITÉ SOCIALE · MUTUELLES DE SANTÉ · RÉGIMES COMPLÉMENTAIRES DE RETRAITE · UNEDIC

HÔPITAL

PRESTATIONS DE SERVICES SOCIAUX

ALLOCATIONS CHÔMAGE · INDEMNITÉS JOURNALIÈRES DE MALADIE · ASSURANCE · ALLOCATIONS FAMILIALES · RSA · ASSISTANCE · PROTECTION UNIVERSELLE

PRESTATIONS SOCIALES

Maladie · Accident du travail · Maternité · Vieillesse · Chômage

RISQUES SOCIAUX

## 3 Le citoyen participe au financement des droits sociaux

La solidarité est l'une des valeurs de la République française. Elle fait partie des devoirs des citoyens.

Dessin extrait de la vidéo *Dessine-moi l'éco* produite par Sydo, 2014.

site élève
⬇ lien vers la vidéo

## Activités

**Question clé** | **Pourquoi être citoyen, c'est avoir des droits mais aussi des devoirs ?**

### ITINÉRAIRE 1

**OU**

### ITINÉRAIRE 2

▸ **Je prélève des informations dans les documents**

❶ **Doc 1 et 2.** Qui peut se dire de nationalité française ? Quels sont les droits politiques liés à la nationalité en France ?

❷ **Chiffres clés et doc 2.** Quel problème révèlent ces chiffres ? Quel danger fait-il courir à la démocratie ?

❸ **Doc 3.** Dans quelles situations la protection sociale mise en place par la République vient-elle au secours des personnes ? Comment les citoyens participent-ils à cette protection sociale ?

▸ **J'argumente à l'écrit**

❹ En vous appuyant sur les documents, expliquez pourquoi un citoyen qui a des droits politiques et sociaux doit aussi respecter des devoirs pour leur permettre d'exister.

▸ **Je m'exprime à l'oral**

Par groupe de quatre, nous préparons un spot d'information pour le site internet du collège : « Les droits politiques et sociaux d'un citoyen en France s'accompagnent de devoirs ».

**MÉTHODE**

▸ **Étape 1.** Ensemble, prenez connaissance du sujet, étudiez les documents.

▸ **Étape 2.** Partager les rôles : un journaliste, deux spécialistes des droits et des devoirs du citoyen en France, un caméraman.

▸ **Étape 3.** Préparez le scénario, les questions du journaliste, et des réponses, idées pour la prise de vue.

▸ **Étape 4.** Réalisez le spot d'information.

**SOCLE** Compétences
▶ **Domaine 3** : Je reconnais les valeurs et symboles européens
▶ **Domaine 5** : Je mobilise ma créativité au service d'un projet personnel ou collectif

# Les principes et les symboles de la citoyenneté européenne

**1** **La fête de l'Europe à Strasbourg**
Journal régional de France 3 Alsace, 9 mai 2015.

site élève
↧ lien vers la vidéo

**2** **Ce que dit la loi**

> L'Union se fonde sur les valeurs indivisibles et universelles de dignité humaine, de liberté, d'égalité et de solidarité ; elle repose sur le principe de la démocratie et le principe de l'État de droit. Elle place la personne au cœur de son action en instituant la citoyenneté de l'Union et en créant un espace de liberté, de sécurité et de justice.
>
> ■ Charte des droits fondamentaux de l'Union européenne, 2000.

ЕДИННИ В РАЗНООБРАЗИЕТО · UNIDA EN LA DIVERSIDAD
SJEDNOCENI V ROZMANITOSTI · FORENET I MANGFOLDIGHED
IN VIELFALT GEEINT · ÜHINENUD MITMEKESISUSES
ΕΝΟΤΗΤΑ ΣΤΗΝ ΠΟΛΥΜΟΡΦΙΑ · UNITED IN DIVERSITY
UNIE DANS LA DIVERSITÉ · AONTAITHE SAN ÉAGSÚLACHT
UJEDINJENA U RAZNOLIKOSTI · UNITA NELLA DIVERSITÀ
VIENOTA DAUDZVEIDĪBĀ · VIENYBĖ ĮVAIROVĖJE
EGYSÉG A SOKFÉLESÉGBEN · MAGHQUDIN FID-DIVERSITÀ
EENHEID IN VERSCHEIDENHEID · ZJEDNOCZENI W RÓŻNORODNOŚCI
UNIDA NA DIVERSIDADE · UNIȚI ÎN DIVERSITATE
JEDNOTNÍ V ROZMANITOSTI · ZDRUŽENI V RAZLIČNOSTI
MONINAISUUDESSAAN YHTENÄINEN · FÖRENADE I MÅNGFALDEN

**3** **La devise de l'Union européenne**
Réseau d'information de l'Union européenne, brochure destinée aux enfants.

Timbre de 2003,
Nicolas Vial,
9 mai 2003, La Poste.

**INFOS**

**Le traité de Maastricht (1992)**

Le traité de Maastricht (ou traité de l'Union européenne) permet de définir les **« trois piliers » de l'Union** : politique, monétaire et économique. Il vise notamment à établir une **citoyenneté européenne commune** à tous les habitants des pays membres et prévoit la mise en place d'une monnaie unique, **l'euro** (voir p. 131).

## 4 Les mots de la citoyenneté européenne

En 1993, quand le traité de Maastricht (1992) a été appliqué, notre professeur nous a dit que nous étions citoyens européens parce que nous étions Italiens et que l'Italie était membre de l'Union européenne.

Flavio, Italien, 28 ans

Grâce au programme Erasmus, j'ai pu étudier 6 mois en Espagne. C'était un séjour inoubliable.

Mara, Finlandaise, 23 ans

Dans mon pays, le chômage est important. J'ai donc choisi d'aller travailler en Allemagne.

Nikos, Grec, 32 ans

Comme pour toutes les élections, je suis allée voter aux Européennes. Il fallait choisir une des listes qui s'étaient présentées dans ma région. J'ai fait mon devoir de citoyenne européenne !

Gaëlle, Française, 46 ans

Pendant mon voyage au Sénégal, j'ai perdu tous mes papiers. J'ai été aidé par le consulat français. Quelle chance de pouvoir compter sur la solidarité européenne !

Timo, Estonien, 35 ans

## QUESTIONS

### Réaliser une affiche sur la citoyenneté européenne

Votre classe participe au concours d'affiches organisé par la Maison de l'Europe de votre région. Le thème de cette année est « Dessine ton Europe ».

❶ **Doc 2.** Repérez les différentes valeurs de l'Union européenne.

❷ **Doc 1 à 4.** Recopiez et complétez le tableau suivant :

| Quels sont les symboles de l'Union européenne ? | Quelle est la signification de ces symboles ? | Quelles valeurs expriment ces symboles ? |
|---|---|---|
| ................................... | ................................... | ................................... |

❸ Sur une feuille à part, créez l'affiche.

❹ Rédigez un texte expliquant ce que vous avez choisi de dessiner et pourquoi.

### MÉTHODE

▶ L'affiche, c'est un **maximum d'informations** sur un minimum de place.

▶ Exprimez l'**idée forte** par une ou plusieurs illustrations (dessin, collage…).

▶ Écrivez des **textes courts** en faisant varier la taille des écritures selon l'importance des informations.

▶ Veillez à la **présentation** : composition soignée et aérée, couleurs contrastées.

**SOCLE** Compétences
▶ **Domaine 2** : J'apprends à travailler en équipes
▶ **Domaine 3** : Je comprends le sens et l'importance de l'engagement individuel dans une démocratie

# S'engager dans la vie politique et sociale

## CONSIGNE

Chacun, au quotidien, peut agir pour faire vivre la démocratie en s'engageant dans un parti politique ou une association.

Chaque équipe doit faire découvrir ces différents aspects de l'engagement du citoyen en exposant ses arguments à l'oral.

À partir de ces éléments, présentez devant la classe un bilan pour montrer comment, en dehors de l'élection de nos représentants, nous pouvons tous, au quotidien, nous comporter d'une manière responsable et agir pour les autres.

## S'engager dans un parti politique

**ÉQUIPE 1**

Votre équipe va devoir expliquer à la classe pourquoi on devient militant dans un parti politique et ce que sont les activités et les qualités d'un militant.

### 1 De jeunes militants

**a** Clément, 23 ans, étudiant en droit

> J'ai décidé, un jour, d'aller frapper à la porte d'un parti. J'avais envie de pouvoir, à mon petit niveau, porter des idées. Pour une société plus juste et plus égalitaire. Entre les temps forts des congrès du parti et des assemblées, nous organisons des débats, des collages d'affiches, du porte-à-porte et des formations. Avec mes camarades militants, nous avons également fait signer des pétitions pendant la dernière campagne présidentielle par des jeunes de tous milieux. À travers toutes ces actions, notre objectif est d'attirer les jeunes, qui sont trop nombreux à ne pas voter, vers la politique.
> Mon activité militante est très prenante, et si je ne fais pas attention, je peux facilement y passer 60 heures par semaine. Il faut savoir donner de son temps, être créatif, oser aller vers les autres et rester critique.

D'après l'interview de Clément sur www.cidj.com, avril 2014.

**b** Un militant distribue des tracts politiques aux passants, Paris, décembre 2011.

## VOCABULAIRE

▶ **Association**
Groupement de personnes qui s'unissent pour mener une action commune sans chercher à faire de profit.

▶ **Syndicat**
Association qui défend les intérêts professionnels de ses adhérents. Son représentant dans l'entreprise est le délégué syndical.

### 2 Ce que dit la loi

**Art. 4.** Les partis et groupements politiques concourent à l'expression du suffrage. Ils se forment et exercent leur activité librement. Ils doivent respecter les principes de la souveraineté nationale et de la démocratie.

■ Constitution de 1958.

## S'engager pour les droits des travailleurs

Votre mission est d'expliquer à la classe le rôle d'un syndicat et les valeurs pour lesquelles on s'y engage.

### 3 Manifestation des syndicats à Nancy en mars 2014

### 4 Le témoignage d'Angélique

Dans ma vie étudiante, j'ai toujours aimé faire du social et j'étais fortement impliquée dans la vie associative de mon quartier : animatrice, soutien scolaire...

Dans mes études informatiques, étant la seule fille de ma promo, mes camarades m'ont élue déléguée de classe afin de relayer leurs revendications auprès de nos professeurs.

En 2005, ayant une bonne connaissance de mon métier, j'ai voulu faire plus, apporter ma pierre à l'édifice pour sensibiliser les autres aux problèmes rencontrés par les salariés dans le monde du travail. Je me suis syndiquée en 2005 et ai eu mes premiers mandats en 2006.

■ Témoignages de jeunes syndiqués, http://fojeunes. force-ouvriere.org/Temoignage-Angelique, 2015.

## S'engager dans une association humanitaire

Votre mission est d'expliquer à la classe ce qu'est une association humanitaire et pourquoi, au quotidien, chacun peut s'engager pour aider les plus démunis.

### 5 Venir en aide aux sans-abri

Touchés par la situation des sans-abri, les habitants de Bourges ont décidé d'agir. Réunis dans l'association Action Froid, ils leur apportent de l'aide. Mylène, cette bénévole active, n'a jamais travaillé dans l'humanitaire mais une démarche citoyenne lui a fait rejoindre l'association de Laurent Eysat, Action Froid, née spontanément sur Facebook. Pour leurs actions engagées, les bénévoles ont de l'imagination. Une Vierzonnaise fait tricoter des écharpes distribuées avec la soupe. Bruno apprécie ces maraudeurs[1] d'un nouveau genre : « Ce sont des gens comme tout le monde qui donnent un coup de main. » Mylène : « Quand on me demande pourquoi je fais ça, je ne sais pas ; mais moi, je me demande pourquoi les gens ne le font pas. »

■ D'après l'article d'A. Tobeluchy, *Le Berry*, 13 novembre 2012.
1. Maraudeurs : bénévoles qui apportent chaque nuit aide et nourriture aux sans-abri.

Un bénévole d'Action Froid vient à la rencontre d'un SDF, Paris, 2015.

# La citoyenneté française et européenne

→ Qu'est-ce qu'être citoyen en France et dans l'Union européenne ?

## A Des droits politiques pour les citoyens français

**1.** Pour être citoyen français, il faut être **majeur** et avoir la **nationalité française**. Celle-ci est acquise par le droit du sang ou le droit du sol, par le mariage ou la naturalisation.

**2.** Seuls les citoyens français sont **électeurs et éligibles à toutes les élections**. Le droit de vote est le résultat d'une conquête. Les hommes l'ont obtenu en **1848**, et les femmes, après un long combat, l'ont obtenu en **1944**.

**3.** Voter est un droit. C'est aussi un **devoir civique**, qui doit être exercé afin de faire vivre la **démocratie**. En revanche, les **droits civils** (droit au respect de la vie privée, d'aller et venir, de s'exprimer) et les **droits sociaux** (droit de faire grève, de former des syndicats, droit à l'instruction, à la protection de la santé) ne sont pas réservés aux seuls citoyens français : les **étrangers** en disposent aussi.

**4.** Ces droits sont limités par des obligations (respecter la loi, payer l'impôt...). Le citoyen doit faire preuve de **civilité**, de **civisme** et de solidarité.

## B Le droit à la citoyenneté européenne

**1.** Pour être **citoyen européen**, il faut avoir la **nationalité d'un des États membres de l'Union européenne**. La citoyenneté européenne se superpose à la citoyenneté nationale. Les Français sont donc aussi des citoyens européens.

**2.** Tous les citoyens européens ont le droit de participer aux **élections du Parlement européen**. Ils ont aussi la **liberté de circulation** sur le territoire des pays de l'Union européenne. Les citoyens européens **étrangers** résidant en France peuvent participer aux **élections municipales**.

### Je révise chez moi

● Je vérifie que je connais les principaux repères du chapitre.

**Je sais définir et utiliser dans une phrase :**
- citoyen
- civisme
- nationalité

**Je sais expliquer :**
- pourquoi un citoyen a des droits mais aussi des devoirs.
- ce qu'est la citoyenneté européenne.
- ce que sont les symboles et les valeurs de la République française.

---

### VOCABULAIRE

▸ **Civisme**
Avoir conscience de ses devoirs envers la société.

▸ **Civilité**
Respect à l'égard des autres personnes et des lieux.

▸ **Droits politiques**
Droit de participer à la vie politique de son pays, par le droit d'être électeur et éligible.

▸ **Étranger**
Personne qui n'a pas la nationalité de l'État dans lequel elle vit.

▸ **Nationalité**
Toute personne a une nationalité à la naissance qui la rattache officiellement à un État.

### Les valeurs de la République

▸ **Citoyenneté**
La citoyenneté organise une société qui repose sur l'idée de l'égale dignité de tous les êtres humains qui la composent, la communauté des citoyens. Égaux devant la loi, ceux-ci détiennent la souveraineté politique en élisant leurs gouvernants. Les citoyens et leurs élus sont unis par des droits et des devoirs réciproques, dont le respect garantit la démocratie.

# 1 Je comprends que *La Marseillaise* est un symbole fort de la citoyenneté française

↳ Socle : Domaine 3

## 1 Le délit d'outrage

Symboles par excellence de l'identité nationale, drapeaux et hymnes nationaux sont sanctuarisés par la loi dans de nombreux pays comme l'Allemagne, les Pays-Bas, l'Espagne ou l'Italie qui ont inclus dans leur Code pénal des peines plus ou moins sévères. En France, la loi instituant le délit d'outrage à *La Marseillaise* et au drapeau tricolore a été adoptée en janvier 2003. Elle prévoit des peines allant jusqu'à 6 mois de prison et 7 500 € d'amende. Il a fallu les sifflets du match France-Algérie en 2001 pour que l'on s'en préoccupe. [...] Le 11 mai 2002, lors de la finale de la Coupe de France Bastia-Lorient, *La Marseillaise* avait été huée par les supporters corses.

D'après Martine Chevalet,
*Le Parisien,* 1er novembre 2009.

## 2 *La Marseillaise* sifflée lors d'un match

*Soir 3 journal,*
France 3, 2002.

site élève
↳ lien vers la vidéo

**QUESTIONS**

❶ **Doc 1.** Dans quelles circonstances la loi de 2003 a-t-elle été votée ?

❷ **Doc 2.** Pourquoi, à votre avis, le président Chirac a-t-il quitté la tribune ?

❸ Pourquoi peut-on dire que les supporters n'ont pas fait preuve de civisme ?

❹ Selon vous, pour quelles raisons ont-ils agi ainsi ?

❺ Donnez votre avis personnel sur leur attitude.

# 2 Je comprends ce que veut dire « être citoyen »

↳ Socle : Domaine 3

solidarité
ensemble France
entraider implication participation
communauté environnement loi responsabilité
citoyenneté démocratie élections laïcité
bien citoyen devoirs fraternité rien
autres double communauté nation nature respect
aller déchets français militaire tri
aider civisme liberté plus vivre
aucun conscience chiens faire pays règles autres sais tous
association engagement politique tout valeurs vie
bénévolat égalité écologie service vote
droit être participer respecter République
partage société

Publié par la Fondation Jean-Jaurès, mai 2015.

**INFOS**

Dans le cadre de la mission lancée par le président de la République sur « **l'engagement citoyen et l'appartenance républicaine** », un **sondage** a été réalisé en mars 2015. Le nuage de mots, généré automatiquement par un logiciel, représente les réponses des Français à la question : « **Lorsque l'on parle d'engagement citoyen, quels sont tous les mots, toutes les impressions qui vous viennent à l'esprit** ? » La taille d'un mot représente sa fréquence d'utilisation.

**QUESTIONS**

❶ Relevez les cinq mots qui ont été le plus souvent prononcés.

❷ Expliquez, à l'aide d'un exemple concret étudié dans le chapitre, le sens de chacun de ces mots.

# • STOP DISCRIMINATION •

Une discrimination est une inégalité de traitement
fondée sur un des **20** critères interdits par la loi *

**27**
vs.58
L'âge

L'apparence
physique

L'appartenance
ou non à une
ethnie

L'appartenance
ou non à une
nation

L'appartenance
ou non à une
race

L'appartenance
ou non à une
religion déterminée

L'état de santé

L'identité
sexuelle

L'orientation
sexuelle

La grossesse

La situation
de famille

Le handicap

Le patronyme

Le sexe

Les activités
syndicales

Les
caractéristiques
génétiques

Les mœurs

Les opinions
politiques

L'origine

Le lieu de
résidence

et dans un domaine **cité par la loi** *

La
fourniture
d'un bien
ou d'un
service

L'accès
à l'emploi

L'accès
à l'éducation

L'accès
au logement

• • •

* www.legifrance.gouv.fr

RÉPUBLIQUE FRANÇAISE
MINISTÈRE DE LA JUSTICE

STOP-DISCRIMINATION.gouv.fr

**1** Une campagne contre les discriminations
Affiche « Stop discrimination », 2015.

**2** Extraits de textes
fondamentaux

**Déclaration universelle
des droits de l'homme (1948)**

Art. 7 – Tous sont égaux devant
la loi. [...] Tous ont droit à une protection égale contre toute discrimination qui violerait la présente
Déclaration et contre toute provocation à une telle discrimination.

**Constitution de la V<sup>e</sup> République
(1958)**

Art. 1 – La France est une
République indivisible, laïque,
démocratique et sociale. Elle assure
l'égalité devant la loi de tous les
citoyens sans distinction d'origine,
de race ou de religion. Elle respecte
toutes les croyances. [...]

La loi favorise l'égal accès des
femmes et des hommes aux mandats électoraux et fonctions électives, ainsi qu'aux responsabilités
professionnelles et sociales.

## MÉTHODE

**Je définis un mot de vocabulaire
(→ Question ❶)**

▶ Soyez le plus précis et le plus
complet possible. Rechercher
l'étymologie permet de bien
comprendre le sens du mot.
Il est possible de s'appuyer sur
ses connaissances, mais aussi
de relever des mots ou des
passages des documents. Une
définition n'est pas un exemple.

▶ Sur votre brouillon, notez
la définition que vous avez
apprise. Dans le document,
soulignez les passages qui
permettent de construire
la définition.

→ *Exemple :* sur le document,
entourez la définition
et reformulez-la.

## QUESTIONS

❶ À l'aide du **doc 1**, définissez ce qu'est une discrimination.

❷ Expliquez les phrases soulignées dans le **doc 2** pour
montrer que les discriminations sont contraires à l'égalité.

❸ Vous êtes un juge et devant vous, comparaît l'auteur
d'une discrimination. En vous aidant des documents et
de vos connaissances, vous devez lui faire comprendre
que la discrimination est contraire à l'égalité. Comment
lui expliquez-vous, en quelques lignes, que l'égalité et
le respect favorisent le « vivre ensemble » dans la société ?

## SUJET BLANC

### 1 La cérémonie d'accueil dans la citoyenneté

*La cérémonie d'accueil dans la citoyenneté concerne les personnes qui viennent d'acquérir la nationalité française.*

Vous avez choisi de <u>devenir Français</u>. C'est une décision qui témoigne d'une volonté profonde de rejoindre notre communauté nationale en adhérant à son mode d'existence et à ses lois.

Notre nation va s'enrichir de vos forces. C'est pourquoi la France est heureuse et fière de vous accueillir en son sein.

<u>Devenir Français</u>, c'est bénéficier des droits propres à tous nos concitoyens. La citoyenneté vous confère le droit de décider de l'avenir de notre pays par le droit de vote [...]. Mais c'est aussi prendre conscience que chaque citoyen a des devoirs. Le premier, c'est le respect de la loi [...]. Devenir français, c'est bien entendu également s'engager à acquérir la maîtrise de notre langue [...]. Liberté, égalité, fraternité : cette devise de la République est désormais la vôtre [...].

À présent, je vous invite à vous lever pour que nous chantions ensemble notre hymne national, *La Marseillaise*.

■ D'après le Préfet de la Guadeloupe, cérémonie de remise des décrets de naturalisation, 26 juin 2015.

### 2 Code civil

**Art. 21-15** – L'acquisition de la nationalité française par décision de l'autorité publique résulte d'une naturalisation à la demande de l'étranger.

**Art. 21-7** – Tout enfant né en France de parents étrangers acquiert la nationalité française à sa majorité si, à cette date, il a en France sa résidence et s'il a eu sa résidence habituelle en France pendant une période d'au moins 5 ans, depuis l'âge de 11 ans.

**Art. 21-2** – L'étranger [...] qui contracte mariage avec un conjoint de nationalité française peut, après un délai de quatre ans à compter du mariage, acquérir la nationalité française par déclaration à condition qu'à la date de cette déclaration la communauté de vie, tant affective que matérielle, n'ait pas cessé entre les époux [...].

### QUESTIONS

❶ Définissez, à partir des informations du **doc 1**, ce qu'est la cérémonie d'accueil dans la citoyenneté.

❷ Expliquez, en mettant en relation les deux documents, ce que signifie l'expression soulignée dans le **doc 1**.

❸ Vous êtes chargé·e, dans une association qui apprend le français aux étrangers résidant en France, de présenter la citoyenneté française à partir des documents et de vos connaissances. Comment expliquez-vous à ces personnes, en quelques lignes, qu'être citoyen français, c'est agir dans le respect des valeurs de la République ?

## MON BILAN DE COMPÉTENCES

| Domaines du socle | Compétences travaillées | Pages du chapitre | |
|---|---|---|---|
| **D1** Les langues pour penser le monde et communiquer | • Je m'exprime à l'écrit pour organiser ma pensée | Je découvre | p. 356-357 |
| **D2** Les outils et méthodes pour apprendre | • Je m'engage dans un projet collectif<br>• J'apprends à travailler en équipes | Je découvre<br>J'enquête | p. 354-355<br>p. 360-361 |
| **D3** La formation de la personne et du citoyen | • Je sais exprimer mes sentiments et mes émotions en utilisant un vocabulaire précis | Parcours Arts | p. 350-351 |
| | • Je me sens membre d'une collectivité | Je découvre | p. 352-353 |
| | • Je comprends les principes de la laïcité | Je découvre | p. 354-355 |
| | • Je connais les droits et les devoirs du citoyen en France | Je découvre | p. 356-357 |
| | • Je reconnais les valeurs et symboles européens | Parcours Citoyen | p. 358-359 |
| | • Je comprends le sens et l'importance de l'engagement individuel dans une démocratie | J'enquête | p. 360-361 |
| **D4** L'observation et la compréhension du monde | • Je sais rendre compte des résultats d'un sondage avec l'outil numérique | Je découvre | p. 352-353 |
| **D5** Les représentations du monde et l'activité humaine | • Je sais me poser des questions sur une œuvre d'art<br>• Je mobilise ma créativité au service d'un projet personnel ou collectif | Parcours Arts<br>Parcours Citoyen | p. 350-351<br>p. 358-359 |

# 20 La République française, une démocratie

→ Comment s'exerce la démocratie dans la vie politique en France ?

**Au cycle 4, en 4ᵉ**

J'ai appris que la République française est devenue une démocratie grâce au combat des femmes et des hommes pour leurs droits, et que les libertés et la laïcité font vivre la démocratie.

**Ce que je vais découvrir**

Les institutions de la République française fonctionnent selon des principes démocratiques. De nos jours, l'opinion publique et les médias jouent un rôle fondamental dans la vie démocratique en France.

**1** L'Assemblée nationale, lieu de discours, de débats et de vote

Discours de la ministre de la Santé Simone Veil pour défendre la loi sur l'interruption volontaire de grossesse à l'Assemblée nationale, novembre 1974.

**2** Discours de Robert Badinter

Alors ministre de la Justice, Robert Badinter prononce un discours en faveur de l'abolition de la peine de mort à l'Assemblée nationale, en septembre 1981.

site élève
↓ lien vers la vidéo

« Le principe [de la République] est : gouvernement du peuple, par le peuple et pour le peuple. »

Article 2 de la Constitution de la Vᵉ République, 1958.

# MONTPELLIER C'EST NOUS

**NOUVELLE CITOYENNETÉ**

**15 AVRIL 2015**
LANCEMENT DES CONSEILS DE QUARTIER

MONTPELLIER.FR

Philippe Saurel,
Maire de Montpellier
Président de Montpellier
Méditerranée Métropole

M
Montpellier

 **Les conseils de quartier, pour l'expression directe des habitants**

Affiche pour la mise en place des conseils de quartier à Montpellier, 2015.

# Les Déclarations des droits de l'homme

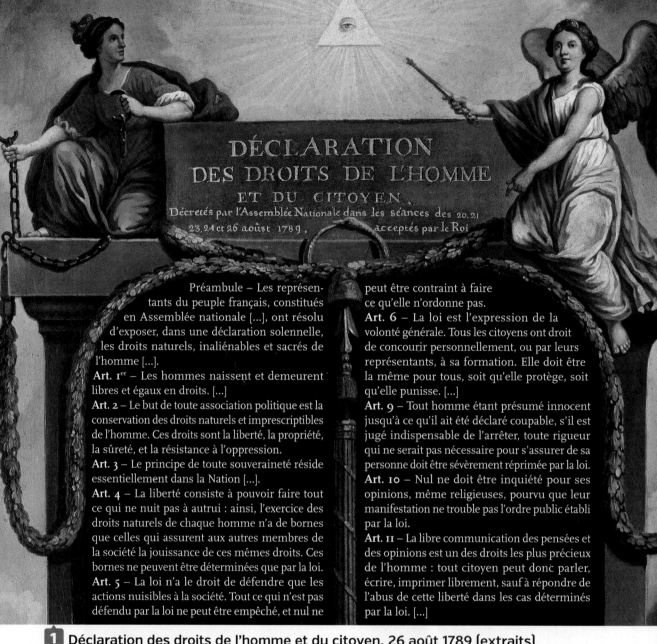

**Préambule** – Les représentants du peuple français, constitués en Assemblée nationale [...], ont résolu d'exposer, dans une déclaration solennelle, les droits naturels, inaliénables et sacrés de l'homme [...].

**Art. 1er** – Les hommes naissent et demeurent libres et égaux en droits. [...]

**Art. 2** – Le but de toute association politique est la conservation des droits naturels et imprescriptibles de l'homme. Ces droits sont la liberté, la propriété, la sûreté, et la résistance à l'oppression.

**Art. 3** – Le principe de toute souveraineté réside essentiellement dans la Nation [...].

**Art. 4** – La liberté consiste à pouvoir faire tout ce qui ne nuit pas à autrui : ainsi, l'exercice des droits naturels de chaque homme n'a de bornes que celles qui assurent aux autres membres de la société la jouissance de ces mêmes droits. Ces bornes ne peuvent être déterminées que par la loi.

**Art. 5** – La loi n'a le droit de défendre que les actions nuisibles à la société. Tout ce qui n'est pas défendu par la loi ne peut être empêché, et nul ne peut être contraint à faire ce qu'elle n'ordonne pas.

**Art. 6** – La loi est l'expression de la volonté générale. Tous les citoyens ont droit de concourir personnellement, ou par leurs représentants, à sa formation. Elle doit être la même pour tous, soit qu'elle protège, soit qu'elle punisse. [...]

**Art. 9** – Tout homme étant présumé innocent jusqu'à ce qu'il ait été déclaré coupable, s'il est jugé indispensable de l'arrêter, toute rigueur qui ne serait pas nécessaire pour s'assurer de sa personne doit être sévèrement réprimée par la loi.

**Art. 10** – Nul ne doit être inquiété pour ses opinions, même religieuses, pourvu que leur manifestation ne trouble pas l'ordre public établi par la loi.

**Art. 11** – La libre communication des pensées et des opinions est un des droits les plus précieux de l'homme : tout citoyen peut donc parler, écrire, imprimer librement, sauf à répondre de l'abus de cette liberté dans les cas déterminés par la loi. [...]

**1** Déclaration des droits de l'homme et du citoyen, 26 août 1789 (extraits)

**INFOS**

La Déclaration des droits de l'homme et du citoyen de 1789 a inspiré le texte de toutes les Constitutions de la République française. Elle est intégrée dans **la Constitution de la Ve République (1958)** qui affirme : « Le peuple français proclame son attachement aux droits de l'homme et aux principes de la souveraineté nationale tels qu'ils sont définis par la Déclaration de 1789 ». Elle a une **valeur juridique supérieure à la loi**.

## 2 Déclaration universelle des droits de l'homme, 10 décembre 1948 (extraits)

**Préambule** – Considérant que la reconnaissance de la dignité inhérente à tous les membres de la famille humaine et de leurs droits égaux et inaliénables constitue le fondement de la liberté, de la justice et de la paix dans le monde. [...]

L'Assemblée générale proclame la présente Déclaration universelle des droits de l'homme comme l'idéal commun à atteindre par tous les peuples et toutes les nations [...].

**Art. 1er** – Tous les êtres humains naissent libres et égaux en dignité et en droits. Ils sont doués de raison et de conscience et doivent agir les uns envers les autres dans un esprit de fraternité.

**Art. 2-1** – Chacun peut se prévaloir de tous les droits et de toutes les libertés proclamés dans la présente Déclaration, sans distinction aucune, notamment de race, de couleur, de sexe, de langue, de religion, d'opinion politique ou de toute autre opinion, d'origine nationale ou sociale, de fortune, de naissance ou de toute autre situation. [...]

**Art. 3** – Tout individu a droit à la vie, à la liberté et à la sûreté de sa personne.

**Art. 4** – Nul ne sera tenu en esclavage ni en servitude ; l'esclavage et la traite des esclaves sont interdits sous toutes leurs formes.

**Art. 5** – Nul ne sera soumis à la torture, ni à des peines ou traitements cruels, inhumains ou dégradants. [...]

**Art. 9** – Nul ne peut être arbitrairement arrêté, détenu ou exilé. [...]

**Art. 12** – Nul ne sera l'objet d'immixtions [intrusions] arbitraires dans sa vie privée, sa famille, son domicile ou sa correspondance, ni d'atteintes à son honneur et à sa réputation. Toute personne a droit à la protection de la loi contre de telles immixtions ou de telles atteintes.

**Art. 13-1** – Toute personne a le droit de circuler librement et de choisir sa résidence à l'intérieur d'un État. [...]

**Art. 18** – Toute personne a droit à la liberté de pensée, de conscience et de religion [...].

**Art. 19** – Tout individu a droit à la liberté d'opinion et d'expression [...].

**Art. 25-1** – Toute personne a droit à un niveau de vie suffisant pour assurer sa santé, son bien-être et ceux de sa famille, notamment pour l'alimentation, l'habillement, le logement, les soins médicaux ainsi que pour les services sociaux nécessaires [...].

---

**INFOS**

Fondée en 1945 pour garantir durablement la paix dans le monde, l'Organisation des Nations unies (ONU) adopte, le 10 décembre 1948, à Paris, ***The Universal Declaration of Human Rights***, première affirmation mondiale des droits fondamentaux des êtres humains.

## 3 Un événement historique

J'ai eu le sentiment très clair que je participais à un événement d'une portée vraiment historique au cours duquel un consensus s'était fait sur la valeur suprême de la personne humaine [...]. Il y avait dans la grande salle [...] une atmosphère de solidarité et de fraternité authentiques entre des hommes et des femmes de toutes latitudes.

■ Hernàn Santa Cruz, membre de la Commission des droits de l'homme en 1948, d'après www.un.org.

---

**QUESTIONS**

❶ **Doc 1.** Relevez les libertés énoncées dans cette Déclaration.

❷ **Doc 2.** Repérez dans le document les droits de l'homme qui ne sont pas évoqués dans la Déclaration de 1789.

❸ À votre avis, pourquoi de nouveaux droits ont-ils été affirmés en 1948 ?

❹ **Doc 1 et 3.** Relisez la première phrase de l'article 1er des deux Déclarations. Quelle est la différence ? À votre avis, pourquoi ?

**SOCLE** Compétences

▶ **Domaine 3** : J'explique l'importance de l'engagement des citoyens dans une démocratie
▶ **Domaine 1** : Je prends la parole devant les autres

# Les élections en France

**CONSIGNE**

Votre classe doit présenter les élections en France. Répartis en équipes, vous devrez identifier les différentes élections en France, décrire le déroulement d'une campagne électorale et raconter une journée d'élection. Chaque équipe devra présenter au reste de la classe le caractère démocratique des élections en France.

À partir des restitutions de chaque équipe, rédigez un bilan de quelques lignes sur les élections en France. Comment se déroulent-elles ? En quoi sont-elles démocratiques ?

**ÉQUIPE 1**

## Les différentes élections en France

Votre équipe doit rechercher puis présenter à la classe les 9 élections qui existent en France. Le travail peut prendre la forme du tableau ci-dessous. Il faudra ensuite expliquer pourquoi ces élections permettent aux Français de se sentir représentés.

| Nom de l'élection | Nom de l'assemblée où siège l'élu | Date de la dernière élection | Durée du mandat |
|---|---|---|---|
| | | | |

ORLÉANS 4 : BOURGOGNE | ST-MARC ARGONNE | GARE

Baptiste **CHAPUIS**
Remplaçant : **Kateb YESSAD**

*Estelle* **TOUZIN**
Remplaçante : **Catherine LAURENT-AGENET**

**AGIR POUR TOUS, UTILES POUR CHACUN**

PS | écologie | PRG

Élections départementales **22 et 29 mars 2015**

**1** Affiche pour des candidats aux élections départementales de mars 2015 à Orléans (Loiret)

**2** Le rôle d'un élu

*Témoignage du maire de Mézin (Lot-et-Garonne), élu lors des élections municipales de 2014.*
Aujourd'hui, j'ai la chance d'avoir accédé à la mairie avec une équipe déterminée et dynamique. Il faut prendre des décisions tous les jours, c'est un travail d'équipe. Nous sommes au service de tous les Mézinais et pas seulement d'une frange de la population. J'œuvre, avec mes adjoints, dans l'intérêt général et pour le bien commun. La mairie n'est pas une tour d'ivoire.

■ www.ladepeche.fr, 2014.

**3** À quoi sert une élection ?

L'élection est une délégation de souveraineté. En effet, la possibilité pour les citoyens de pouvoir régulièrement exprimer leur mécontentement ou, au contraire, de donner un nouveau mandat au pouvoir sortant, évite que les désaccords politiques majeurs ne trouvent un autre terrain d'expression (la rue) et d'autres modalités (la violence).

■ www.vie-publique.fr, 9 octobre 2013.

## La campagne électorale

**ÉQUIPE 2**

Votre équipe est chargée de travailler sur la campagne électorale :
comment les candidats font-ils connaître leurs idées ? Expliquez pourquoi
une campagne électorale est indispensable pour qu'une élection soit démocratique.

**6 Qu'est-ce qu'une campagne électorale ?**

Les candidats, pour être élus, doivent faire connaître leurs idées et leurs programmes. En dehors des meetings et des « visites de marchés », les médias représentent un moyen de communication incontournable.

Le Conseil supérieur de l'audiovisuel (CSA) doit assurer la possibilité aux différents partis et/ou candidats de délivrer leur message et de bénéficier d'une égalité de traitement, même en dehors de la campagne officielle.

■ www.vie-publique.fr,
9 octobre 2013.

**4 Distribution de tracts**

Le candidat UMP de la 8ᵉ circonscription de Paris distribue des tracts sur un marché pour les élections législatives de 2012.

**5 Un meeting**

Meeting pour les élections européennes, Saint-Denis (Seine-Saint-Denis), 18 mai 2014.

## La journée d'élection

**ÉQUIPE 3**

Votre équipe est chargée de décrire le déroulement de la journée d'élection, pendant le scrutin et après. Il faudra démontrer que le scrutin en France est démocratique.

**7 Ce que dit la loi**

Art. 3 – Le suffrage [...] est toujours universel, égal et secret.

■ Constitution de la Vᵉ République, 1958.

**8 Le vote**

L'électeur prend une enveloppe et au moins deux bulletins et se rend obligatoirement dans l'isoloir. Une fois son identité vérifiée, il met son bulletin dans l'urne. Il signe alors la liste d'émargement et la date du scrutin est tamponnée sur sa carte.

■ D'après www.interieur.gouv.fr, 20 mars 2014.

**9 Bureau de vote et dépouillement**

La procédure du dépouillement [France 3 Midi-Pyrénées, 2012], INA.

site élève
↓ lien vers la vidéo

# Parcours  aRts

**SOCLE** Compétences

▶ **Domaine 3** : Je sais exprimer mes sentiments et mes émotions en utilisant un vocabulaire précis
▶ **Domaine 5** : Je sais me poser des questions sur une œuvre d'ar

# *Liberté* de Paul Éluard, 1942

**Question clé** Comment une œuvre d'art peut-elle devenir le symbole d'un combat pour la liberté ?

Paul Éluard publie ce poème clandestinement en 1942, pendant la Seconde Guerre mondiale. Un régime autoritaire, l'État français, a remplacé la République et collabore avec l'Allemagne nazie. La devise « Liberté – Égalité – Fraternité » a disparu.

Ce poème devient le symbole de la résistance pour la victoire des valeurs démocratiques. Il est repris par les gaullistes réfugiés à Londres, et des milliers d'exemplaires sont parachutés par les avions britanniques au-dessus de la France.

Fernand Léger, ami proche de Paul Éluard avec lequel il partage les idéaux de liberté et de solidarité, met ce texte en images en 1953.

**mémo ART**

## Forme et technique

▶ Le poème *Liberté* est une longue énumération de tous les lieux, entre rêve et réalité, sur lesquels le poète écrit le mot « liberté ».

▶ Il se compose de **21 quatrains**, qui sont comme le cheminement de toute une vie pour la liberté. Les 20 premiers ont une **structure identique** : les trois premiers vers débutent par « Sur… », suivi d'un lieu, et le quatrième vers répète « J'écris ton nom ». **Le dernier quatrain est le dénouement du poème.** On y découvre le nom caché : « Liberté ».

▶ Le poème a été **mis en images par le peintre surréaliste Fernand Léger (1953)**. Les couleurs primaires et les formes enfantines font penser à l'univers du cirque. Elles rendent l'image joyeuse.

## Sens

▶ Défendre une valeur universelle, la liberté.

## Usage

▶ S'adresser au plus grand nombre, toucher les lecteurs dans leurs émotions, les faire réagir.

**BIOGRAPHIE**

### Paul Éluard (1895-1952)

Poète français, Paul Éluard est une figure majeure du **surréalisme**, mouvement littéraire, culturel et artistique de la première moitié du XXᵉ siècle qui veut révolutionner tous les aspects de la vie en se libérant du règne de la raison et en laissant libre cours aux rêves, aux jeux du hasard et de l'inconscient. Paul Éluard dénonce **l'horreur de la Première Guerre mondiale** à laquelle il a participé comme infirmier. Pendant la **Seconde Guerre mondiale**, il s'engage pour la liberté et entre dans la Résistance. Il publie les textes des poètes résistants. En 1942, il écrit le **poème *Liberté***.

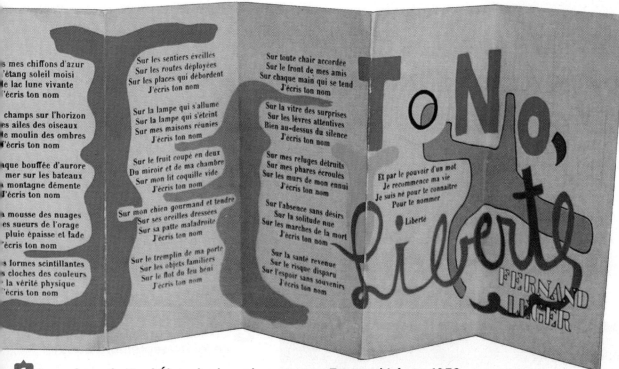

**1** Le poème de Paul Éluard mis en images par Fernand Léger, 1953

C'est un livre « accordéon » : il est formé de quatre feuilles assemblées, pliées en huit panneaux de 31,8 x 16,4 cm.

**2** Le poème

Sur mes cahiers d'écolier
Sur mon pupitre et les arbres
Sur le sable sur la neige
J'écris ton nom

Sur toutes les pages lues
Sur toutes les pages blanches
Pierre sang papier ou cendre
J'écris ton nom

Sur les images dorées
Sur les armes des guerriers
Sur la couronne des rois
J'écris ton nom

Sur la jungle et le désert
Sur les nids sur les genêts
Sur l'écho de mon enfance
J'écris ton nom

Sur les merveilles des nuits
Sur le pain blanc des journées
Sur les saisons fiancées
J'écris ton nom

Sur tous mes chiffons d'azur
Sur l'étang soleil moisi
Sur le lac lune vivante
J'écris ton nom

Sur les champs sur l'horizon
Sur les ailes des oiseaux
Et sur le moulin des ombres
J'écris ton nom

Sur chaque bouffée d'aurore
Sur la mer sur les bateaux
Sur la montagne démente
J'écris ton nom

[...]

Sur la santé revenue
Sur le risque disparu
Sur l'espoir sans souvenir
J'écris ton nom

Et par le pouvoir d'un mot
Je recommence ma vie
Je suis né pour te connaître
Pour te nommer

Liberté.

## QUESTIONS

**J'identifie et je situe l'œuvre d'art**

❶ Qui est l'auteur du poème ? Dans quel contexte a-t-il été écrit ?

**Je décris l'œuvre et en explique le sens**

❷ Choisissez le quatrain qui vous plaît le plus et expliquez pourquoi (ce que vous ressentez, ce qu'il vous fait imaginer).

❸ Observez la mise en images du poème : comment reflète-t-elle la liberté du peintre ?

❹ Pourquoi est-il important que le poème de Paul Éluard soit publié en 1942 ?

# Quelles sont les étapes du parcours d'une loi ?

**CONSIGNE**

Dans le cadre de la « grande mobilisation de l'École pour les valeurs de la République », votre académie organise le concours « Jeunes citoyens » ayant pour thème un extrait de l'article 6 de la Déclaration des droits de l'homme et du citoyen : « la loi est l'expression de la volonté générale ».

Avec votre classe, vous participez à ce concours. Vous devez expliquer pourquoi et comment a été adoptée la loi sur le service civique. Votre production finale prendra la forme d'un schéma fléché illustrant le parcours de la loi, associé à une argumentation rédigée montrant que « la loi est l'expression de la volonté générale ».

**2** **Un sénateur fait une proposition de loi (14 septembre 2009)**

« Alors que la crise touche de plein fouet la jeunesse qui est déjà à la recherche de repères et en mal de citoyenneté, nous avons le devoir d'améliorer le service civil volontaire[1] totalement inadapté, inefficace et inopérant », a expliqué le sénateur Yvon Collin, à l'origine de la proposition de loi. Cette dernière est soutenue par le gouvernement, en la personne du haut-commissaire à la Jeunesse, Martin Hirsch.

■ *Le Figaro*, 29 octobre 2009.

**1.** Le service civil volontaire attire peu de candidats. Dès 2009, Martin Hirsch, haut-commissaire à la Jeunesse (membre du gouvernement), avait annoncé son intention de le réformer.

**VOCABULAIRE**

▶ **Amendement**
Modification proposée à un texte soumis à une assemblée.

▶ **Promulguer**
Acte par lequel le président de la République signe une loi avant qu'elle ne soit publiée au Journal officiel.

**1** **Qu'est-ce que le service civique ?**
Le service civique volontaire consiste à effectuer durant 6 à 12 mois une mission d'intérêt général.

## 3 La proposition de loi adoptée au Sénat (27 octobre 2009)

*Après 5 heures de débats et le vote sur 60 amendements, le texte a été adopté par quatre des cinq groupes parlementaires du Sénat.*

> **PROPOSITION DE LOI**
> **Relative au Service civique**
> **Adoptée par le Sénat**
>
> Le Sénat a adopté, en première lecture, la proposition de loi dont la teneur suit :
> [...] **Art. 4** : Le service civique offre à toute personne l'opportunité de servir les valeurs de la République et de s'engager au profit d'un projet collectif d'intérêt général. [...]
>
> ◼ D'après www.senat.fr.

## 5 Le Sénat vote la proposition de loi amendée par les députés (25 février 2010)

> **PROPOSITION DE LOI**
> **Relative au Service civique (texte définitif)**
>
> Le Sénat a adopté sans modification, en deuxième lecture, la proposition de loi amendée par l'Assemblée nationale en première lecture, dont la teneur suit :
> **Art. 4** : Le service civique a pour objet de renforcer la cohésion nationale et la mixité sociale et offre à toute personne volontaire l'opportunité de servir les valeurs de la République et de s'engager en faveur d'un projet collectif en effectuant une mission d'intérêt général auprès d'une personne morale agréée.
>
> ◼ D'après www.senat.fr.

*La loi est ensuite promulguée par le président de la République le 10 mars 2010.*

## 4 Débat à l'Assemblée nationale et vote de la proposition de loi (4 février 2010)

**a. Le débat**

*Les députés présentent leurs arguments.*

**Claude Greff** : Le service civique doit avoir pour mission de répondre au besoin d'engagement de la jeunesse, en donnant à celle-ci l'envie de s'investir dans un acte de citoyenneté au profit de la communauté et de se rendre utile à la nation.

Lors de l'examen de la proposition de loi en commission, de nombreuses améliorations ont été apportées au texte. [...]

**b. Le vote**

*Après 8 heures de débats et le vote sur 101 amendements, la proposition a été adoptée par trois groupes parlementaires sur quatre.*

**Art. 4** : Le service civique a pour objet de renforcer la cohésion nationale et la mixité sociale et offre à toute personne volontaire l'opportunité de servir les valeurs de la République et de s'engager en faveur d'un projet collectif en effectuant une mission d'intérêt général.

◼ D'après 2007-2012.nosdeputes.fr.

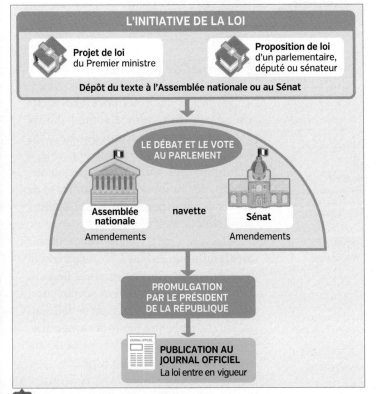

**L'INITIATIVE DE LA LOI**

**Projet de loi** du Premier ministre

**Proposition de loi** d'un parlementaire, député ou sénateur

**Dépôt du texte à l'Assemblée nationale ou au Sénat**

**LE DÉBAT ET LE VOTE AU PARLEMENT**

**Assemblée nationale** — Amendements — *navette* — **Sénat** — Amendements

**PROMULGATION PAR LE PRÉSIDENT DE LA RÉPUBLIQUE**

**PUBLICATION AU JOURNAL OFFICIEL** La loi entre en vigueur

## 6 Le parcours d'une loi

### COUP DE POUCE

▶ Observez bien le **doc 6** et adaptez-le à la loi sur le service civique (**doc 2, 3, 4 et 5**).

▶ Dans le texte d'accompagnement de votre schéma, vous insisterez sur le fonctionnement démocratique des institutions et les valeurs qui sont défendues.

**SOCLE** Compétences

▶ **Domaine 3 :** Je comprends les principes de la République : la liberté d'expression

▶ **Domaine 5 :** Je développe une conscience citoyenne : la place de l'opinion dans le débat démocratique

# Médias et opinion publique

**Question clé** L'opinion publique peut-elle faire confiance aux médias ?

## 1 La diversité des médias

Des médias diffusés le 30 juin 2015.

**VOCABULAIRE**

▶ **Opinion publique**
Représentation collective de la manière de penser d'une société.

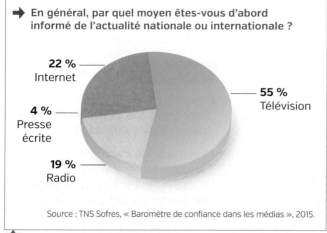

➡ **En général, par quel moyen êtes-vous d'abord informé de l'actualité nationale ou internationale ?**

22 %
Internet

55 %
Télévision

4 %
Presse écrite

19 %
Radio

Source : TNS Sofres, « Baromètre de confiance dans les médias », 2015.

## 2 L'utilisation des médias

## 3 Informer ou influencer ?

*Home*, le documentaire écologiste réalisé par Yann Arthus-Bertrand, diffusé deux jours avant le scrutin des élections européennes à 20 h 35 sur France 2, a réuni plus de 8 millions de spectateurs. De fait, dès l'annonce des résultats et de la spectaculaire percée du vote écologiste, la polémique s'est engagée.

« Le vote s'est cristallisé vendredi soir avec la diffusion du film. L'écologie a envahi les esprits et les cœurs », explique Bernard Lehideux, député MoDem sortant non reconduit. Chez les Verts, on se félicitait du succès rencontré par le documentaire, en reconnaissant qu'il avait pu donner un « coup de pouce » dans les urnes.

■ P. Robert-Diard, « Le film *Home*, agent électoral écologiste ? », *Le Monde*, 8 juin 2009.

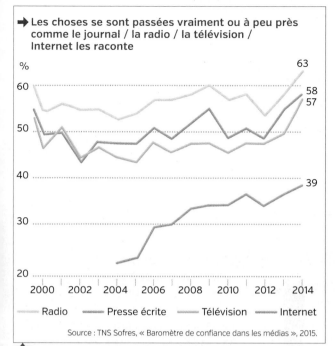

➡ Les choses se sont passées vraiment ou à peu près comme le journal / la radio / la télévision / Internet les raconte

%

Légende :
— Radio  — Presse écrite  — Télévision  — Internet

Source : TNS Sofres, « Baromètre de confiance dans les médias », 2015.

**4** **Peut-on faire confiance aux médias ?**

**6** **Les médias sont-ils indépendants ?**

**a. L'opinion publique**

**58 % des Français** estiment que les journalistes ne résistent pas aux pressions du pouvoir et des partis politiques.

**53 % des Français** estiment que les journalistes ne résistent pas aux pressions de l'argent.

◼ TNS Sofres, « Baromètre de confiance dans les médias », 2015.

**b. L'analyse d'un journaliste**

*Les médias sont-ils indépendants ? Le rédacteur en chef du quotidien* Libération *répond à cette question en prenant l'exemple de son journal.*

La pression des pouvoirs ? Rarissime et facile à repousser. Un ministre appelle pour se plaindre. Le journal en tient compte ou non, selon les arguments qu'on lui oppose. En tout état de cause, la désobéissance ne lui coûte rien.

L'intervention des actionnaires ? Édouard de Rothschild[1] contrôle la gestion, définit la stratégie, surveille le management. Il ne souhaite pas commenter le contenu du journal.

L'influence des annonceurs ? Elle est réelle, mais faible. On accroît certaines rubriques, comme la mode ou la consommation dans l'espoir d'attirer les budgets publicitaires.

◼ Laurent Joffrin, rédacteur en chef de *Libération*, *Média paranoïa*, éd. du Seuil, 2009.

1. Actionnaire principal du journal *Libération*.

**5** **Le journalisme d'investigation pour rétablir la confiance**

Le succès rencontré par Médiapart[1] comme l'intérêt suscité par les révélations liées aux câbles diplomatiques[2] montre donc que l'intérêt pour ce type de journalisme, en France, est réel.

Le journalisme d'investigation [...] est susceptible de redonner du crédit au journalisme et de rétablir la confiance de l'opinion publique dans les médias, souvent accusés de connivence avec les pouvoirs en place. Il ne peut bien sûr être la seule alternative, d'autant que sa posture dénonciatrice ne peut résumer à elle seule l'intégralité des missions du journalisme.

◼ A. Chauveau, « Le journalisme d'investigation, un nouvel eldorado ? », *Le Huffington Post*, 15 novembre 2013.

1. Site d'information présent seulement sur Internet. Il a révélé différents scandales de corruption.
2. Publication de documents secrets américains.

## Activités

**Question clé** — **L'opinion publique peut-elle faire confiance aux médias ?**

### ITINÉRAIRE 1

▶ **Je prélève des informations dans les documents**

❶ **Doc 1 et 2.** Quels sont les différents types de médias ?

❷ **Doc 1 à 6.** Comment les médias donnent-ils à l'opinion publique les moyens de participer au débat démocratique ?

❸ **Doc 4 à 6.** Quelle confiance l'opinion publique peut-elle accorder aux médias ?

▶ **J'argumente à l'écrit**

❹ Comment les médias permettent-ils la formation d'une opinion publique ?

**ou**

### ITINÉRAIRE 2

▶ **Je me pose des questions**

Réfléchissez en groupe à votre façon de vous informer : quels sont les médias que vous utilisez ? Quelle doit être votre démarche lorsque vous cherchez à vous informer ?

Vous participez avec votre classe à la Semaine de la presse et des médias. Le thème choisi est celui de la fiabilité des informations. Au CDI, sélectionnez un journal dont la une présente une information qui vous intéresse. À l'aide de la méthode page 379, vous analysez comment cette information est traitée dans votre journal et sur Internet.

## A   Vérifier la source : la presse écrite

La **manchette** : « l'état civil » de la publication.

 **Un exemple de une**
Une de l'hebdomadaire *Télérama*, 13-19 juin 2015.

Le **ventre** : l'information principale.

### 2 Actualités et médias : l'image dit-elle tout ?

Les images sont partout, mais comment s'assurer de leur fiabilité ? L'image TV a-t-elle plus, moins, ou autant de poids que celui des mots ? [...]

Au-delà du travail des professionnels qui suivent l'actualité, il y a désormais le compte-rendu en images fait par ceux qui font l'actualité. Directement du producteur au consommateur. [...]

Il y a les images qui ont battu les records mondiaux de l'audience télévisuelle : le mariage royal à Londres, William et Kate, le bonheur total, sous les yeux de deux milliards de téléspectateurs. [...] Enthousiasme populaire planétaire, la même image pour tous.

Il y a les images qui nous sidèrent, tel le tsunami au Japon. On croirait un film, la réalité dépasse la fiction.

Les images montrent-elles la réalité ?

■ education-medias.csa.fr/, 2012.

**INFOS**

**Traquer les fausses informations**

**De nombreux sites Internet traquent les canulars ou les fausses informations :** HoaxBuster, Arrêt sur images... Des journaux poursuivent le même objectif : « **Les Décodeurs** » du *Monde*, « **Démonte rumeur** » de *Rue 89*, « **Désintox** » de *Libération*, « **Détecteur de mensonges** » du *Journal du Dimanche*...

# B Vérifier la source : un site Internet

Adresse qui reprend le **nom** du site (amnesty), le **pays** (**.fr**) et peut indiquer le **domaine** (**.gouv** : gouvernemental, **.asso** : association).

Cette rubrique présente l'**émetteur** du site et ses **objectifs**.

**Date** de l'article.

## 3 Le site Internet d'une association

Article du 20 avril 2015 sur le site d'Amnesty International France.

## MÉTHODE

### La règle des 5 W

Pour vérifier si une information est complète, il faut se poser les questions suivantes sur l'événement :

▶ **Who ?** (Qui ?)
Qui participe à l'événement ?

▶ **What ?** (Quoi ?)
Que se passe-t-il ?

▶ **Where ?** (Où ?)
Où se passe l'événement ?

▶ **When ?** (Quand ?)
Quand a eu lieu l'événement ?

▶ **Why ?** (Pourquoi ?)
Pourquoi cet événement a-t-il eu lieu ?

## COUP DE POUCE

Dans un moteur de recherche Internet, tapez le titre principal de la une du journal choisi. Sélectionnez deux sites répondant à cette recherche et complétez le tableau suivant à l'aide des indications sur le **doc 3**.

| | Site 1 | Site 2 |
|---|---|---|
| À qui appartient le site ? | | |
| Quelle est sa nature (informatif, personnel, institutionnel, collaboratif) ? | | |
| Faites-vous confiance à ce site pour vous informer ? Pourquoi ? | | |
| Confrontez les informations trouvées sur les sites et dans le journal : les faits, le vocabulaire, l'objectif visé, le point de vue... | | |

## Je découvre

**SOCLE** Compétences
- **Domaine 3** : Je connais le rôle de l'opinion dans le débat démocratique
- **Domaine 4** : Je sais mener une démarche d'investigation

# L'usage d'Internet dans la vie politique

**Question clé** Comment peut-on être acteur de la vie politique sur Internet ?

## VOCABULAIRE

▸ **Démocratie participative**
Implication des citoyens dans le débat public et dans la prise de décision politique.

site élève
⤓ lien vers la vidéo

**1 Communiquer en 140 signes : Twitter**
Reportage sur l'utilisation de Twitter par les députés, *Journal de 20 heures*, France 2, 2015.

## 2 Les forums

Internet, contrairement à la radio ou à la télévision, met en situation d'égalité l'émetteur et le récepteur, c'est donc, à première vue, l'outil idéal pour une démocratie où le citoyen pourrait intervenir très régulièrement dans le débat public.

Par contre, l'échange argumenté est loin d'être toujours la règle. Les forums sont souvent le siège de ces guerres d'injures où les internautes défendent violemment des opinions dont ils ne veulent plus démordre. Le débat ne tend pas vers l'élaboration d'une position commune, mais plutôt vers une multiplication de points de vue contradictoires. Cet éclatement des opinions est encore renforcé par le fait que les identités des internautes sont floues.

■ P. Flichy, « Internet, un outil de la démocratie », www.laviedesidées.fr, 2008.

**3 Les sites Internet des députés**
Page d'accueil du site Internet de la députée Europe Écologie Les Verts (EELV) Laurence Abeille, 2015.

Adressée à Tous les Etats signataires de la Convention sur le Changement Climatique des Nations unies

**N'oublions pas l'Océan pendant Paris Climat 2015 @Cop21 ! #OceanforClimate**

🔵 Sylvia EARLE

● ● ●

gether Lets Give The Ocean a Voice! #OceanForClimate ...　🕐　↱

'Together, let's give the Ocean a voice!'

**#OceanForClimate**

Sign our call on change.org/oceanforclimate

◀)) 1:00 / 1:05　　　☰ ⚙ ▶YouTube ⤢

ompteur de Change.org s'ajoutent 10 000 signatures recueillies sur
lateformes Takepart.org et en interne chez Surfrider et Nausicaa

🚩 **Victoire confirmée**

Cette pétition a abouti avec 20 194 signatures !

f Partager sur Facebook ⌃

Ajouter un message personnel
(optionnel)

▬▬▬　N'oublions pas l'Océan pendant
　　　Paris Climat 2015 @Cop21...

f **Publier sur Facebook**

f Envoyer un message Facebook

✉ Envoyer un e-mail aux ami(e)s

▾ Tweeter à vos abonnés

## 4 Le succès des pétitions en ligne

Pétition pour que les océans soient intégrés dans les négociations de la COP21.

www.change.org, page au 19 décembre 2015.

## 5 La démocratie participative

Sur la plateforme Parlement & Citoyens, un parlementaire peut proposer aux citoyens son projet de texte de loi. Chacun d'entre nous peut ainsi faire savoir s'il est d'accord ou pas avec un point particulier du texte proposé, ajouter d'éventuelles remarques ou contre-propositions, et parfois se voir invité à un échange en face à face avec le parlementaire.

Parfaitement inédit en France, ce mécanisme consultatif est une réalisation concrète de l'idéal de démocratie ouverte que facilite Internet. La démocratie participative apporte des solutions concrètes – mobilisation de l'intelligence collective, amélioration de la transparence, création de contre-pouvoirs aux lobbies... À tous et à chacun de s'en emparer !

■ C. Castro, C. Lage, « Citoyens contre lobbyistes : à vous de faire la loi », www.inriality.fr, 10 avril 2013.

**MAIRIE DE PARIS** ❧

PARISIENS,
**PRENEZ LES CLÉS DU BUDGET !**

| 20 MILLIONS D'EUROS | 15 PROJETS POUR PARIS | 1 SEMAINE POUR VOTER |

Du **24 SEPTEMBRE** au **1er OCTOBRE 2014**
**Votez** sur **budgetparticipatif.paris.fr**

€

**PARIS BUDGET PARTICIPATIF**

#NOTREBUDGET

## 6 Le budget participatif parisien

41 000 citoyens ont voté pour choisir les projets que la municipalité devait mener en priorité.

Affiche de la ville de Paris, 2014.

---

## Activités

**Question clé** — **Comment peut-on être acteur de la vie politique sur Internet ?**

### ITINÉRAIRE 1

▶ **Je prélève des informations dans les documents**

❶ **Doc 1 à 6.** Grâce à Internet, qui peut s'exprimer ? Qu'est-ce qui se développe entre les personnes ?

❷ **Doc 1, 2 et 3.** Comment est-il possible de forger son opinion grâce à Internet ?

❸ **Doc 4 à 6.** Sur Internet, quelles actions sont proposées aux citoyens ?

▶ **J'argumente à l'écrit**

❹ Que peut apporter Internet à la démocratie ?

**ou**

### ITINÉRAIRE 2

▶ **Je m'exprime à l'oral**

Indiquez quelques sujets de débats publics qui vous intéressent. Pour l'un de ces sujets, expliquez comment, sur Internet, vous pouvez vous informer, débattre et agir.

# La République française, une démocratie

→ **Comment s'exerce la démocratie dans la vie politique en France ?**

## A La Vᵉ République, une démocratie représentative

**1.** La **Constitution de la Vᵉ République** (1958) garantit la **démocratie représentative**.

**2.** La **souveraineté** appartient au **peuple**. Il délègue son pouvoir aux représentants qu'il élit tous les 5 ou 6 ans à la tête des collectivités territoriales (communes, départements, régions), de l'État et de l'Union européenne (Parlement européen).

**3.** Les **pouvoirs sont séparés**. Le **pouvoir exécutif** est détenu par le président de la République et le Premier ministre, dont le gouvernement conduit la politique de la nation. Le **pouvoir législatif** est détenu par le Parlement, composé du Sénat (les sénateurs) et de l'Assemblée nationale (les députés). Le gouvernement est issu de la majorité à l'Assemblée nationale.

**4.** Les **citoyens** concourent à l'**élaboration de la loi**, directement par **référendum** ou par l'intermédiaire de leurs représentants élus.

## B La Vᵉ République, une démocratie d'opinion

**1.** L'**avis des citoyens** est recueilli presque en permanence. Tout d'abord, ils sont sollicités pour débattre et donner leur avis sur les projets les plus importants : c'est la **démocratie participative**.

**2.** De nombreux sondages sont réalisés pour mesurer l'**opinion publique** et ainsi faciliter la prise de décision des gouvernants. Ils sont réalisés selon des méthodes statistiques précises, mais ils sont à prendre avec précaution en tenant compte de la question posée, du contexte...

**3.** C'est grâce aux médias que les citoyens peuvent **s'informer**, **débattre** et **s'engager**. En France, la liberté et le **pluralisme des médias** sont garantis par la loi de 1881. Internet a la particularité de permettre une plus large diffusion des médias traditionnels.

### VOCABULAIRE

▸ **Démocratie participative**
Implication des citoyens dans le débat public et dans la prise de décision politique.

▸ **Démocratie représentative**
Régime politique dans lequel le peuple délègue son pouvoir à des représentants.

▸ **Opinion publique**
Représentation collective de la manière de penser d'une société.

▸ **Pouvoir exécutif**
Pouvoir de faire exécuter les lois sur l'ensemble du territoire.

▸ **Pouvoir législatif**
Pouvoir de faire la loi.

▸ **Référendum**
Consultation des citoyens sur un projet de loi. Les citoyens votent en répondant par oui ou par non à la question posée.

▸ **Souveraineté nationale**
Le pouvoir politique appartient à la nation, c'est-à-dire à l'ensemble des citoyens.

## Je révise chez moi

● **Je vérifie que je connais les principaux repères du chapitre.**

Je sais définir et utiliser dans une phrase :
- ▸ démocratie représentative
- ▸ souveraineté nationale
- ▸ pouvoir exécutif
- ▸ pouvoir législatif

Je sais expliquer :
- ▸ le rôle des médias.
- ▸ comment être vigilant face aux médias.
- ▸ ce que l'on appelle une « démocratie participative ».

# 1 Je respecte la hiérarchie du droit

↳ SOCLE : Domaine 3

## LES TEXTES DE DROIT

### CONSTITUTION DE LA Vᵉ RÉPUBLIQUE

- Déclaration des droits de l'homme et du citoyen de 1789
- Préambule de la Constitution de 1946
- Constitution de 1958
- Charte de l'environnement de 2004

⬇

### TRAITÉS ET ACCORDS INTERNATIONAUX

- Convention européenne de sauvegarde des droits de l'homme (1950)
- Convention internationale des droits de l'enfant (1989)
- Traité sur l'Union européenne (1992)
- Règlements et directives européens

⬇

### LOIS

- Regroupées dans des codes

⬇

### RÈGLEMENTS

- Décrets : président de la République, Premier ministre
- Arrêtés ministériels, préfectoraux, municipaux
- Circulaires, règlements intérieurs

**1** La hiérarchie des différents textes de droit

### QUESTIONS

**❶ Doc 2.** Qui a pris la décision d'interdire la consommation de l'eau dans ces villages ?

**❷ Doc 1 à 3.** À l'aide du schéma, classez dans l'ordre d'importance les différents textes qui ont permis d'interdire la consommation de l'eau dans les trois villages.

**❸ Doc 1 à 3.** Pourquoi cette hiérarchie du droit doit-elle être respectée ?

## 2 Une restriction de l'utilisation de l'eau du réseau public

*En mars 2012, l'eau distribuée dans plusieurs villages du Puy-de-Dôme avait une teneur en arsenic supérieure à la norme.*

**Art. 1** – Il est interdit de consommer pour la boisson et dans le cadre de la préparation des repas [...] l'eau distribuée sur les villages de La Bénétie, La Malie et Le Maspatier jusqu'à nouvel ordre.

◼ Maire de la commune d'Escoutoux (Puy-de-Dôme), arrêté n° 2012-09, 30 mars 2012.

## 3 Les textes de loi encadrant les restrictions de l'utilisation d'eau

**a. Art. 8** – Les États membres veillent à ce que la distribution d'eaux destinées à la consommation humaine constituant un danger potentiel pour la santé des personnes soit interdite, ou à ce que leur utilisation soit restreinte.

◼ Directive 98/83/CE relative à la qualité de l'eau destinée à la consommation humaine, 3 novembre 1998.

**b. Art. R 1321-29** – Le préfet, lorsqu'il estime que la distribution de l'eau constitue un risque pour la santé des personnes, demande à la personne responsable de la production ou de la distribution d'eau [...] de restreindre, voire d'interrompre la distribution.

◼ Article modifié par le décret n° 2007-49 du 11 janvier 2007, Code de la santé publique.

**c. Art. 1** – Chacun a le droit de vivre dans un environnement équilibré et respectueux de la santé.

◼ Charte de l'environnement, intégrée à la Constitution de la Vᵉ République, 2004.

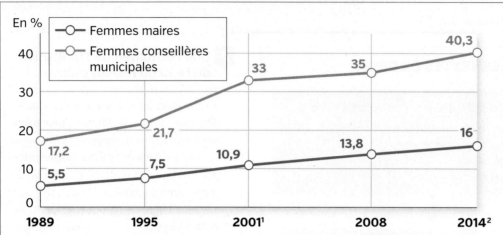

**1.** Avec la loi sur la parité votée en 2000, pour les communes de plus de 3 500 habitants, les listes doivent être composées **d'autant de femmes que d'hommes**, avec alternance obligatoire une femme/un homme ou inversement.

**2.** Une nouvelle loi **votée en 2014** étend cette règle aux communes dont la population est comprise entre 3 500 et 1 000 habitants.

**1** Les femmes élues aux élections municipales

D'après le Haut Conseil à l'égalité entre les femmes et les hommes – © Observatoire des inégalités, 2015.

**2** Extraits de la Constitution de la Vᵉ République (1958)

Art. 1 – La France est une République indivisible, laïque, démocratique et sociale. Elle assure l'égalité devant la loi de tous les citoyens sans distinction d'origine, de race ou de religion.

La loi favorise l'égal accès des femmes et des hommes aux mandats électoraux et fonctions électives [...].

Art. 3 – Sont électeurs, dans les conditions déterminées par la loi, tous les nationaux français majeurs des deux sexes, jouissant de leurs droits civils et politiques.

## MÉTHODE

**Je confronte des documents [→ Question ❷]**

▶ Quand des documents abordent la même information, identifiez s'il s'agit d'un autre point de vue, d'une explication (présentant les causes ou les conséquences) ou d'un exemple.

▶ Identifiez bien la nature des informations : idée principale, exemple...

→ *Exemple :* relevez pourquoi la part des femmes parmi les élus évolue.

## QUESTIONS

❶ Relevez dans les deux documents les droits politiques dont disposent les femmes en France, à égalité avec les hommes.

❷ Expliquez, à partir des informations des deux documents, comment l'évolution du droit a renforcé l'égalité politique entre les femmes et les hommes.

❸ À l'occasion de la Journée internationale des droits des femmes, vous devez rédiger un article dans le journal de votre collège en vous aidant des documents et de vos connaissances. Expliquez, en quelques lignes, qu'il est important dans une démocratie, que les femmes accèdent à égalité avec les hommes à tous les « *mandats électoraux et fonctions électives* », conformément à la loi.

## SUJET BLANC

| | | | | | |
|---|---|---|---|---|---|
| 🗓 Calendriers | | Jour | **Semaine** | Mois | Année | 🔍 Rechercher |

### Janvier 2016

| | Mardi 12 | Mercredi 13 |
|---|---|---|
| 08:00 | | |
| | | Réunion des membres socialistes de la Commission des Affaires économiques (8 h 30) |
| 09:00 | | |
| | | En commission, audition du dirigeant de La Poste (9 h 30) |
| 10:00 | | |
| 11:00 | | |
| | | Réunion des députés socialistes |
| 12:00 | | |
| | Vol Montpellier-Paris | |
| 13:00 | | |
| 14:00 | | |
| 15:00 | | |
| | En séance publique pour le débat sur les politiques publiques de l'Éducation nationale | Vol Paris-Montpellier |
| 16:00 | | |
| | En commission pour examiner le projet de loi numérique | |
| 17:00 | | |
| 18:00 | | |
| | Présentation des vœux de l'Ordre des experts-comptables | Cérémonie de vœux à Marcoule, Gard |
| 19:00 | | |
| | | Interview pour France 3 |
| 20:00 | | |
| | En commission pour continuer à examiner le projet de loi numérique | |
| 21:00 | | |

**1** L'agenda d'un député

**2** Constitution de la V<sup>e</sup> République (1958)

Art. 24 – Le Parlement vote la loi. Il contrôle l'action du Gouvernement. Il évalue les politiques publiques.

Il comprend l'Assemblée nationale et le Sénat. Les députés à l'Assemblée nationale, dont le nombre ne peut excéder cinq cent soixante-dix-sept, sont élus au suffrage direct. [...]

Art. 33 – Les séances des deux Assemblées sont publiques. Le compte-rendu intégral des débats est publié au Journal officiel.

### QUESTIONS

**1** Citez, à partir des informations des deux documents, les lieux où le député exerce son activité.

**2** Expliquez, à l'aide des deux documents, les différents rôles d'un député.

**3** Vous êtes chargé-e, en vous aidant des documents et de vos connaissances, de résumer, dans un article mis en ligne sur le site Internet du collège, l'interview du député de votre circonscription que vous avez réalisée avec votre classe. En quelques lignes, comment expliquez-vous, au travers de l'exemple du député, que la République française est une démocratie ?

# Brevet

## Loi portant réforme de l'hôpital et relative aux patients, à la santé et aux territoires (21 juillet 2009)

**Projet de loi**
présenté par le ministre de la Santé, de la Jeunesse et des Sports et adopté en Conseil des ministres
**22 octobre 2008**

Dépôt du projet de loi à l'**Assemblée nationale** par le ministre
**22 octobre 2008**

Débat et amendements à l'**Assemblée nationale**
(10 février – 18 mars 2009)

**Navette**

Débat et amendements au **Sénat**
(12 mai – 5 juin 2009)

Accord sur un **projet de loi** commun entre l'**Assemblée nationale** et le **Sénat** (Commission mixte paritaire)

La loi est votée dans les mêmes termes par les deux assemblées
**16 juin 2009**

Le **Conseil constitutionnel** décide que la loi n'est pas contraire à la **Constitution**
**16 juillet 2009**

Promulgation de la loi par le président de la République

Publication au **Journal officiel**
**21 juillet 2009**

**1** Le parcours de la loi

**2** Extraits de textes fondamentaux

### Déclaration universelle des droits de l'homme (1789)

Art. 6 – <u>La loi est l'expression de la volonté générale. Tous les citoyens ont droit de concourir personnellement, ou par leurs représentants, à sa formation.</u> Elle doit être la même pour tous, soit qu'elle protège, soit qu'elle punisse.

### Constitution de la V$^e$ République (1958)

Art. 10 – Le président de la République promulgue les lois. [...]

Art. 21 – [...] Le Premier ministre assure l'exécution des lois. [...]

Art. 34 – La loi est votée par le Parlement.

## QUESTIONS

**1** Nommez les différents acteurs, cités dans le **doc 1**, qui participent à l'élaboration et au vote de la loi.

**2** Justifiez l'expression soulignée dans le **doc 2** par des arguments relevés dans les deux documents.

**3** Vous êtes chargé-e de présenter, à l'aide des documents et de vos connaissances, les étapes de l'élaboration de la loi à des députés qui vous ont accompagné-e lors d'une journée passée à l'Assemblée nationale avec votre classe. En quelques lignes, comment leur expliquez-vous que ces étapes respectent les principes de la démocratie ?

## MÉTHODE

**Je trouve les informations pour répondre à une question (→ Question 3)**

▶ Pour répondre à la question posée, il faut reformuler les réponses qui ont été données aux questions précédentes. Celles-ci sont à compléter avec vos connaissances, en utilisant un vocabulaire précis et en citant des exemples.

▶ Au brouillon, relevez les idées principales des réponses aux questions, puis notez vos propres connaissances sur le sujet.

→ *Exemple* : nommez le principe évoqué dans la question **2**, puis notez les valeurs et principes que vous associez à la démocratie.

## SUJET BLANC

### 1 Une affaire de discrimination au tribunal correctionnel

L'affaire commence lorsqu'un agent de la RATP reçoit une lettre de refus pour un logement social à Nanterre. Samuel Thomas, délégué général de la Maison des Potes, une association qui s'est portée partie civile[1] et représente l'agent de la RATP, explique : « La conseillère clientèle de la société de logement social lui a expliqué : "Vous êtes Noir, dans cet immeuble, il y a déjà beaucoup de noirs, on ne peut pas vous attribuer de logement, c'est la loi sur la mixité sociale qui nous permet de faire cette sélection". »

Vendredi après-midi, l'affaire a été étudiée par le tribunal de Nanterre. Le parquet a requis une amende de 50 000 euros et demandé l'effacement des données relatives aux origines ethniques des locataires révélées par l'instruction. Les juges rendront leur verdict le 2 mai. L'avocat de la société de logement a défendu son client en rappelant que ce dernier ne « s'associait pas aux propos de l'employée et qu'il s'agissait d'une interprétation personnelle ».

◼ C. Lieto, « HLM : une amende requise pour discrimination raciale », www.franceinfo.fr, 7 mars 2014.

1. Personne qui porte plainte auprès d'un tribunal pénal et demande une indemnisation pour le préjudice subi.

### 2 Extraits de la Convention européenne de sauvegarde des droits de l'homme (1950)

**Art. 6 – Droit à un procès équitable**

1. <u>Toute personne a droit à ce que sa cause soit entendue équitablement, publiquement</u> et dans un délai raisonnable, par <u>un tribunal indépendant et impartial</u> [...].

2. <u>Toute personne accusée d'une infraction est présumée innocente</u> jusqu'à ce que sa culpabilité ait été légalement établie.

---

### QUESTIONS

❶ Dans le **doc 1**, relevez le nom du tribunal qui juge cette affaire et indiquez quelles sont les parties en conflit.

❷ Expliquez, en les appliquant au document 1, les phrases soulignées dans le **doc 2**, pour montrer que la justice garantit le respect des droits de l'homme.

❸ Chargé-e, avec vos camarades de classe, de préparer la visite au tribunal organisée par votre professeur, vous devez présenter le déroulement d'une audience au tribunal correctionnel en vous aidant des documents et de vos connaissances. En quelques lignes, comment expliquez-vous à la classe que, lors d'un procès, la justice applique les valeurs de la démocratie ?

---

## MON BILAN DE COMPÉTENCES

| Domaines du socle | Compétences travaillées | Pages du chapitre | |
|---|---|---|---|
| **D1** Les langues pour penser le monde et communiquer | • Je sais prendre la parole devant les autres | J'enquête | p. 370-371 |
| **D3** La formation de la personne et du citoyen | • Je sais expliquer l'importance de l'engagement des citoyens dans une démocratie | J'enquête | p. 370-371 |
| | • Je sais exprimer mes sentiments et mes émotions en utilisant un vocabulaire précis | Parcours Arts | p. 372-373 |
| | • Je sais identifier les grandes étapes du parcours d'une loi dans la République française | J'enquête | p. 374-375 |
| | • Je comprends les principes de la République | Je découvre | p. 376-377 |
| | • Je connais le rôle de l'opinion publique dans le débat démocratique | Je découvre | p. 380-381 |
| **D4** L'observation et la compréhension du monde | • Je sais mener une démarche d'investigation | Je découvre | p. 380-381 |
| **D5** Les représentations du monde et l'activité humaine | • Je sais me poser des questions sur une œuvre d'art | Parcours Arts | p. 372-373 |
| | • Je comprends les principes d'un État démocratique | J'enquête | p. 374-375 |
| | • Je développe une conscience citoyenne | Je découvre | p. 376-377 |

# 21 La Défense nationale

→ Comment la Défense nationale
agit-elle en France et dans le monde ?

### Au cycle 4, en 3ᵉ

**Chapitre 19**
J'ai appris que le défilé militaire du 14 juillet symbolise les combats de la République et le rôle des militaires pour la liberté de la nation et pour la démocratie.

### Ce que je vais découvrir

Les citoyens participent à la Défense nationale pour la protection du territoire et des institutions démocratiques de la France. Celle-ci a des engagements européens et internationaux pour assurer la paix et la sécurité dans le monde.

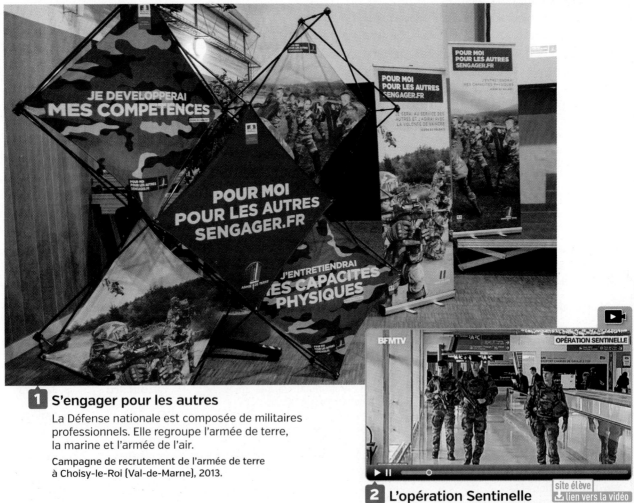

### 1 S'engager pour les autres

La Défense nationale est composée de militaires professionnels. Elle regroupe l'armée de terre, la marine et l'armée de l'air.

Campagne de recrutement de l'armée de terre à Choisy-le-Roi (Val-de-Marne), 2013.

### 2 L'opération Sentinelle

Le plan Vigipirate a été relevé au niveau Alerte Attentat depuis les attentats contre le journal *Charlie Hebdo* et contre l'Hyper Cacher de la porte de Vincennes les 7 et 9 janvier 2015.

site élève
⬇ lien vers la vidéo

« Art. 15 – Le président de la République est le chef des armées. […]

Art. 21 – Le Premier ministre est responsable de la Défense nationale. […]

Art. 35 – La déclaration de guerre est autorisée par le Parlement. »

Constitution de 1958.

**3** **Participer au maintien de la sécurité dans le monde**

La mission Atalante, composée de soldats de pays de l'Union européenne,
dont des militaires français, lutte contre la piraterie maritime dans l'océan Indien (2009).

# Journée défense et citoyenneté

TÂCHE COMPLEXE

## CONSIGNE

La Journée défense et citoyenneté (JDC) a été instituée en 1998, à la suite de la suspension du service national par la loi du 28 octobre 1997. Cette journée concerne tous les jeunes Français, filles et garçons. Elle vise à développer l'esprit de défense et de citoyenneté.

Avec votre classe, vous réalisez une campagne d'information sur la JDC en vous appuyant sur les documents du dossier et sur vos recherches personnelles.

Vous élaborez un programme avec vos camarades (visites, rencontres, exposés...) qui sensibilise les collégiens à « l'esprit de défense ».

**1** **Participer à la JDC**
Inauguration de la nouvelle JDC, 2014.

site élève
⬇ lien vers la vidéo

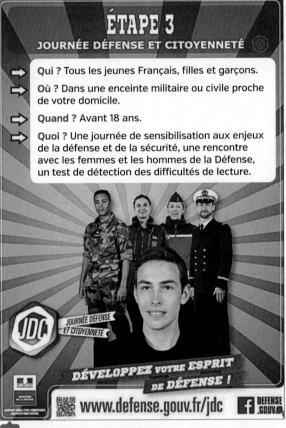

## ÉTAPE 3
### JOURNÉE DÉFENSE ET CITOYENNETÉ

➡ **Qui ?** Tous les jeunes Français, filles et garçons.

➡ **Où ?** Dans une enceinte militaire ou civile proche de votre domicile.

➡ **Quand ?** Avant 18 ans.

➡ **Quoi ?** Une journée de sensibilisation aux enjeux de la défense et de la sécurité, une rencontre avec les femmes et les hommes de la Défense, un test de détection des difficultés de lecture.

JOURNÉE DÉFENSE ET CITOYENNETÉ

**DÉVELOPPEZ VOTRE ESPRIT DE DÉFENSE !**

 www.defense.gouv.fr/jdc  f DEFENSE.GOUV

**2** **Une étape du parcours de citoyenneté**
Campagne du ministère de la Défense, 2015.

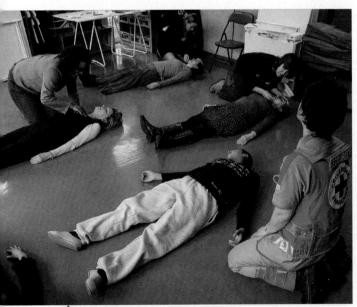

**3** **L'initiation aux premiers secours**
La Journée défense et citoyenneté comporte une initiation aux premiers secours.

## INFOS

**Le parcours de citoyenneté**

Il comprend l'**enseignement obligatoire de la défense** au collège (en classe de 3e) et au lycée (en classe de 1re), le **recensement obligatoire** à 16 ans et la **Journée défense et citoyenneté**. Il vise à sensibiliser les jeunes, garçons et filles, aux questions de défense et au devoir de mémoire. Il contribue au renforcement du lien entre l'armée et la nation.

## 4 Participer aux commémorations nationales

Commémoration du 70ᵉ anniversaire du Débarquement,
5 juin 2014, Colleville-sur-Mer (Calvados).

## 6 Après la JDC, s'engager dans la réserve

Présentation de la réserve dans les armées.

site élève
⬇ lien vers la vidéo

## 5 Participer à un rallye citoyen

Le 1ᵉʳ rallye citoyen de Tarn-et-Garonne a réuni, à Montauban, 21 équipes composées d'élèves de classes de 3ᵉ des différents collèges du département. Cette manifestation avait été préparée par le trinôme académique réunissant les ministères de la Défense et de l'Éducation nationale et l'Institut des hautes études de la Défense nationale. [...]

Dix-huit ateliers attendaient ces jeunes avec des épreuves ayant pour objectif de promouvoir et développer le sens civique, le devoir de mémoire, le lien armée-nation, le goût de l'effort et de l'entraide. Des épreuves physiques et intellectuelles ont rythmé la journée de ces jeunes citoyens qui ont rencontré des représentants des services publics et du monde associatif. Sur un parcours de 8 kilomètres dans la ville de Montauban, plusieurs institutions avaient ouvert leurs portes : la préfecture, la mairie de Montauban, le conseil départemental, le tribunal de grande instance, la caserne Guibert, le service départemental d'incendie et de secours, le musée de la Résistance et du Combattant et le commissariat de police.

■ www.ladepeche.fr, 13 mai 2015.

### La réserve

Les **réservistes militaires** exercent une **activité professionnelle civile** et consacrent une partie de leur temps à une **activité de défense**. Ils doivent avoir plus de 17 ans. D'origines très variées, les réservistes ont des compétences multiples. Ils participent par exemple au **plan Vigipirate**. Les réservistes citoyens réalisent des actions dans la société, par exemple en faveur de la jeunesse.

## COUP DE POUCE

Pour vous aider à préparer vos projets, recopiez et complétez le tableau suivant.

|  | Doc 1 | Doc 2 | Doc 3 | Doc 4 | Doc 5 | Doc 6 |
|---|---|---|---|---|---|---|
| Qui est concerné par la JDC ? |  |  | – | – | – |  |
| Comment se déroule-t-elle ? |  |  |  | – | – |  |
| Qui l'encadre ? |  |  | – | – | – |  |
| Quelles idées retirer des documents pour élaborer votre programme ? |  |  |  |  |  |  |

## Je découvre

**SOCLE** Compétences
- **Domaine 3** : Je me sens membre de la collectivité nationale
- **Domaine 5** : Je comprends les grands principes de la Défense nationale

# Les relations entre les citoyens et la Défense nationale

**Question clé** **Quelles sont les relations entre les citoyens et la Défense nationale ?**

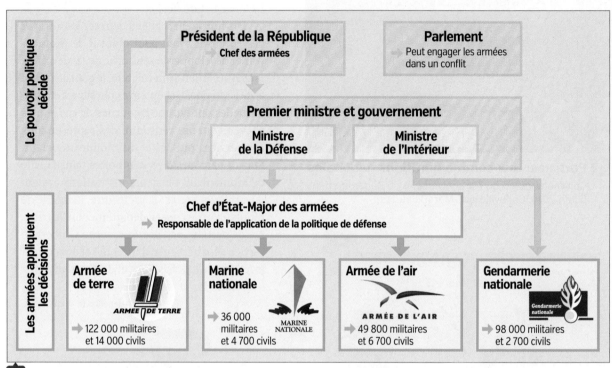

**1** **L'organisation de la Défense nationale**

---

### VOCABULAIRE

▶ **Esprit de défense**
Esprit civique et citoyen qui met une population en capacité d'agir face aux risques et aux menaces, afin de les réduire. Cette prise de conscience résulte d'une éducation à la défense et à la sécurité. Elle est une mission de l'École.

▶ **Réserve militaire**
Elle comprend la réserve opérationnelle (citoyens volontaires qui s'impliquent temporairement dans une unité militaire) et la réserve citoyenne (citoyens volontaires qui contribuent, dans la société, au renforcement du lien armée-nation et promeuvent l'esprit de défense).

---

**2** **Ce que dit la loi**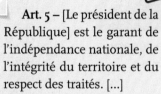

Art. 5 – [Le président de la République] est le garant de l'indépendance nationale, de l'intégrité du territoire et du respect des traités. [...]

Art. 20 – Le gouvernement détermine et conduit la politique de la nation. Il dispose [...] de la force armée.

Art. 21 – Le Premier ministre [...] est responsable de la Défense nationale. [...]

Art. 34 – La loi [votée par le Parlement] détermine les principes fondamentaux de l'organisation générale de la Défense nationale.

■ Constitution de 1958.

---

**3** **La responsabilité des citoyens**

Face aux risques et aux menaces, la défense et la sécurité de la Nation [...] requièrent la sensibilisation, l'association, et l'adhésion de l'ensemble de nos concitoyens. Les Français sont acteurs et responsables de leur propre sécurité. L'esprit de défense [...] est à cet égard le premier fondement de la sécurité nationale. Il est la manifestation d'une volonté collective, assise sur la cohésion de la Nation et une vision partagée de son destin.

■ Livre blanc sur la Défense et la sécurité nationale, 2013.

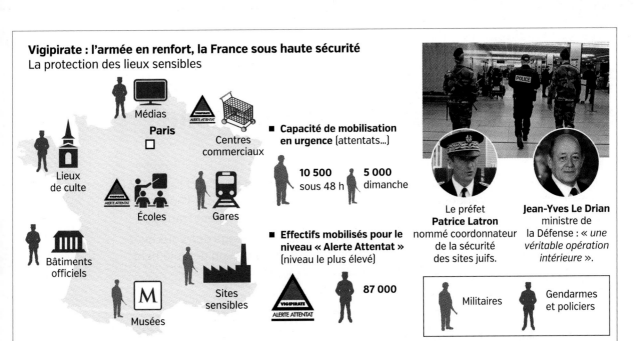

**Vigipirate : l'armée en renfort, la France sous haute sécurité**
La protection des lieux sensibles

Médias
**Paris**
Centres commerciaux
Lieux de culte
Écoles
Gares
Bâtiments officiels
Sites sensibles
Musées

- **Capacité de mobilisation en urgence** (attentats...)
  **10 500** sous 48 h   **5 000** dimanche

- **Effectifs mobilisés pour le niveau « Alerte Attentat »** (niveau le plus élevé)
  **87 000**

Le préfet **Patrice Latron** nommé coordonnateur de la sécurité des sites juifs.

**Jean-Yves Le Drian** ministre de la Défense : « *une véritable opération intérieure* ».

Militaires — Gendarmes et policiers

**4** Plan Vigipirate et opération Sentinelle, en 2015

## 5 Les chantiers de l'armée française

Le ministre de la Défense a présenté les principaux chantiers de l'armée française pour tenir compte des nouvelles missions qui sont attribuées aux armées en matière de protection du territoire national.

Décidé après les attentats de janvier 2015 contre le journal *Charlie Hebdo* et l'Hyper Cacher de la porte de Vincennes, l'engagement de 10 000 militaires en appui des forces du ministère de l'Intérieur est maintenu, a décidé le président de la République. Autre mesure, le développement des réserves. « Les travaux que nous menons visent à disposer d'un réservoir de 40 000 réservistes contre 28 000 aujourd'hui », annonce le ministre de la Défense. De nouveaux moyens pour la cyberguerre se traduisent par le doublement de l'embauche de spécialistes. De nouveaux moyens de renseignement sont envisagés (satellite d'observation et nouveaux drones...). Un service volontaire pour les jeunes, associé à une formation professionnelle, sera expérimenté.

La priorité reste la lutte contre la « menace terroriste d'inspiration djihadiste ».

■ D'après N. Guibert, « Les dix chantiers de l'armée française », www.lemonde.fr, 11 mars 2015.

## Activités

**Question clé** **Quelles sont les relations entre les citoyens et la Défense nationale ?**

### ITINÉRAIRE 1

▶ **Je prélève des informations dans les documents**

❶ **Doc 1, 2 et 3.** En France, qui est responsable de la Défense et de la sécurité nationales ?

❷ **Doc 1, 2 et 4.** En matière de défense, qui décide et qui applique les décisions ?

❸ **Doc 4 et 5.** Pourquoi l'État envisage-t-il de nouveaux chantiers pour l'armée française ?

▶ **J'argumente à l'écrit**

❹ À l'aide des informations relevées dans les documents, rédigez un texte d'une dizaine de lignes qui décrit le rôle des citoyens et des armées dans la défense et la sécurité de la France.

 **ou**

### ITINÉRAIRE 2

▶ **Je réalise un reportage**

Lors de la Journée annuelle du réserviste, votre classe accueille un réserviste. Vous préparez son interview, d'abord en réalisant une recherche sur son identité, puis en rédigeant les questions que vous allez lui poser. Un reportage issu de cette interview pourra ensuite être mis en ligne sur le site Internet du collège.

**SOCLE** **Compétences**

▶ **Domaine 1** : J'ai le sentiment d'appartenir au destin commun de l'humanité
▶ **Domaine 5** : Je comprends le sens des engagements internationaux de la Défense française

# L'engagement de la France en Afrique : l'opération Barkhane

**CONSIGNE**

Votre professeur d'histoire-géographie vous invite régulièrement à relater l'actualité dans le monde. Vous endossez le rôle de reporter de guerre et suivez l'opération Barkhane dans laquelle sont engagés les armées et le gouvernement français.

Votre tâche consiste à présenter oralement à la classe le reportage que vous avez effectué sur les raisons de cette opération et les conditions de son déroulement.

**1** **Agir contre les groupes armés terroristes**

Opération Barkhane :
au cœur de la coopération, 2014.

site élève
⬇ lien vers la vidéo

**2** **L'opération Barkhane, pour sécuriser le Sahel et le Sahara**

*Depuis plus de 20 ans, la menace terroriste s'est installée en Afrique dans la bande sahélo-saharienne. L'armée française, présente au Mali depuis 2013, est au cœur de cette opération qui engage plusieurs États.*

Le 1er août 2014, la nouvelle force militaire française Barkhane, dédiée à la lutte contre le terrorisme au Sahel, a été lancée. [...] Elle renforce la coopération militaire entre la France et les États africains afin d'éradiquer la menace terroriste dans cinq pays [...] (Mauritanie, Burkina Faso, Mali, Tchad et Niger). « C'est notre sécurité qui est en jeu, celle des pays africains et la nôtre en même temps [...] », a déclaré Jean-Yves Le Drian, ministre de la Défense. Le but du nouveau dispositif est de permettre aux Africains de posséder, à terme, tous les outils nécessaires pour faire face aux groupes armés terroristes et d'assumer leurs responsabilités en matière de défense et de sécurité.

■ *Armées d'aujourd'hui*, n° 392, septembre 2014,
www.defense.gouv.fr.

**3** **Madama, la défense d'un lieu stratégique**

Une base militaire française a été construite à Madama (Niger) pour lutter contre les trafics terroristes et mafieux (armes, drogues...) issus de la Libye.

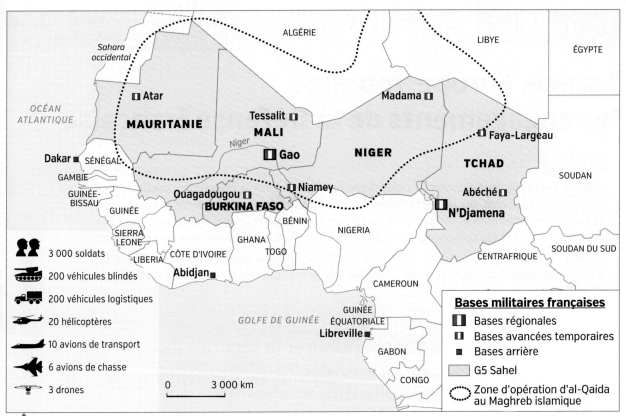

**4** Le déploiement des forces françaises de l'opération Barkhane

Carte : légende

- 3 000 soldats
- 200 véhicules blindés
- 200 véhicules logistiques
- 20 hélicoptères
- 10 avions de transport
- 6 avions de chasse
- 3 drones

0        3 000 km

**Bases militaires françaises**

- Bases régionales
- Bases avancées temporaires
- Bases arrière
- G5 Sahel
- Zone d'opération d'al-Qaida au Maghreb islamique

La France intervient dans l'**opération Barkhane** avec l'accord de l'ONU et de l'Union européenne. Elle agit au nom du *Livre blanc sur la Défense et la sécurité nationale* (2013) qui indique que « les coopérations bilatérales et multilatérales doivent être renforcées [...] afin de mieux prendre en compte la continuité qui existe entre la sécurité intérieure et la sécurité extérieure ».

**5** Couper les routes des djihadistes au Sahel

Dans la bande sahélo-saharienne, les groupes armés « se jouent des frontières et jouent avec elles », pour échapper aux forces de sécurité nationales, explique le commandant de l'opération Barkhane, le général français Jean-Pierre Palasset. D'où la mise en place du dispositif inédit, « Barkhane », avec cinq États du Sahel[1].

Barkhane étend son emprise au plus près de la Libye, « sanctuaire » de tous ces groupes djihadistes, selon l'expression des militaires français. C'est dans le Sud libyen qu'ils recrutent, se ravitaillent en armes et se mettent à l'abri si besoin. Pour les repérer, avions de combat et drones français décollent quotidiennement de N'Djamena et Niamey (Niger), portant une attention particulière aux points d'eau, rares dans le désert. Sans point d'eau, point de salut.

◼ « L'opération Barkhane veut couper les routes des djihadistes au Sahel », Agence France Presse, 7 novembre 2014.

1. Burkina Faso, Mali, Mauritanie, Niger, Tchad.

**COUP DE POUCE**

Pour vous aider à réaliser votre reportage oral, reproduisez et complétez le tableau suivant avec les informations relevées dans les documents.

| | Doc 1 | Doc 2 | Doc 3 | Doc 4 | Doc 5 |
|---|---|---|---|---|---|
| Origine et objectifs de l'opération Barkhane ; acteurs à l'origine de l'opération | | | – | | |
| Lieux de l'opération Barkhane | | – | | | – |
| Obstacles au déroulement de l'opération Barkhane | | | | | |

# France, Europe, monde : les engagements de la Défense française

**CONSIGNE**

Dans le cadre de l'enseignement obligatoire de défense, votre classe doit préparer des présentations orales sur les différentes formes d'engagement des armées françaises aux échelles nationale et internationale. Répartis en équipes, vous devez analyser des situations afin de faire comprendre le sens de ces engagements pour la sécurité collective.

À partir des présentations orales de chaque équipe, rédigez un bilan de quelques lignes sur les priorités de la Défense nationale et sur les engagements européens et internationaux de la France.

## La Défense nationale : assurer la sécurité de la France

**ÉQUIPE 1**

Votre équipe va devoir expliquer à la classe pourquoi la France, pays en paix, a besoin d'une armée, et quel est le rôle des armées de terre, de l'air et de la marine dans la défense du territoire national.

### 1 La défense militaire

Les menaces militaires n'ont pas disparu, et les nombreuses opérations militaires dans lesquelles la France a été engagée au cours des dernières années (Afghanistan, Côte d'Ivoire, Libye, Mali) démontrent que l'action militaire reste une composante importante de notre sécurité. Dans le même temps, les risques et les menaces se sont multipliés. Le terrorisme, la cybermenace[1], le crime organisé, la dissémination des armes conventionnelles, la prolifération des armes de destruction massive, les risques de pandémies, les risques technologiques et naturels peuvent affecter gravement la sécurité de la nation.

■ Livre blanc sur la Défense et la sécurité nationale, 2013.

1. Cybermenace : menace dirigée contre les réseaux informatiques.

### 2 La stratégie de défense et de sécurité nationale

Les priorités du
## LIVRE BLANC
**sur la Défense et la sécurité nationale, 2013**

**Trois missions de la Défense nationale**
• Protection
• Dissuasion (arme nucléaire)
• Intervention

**Des lieux à sécuriser pour la protection du territoire**
• L'Europe et ses marges
• La Méditerranée
• L'Afrique subsaharienne

**La fidélité de la France à ses alliances**
• Alliance atlantique (OTAN)
• Participation à la défense commune européenne
• Membre de l'ONU

**L'armée de terre** s'investit dans des actions diversifiées (plan Vigipirate / opération Sentinelle, lutte contre les incendies, plan ORSEC...).

**L'armée de l'air** porte assistance aux aéronefs civils en détresse, au transport de moyens de secours...

**La marine** porte ses efforts sur l'action en mer (sauvetage en mer, lutte contre les pollutions, narco-trafics, immigration illégale...).

### 3 Les actions des armées sur le territoire national

# Les engagements européens de la France

Votre équipe est chargée de travailler sur la place de la France dans la Politique de sécurité et de défense commune (PSDC) de l'Union européenne. Vous allez devoir définir les opérations militaires européennes auxquelles la France participe.

### 4 La participation de la France à l'opération Atalante

L'Union européenne mène depuis le 8 décembre 2008 une opération militaire pour contribuer à la prévention et à la répression des actes de piraterie au large de la Somalie. Ici, la frégate *Nivôse* intervient contre des pirates en 2015.

### 5 La participation de la France à l'opération Triton

Un patrouilleur de la marine française, présent en mer Méditerranée pour renforcer le dispositif européen de surveillance Triton, a sauvé samedi [2 mai 2015] 217 personnes au large de la Libye. [...] Deux hommes ont été pris en charge par le médecin et les infirmiers militaires à bord du patrouilleur *Commandant Birot*. Le ministère de la Défense avait annoncé mardi l'envoi du *Commandant Birot* pour renforcer le dispositif mis en place afin de faire face à l'afflux de bateaux de migrants. L'Union européenne a décidé, après une série de naufrages ayant entraîné la mort de plusieurs centaines de migrants, de renforcer sa présence en mer. [...] L'opération Triton a été lancée en novembre 2014 pour aider l'Italie à contrôler ses frontières maritimes et récupérer les migrants sur des embarcations en perdition.

■ France 24 et AFP, 3 mai 2015.

# Les engagements internationaux de la France

Votre équipe est chargée de travailler sur les engagements militaires de la France dans le monde afin d'assurer la sécurité des populations civiles. À partir des exemples proposés, vous allez devoir expliquer quelles sont les différentes formes d'intervention des militaires français, et pour quels objectifs.

### 6 2010 : porter secours en Haïti

Dans le cadre de l'opération au profit des victimes du séisme, le 12 janvier 2010, les forces armées des Antilles ont assuré un pont maritime et aérien afin d'acheminer de l'aide. Les moyens militaires français ont contribué aux opérations de secours (travaux de déblaiement, montage de tentes, acheminement de vivres...) et d'évacuations sanitaires (interventions chirurgicales à bord du bâtiment de la marine nationale *Sirocco*...).

■ E. Farcy-Magdenel et Ch. Tissier-Dauphin (dir.), *Défense et sécurité de la France au XXIᵉ siècle*, Sceren-CRDP, 2011.

### 7 2013 : intervenir militairement au Mali

En 2013, la France intervient dans le cadre d'une opération de l'ONU. L'objectif est de mettre fin à la guerre civile, de veiller à l'organisation d'élections libres et d'apporter une aide humanitaire aux populations civiles.

# Parcours aRTs

**SOCLE** Compétences

▶ **Domaine 3** : Je sais exprimer mes sentiments et mes émotions en utilisant un vocabulaire précis

▶ **Domaine 5** : Je sais me poser des questions sur une œuvre d'art

# Le monument des enfants pour la paix à Hiroshima, 1958

**Question clé** Comment l'initiative d'une jeune fille a-t-elle transformé des origamis, œuvres d'art populaire éphémères, en message mondial pour la paix ?

Sadako Sasaki (1943-1955), victime des radiations émises par la bombe atomique larguée sur Hiroshima le 6 août 1945, s'est inspirée de la légende japonaise selon laquelle celui qui confectionne 1 000 grues en origami (pliage de papier) voit ses vœux exaucés. Elle souhaitait guérir et vivre en paix. Elle en confectionna avec tous les morceaux de papier qu'elle trouvait, y compris les étiquettes de ses flacons de médicaments. Sadako et ses pliages colorés sont devenus des symboles de paix universelle.

**1** **Un mémorial pour la paix réalisé par les jeunes du monde entier**

Mémorial de Sadako Sasaki, 2009. Depuis 1955, des écoliers japonais d'abord, puis des jeunes du monde entier, plient des grues, en font des tableaux et les envoient à Hiroshima. En mémoire de Sadako, ils transmettent leurs messages en faveur de la paix.

**2 Les pliages de Sadako (1955)**
Ces pliages de Sadako sont exposés au Mémorial pour la paix à Hiroshima.

BIOGRAPHIE

**Sadako Sasaki (1943-1955)**

**Née à Hiroshima** en 1943, Sadako a 2 ans lorsqu'elle est irradiée par le bombardement atomique du 6 août 1945. Dix ans plus tard, elle développe une leucémie, dont elle meurt à l'âge de 12 ans. Pendant ses séjours à l'hôpital, **elle plie 644 grues en origami,** symbole traditionnel de vie au Japon. Après sa mort, les élèves de sa classe et d'autres écoles du Japon continuent son action, afin de collecter des fonds pour construire **une statue et un mémorial,** en souvenir de **Sadako et de tous les enfants frappés par la bombe.**

mémo ART

## Forme et technique

▶ **L'origami** (*oru*, « plier » et *kami*, « papier ») est une **technique traditionnelle japonaise,** empruntée aux Chinois. C'est une juxtaposition de **pliages en papier** qui donne lieu à une **création artistique éphémère,** aux couleurs vives, lumineuses et contrastées. Les origamis du monument des enfants pour la paix à Hiroshima sont des guirlandes composées de petites grues pliées, enfilées sur des fils flottant au vent. Sur les tableaux, les grues sont collées les unes aux autres.

▶ Parce qu'il est en papier, **cet art est en perpétuelle évolution.** De nouvelles créations remplacent celles abîmées par le temps.

## Sens

▶ Le remplacement permanent des origamis rend le **monument vivant et immortel.** Il est le symbole d'un engagement sans fin pour **promouvoir la paix** et agir pour son maintien dans le monde.

## Usage

▶ Outre l'émotion suscitée, ce monument des enfants pour la paix invite les jeunes générations au **recueillement** et au **devoir de mémoire.** Il génère une volonté commune, celle d'agir et de développer ainsi leur **esprit de défense et de citoyenneté.**

## QUESTIONS

### J'identifie et je situe l'œuvre d'art

**❶** Qui poursuit aujourd'hui l'œuvre de papier commencée par Sadako Sasaki ? Pourquoi est-ce important ?

**❷** Que ressentez-vous face aux grues pliées par Sadako ? Pourquoi ?

### Je décris l'œuvre et en explique le sens

**❸** Quels mots vous viennent à l'esprit pour décrire cette œuvre ?

**❹** Si vous deviez transmettre un message de paix à travers une œuvre d'art, quelle serait votre création (plastique, musicale, littéraire...) ? Expliquez votre choix.

# La Défense nationale

→ Comment la Défense nationale agit-elle en France et dans le monde ?

## A Les principes de la Défense nationale

**1. La Défense nationale** a pour rôle de protéger le territoire français, ses habitants, ses institutions, et de garantir ses intérêts économiques. La stratégie du **gouvernement** est définie dans le **Livre blanc sur la Défense et la sécurité nationale** (2013). Les **attentats de janvier et de novembre 2015** ont provoqué le renforcement du **plan Vigipirate** et la mise en place de l'**état d'urgence**.

**2.** Le **président de la République** est le chef des armées et le garant de l'indépendance nationale et de l'intégrité du territoire. Le **Parlement** vote la déclaration de guerre. Les citoyens français doivent partager l'**esprit de défense**.

## B Les engagements européens et internationaux de la France

**1.** Avec ses alliés, la France est présente dans le monde pour assurer la **paix** et la **sécurité internationale** : **missions humanitaires** (**épidémie Ebola** en Afrique), **missions de maintien de la paix** (en Centrafrique face aux violences religieuses), lutte contre le **terrorisme** en Afrique (opération Barkhane au Mali) et au Proche-Orient (opération Chammal).

**2.** Elle intervient le plus souvent sous mandat de l'**ONU**. Elle exerce aussi des missions dans le cadre de la **Politique de sécurité et de défense commune** (PSDC) de l'Union européenne, par exemple dans l'océan Indien pour lutter contre la **piraterie**.

---

### VOCABULAIRE

▸ **Livre blanc sur la Défense et la sécurité nationale**
Texte officiel qui fait état des risques et des menaces et définit les objectifs de la politique de Défense et de sécurité nationale de la France.

▸ **Plan Vigipirate**
Plan gouvernemental permanent de vigilance, de prévention et de protection contre la menace terroriste sur le territoire national. Il peut être élevé au niveau « Alerte Attentat ».

### Les valeurs de la République

▸ **L'esprit de défense**
Esprit civique et citoyen qui met une population en capacité d'agir dans l'intérêt général face aux risques et aux menaces. Il développe le lien entre l'armée et la nation. Il vise à préserver les valeurs de la démocratie, au service de la paix.

---

## Je révise chez moi

● **Je vérifie que je connais les principaux repères du chapitre.**

**Je sais définir et utiliser dans une phrase :**
▸ le plan Vigipirate
▸ l'esprit de défense

**Je sais expliquer :**
▸ ce qu'est le Livre blanc sur la Défense et la sécurité nationale.
▸ ce qu'est la JDC.
▸ pour quelles raisons la France est engagée dans des opérations militaires.

## 1 J'identifie une des missions de la Défense nationale, la défense civile

↳ SOCLE : Domaine 5

### Les forces armées et la solidarité nationale

Les armées doivent [...] concourir à la prévention des risques de toute nature, au secours et à la protection des personnes, des biens et de l'environnement [...].

La réponse à des crises majeures de toute nature peut ainsi mobiliser, rapidement et dans la durée, l'essentiel des moyens des armées, en complément des forces de sécurité et des moyens civils de l'État. Ainsi, le 27 février 2010, immédiatement après le passage de la tempête Xynthia qui allait toucher la façade atlantique de la France, les armées intervenaient au secours des sinistrés en évacuant par air, grâce à quatre hélicoptères, plus de 140 personnes blessées ou en danger immédiat, puis en menant des reconnaissances aériennes pour évaluer les dégâts et orienter les sauveteurs. Les armées ont également mené des opérations pour rehausser les digues. Enfin, la base aérienne de Rochefort a assuré l'hébergement de 600 secouristes de la sécurité civile.

■ E. Farcy-Magdenel et Ch. Tissier-Dauphin (dir.),
*Défense et sécurité de la France au XXIᵉ siècle*, Sceren-CRDP, 2011.

**QUESTIONS**

❶ Quel(s) type(s) de mission(s) appelle(nt) les forces armées à agir pour protéger et secourir la société ?

❷ Quelles actions les armées ont-elles menées lors de la tempête Xynthia ?

❸ Pourquoi peut-on affirmer que les armées agissent dans un esprit de solidarité ?

## 2 Je comprends la relation entre les citoyens et la Défense nationale

↳ SOCLE : Domaine 3

**1** Se faire recenser

Campagne du ministère de la Défense, 2015.

### 2 Le devoir de défense

**Article L111.2** – Le service national universel comprend des obligations : le recensement, l'appel de préparation à la défense[1] et l'appel sous les drapeaux.

Il comporte aussi des volontariats.

L'appel de préparation à la défense a pour objet de conforter l'esprit de défense et de concourir à l'affirmation du sentiment d'appartenance à la communauté nationale, ainsi qu'au maintien du lien entre l'armée et la jeunesse.

■ Code du Service national.

1. Aujourd'hui, Journée défense et citoyenneté.

**QUESTIONS**

❶ **Doc 1 et 2.** Quelles obligations les citoyens doivent-ils respecter pour concourir à la défense de la nation ?

❷ **Doc 1.** Que signifie « Pensez au recensement » ? Qui est concerné ? À quels droits permet-il d'accéder ?

❸ **Doc 1 et 2.** D'après ces deux documents, que signifie l'esprit de défense ? Montrez qu'il s'agit d'une attitude de citoyen responsable.

## ③ Je définis la mission humanitaire des armées : l'épidémie du virus Ebola

⤷ **Socle** : Domaine 5

### 1 La mission des armées

Le 8 mai 2015, à Conakry, en Guinée, la relève du personnel médical du service de santé des armées (SSA), du régiment médical (RMED) et du 2ᵉ régiment des dragons est arrivée au centre de traitement des soignants (CTS) pour poursuivre la mission de leurs prédécesseurs dans la lutte contre le virus Ebola[1]. La mission est de sauver les patients suspects ou contaminés par le virus, eux-mêmes soignants ou prenant part en première ligne à la lutte contre Ebola. Il en ressort un travail extraordinaire des militaires français face à un ennemi mortel, avec la mise en place de procédures adaptées pour évoluer avec le minimum de risques et un rythme de travail intense. Il est aussi à remarquer la grande implication du personnel dans les recherches médicales sur le virus Ebola et le suivi des patients guéris pour dépister des séquelles potentielles. Le CTS engage, depuis le 14 janvier 2015, plus de 12 militaires. Il répond à l'objectif que se donne la France de lutter activement contre la maladie, en étant intégré à la *Task Force Ebola* (TFE).

▪ www.defense.gouv.fr, 2015.

1. L'épidémie de fièvre hémorragique Ebola a fait plus de 10 000 morts en Afrique de l'Ouest (mars 2015).

### 2 Lutter contre le virus Ebola

En Guinée, en 2015, l'armée française a installé un centre de traitement des soignants exposés au virus Ebola.

`site élève`
`⬇ lien vers la vidéo`

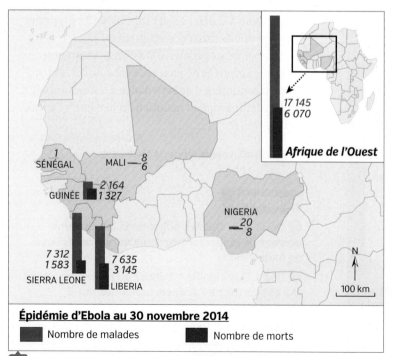

1
SÉNÉGAL

MALI — 8/6

2 164
1 327
GUINÉE

17 145
6 070

*Afrique de l'Ouest*

NIGERIA
— 20/8

7 312
1 583
SIERRA LEONE

7 635
3 145
LIBERIA

N

100 km

**Épidémie d'Ebola au 30 novembre 2014**

▪ Nombre de malades        ▪ Nombre de morts

### 3 L'épidémie du virus Ebola en Afrique

---

**QUESTIONS**

❶ **Doc 1 et 3.** Pourquoi l'armée française est-elle présente en Guinée en mai 2015 ?

❷ **Doc 1 et 2.** D'après ces documents, quel métier peut exercer un militaire français ?

❸ **Doc 1 et 2.** Pourquoi peut-on parler d'un « travail extraordinaire des militaires français » ?

❹ **Doc 1 et 2.** Quelles valeurs animent ces militaires dans la mission qu'ils accomplissent ?

## 4 Je m'informe sur les métiers de la Défense

**Parcours avenir**

↳ **SOCLE :** Domaine 2

### 1 Sergine Descatoire, pilote d'hélicoptère

Désirant rejoindre l'armée de terre depuis son enfance, Sergine Descatoire n'avait aucune idée de spécialité en tête. Après son bac, elle a poussé la porte d'un centre d'information et de renseignement des forces armées. Après avoir passé des tests, elle a été recrutée par l'armée de terre qui l'a formée. Elle est aujourd'hui pilote d'hélicoptère. Lors de son déploiement dans les Balkans, elle a pris part aux opérations menées par l'OTAN et a ainsi participé au rétablissement de la paix au Kosovo.

■ www.recrutement.terre.defense.gouv.fr, 2012.

**INFOS**

Le personnel féminin représente **19 %** de l'**effectif total** de la Défense.

Armée de terre
122 000 militaires
et 14 000 civils

Armée de l'air
49 800 militaires
et 6 700 civils

Marine nationale
36 000 militaires
et 4 700 civils

Gendarmerie nationale
98 000 militaires et
2 700 civils

### 2 L'armée française, quatre armes

### 4 Plus de 400 métiers au sein des armées

Avec plus de 20 000 embauches par an, et plus de 400 métiers proposés, le ministère de la Défense est l'un des principaux recruteurs de l'État. Du personnel de tous niveaux est embauché. Pour le futur militaire, une fois engagé, les possibilités de formation sont nombreuses. Allant du soldat à l'ingénieur, en passant par l'informaticien ou le boulanger.

■ www.defense.gouv.fr.

### 3 Un recrutement à tous les niveaux

| Niveaux d'étude | Grades militaires | Professions |
|---|---|---|
| Niveaux 3ᵉ, CAP, BEP | Militaire du rang (avec une formation au sein de l'armée) | → Combattant de l'armée de terre, conducteur de poids lourds, cuisinier, etc. |
| Niveaux Bac, Bac pro, BTS | Sous-officier (avec une formation au sein de l'armée) | → Pilote de char, mécanicien d'armement, pompier, spécialiste des télécommunications, etc. |
| Niveaux Bac + 3 à Bac + 5 (grandes écoles, études universitaires) | Officier (formation au sein de l'armée ou sur concours dans les écoles militaires : Saint-Cyr, Polytechnique) | → Fonctions de commandement, médecin, dentiste, etc. |

▼ Évolution de carrière par promotion interne

**QUESTIONS**

❶ **Doc 1.** Quelle profession exerce Sergine Descatoire ? Quel est son parcours de formation ? À votre avis, quelles compétences exige la pratique de son métier ?

❷ **Doc 2.** Dans quelles armes est-il possible d'exercer le métier de militaire ?

❸ **Doc 3 et 4.** À quels niveaux de formation l'armée recrute-t-elle ? Pour exercer quels métiers ?

# Brevet

**1** **Après les attentats du 13 novembre 2015 à Paris**
**➊** Déclaration des droits de l'homme et du citoyen (1789)
Dessin de Plantu, *Le Monde*, 3 décembre 2015.

## INFOS

Instauré la nuit des attentats du 13 novembre 2015 à Paris, l'état d'urgence restreint des libertés : **droit à la sûreté** limité par des perquisitions administratives ; **liberté de circulation** limitée par le couvre-feu et des assignations à résidence ; **liberté d'association** limitée par la dissolution de groupes. Au début de l'année 2016, un débat a eu lieu pour savoir si cet état d'urgence devait être inscrit dans la Constitution de la République française.

**2** **Extraits de grands textes de droit**

**Déclaration des droits de l'homme et du citoyen (1789)**
*Texte inscrit dans la Constitution de 1958.*
**Art. 4** – La liberté consiste à pouvoir faire tout ce qui ne nuit pas à autrui […].

**Convention européenne de sauvegarde des droits de l'homme (1950)**
Les Hautes Parties contractantes[1] reconnaissent à toute personne relevant de leur juridiction les droits et libertés définis au titre I de la présente Convention *(suit le titre I)* :
**Art. 1** – Obligation de respecter les droits de l'homme
**Art. 15** – Dérogation en cas d'état d'urgence
En cas de guerre ou en cas d'autre danger public menaçant la vie de la nation, toute Haute Partie contractante peut prendre des mesures dérogeant aux obligations prévues par la présente Convention, dans la stricte mesure où la situation l'exige […].
1. États qui ont signé la Convention européenne des droits de l'homme. Parmi eux, la France.

## MÉTHODE

**Je lis et j'explique une caricature (→ Question ➊)**
Commencez par présenter le document (auteur, date et contexte, origine...) afin de mieux repérer l'engagement et le message du dessinateur. Identifiez les personnages et les symboles en mobilisant vos connaissances et relevez les éléments comiques.

→ *Exemple :* expliquez ce que le soldat, Marianne, la Constitution et la Déclaration des droits de l'homme représentent pour la République.

## QUESTIONS

**➊** Qui sont les deux personnages du **doc 1** ? À quel dilemme sont-ils confrontés ?

**➋** Expliquez comment l'état d'urgence est conciliable avec ces grands textes de droit (**doc 2**).

**➌** Vous êtes inscrit-e à un concours sur les droits de l'homme et vous devez présenter les grands textes de droit en vous aidant des documents et de vos connaissances. En quelques lignes, expliquez comment, sans le respect des grands textes de droit, il n'y a pas de démocratie.

## SUJET BLANC

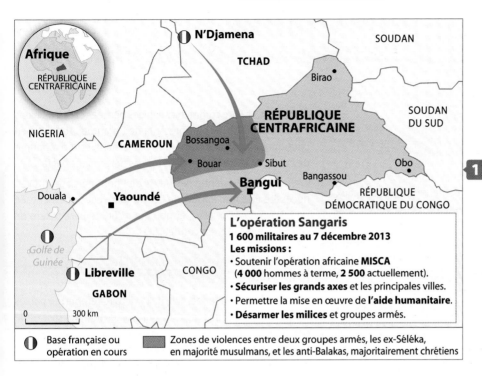

**L'opération Sangaris**

**1 600 militaires au 7 décembre 2013**

**Les missions :**
- Soutenir l'opération africaine **MISCA** (**4 000** hommes à terme, **2 500** actuellement).
- **Sécuriser les grands axes** et les principales villes.
- Permettre la mise en œuvre de **l'aide humanitaire**.
- **Désarmer les milices** et groupes armés.

Base française ou opération en cours — Zones de violences entre deux groupes armés, les ex-Séléka, en majorité musulmans, et les anti-Balakas, majoritairement chrétiens

### 1 Des militaires français en Centrafrique

Le 5 décembre 2013, le président de la République François Hollande a pris la décision d'envoyer une force militaire en Centrafrique pour mettre fin aux violences et à la catastrophe humanitaire. En 2016, les militaires français sont toujours présents en Centrafrique.

### 2 Extraits de la Constitution de la Vᵉ République (1958)

**Art. 15** – Le président de la République est le chef des armées [...].

**Art. 20** – Le Gouvernement [...] dispose de la force armée. [...]

**Art. 35** – [...] Le Gouvernement informe le Parlement de sa décision de faire intervenir les forces armées à l'étranger, au plus tard trois jours après le début de l'intervention [...]. Lorsque la durée de l'intervention excède quatre mois, le Gouvernement soumet sa prolongation à l'autorisation du Parlement.

### QUESTIONS

**1** Définissez l'opération Sangaris à partir des informations données par le **doc 1**.

**2** Expliquez, avec des éléments du **doc 2**, ce qui a permis à la France d'intervenir militairement en Centrafrique.

**3** Vous êtes un-e reporter de guerre en mission en Centrafrique et chargé d'envoyer une dépêche à votre journal sur la situation du pays.
À partir des documents et de vos connaissances, expliquez en quelques lignes, en quoi l'engagement de la France est en lien avec les valeurs de la démocratie.

## MON BILAN DE COMPÉTENCES

| Domaines du socle | Compétences travaillées | Pages du chapitre |
|---|---|---|
| **D1** Les langues pour penser le monde et communiquer | • J'ai le sentiment d'appartenir au destin commun de l'humanité | **J'enquête** p. 394-395 |
| | • Je prends la parole devant les autres | **J'enquête** p. 396-397 |
| **D3** La formation de la personne et du citoyen | • Je me sens membre de la collectivité nationale | **Je découvre** p. 392-393 |
| | • Je sais exprimer mes sentiments et mes émotions en utilisant un vocabulaire précis | **Parcours Arts** p. 398-399 |
| **D5** Les représentations du monde et l'activité humaine | • Je comprends les grands principes de la Défense nationale | **Je découvre** p. 392-393 |
| | | **J'enquête** p. 396-397 |
| | • Je comprends le sens des engagements internationaux de la Défense française | **J'enquête** p. 394-395 |
| | • Je sais me poser des questions sur une œuvre d'art | **Parcours Arts** p. 398-399 |

# Extraits de la Constitution
# et des grandes déclarations des droits de l'homme

## I. Constitution

### Déclaration des droits de l'homme et du citoyen (26 août 1789)

• **Article 1er.** Les hommes naissent et demeurent libres et égaux en droits. Les distinctions sociales ne peuvent être fondées que sur l'utilité commune.

• **Article 2.** Le but de toute association politique est la conservation des droits naturels et imprescriptibles de l'homme. Ces droits sont la liberté, la propriété, la sûreté, et la résistance à l'oppression.

• **Article 3.** Le principe de toute souveraineté réside essentiellement dans la nation. Nul corps, nul individu ne peut exercer d'autorité qui n'en émane expressément.

• **Article 4.** La liberté consiste à pouvoir faire tout ce qui ne nuit pas à autrui : ainsi, l'exercice des droits naturels de chaque Homme n'a de bornes que celles qui assurent aux autres membres de la société la jouissance de ces mêmes droits. Ces bornes ne peuvent être déterminées que par la loi.

• **Article 5.** La loi n'a le droit de défendre que les actions nuisibles à la société. Tout ce qui n'est pas défendu par la loi ne peut être empêché, et nul ne peut être contraint à faire ce qu'elle n'ordonne pas.

• **Article 6.** La loi est l'expression de la volonté générale. Tous les citoyens ont droit de concourir personnellement, ou par leurs Représentants, à sa formation. Elle doit être la même pour tous, soit qu'elle protège, soit qu'elle punisse. Tous les citoyens étant égaux à ses yeux sont également admissibles à toutes dignités, places et emplois publics, selon leur capacité, et sans autre distinction que celle de leurs vertus et de leurs talents.

• **Article 7.** Nul homme ne peut être accusé, arrêté ni détenu que dans les cas déterminés par la loi, et selon les formes qu'elle a prescrites. Ceux qui sollicitent, expédient, exécutent ou font exécuter des ordres arbitraires, doivent être punis ; mais tout citoyen appelé ou saisi en vertu de la Loi doit obéir à l'instant : il se rend coupable par la résistance.

• **Article 8.** La loi ne doit établir que des peines strictement et évidemment nécessaires, et nul ne peut être puni qu'en vertu d'une loi établie et promulguée antérieurement au délit, et légalement appliquée.

• **Article 9.** Tout homme étant présumé innocent jusqu'à ce qu'il ait été déclaré coupable, s'il est jugé indispensable de l'arrêter, toute rigueur qui ne serait pas nécessaire pour s'assurer de sa personne doit être sévèrement réprimée par la loi.

• **Article 10.** Nul ne doit être inquiété pour ses opinions, même religieuses, pourvu que leur manifestation ne trouble pas l'ordre public établi par la loi.

• **Article 11.** La libre communication des pensées et des opinions est un des droits les plus précieux de l'homme : tout citoyen peut donc parler, écrire, imprimer librement, sauf à répondre de l'abus de cette liberté dans les cas déterminés par la loi.

• **Article 12.** La garantie des droits de l'homme et du citoyen nécessite une force publique : cette force est donc instituée pour l'avantage de tous, et non pour l'utilité particulière de ceux auxquels elle est confiée. [...]

### Préambule de la Constitution de la IVe République (27 octobre 1946)

• **Paragraphe 1.** Au lendemain de la victoire remportée par les peuples libres sur les régimes qui ont tenté d'asservir et de dégrader la personne humaine, le peuple français proclame à nouveau que tout être humain, sans distinction de race, de religion ni de croyance, possède des droits inaliénables et sacrés. Il réaffirme solennellement les droits et libertés de l'homme et du citoyen consacrés par la Déclaration des droits de 1789 et les principes fondamentaux reconnus par les lois de la République.

• **Paragraphe 6.** Tout homme peut défendre ses droits et ses intérêts par l'action syndicale et adhérer au syndicat de son choix.

• **Paragraphe 7.** Le droit de grève s'exerce dans le cadre des lois qui le réglementent.

• **Paragraphe 10.** La nation assure à l'individu et à la famille les conditions nécessaires à leur développement.

• **Paragraphe 11.** Elle garantit à tous, notamment à l'enfant, à la mère et aux vieux travailleurs, la protection de la santé, la sécurité matérielle, le repos et les loisirs. Tout être humain qui, en raison de son âge, de son état physique ou mental, de la situation économique, se trouve dans l'incapacité de travailler a le droit d'obtenir de la collectivité des moyens convenables d'existence.

• **Paragraphe 13.** La nation garantit l'égal accès de l'enfant et de l'adulte à l'instruction, à la formation professionnelle et à la culture. L'organisation de l'enseignement public gratuit et laïque à tous les degrés est un devoir de l'État.

### Constitution de la Ve République (4 octobre 1958)

• **Préambule**

Le peuple français proclame solennellement son attachement aux Droits de l'homme et aux principes de la souveraineté nationale tels qu'ils ont été définis par la Déclaration de 1789, confirmée et complétée par le préambule de la Constitution de 1946, ainsi qu'aux droits et devoirs définis dans la Charte de l'environnement de 2004.

• **Article 1er.** La France est une République indivisible, laïque, démocratique et sociale. Elle assure l'égalité devant la loi de tous les citoyens sans distinction d'origine, de race ou de religion. Elle respecte toutes les croyances. Son organisation est décentralisée.

La loi favorise l'égal accès des femmes et des hommes aux mandats électoraux et fonctions électives, ainsi qu'aux responsabilités professionnelles et sociales.

• **Article 2.** La langue de la République est le français. L'emblème national est le drapeau tricolore, bleu, blanc, rouge. L'hymne national est « *La Marseillaise* ». La devise de la République est « Liberté, Égalité, Fraternité ». Son principe est : gouvernement du peuple, par le peuple et pour le peuple.

• **Article 3.** La souveraineté nationale appartient au peuple qui l'exerce par ses représentants et par la voie du référendum. Aucune section du peuple ni aucun individu ne peut s'en attribuer l'exercice. Le suffrage peut être direct ou indirect dans les conditions prévues par la Constitution. Il est toujours universel, égal et secret.

Sont électeurs, dans les conditions déterminées par la loi, tous les nationaux français majeurs des deux sexes, jouissant de leurs droits civils et politiques.

• **Article 4.** Les partis et groupements politiques concourent à l'expression du suffrage. Ils se forment et exercent leur activité librement. Ils doivent respecter les principes de la souveraineté nationale et de la démocratie. Ils contribuent à la mise en œuvre du principe énoncé au second alinéa de l'article 1er dans les conditions déterminées par la loi.

La loi garantit les expressions pluralistes des opinions et la participation équitable des partis et groupements politiques à la vie démocratique de la nation.

• **Article 5.** Le président de la République veille au respect de la Constitution. Il assure, par son arbitrage, le fonctionnement régulier des pouvoirs publics ainsi que la continuité de l'État. Il est le garant de l'indépendance nationale, de l'intégrité du territoire et du respect des traités.

• **Article 6.** Le président de la République est élu pour cinq ans au suffrage universel direct. Nul ne peut exercer plus de deux mandats consécutifs. Les modalités d'application du présent article sont fixées par une loi organique.

• **Article 8.** Le président de la République nomme le Premier ministre. Il met fin à ses fonctions sur la présentation par celui-ci de la démission du Gouvernement. Sur la proposition du Premier ministre, il nomme les autres membres du Gouvernement et met fin à leurs fonctions.

• **Article 9.** Le président de la République préside le conseil des ministres.

• **Article 10.** Le président de la République promulgue les lois dans les quinze jours qui suivent la transmission au Gouvernement de la loi définitivement adoptée.

Il peut, avant l'expiration de ce délai, demander au Parlement une nouvelle délibération de la loi ou de certains de ses articles. Cette nouvelle délibération ne peut être refusée.

• **Article 15.** Le président de la République est le chef des armées. Il préside les conseils et les comités supérieurs de la défense nationale.

• **Article 20.** Le Gouvernement détermine et conduit la politique de la nation. Il dispose de l'administration et de la force armée. Il est responsable devant le Parlement dans les conditions et suivant les procédures prévues aux articles 49 et 50.

• **Article 21.** Le Premier ministre dirige l'action du Gouvernement. Il est responsable de la défense nationale. Il assure l'exécution des lois. Sous réserve des dispositions de l'article 13, il exerce le pouvoir réglementaire et nomme aux emplois civils et militaires. Il peut déléguer certains de ses pouvoirs aux ministres. Il supplée, le cas échéant, le président de la République dans la présidence des conseils et comités prévus à l'article 15. Il peut, à titre exceptionnel, le suppléer pour la présidence d'un conseil des ministres en vertu d'une délégation expresse et pour un ordre du jour déterminé.

• **Article 24.** Le Parlement vote la loi. Il contrôle l'action du Gouvernement. Il évalue les politiques publiques. Il comprend l'Assemblée nationale et le Sénat. Les députés à l'Assemblée nationale, dont le nombre ne peut excéder cinq cent soixante-dix-sept, sont élus au suffrage direct. Le Sénat, dont le nombre de membres ne peut excéder trois cent quarante-huit, est élu au suffrage indirect. Il assure la représentation des collectivités territoriales de la République. Les Français établis hors de France sont représentés à l'Assemblée nationale et au Sénat.

• **Article 35.** La déclaration de guerre est autorisée par le Parlement. Le Gouvernement informe le Parlement de sa décision de faire intervenir les forces armées à l'étranger, au plus tard trois jours après le début de l'intervention. Il précise les objectifs poursuivis. Cette information peut donner lieu à un débat qui n'est suivi d'aucun vote. Lorsque la durée de l'intervention excède quatre mois, le Gouvernement soumet sa prolongation à l'autorisation du Parlement. Il peut demander à l'Assemblée nationale de décider en dernier ressort. Si le Parlement n'est pas en session à l'expiration du délai de quatre mois, il se prononce à l'ouverture de la session suivante.

## II. Déclaration universelle des droits de l'homme (10 décembre 1948)

• **Article 1er.** Tous les êtres humains naissent libres et égaux en dignité et en droits. Ils sont doués de raison et de conscience et doivent agir les uns envers les autres dans un esprit de fraternité.

• **Article 2.** Chacun peut se prévaloir de tous les droits et de toutes les libertés proclamés dans la présente Déclaration, sans distinction aucune, notamment de race, de couleur, de sexe, de langue, de religion, d'opinion politique ou de toute autre opinion, d'origine nationale ou sociale, de fortune, de naissance ou de toute autre situation.

• **Article 3.** Tout individu a droit à la vie, à la liberté et à la sûreté de sa personne.

• **Article 7.** Tous sont égaux devant la loi et ont droit sans distinction à une égale protection de la loi. Tous ont droit à une protection égale contre toute discrimination qui violerait la présente Déclaration et contre toute provocation à une telle discrimination.

• **Article 18.** Toute personne a droit à la liberté de pensée, de conscience et de religion ; ce droit implique la liberté de changer de religion ou de conviction ainsi que la liberté de manifester sa religion ou sa conviction seule ou en commun, tant en public qu'en privé, par l'enseignement, les pratiques, le culte et l'accomplissement des rites.

• **Article 19.** Tout individu a droit à la liberté d'opinion et d'expression, ce qui implique le droit de ne pas être inquiété pour ses opinions et celui de chercher, de recevoir et de répandre, sans considérations de frontières, les informations et les idées par quelque moyen d'expression que ce soit.

• **Article 20. 1.** Toute personne a droit à la liberté de réunion et d'association pacifiques.

• **Article 22.** Toute personne, en tant que membre de la société, a droit à la sécurité sociale.

• **Article 26. 1.** Toute personne a droit à l'éducation. [...]

## III. Conventions internationales

### Convention internationale des droits de l'enfant (20 novembre 1989)

• **Article 2. 2.** Les États parties prennent toutes les mesures appropriées pour que l'enfant soit effectivement protégé contre toutes formes de discrimination ou de sanction motivées par la situation juridique, les activités, les opinions déclarées ou les convictions de ses parents, de ses représentants légaux ou des membres de sa famille.

**Article 3. 2.** Les États parties s'engagent à assurer à l'enfant la protection et les soins nécessaires à son bien-être, compte tenu des droits et des devoirs de ses parents, de ses tuteurs ou des autres personnes légalement responsables de lui.

• **Article 7. 1.** L'enfant est enregistré aussitôt sa naissance et a dès celle-ci le droit à un nom, le droit d'acquérir une nationalité et, dans la mesure du possible, le droit de connaître ses parents et d'être élevé par eux.

• **Article 12. 1.** Les États parties garantissent à l'enfant qui est capable de discernement le droit d'exprimer librement son opinion sur toute question l'intéressant, les opinions de l'enfant étant dûment prises en considération eu égard à son âge et à son degré de maturité.

• **Article 13. 1.** L'enfant a droit à la liberté d'expression. Ce droit comprend la liberté de rechercher, de recevoir et de répandre des informations et des idées de toute espèce, sans considération de frontières, sous une forme orale, écrite. [...]

• **Article 14. 1.** Les États parties respectent le droit de l'enfant à la liberté de pensée, de conscience et de religion. [...]

**3.** La liberté de manifester sa religion ou ses convictions ne peut être soumise qu'aux seules restrictions qui sont prescrites par la loi et qui sont nécessaires pour préserver l'ordre public. [...]

• **Article 19.** Les États parties prennent toutes les mesures législatives, administratives, sociales et éducatives appropriées pour protéger l'enfant contre toute forme de violence, d'atteinte ou de brutalités physiques ou mentales, d'abandon ou de négligence, de mauvais traitements ou d'exploitation, y compris la violence sexuelle, pendant qu'il est sous la garde de ses parents ou de l'un d'eux, de son ou ses représentants légaux ou de toute autre personne à qui il est confié.

• **Article 23. 1.** Les États parties reconnaissent que les enfants mentalement ou physiquement handicapés doivent mener une vie pleine et décente, dans des conditions qui garantissent leur dignité, favorisent leur autonomie et facilitent leur participation active à la vie de la collectivité.

• **Article 28. 1.** Les États parties reconnaissent le droit de l'enfant à l'éducation, et en particulier, en vue d'assurer l'exercice de ce droit progressivement et sur la base de l'égalité des chances.

### Convention européenne de sauvegarde des droits de l'homme et des libertés fondamentales (4 novembre 1950)

• **Article 9. 1.** Toute personne a droit à la liberté de pensée, de conscience et de religion ; ce droit implique la liberté de changer de religion ou de conviction, ainsi que la liberté de manifester sa religion ou sa conviction individuellement ou collectivement, en public ou en privé, par le culte, l'enseignement, les pratiques et l'accomplissement des rites.

**2.** La liberté de manifester sa religion ou ses convictions ne peut faire l'objet d'autres restrictions que celles qui, prévues par la loi, constituent des mesures nécessaires, dans une société démocratique, à la sécurité publique, à la protection de l'ordre, de la santé ou de la morale publiques, ou à la protection des droits et libertés d'autrui.

• **Article 10. 1.** Toute personne a droit à la liberté d'expression. Ce droit comprend la liberté d'opinion et la liberté de recevoir ou de communiquer des informations ou des idées sans qu'il puisse y avoir ingérence d'autorités publiques et sans considération de frontière. Le présent article n'empêche pas les États de soumettre les entreprises de radiodiffusion, de cinéma ou de télévision à un régime d'autorisations.

**2.** L'exercice de ces libertés comportant des devoirs et des responsabilités peut être soumis à certaines formalités, conditions, restrictions ou sanctions prévues par la loi, qui constituent des mesures nécessaires, dans une société démocratique, à la sécurité nationale, à l'intégrité territoriale ou à la sûreté publique, à la défense de l'ordre et à la prévention du crime, à la protection de la santé ou de la morale, à la protection de la réputation ou des droits d'autrui, pour empêcher la divulgation d'informations confidentielles ou pour garantir l'autorité et l'impartialité du pouvoir judiciaire.

• **Article 11. 1.** Toute personne a droit à la liberté de réunion pacifique et à la liberté d'association, y compris le droit de fonder avec d'autres des syndicats et de s'affilier à des syndicats pour la défense de ses intérêts. [...]

# Mon cahier de compétences

**Vous voici en 3e**, année finale du cycle 4 de votre scolarité, le « cycle des approfondissements ». Vous allez approfondir vos connaissances en histoire et en géographie, travaillées au cycle 3 (CM1, CM2, 6e) et au cycle 4 (5e et 4e). Vous allez aussi faire de nouvelles découvertes.

**En histoire**, dans la continuité de la classe de 4e, vous étudiez le XXe siècle, de la Première Guerre mondiale à la fin des années 1980.

**En géographie**, à partir des acquis du cycle 4, vous étudiez les espaces et les territoires dans le cadre de leur aménagement par les sociétés, en France et en Europe.

● Pour apprendre en histoire et en géographie, vous allez travailler des compétences du **« socle commun de connaissances, de compétences et de culture »**.

● Elles sont regroupées en cinq grands domaines :

▶ **Domaine 1 – Les langages pour penser et communiquer**
▶ **Domaine 2 – Les méthodes et outils pour apprendre**
▶ **Domaine 3 – La formation de la personne et du citoyen**
▶ **Domaine 4 – Les systèmes naturels et les systèmes techniques**
▶ **Domaine 5 – Les représentations du monde et l'activité humaine**

● Ces compétences sont travaillées tout au long du manuel. Elles sont nécessaires pour comprendre le sens de tout ce que vous allez découvrir en histoire et en géographie, mais elles vont aussi vous permettre de renforcer votre capacité à travailler seul-e, à prendre des initiatives, **à savoir faire**.

 C'est de cette manière que vous pourrez réussir. Bien sûr, votre professeur-e est là pour vous accompagner dans vos apprentissages et vous apporter son aide !

● Ces compétences font partie de ce que vous devez apprendre et elles seront évaluées tout au long de votre année de 3e. Leur maîtrise sera prise en compte pour l'évaluation du Brevet.

## SOMMAIRE

● **Je me repère dans le temps : construire des repères historiques** ............... 410
● **Je me repère dans l'espace : construire des repères géographiques** ............. 411
● **Je raisonne comme un-e géographe** ............................................ 412
● **Je m'informe dans le monde du numérique** .................................... 413
● **J'analyse et je comprends un document** ....................................... 414
● **Je pratique différents langages** .............................................. 415
● **Je m'exprime à l'écrit et à l'oral** ........................................... 416
● **Je coopère et je mutualise : le travail en équipes** ........................... 417
● **Je réalise une tâche complexe** ............................................... 418

# Je me repère dans le temps : construire des repères historiques

**Depuis la 5ᵉ, vous approfondissez vos apprentissages.**

À la fin du cycle 4 vous savez mettre en relation des faits et pratiquer des allers-retours entre eux. Vous avez réalisé que, dans l'histoire, il peut y avoir des ruptures.

Ainsi, vous réfléchissez et vous comprenez l'intérêt d'une chronologie pour expliquer le sens d'une époque ou d'une période donnée.

## 1 Je situe chronologiquement et j'ordonne des faits

● **Situer**, c'est d'abord indiquer à **quelle grande période historique** ont lieu les faits.

● Situer, c'est aussi **ordonner des faits** les uns par rapport aux autres.

● Une **rupture** en histoire, c'est un **événement qui est à l'origine d'une autre vie pour les sociétés.** C'est ainsi, par exemple, que la Seconde Guerre mondiale (1939-1945) est à l'origine d'une nouvelle société.

➜ **Chapitre 6 p. 112-113**
Indépendances et construction de nouveaux États

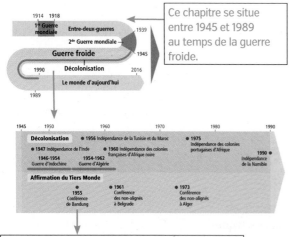

Ce chapitre se situe entre 1945 et 1989 au temps de la guerre froide.

Pour situer et ordonner, je donne le nom des États qui ont accédé à l'indépendance et je suis capable de donner les dates de cette indépendance.

## 2 Je mémorise les repères historiques et je sais les utiliser

● En histoire, il est important de connaître les principaux repères, mais aussi de **savoir les utiliser**.

● Au cycle 4, vous avez appris **à associer des dates pour ordonner** et **mettre en relation des faits**.

● Vous avez aussi compris qu'une date peut créer **une rupture** dans l'histoire.

➜ **Chapitre 1 p. 18-19**
Dans cette double page, vous devez être capable d'ordonner des faits dans l'ordre chronologique, mais aussi de les mettre en relation en faisant des allers-retours entre eux : raconter les étapes de la Première Guerre mondiale. Vous cherchez, dans ces faits, lequel a pu être une rupture pour une société et où et quand il a eu lieu.

### Le savez-vous ?

Une rupture, en histoire, cela veut dire qu'une société ne peut plus vivre comme avant à cause d'un événement important, par exemple une guerre.

## En fin de cycle 4, je suis capable :

➜ de situer des faits dans l'ordre chronologique et dans des périodes ;
➜ d'utiliser des documents représentant le temps (dont les frises chronologiques) ;
➜ de mettre en relation des faits d'une période donnée ;
➜ de manipuler et réutiliser les repères historiques que j'ai appris.

**SOCLE** Compétences

▶ **Domaine 1 :** Je pratique différents langages
▶ **Domaine 2 :** Je me constitue des outils personnels de travail
▶ **Domaine 5 :** Je me repère dans l'espace

**Méthode**

# Je me repère dans l'espace : construire des repères géographiques

**Vous savez vous repérer dans l'espace grâce aux points cardinaux, aux grands repères terrestres, aux ensembles de reliefs, aux continents et aux océans.**

Depuis la 5e, vous avez appris à localiser et situer plus précisément les espaces que vous étudiez mais aussi à en donner les caractéristiques géographiques principales, quelle que soit l'échelle.

L'utilisation de cartes est très importante. Vous avez aussi appris à réaliser vous-même des plans, des croquis, des schémas et des cartes.

## 1 Je localise pour repérer

**Localiser, c'est répondre à la question « Où ? ».**

● La réponse peut être **cartographique** : placer par exemple une ville sur une carte ou, à l'inverse, reconnaître que le point correspond à telle ville.

● La réponse peut être formulée en utilisant les **points cardinaux**, les grands **repères terrestres**, **les hémisphères Nord ou Sud**.

→ Reportez-vous à votre atlas **p. 429**.

● La localisation peut se faire en référence à **des éléments du milieu physique** (montagnes, fleuves, mers...) ou au **découpage administratif** (États, régions, départements, communes).

● Pour être capable de localiser, vous devez connaître **les repères géographiques élémentaires**.

● Au cycle 4, vous construisez les grands repères géographiques comme les continents et les océans sur **des cartes à différentes projections**. C'est un exercice difficile, pour lequel il faut souvent s'entraîner. Commencez toujours par rechercher le pôle Nord, lieu précis qui vous indiquera la localisation de l'océan Arctique.

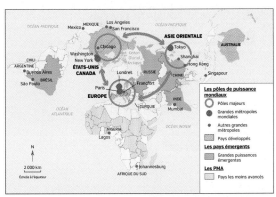

Une projection polaire → **p. 337**

## 2 Je situe pour me repérer

**Situer répond aussi à la question « Où ? », mais en y ajoutant « par rapport à qui ou à quoi ? ».**

● Il faut réussir progressivement à situer des lieux et des espaces **les uns par rapport aux autres**.

● À la fin du **cycle 4**, vous êtes devenu plus autonome et êtes capable de **manipuler différentes échelles géographiques**, du local au mondial, pour raisonner et mieux comprendre un espace géographique.

→ **Chapitre 13**
Les espaces productifs et leurs évolutions

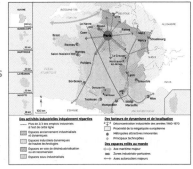

Les dynamiques des espaces productifs industriels français (petite échelle).
→ **p. 232**

L'organisation de la technopole montpelliéraine (grande échelle).
→ **Doc 3 p. 231**

**En fin de cycle 4, je suis capable :**

→ de nommer et localiser les grands repères géographiques découverts tout au long du cycle 4.
→ de nommer, localiser et donner les caractéristiques des espaces étudiés.
→ de situer des lieux et des espaces les uns par rapport aux autres.

# Je raisonne comme un-e géographe

**Pour devenir un-e vrai-e géographe, il vous faut connaître et vous entraîner à mettre en œuvre les 3 étapes du raisonnement géographique :**

1. **Je localise et je décris** > 2. **J'explique et j'analyse** > 3. **Je mets en perspective.**

## 1 Je localise et je décris

● Dans les études de cas de votre manuel, **la boîte « Activités »** vous permet de travailler les étapes 1 à 3 de ce raisonnement. Vous parviendrez ainsi à mettre en lumière les **spécificités du territoire étudié.**

## 2 J'explique et j'analyse

● Souvent, en géographie, la recherche d'explications impose de **changer d'échelle** : c'est pour cela qu'on trouve des **documents à différentes échelles dans les études de cas.**

## 3 Je mets en perspective

● C'est la dernière étape du raisonnement géographique mais aussi la plus difficile !
**Il faut maintenant changer d'échelle, passer du cas particulier** que vous venez d'étudier à **une réalité plus étendue.**

Par exemple, à la fin des études de cas du chapitre 12, vous êtes capables d'expliquer quelle est l'influence de certaines villes sur le territoire français et quel rôle y joue la mondialisation.

→ **Chapitre 12 p. 210 à 227**

Mais vous ne savez pas encore si les conclusions auxquelles vous avez abouti pour Lyon et Paris sont valables pour la France entière ! Il va donc falloir vérifier...

● **Je fais le point ou je compare**
Ce premier temps permet de commencer à faire émerger la (ou les) notion(s) clé(s) que vous devez maîtriser, à partir du (ou des) cas concret(s) que vous venez d'étudier.
→ Des études de cas... à la France **p. 218-219**

● **Je formule des hypothèses**
**C'est le moment où vous passez du cas particulier à l'idée générale :** les conclusions de l'étape 1 sont-elles valables dans d'autres villes françaises?

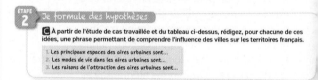

● **Je vérifie si mes hypothèses sont justes**
Cette idée générale doit être confrontée à d'**autres exemples, ailleurs en France.** C'est l'étape 3.
Cette vérification se fait à partir de documents à grande et petite échelles dans d'autres endroits de France, mais aussi à l'aide des cartes proposées dans la double page « Cartes » qui suit.

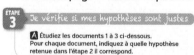

---

**En fin de cycle 4, je suis capable :**

→ de poser des questions ;
→ d'émettre des hypothèses ;
→ de vérifier en croisant plusieurs sources d'informations ;
→ d'argumenter.

# Je m'informe dans le monde du numérique

**Internet représente aujourd'hui la principale source d'informations.** Les consultations de sites et l'utilisation des réseaux sociaux multiplient les recherches dans le monde du numérique. C'est une mine d'informations précieuse, mais il faut apprendre à naviguer efficacement.

## 1 J'évalue un site Internet avant de l'utiliser

- **Toutes les informations sur Internet ne sont pas fiables.** Vous devez savoir vous poser les bonnes questions sur l'origine et l'intérêt des informations trouvées dans l'univers du numérique.
- Avant d'utiliser les informations publiées sur un site, vous devez toujours vous poser les questions suivantes.

### Qui est l'auteur de la page et du site ?

- Trouvez la rubrique « Mentions légales » ou « Qui sommes-nous » pour savoir qui est le responsable légal du site :
  – est-ce un organisme reconnu ? un particulier ? un spécialiste du sujet ?
  – les coordonnées du responsable sont-elles visibles pour le contacter ?
- L'information publiée est-elle récente ?
- Quelle est la date de mise à jour du site ?

### Pourquoi le site publie-t-il cette information ?

- L'auteur a-t-il des intentions (convaincre, défendre des idées, vendre un produit...) ?
- Quels sont les objectifs du site (informatif, scientifiques, commerciaux, politiques...) ?

### Le site répond-il bien à mes recherches d'informations ?

- Quel est le titre de la page ? Correspond-il au sujet de mes recherches ?
- La lecture de l'introduction, du chapeau en haut page correspond-elle à mes attentes ?
- L'article propose-t-il des renvois vers d'autres sites ? Cite-t-il ses sources ?

 Un site peut être passionnant, mais n'oubliez pas le thème de vos recherches, sinon vous risquez d'y passer trop de temps !

## 2 J'utilise les outils numériques de manière autonome

- **Utiliser un moteur de recherche**
  Qwant Junior est un moteur de recherche **recommandé pour les collégiens**. Grâce à des filtres spéciaux, il exclut de ses pages de recherche les contenus qui pourraient choquer. Il préserve également la vie privée ; vos données personnelles ne seront pas divulguées.

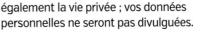

qwantjunior.com

- **Utiliser une encyclopédie en ligne**
  Wikipedia est une encyclopédie libre, gratuite et autogérée, dont les informations sont modérées et vérifiées par un comité de rédaction. Tout le monde peut contribuer à cette encyclopédie et proposer des corrections.

wikipedia.fr

- **Utiliser des outils d'information spécifiques**
  **En histoire :**
  – les vidéos d'archive du **site Jalons pour l'histoire du temps présent** : fresques.ina.fr.
  **En géographie :**
  – les globes virtuels comme **Géoportail** présentent des images prises par satellite, mais aussi des cartes : geoportail.gouv.fr.

### En fin de cycle 4, je suis capable :

→ de connaître des ressources numériques fiables pour m'informer ;
→ d'effectuer des recherches d'informations à l'aide d'outils numériques divers et adaptés ;
→ de vérifier l'origine des informations d'un site Internet et leur intérêt pour mes recherches.

**Méthode**

**SOCLE** Compétences
- **Domaine 1 :** Je raconte, je décris, j'explique, j'argumente
- **Domaine 2 :** J'analyse et je comprends un document
- **Domaine 5 :** Je me repère dans le temps historique

# J'analyse et je comprends un document

**Au cycle 4, vous avez approfondi la compréhension d'un document en histoire et en géographie.** Vous l'analysez précisément en identifiant ses différents éléments et vous le confrontez à ce que vous connaissez du sujet étudié. Vous utilisez vos connaissances pour l'expliquer et le critiquer.

→ **Doc 1 p. 42 :**
un témoignage
historique

> personnages
>
> contexte
>
> lieu
>
> date
>
> idées principales
>
> auteure
>
> source

### L'Allemagne des années 1930

Nous entendions toujours les adultes parler de tel ou tel de leurs amis qui avait perdu son emploi et ne savait plus comment faire vivre sa famille. [...] De plus, mes parents imputaient tout cela aux réparations que l'Allemagne devait payer à ses anciens adversaires[1] [...]. On ne parlait pas, en revanche, des conséquences de la grande crise économique qui était durement ressentie partout, pas seulement en Allemagne, au début des années 1930. [...] Ils disaient : « L'Allemagne [...] n'a pas été battue sur le terrain, mais poignardée dans le dos par les crapules qui la gouvernent à présent[2]. » [...]

On entendait sans cesse répéter que l'une des raisons de ce triste état de choses était l'influence grandissante des Juifs.

◾ Melita Maschmann, *Ma jeunesse au service du nazisme*, Plon, 1967.

1. Sanctions financières imposées à l'Allemagne par le traité de Versailles.
2. Depuis 1918, l'Allemagne est une démocratie : la République de Weimar.

## 1 Je comprends le sens général du document

- **Lire le texte, se poser les bonnes questions :** de quoi parle ce document ? Qui sont les personnages cités ? Quelle situation historique évoque-t-il ?
- À partir des réponses aux questions posées, **dégager l'idée générale du document** en présentant en une phrase le sujet du texte.

## 2 J'identifie le document et son point de vue particulier

- **Présenter l'identité du document :** sa nature, son auteur-e, sa source.
- **Situer** le document **dans le temps et dans l'espace :** quand ? où ?
- **Indiquer le point de vue de son auteur-e :** que raconte-t-elle de la situation en Allemagne dans les années 1930 ?

## 3 J'extrais des informations pertinentes et je les mets en relation avec d'autres documents

- **Extraire les informations qui expliquent le fait historique ou la situation géographique** racontés par le document : Qui est Melita Maschmann ? Où et quand se déroule l'action qu'elle évoque ? À qui son témoignage s'adresse-t-il ?
- **Classer** les informations dans un ordre logique. Il faut classer les informations selon différents critères : les personnages, le lieu, la date...
- **Expliquer le document en le confrontant à d'autres documents et en faisant preuve d'esprit critique.** Il s'agit de présenter le contexte historique du témoignage : quelle est la situation politique et sociale de l'Allemagne dans les années 1930 ? Qui sont les personnages cités ? En quoi leur point de vue est-il – ou pas – représentatif d'une tendance ? Qui propose de faire changer cette situation ? Comment ?
  → **p. 38 et 42**

**En fin de cycle 4, je suis capable :**

→ de comprendre le sens général d'un document ;
→ d'identifier le document et son point de vue particulier ;
→ d'extraire et de classer des informations pertinentes pour répondre à une question sur un ou plusieurs documents ;
→ d'expliquer le document en faisant preuve d'esprit critique.

# Je pratique différents langages

En histoire et en géographie, vous êtes amené-e à lire et analyser de nombreux types de documents : textes, cartes, plans, images, reconstitutions, œuvres d'art, récits, frises, graphiques... Certains documents, comme les cartes, ont leur propre langage, très spécifique, qu'il faut apprendre à lire et à pratiquer progressivement.

## 1 Les images

**L'image n'est pas une simple illustration, elle est aussi une source d'informations qu'il faut savoir analyser.**

● **Lire la légende :** auteur-e, date de création, source...
● **Analyser sa composition**, c'est-à-dire étudier la façon dont les éléments sont organisés sur l'image :
   – les **lignes** (droites, courbes, lignes de force...) ;
   – les **plans** (premier plan, deuxième plan, arrière-plan...).
● **En histoire et en géographie, on trouve différents types d'images, par exemple :**
   – des **photographies** (de paysages, de monuments historiques...)

Le village de Val-d'Isère, 2014.
➜ **Doc 1 p. 254**
La montage et les chalets composent le paysage de Val-d'Isère.

– **des représentations d'œuvres d'art** ou de **dessins**, issus par exemple de la **presse**, présentés dans des **musées** ou d'autres lieux où on les **conserve** dans les meilleures conditions possibles.
➜ **Doc 2 p. 146**

Pinel, *Les Échos*, 12 novembre 2010.

## 2 Les documents cartographiques

**Les cartes, les croquis et les schémas cartographiques sont des documents qui nécessitent une observation pour repérer, nommer, localiser (➜ fiche p. 411).**

● Pour lire une carte, il faut :
   – **repérer son titre** pour savoir de quoi elle parle ;
   – repérer les **grands ensembles identifiables** sur la carte à l'aide des aplats de couleur ;
   – comprendre les informations indiquées en **légende** ;
   – **décrire la carte** en utilisant un vocabulaire spécifique ;
   – **comprendre comment s'organisent les espaces**.

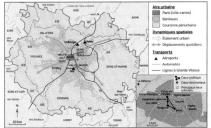

L'aire urbaine de Paris
➜ **doc 1 p. 216**

## 3 Les documents statistiques

**Les graphiques, les tableaux de chiffres, certaines infographies sont des documents statistiques.**

● Ils nécessitent, pour les comprendre :
   – de bien **repérer les unités** (km, euros...) ;
   – de maîtriser les **ordres de grandeur** (milliers, millions, milliards...) ;
   – d'identifier si les informations sont exprimées en **valeurs absolues** (par exemple, le nombre d'habitants) ou en **valeur relative** (par exemple, le nombre d'habitants par km²) ; – de maîtriser les **pourcentages** (%).

L'UE contribue à l'aide publique au développement
➜ **Doc 1 p. 332**

**En fin de cycle 4, je suis capable :**

➜ de présenter des documents de différente nature ;
➜ de prélever, classer et interpréter des informations, quel que soit le type de document ;
➜ de lire les documents cartographiques et les graphiques les plus courants.

## Méthode

**SOCLE** Compétences
- Domaine 1 : Je m'exprime en utilisant la langue française à l'oral et à l'écrit
- Domaine 2 : J'organise mon travail personnel pour apprendre à apprendre

# Je m'exprime à l'écrit et à l'oral

**Tout au long du cycle 4, vous avez consolidé vos apprentissages en expression écrite et orale.** Depuis la 5e, lorsque vous présentez un exposé ou rédigez un texte, vous recherchez des arguments pour comprendre et faire comprendre. Vous pouvez aussi exprimer votre point de vue.

## ① Je m'exprime à l'écrit

**S'exprimer à l'écrit, cela signifie construire sa pensée : décrire, raconter, expliquer, argumenter...**

● Après avoir étudié un ou plusieurs documents sur un sujet, votre professeur va vous demander de **rédiger des phrases pour expliquer le sujet étudié**.

→ **Chapitre 5 p. 97** La guerre froide, un monde bipolaire (1947-1989)

> **ITINÉRAIRE 1**
>
> Je comprends le sens général des documents
> ❶ Doc 1 et 2. Expliquez ce que Truman reproche au bloc de l'Est, puis ce que Jdanov reproche au bloc de l'Ouest.
> ❷ Doc 3. Comment l'URSS et les États-Unis s'affrontent-ils en Corée, sans jamais être directement face à face ?
> ❸ Doc 4. Pourquoi la guerre froide ne peut-elle se transformer en guerre directe entre les deux pays ?
> ❹ Doc 5. Dans quel autre domaine les États-Unis et l'URSS s'affrontent-ils ? Pourquoi ?
>
> Je rédige un récit historique
> ❺ À l'aide des questions 1 à 4, rédigez un paragraphe pour répondre à la question clé. Vous montrerez que la guerre froide est un affrontement idéologique, une compétition militaire indirecte, mais aussi une rivalité technologique.

● **Rassemblez les informations relevées**
   – **Notez au brouillon** les éléments qui expliquent le sujet : mots clés, personnages, dates, lieux, faits...

> Aidez-vous des questions posées sur les documents !

   – **Classez et hiérarchisez les éléments notés** de manière logique, dans l'ordre des questions posées.
   – **Rédigez la réponse à la question : écrivez un paragraphe** qui explique avec des arguments l'essentiel du sujet étudié.

## ② Je m'exprime à l'oral : faire un exposé

**Savoir s'exprimer à l'oral** est essentiel car dans votre vie, vous ne cessez de communiquer, avec vos camarades, vos professeurs, votre famille...
C'est aussi le cas lorsque **vous devez présenter devant la classe un exposé** personnel ou réalisé en groupe.

→ **Chapitre 13 p. 239**

> **ITINÉRAIRE 1**
>
> ▶ Je comprends le sens général des documents
> ❶ Doc 2 et 5. Localisez le parc Astérix. Pourquoi a-t-il été implanté ici ?
> ❷ Doc 2 et 4. Identifiez les aménagements réalisés pour transformer la campagne en espace touristique productif.
> ❸ Chiffres clés et doc 1 à 5. Quels sont les résultats économiques du parc ? Comment sont-ils obtenus ?
>
> ▶ Je réalise une production orale
> ❹ Avant de construire son propre parc de loisirs, un chef d'entreprise souhaite vous entendre sur les raisons qui expliquent le succès touristique du parc Astérix. Vous avez 3 minutes pour répondre à la question clé.

● **Préparer l'exposé**
   – **Définissez le sujet de l'exposé :** expliquez les termes du sujet, situez-le dans l'espace et dans le temps.
   – **Trouvez des documents** et des informations répondant au sujet de l'exposé (dans le manuel, au CDI, sur Internet...).
   – **Classez par écrit** les informations recueillies, puis présentez-les en faisant preuve d'**esprit critique**.

● **Présenter l'exposé**
   – **Notez le titre de l'exposé** au tableau.
   – **Restez** de préférence **debout** et **regardez le public**.
   – **Expliquez** et notez au tableau les **étapes clés** de l'exposé.
   – **Expliquez** quelques documents illustrant l'exposé, en indiquant leur source. Vous pouvez aussi les projeter.
   **Attention à bien respecter le temps imparti !**

> N'oubliez pas de parler fort et distinctement, ni trop vite ni trop lentement.

## En fin de cycle 4, je suis capable :

→ de réaliser une production écrite : écrire pour construire ma pensée, argumenter ;
→ de réaliser une production orale : m'exprimer pour penser, communiquer et échanger, par exemple pour présenter un exposé, un document ;
→ de m'approprier et d'utiliser un lexique spécifique en contexte.

**SOCLE** Compétences

▶ **Domaine 2 :** J'organise mon travail dans le cadre d'un groupe pour élaborer une tâche commune et/ou une production collective

**Méthode**

# Je coopère et je mutualise : le travail en équipes

**Lors d'un cours, votre professeur-e peut vous proposer un travail en équipes.**
Dans votre équipe, vous allez travailler avec d'autres élèves sur un même sujet, et, ensemble, vous allez réaliser une production collective. Il va falloir faire preuve d'esprit d'équipe !

## 1 Découverte de la consigne

● **Pour commencer, vous devez essayer de comprendre la consigne générale.**

> **CONSIGNE**
>
> Répartis en équipes, vous devez montrer que le régime de Vichy est un régime antirépublicain et expliquer comment il organise la vie politique et sociale à partir de 1940.
>
> Chaque équipe présente le résultat de son travail, en écrivant au tableau les idées à retenir. Pendant chaque présentation, écrivez sur votre cahier les informations importantes.

**→ Consigne p . 76**

● Vous devez ensuite **comprendre** la **consigne** et/ou les **questions** qui se rapportent au travail dont votre équipe est responsable, en formulant des hypothèses.

**ÉQUIPE 3** | La limitation des libertés
Quelles libertés le régime de Vichy remet-il en cause ?
Comment traite-t-il ses opposants ?

## 2 Dialogue et élaboration de la tâche commune demandée

Pour réaliser cette étape, vous devez **échanger** sur les recherches de chacun, **choisir** les éléments qui répondent à la consigne puis **réaliser la production finale** de l'équipe. **Pour cela, il faut apprendre à travailler ensemble.**

● **Savoir prendre la parole dans le groupe :**
– attendre que l'autre ait terminé de parler ;
– prendre la parole et défendre ses idées sans crier ni les imposer ;
– laisser ses camarades s'exprimer et respecter leurs idées.

Au départ, vous n'aurez peut-être pas envie de travailler avec certains de vos camarades, mais vous allez apprendre à les connaître, et ensemble vous allez vous enrichir !

● **Respecter les autres :**
– inclure tout le monde dans le groupe ;
– respecter l'espace et le matériel de l'autre ;
– être capable aussi de travailler en silence.
● **Montrer un sens des responsabilités et faire preuve d'esprit d'équipe :**
– bien exercer son rôle ;
– prendre des initiatives ;
– encourager ses coéquipières et ses coéquipiers ;
– travailler de façon positive.

Chaque membre de l'équipe a un rôle à jouer : contrôler le bruit et veiller au respect de chacun, gérer la prise de parole, surveiller le temps, prendre des notes...

## 3 Mise en commun du travail

Dans chaque équipe, vous pouvez choisir un-e représentant-e qui va exposer devant la classe ce que vous avez appris.
● Le (ou la) **représentant(e) explique** oralement à la classe la production réalisée (**→ fiche p. 416**).
● Par un **dialogue** dans la classe, les travaux des groupes sont **mis en commun** pour répondre à la **consigne générale.**

> **En fin de cycle 4, je suis capable :**
>
> → de m'intégrer dans un projet collectif en mettant à la disposition du groupe mes connaissances et mes compétences ;
> → de discuter, expliquer, argumenter pour défendre mes choix ;
> → de négocier avec mes camarades une solution commune pour réaliser la production collective demandée ;
> → d'adapter mon rythme de travail à celui du groupe (ni trop rapide, ni trop lent).

## Méthode

# Je réalise une tâche complexe

Depuis la 5ᵉ, en histoire et en géographie, vous apprenez à réfléchir, mobiliser vos connaissances, choisir des démarches pour résoudre des tâches complexes. Vous êtes confronté-e à une situation que vous devez résoudre et qui vous incite à **mener l'enquête**.

Vous ne parviendrez pas à résoudre la tâche qui vous est confiée si vous la divisez en petites tâches, effectuées l'une après l'autre, sans lien entre elles. Vous devez réaliser la tâche dans son ensemble, **en une seule fois**.

## ❶ Je découvre la tâche complexe à résoudre

- **Expliquez** d'abord la tâche à réaliser avec vos propres mots.
- **Réfléchissez** ensuite à la démarche à suivre pour répondre à la consigne donnée : quelles questions se poser après avoir lu la consigne de la tâche à réaliser ?

> N'hésitez pas à tâtonner, essayer... Ce n'est pas grave de se tromper ! Car c'est après avoir fait des erreurs, et les avoir comprises, que vous trouverez la meilleure solution au problème.

→ Aménager les territoires ultramarins français **p. 300-301**

**CONSIGNE**

La construction d'une nouvelle route du littoral sur l'île de La Réunion fait couler beaucoup d'encre. Tous les acteurs de l'île ne sont pas du même avis : certains sont très favorables à ce projet, d'autres beaucoup moins. *Géo Ado* souhaite publier un reportage sur le sujet. Il lance donc un concours : la meilleure proposition réalisée en classe sera envoyée au comité de rédaction à Paris. Vous décidez d'y participer.

> **Ex. de questions :** Qu'est-ce que la route du littoral sur l'île de La Réunion ? Quels sont les arguments en faveur de sa construction ? Quels sont les arguments contre sa construction ? Pourquoi ?

## ❷ Je fais des recherches pour résoudre la tâche complexe

- Lisez **tous les documents** pour en comprendre le sens général et confrontez-les. (→ fiche p. 414)
- Prélevez dans les documents les **informations pertinentes** pour répondre à la consigne donnée.

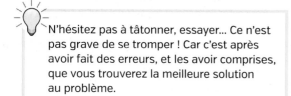

**1** Le projet de route du littoral

**2** L'avis du président de la région

« Ce projet pharaonique est une prouesse technique mondiale. « Une nécessité absolue », justifie Didier Robert, le président de la région Réunion : l'actuelle route qui relie le chef-lieu de La Réunion, Saint-Denis, au centre du port, au pied des falaises volcaniques de l'île et au bord de l'eau, subit régulièrement les éboulements et les assauts des vagues. « Nous sommes obligés de fermer des voies trente à quarante jours par an, ce qui provoque de gros problèmes de circulation ».

(1) D'après www.challenges.fr, avril 2014.

**CHIFFRES CLÉS**
- La nouvelle route du littoral
  - 12 km (2×3 voies)
  - 1,66 milliard d'euros
  - Travaux prévus sur 7 ans
- ➔ Le viaduc
  - 5,5 km (le plus long de France)
  - 715 millions d'euros
  - Fin des travaux : 2018
- ➔ Le financement
  - Région : 42 %
  - État : 49 %
  - UE : 9 %

**COUP DE POUCE**

Pour vous aider à réaliser votre reportage, recopiez le tableau suivant. Complétez-le en précisant si, d'après le document, le projet aura un impact positif (+) ou négatif (–) sur l'économie, la vie sociale ou l'environnement.

|  | Doc 1 | Doc 2 | Doc 3 | Doc 4 | Doc 5 |
|---|---|---|---|---|---|
| Économie |  |  |  |  |  |
| Société |  |  |  |  |  |
| Environnement |  |  |  |  |  |

- Si vous en avez besoin, vous pouvez vous aider du « **Coup de pouce** » proposé à la fin de chaque tâche complexe.

## ❸ Je réalise une production pour répondre à la consigne de la tâche complexe

- **Organisez les informations extraites** des documents pour préparer la tâche qui vous a été demandée.
- **Réalisez une production finale** qui sera votre solution à la tâche complexe que vous aviez à résoudre. Elle peut avoir la forme d'une présentation orale, d'un texte rédigé, d'une production graphique, d'une carte mentale...
- Pensez à **autoévaluer votre travail** pour vérifier qu'il répond bien au problème posé.

**En fin de cycle 4, je suis capable :**
- → de résoudre un problème posé en choisissant une démarche, seul-e ou en groupe ;
- → d'utiliser mes connaissances et des ressources documentaires ;
- → de proposer une solution, la présenter et la justifier dans une production finale.

# A

**Agriculture productiviste :** agriculture commerciale dont l'intensivité et la productivité reposent sur un recours aux techniques et aux progrès scientifiques (voir p. 244, 260).

**Aide publique au développement (APD) :** ensemble des dons et des prêts à conditions très favorables accordés par des organismes publics à des pays en développement (voir p. 332).

**Aire urbaine :** espace continu qui se compose d'une ville-centre, de ses banlieues immédiates et d'une couronne périurbaine (voir p. 222).

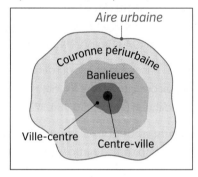

Aire urbaine
Couronne périurbaine
Banlieues
Ville-centre
Centre-ville

**Alliés :** le Royaume-Uni, les États-Unis et l'URSS unis dans une grande alliance contre l'Allemagne nazie après 1941 (voir p. 56).

**Al-Qaida :** réseau terroriste islamiste créé par Oussama Ben Laden, dont le but est la création d'un État islamique et l'affaiblissement des puissances occidentales par des attentats meurtriers sur leur sol (voir p. 142, 145).

**Alternance :** changement de majorité, de la droite à la gauche (ou inversement), après une élection présidentielle ou législative (voir p. 180, 182).

**Aménagement :** ensemble des actions et/ou des politiques mises en œuvre pour réduire les inégalités entre les territoires (voir p. 280).

**Amendement :** modification proposée à un texte soumis à une assemblée (voir p. 374).

**Antisémitisme :** hostilité, haine à l'égard des Juifs, considérés comme une race ou un groupe distinct et inférieur au reste de la société (voir p. 44, 79).

**AOC/AOP :** l'appellation d'origine contrôlée (AOC) protège le savoir-faire d'une région pour fabriquer un produit alimentaire. L'appellation d'origine protégée (AOP) est l'équivalent européen de l'AOC (voir p. 260).

**Approfondissement :** intensification des liens et de la coopération entre les États européens (voir p. 132).

**Armistice :** accord conclu par des pays en guerre pour suspendre les combats (voir p. 74, 86).

**Arrière :** en temps de guerre, terme désignant les populations qui ne prennent pas part aux opérations militaires mais qui sont soumises à l'effort de guerre (voir p. 22, 30).

**Association :** groupement de personnes qui s'unissent pour mener une action commune sans chercher à faire de profit (voir p. 360).

**Axe :** pendant la Seconde Guerre mondiale, alliance entre l'Allemagne nazie et l'Italie fasciste, liées ensuite au Japon par un pacte à trois.

# B

**Baby-boom :** période de forte croissance de la natalité dans les pays occidentaux pendant les années 1950-1960 (voir p. 190, 200).

**Bidonville :** ensemble d'habitations précaires situé en périphérie d'une ville. On en dénombre 255 en France en 1966 (voir p. 194).

**Biodiversité :** nombre d'espèces et d'êtres vivants sur un espace donné. La richesse biologique est sensible aux effets de l'activité humaine (voir p. 302).

**Blocus :** isolement d'un territoire en coupant toute communication et tout ravitaillement venus de l'extérieur (voir p. 100).

**BRICS :** terme qui désigne les cinq principaux pays émergents (Brésil, Russie, Chine, Inde et Afrique du Sud). Ces pays se réunissent régulièrement lors de sommets, dont le premier a eu lieu en 2009 (voir p. 140, 148).

# LEXIQUE

## C

**Carrefour multimodal :** lieu qui concentre différents moyens et réseaux de transport connectés entre eux (voir p. 215).

**CECA :** communauté européenne du charbon et de l'acier fondée en 1951 (voir p. 129).

**CEE :** communauté économique européenne fondée en 1957 (voir p. 129).

**Centre de mise à mort :** pendant la Seconde Guerre mondiale, espace clos et organisé destiné à l'assassinat de groupes de populations juives et tziganes (voir p. 60, 67).

**Chômeur :** personne sans emploi, à la recherche d'un emploi et disponible pour travailler (voir p. 197, 200).

**Citoyenneté européenne :** donne le droit de circuler et de séjourner librement sur le territoire des États membres et d'y bénéficier du droit d'éligibilité et de vote aux élections municipales et européennes (voir p. 132).

**Civilité :** respect à l'égard des autres personnes et des lieux (voir p. 362).

**Civisme :** avoir conscience de ses devoirs envers la société (voir p. 362).

**Cohabitation :** situation politique où le président de la République appartient à un parti opposé à celui du Premier ministre (voir p. 172, 179, 182).

**Cohésion sociale et territoriale :** principe qui vise à réduire les écarts de richesse et de développement entre les territoires et les habitants des États membres de l'UE (voir p. 318, 322).

**Collaboration :** pendant la Seconde Guerre mondiale, politique de coopération volontaire en matière politique, économique et policière avec l'Allemagne nazie (voir p. 81, 86).

**Collectivisation :** en URSS, politique visant à la disparition de la propriété privée, remplacée par des propriétés collectives appartenant à l'État ou à des coopératives (voir p. 40, 48).

**Collectivités d'outremer (COM) :** elles regroupent des anciens territoires d'outremer (TOM), ainsi que d'autres collectivités territoriales à statut particulier (voir p. 294, 302).

**Collectivités territoriales :** communes, départements, régions (voir p. 280).

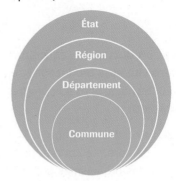

**Communisme :** idéologie qui veut la création d'une société parfaitement égalitaire, sans différence de richesse et sans propriété privée (voir p. 28, 30, 39, 48).

**Conseil national de la Résistance (CNR) :** en France, institution qui unit les différents mouvements de Résistance à partir de 1943 (voir p. 74, 86, 156, 160, 164).

**Constitution :** ensemble de lois qui définissent les droits fondamentaux des citoyens et fixent le fonctionnement du pouvoir politique (voir p. 156, 164, 172, 176).

**Contributions publiques :** une partie des impôts versés par les habitants finance la protection sociale (voir p. 357).

**Contribution sociale généralisée (CSG) :** impôt prélevé directement sur le salaire (voir p. 357).

**Conventions collectives :** accords passés entre patronat et syndicats concernant les salaires et les conditions de travail (voir p. 48).

**Coopération transfrontalière européenne (CTE) :** ensemble des politiques de l'UE ayant pour objectif le développement des liens entre les territoires et les populations séparés par une frontière d'État (voir p. 317, 322).

**Cotisations sociales :** prélèvements obligatoires effectués sur le salaire (voir p. 357).

**Couronne périurbaine :** elle regroupe des communes dans lesquelles au moins 40 % de la population résidente ayant un emploi travaille dans la ville-centre (voir p. 222).

**Culte de la personnalité :** ensemble de pratiques utilisées pour convaincre un peuple qu'une personne est supérieure et infaillible (voir p. 40, 48, 76).

# D

**Décentralisation :** transfert de compétences de l'État vers les collectivités territoriales (communes, départements, régions) (voir p. 280).

**Décolonisation :** processus d'accession à l'indépendance des territoires colonisés (voir p. 112, 115, 121).

**Délocalisation :** transfert d'une production vers des pays étrangers aux coûts moins importants (voir p. 244).

**Démocratie participative :** implication des citoyens dans le débat public et dans la prise de décision politique (voir p. 380).

**Démocraties populaires :** nom donné par l'URSS aux pays communistes d'Europe de l'Est. Ce sont pourtant des dictatures (voir p. 94).

**Démocratie représentative :** régime politique dans lequel le peuple délègue son pouvoir à des représentants (voir p. 382).

**Départements et région d'outremer (DROM) :** ces collectivités territoriales disposent du même statut qu'un département ou une région métropolitaine ; les lois et règlements français s'y appliquent (voir p. 294, 303).

**Déportation :** déplacement forcé de populations pour des motifs raciaux ou politiques (voir p. 26, 60, 67).

**Dépression économique :** longue période de ralentissement et d'instabilité de la croissance économique (voir p. 190).

**Déprise :** abandon progressif de l'activité d'agriculture ou d'élevage (voir p. 260).

**Désindustrialisation :** diminution ou disparition de l'activité industrielle (voir p. 244).

**Droits politiques :** droit de participer à la vie politique de son pays, par le droit d'être électeur et éligible (voir p. 362).

**Discontinuité géographique :** rupture géographique liée à la distance, un océan, une immense forêt... (voir p. 303).

**Dissuasion nucléaire :** pendant la guerre froide, doctrine qui part du principe qu'une guerre nucléaire provoquerait la destruction totale des deux camps (voir p. 104).

# E

**Écotourisme :** forme de tourisme durable qui respecte, préserve et met durablement en valeur les ressources d'un territoire pour les touristes (voir p. 303).

**Einsatzgruppen :** « groupes spéciaux » chargés, à partir de l'invasion de l'URSS en 1941, d'assassiner les Juifs et les responsables politiques soviétiques (voir p. 60, 67).

**Élargissement :** ouverture de la CEE, puis de l'Union européenne, à de nouveaux États membres (voir p. 129, 132).

**Empires centraux :** Au début du XXe siècle, coalition de l'Empire allemand, de l'Autriche-Hongrie, de l'Empire ottoman et du royaume de Bulgarie, opposés à l'Entente (voir p. 19).

**Entente (les Alliés) :** coalition formée par la France, le Royaume-Uni et la Russie tsariste. L'Italie rejoint cette coalition en 1915 (voir p. 19).

**Épuration :** répression contre les Français accusés ou soupçonnés de collaboration avec l'Allemagne pendant la Seconde Guerre mondiale. On distingue l'épuration spontanée hors de toute règle du droit et l'épuration légale (voir p. 158, 164).

**Espace de faible densité :** en France, l'Insee qualifie un espace de faible densité quand il compte moins de 30 habitants par km². La densité moyenne en France est de 118 habitants/km² (voir p. 260).

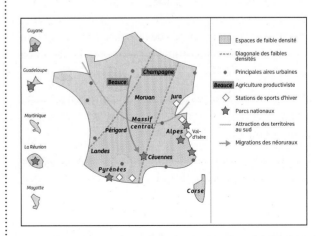

**Espace productif :** espace aménagé et mis en valeur pour une activité économique (voir p. 244).

**Espace Schengen :** dans le cadre de l'Union européenne, espace de libre circulation des personnes, entré en application en 1995 (voir p. 129, 322).

**Esprit de défense :** esprit civique et citoyen qui met une population en capacité d'agir face aux risques et aux menaces, afin de les réduire. Cette prise de conscience résulte d'une éducation à la défense et à la sécurité. Elle est une mission de l'École (voir p. 392).

**Étalement urbain :** expansion des agglomérations et des constructions urbaines, le long des routes et en milieu rural (voir p. 222).

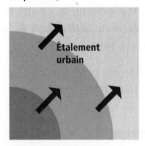

Étalement urbain

**État providence :** moyens par lesquels l'État protège les personnes contre les risques liés à la maladie, à la précarité et à la vieillesse (voir p. 164, 197).

**Étranger :** personne qui n'a pas la nationalité de l'État dans lequel elle réside, même si elle est née dans ce pays (voir p. 194, 200, 362).

**F**

**Féminisme :** mouvement social, courant d'idées et de luttes, cherchant à promouvoir les droits des femmes dans la société (voir p. 192, 200).

**Filière :** ensemble des activités qui interviennent dans la réalisation d'un produit fini, comme la filière agroalimentaire (voir p. 235, 244).

**Firme transnationale (FTN) :** entreprise qui contrôle des filiales implantées dans plusieurs États et qui produit et réalise une part importante de son chiffre d'affaires en dehors du pays d'origine (voir p. 334, 338).

**Forces françaises libres (FFL) :** organisées dès juin 1940, ce sont les forces armées outre-mer de la France libre pendant la Seconde Guerre mondiale (voir p. 82).

**France libre :** pendant la Seconde Guerre mondiale, ensemble des organisations de résistance extérieure sous l'autorité du général de Gaulle (voir p. 74, 82, 86).

**Francophonie :** ensemble de celles et ceux qui, à des degrés divers, utilisent la langue française (voir p. 338).

**Front populaire :** en 1936, rassemblement des partis de gauche français (parti radical, SFIO, parti communiste) (voir p. 39, 46, 48).

**G**

**Génocide :** extermination programmée d'un peuple en raison de ses origines ou de sa religion (voir p. 26, 30, 61, 67).

**Géopolitique :** étude des rapports entre la géographie et la politique des États (voir p. 332, 338).

**Ghetto :** pendant la Seconde Guerre mondiale, quartier isolé du reste de la ville par un mur ou des barbelés dans lequel les nazis forcent les populations juives à vivre (voir p. 61).

**Goulag :** en URSS, camp de concentration et de travaux forcés où sont enfermées les personnes considérées comme ennemies du régime soviétique (voir p. 48).

**Gouvernement :** institution, formée du Premier ministre et des ministres, qui détermine la politique de la nation (voir p. 182).

**Gouvernement provisoire de la République française (GPRF) :** gouvernement créé en 1944 par le général de Gaulle et des résistants afin de diriger le pays une fois le régime de Vichy renversé, en attendant la rédaction d'une nouvelle Constitution (voir p. 156, 158, 165).

**Guerre des tranchées :** phase de la Première Guerre mondiale où les combattants s'abritent dans des lignes creusées dans le sol et plus ou moins fortifiées pour se protéger. Elle s'oppose à la guerre de mouvement (voir p. 19).

**Guerre totale :** conflit armé mobilisant toutes les ressources (économiques...) de l'État et toutes les catégories de sa population (voir p. 22, 30).

# I

**Idéologie :** ensemble d'idées qui proposent une manière d'organiser la société (voir p. 40).

**Immigré :** personne née dans un pays différent de celui dans lequel elle s'est installée (voir p. 194, 200).

**Industrie :** activité économique qui produit des biens grâce à la transformation de matières premières (voir p. 244).

**Innovation :** capacité à améliorer les performances d'une production ou d'une activité (voir p. 230).

**Intégration :** processus d'insertion des immigrés dans la société d'accueil, de participation à la vie sociale et civique (voir p. 194).

**Interface :** zone de contacts et d'échanges privilégiés entre deux espaces distincts (voir p. 280, 322).

**Investissements directs de/à l'étranger (IDE) :** capitaux placés par des entreprises étrangères dans un pays tiers ou par des entreprises nationales à l'étranger (voir p. 334, 338).

# L

**Libération-Sud :** pendant la Seconde Guerre mondiale, nom du mouvement de résistance créé par Emmanuel d'Astier de la Vigerie auquel participe Lucie Aubrac (voir p. 85).

**Ligne ferroviaire à grande vitesse (LGV) :** ligne ferroviaire construite pour des trains roulant au-delà des 220 km/h et nécessitant un tracé et une signalisation spécifiques (voir p. 272, 280).

**Ligue musulmane :** en Inde, parti nationaliste musulman fondé en 1906, dirigé par Ali Jinnah (voir p. 115).

**Livre blanc sur la Défense et la Sécurité nationale :** texte officiel qui fait état des risques et des menaces et définit les objectifs de la politique de Défense et de Sécurité nationale de la France (voir p. 400).

# M

**Marché commun :** espace économique caractérisé par la libre circulation des marchandises et des services entre les États membres (voir p. 132).

**Mégalopole européenne :** espace fortement urbanisé qui, du Sud-Est du Royaume-Uni au Nord de l'Italie en passant par la vallée du Rhin, concentre une forte densité de population et de richesse. Cet espace joue un rôle majeur dans l'organisation de l'espace européen (voir p. 322).

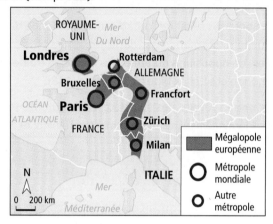

**Métropole :** grande ville concentrant population, activités et richesses et qui exerce son aire d'influence sur des territoires étendus : régions, pays, monde entier (voir p. 222).

**Métropolisation :** concentration de la population, des activités spécialisées dans les grandes villes (voir p. 222).

**Milice :** organisation paramilitaire aidant les nazis à traquer les résistants. Elle est créée par Pierre Laval, chef du gouvernement français, le 30 janvier 1943 (voir p. 81).

**Mixité fonctionnelle :** diversification des fonctions d'un quartier (logement, travail, achats, loisirs). Elle permet de limiter les déplacements quotidiens (voir p. 275).

**Mixité sociale :** diversification de la composition sociale d'un quartier pour lutter contre la séparation spatiale des habitants selon leur niveau de vie (voir p. 275).

**Monde bipolaire :** expression qui permet de décrire l'état du monde au temps de la guerre froide (voir p. 104).

# LEXIQUE

**Mouvement de résistance :** pendant la Seconde Guerre mondiale, organisation de résistance menant des actions militaires mais aussi politiques (tracts, journaux) (voir p. 85).

**Mouvement des non-alignés :** mouvement créé en 1961 qui prône l'indépendance des nouveaux États face aux deux blocs de la guerre froide et soutient les mouvements nationalistes (voir p. 112, 118, 121).

**Mouvement nationaliste :** pendant la décolonisation, mouvement qui lutte pour la libération des populations et des territoires colonisés (voir p. 121).

**Multipolaire :** se dit de l'organisation du monde dans laquelle la puissance est partagée entre plusieurs pôles, en opposition au temps de la guerre froide où le monde était dit « bipolaire » (voir p. 148).

**Mutinerie :** révolte des soldats contre l'autorité militaire (généralement, refus de combattre) (voir p. 19, 30).

**Nationalisation :** acquisition d'une entreprise par l'État qui en devient propriétaire (voir p. 160, 165).

**Nationalité :** toute personne a une nationalité à la naissance qui la rattache officiellement à un État (voir p. 362).

**Nazisme :** idéologie définie par Adolf Hitler, fondée sur le racisme, l'antisémitisme et le rejet de la démocratie (voir p. 39).

**Néoruraux :** nouveaux habitants d'origine urbaine en zone rurale (voir p. 261).

**Opération d'intérêt national (OIN) :** outil d'aménagement urbain pour l'État de certains espaces jugés stratégiques et prioritaires (voir p. 275).

**Opinion publique :** représentation collective de la manière de penser d'une société (voir p. 382).

**Organisation des Nations unies (ONU) :** organisation créée en 1945 pour le maintien de la paix et de la sécurité. Siégeant à New York, elle regroupe 193 États en 2016. Les principales décisions sont prises par un Conseil de sécurité de 11 membres dont 5 permanents (Chine, États-Unis, France, Royaume-Uni, Russie) (voir p. 140).

**Organisation du traité de l'Atlantique Nord (OTAN) :** alliance militaire autour des États-Unis signée en 1949, dans le contexte de la guerre froide, appelée bloc de l'Ouest (voir p. 94, 104, 145).

**Organisation non gouvernementale (ONG) :** organisation qui intervient dans son pays ou à l'étranger pour apporter une aide (soin, scolarisation, etc.) (voir p. 332).

**Pacte de Varsovie :** alliance militaire signée en 1955 par les démocraties populaires alliées de l'URSS, appelée bloc de l'Est (voir p. 94, 104).

**Parc national :** territoire géré et protégé par l'État en raison de la richesse de son patrimoine naturel et culturel (voir p. 261).

**Parti bolchevique :** parti politique dirigé par Lénine, dont le but est de mettre en place le communisme en Russie (voir p. 28).

**Parti du Congrès :** en Inde, principal parti nationaliste fondé en 1885. Ses principaux leaders sont Gandhi et Nehru (voir p. 115).

**Parti national-socialiste des travailleurs allemands (NSDAP) :** en Allemagne, parti politique dirigé dès 1921 par Adolf Hitler, dont l'idéologie est le nazisme (voir p. 43, 49).

**Pays et territoires d'outremer (PTOM) :** ils ne font pas partie intégrante de l'UE mais sont liés à l'un des États membres de l'UE (voir p. 336).

**Plan Marshall :** plan d'aide économique proposé par les États-Unis aux pays touchés par la guerre afin qu'ils se reconstruisent (voir p. 104).

**Plan Vigipirate :** plan gouvernemental permanent de vigilance, de prévention et de protection contre la menace terroriste sur le territoire national. Il peut être élevé au niveau « Alerte Attentat » (voir p. 400).

**Poilus :** nom donné aux combattants français lors de la Première Guerre mondiale (voir p. 22, 30).

**Pôle tertiaire :** espace concentrant les activités de services et de commandement. Il attire chaque jour les flux de travailleurs (voir p. 215).

**Politique étrangère et de sécurité commune (PESC) :** politique qui encourage la coopération des États membres dans les domaines de la diplomatie et de la Défense (voir p. 133).

**Population active :** ensemble des personnes qui exercent ou recherchent un emploi (voir p. 197).

**Pouvoir exécutif :** pouvoir de faire exécuter les lois (voir p. 172, 382).

**Pouvoir législatif :** pouvoir de faire les lois (voir p. 172, 382).

**Prolétariat :** membres les plus pauvres de la société, qui n'ont que leur force de travail pour vivre (voir p. 28).

**Prolifération nucléaire :** augmentation du nombre de pays possédant l'arme atomique (voir p. 148).

**Promulguer :** acte par lequel le président de la République signe une loi avant qu'elle ne soit publiée au Journal officiel (voir p. 374).

**Propagande :** ensemble des pratiques (affiches, presse…) visant à encadrer une société pour la convaincre de la supériorité d'une idéologie ou d'une politique (voir p. 22, 31, 49, 77, 79).

**Puissance :** capacité d'un territoire à exercer une influence politique, économique ou culturelle au-delà de ses frontières (voir p. 338).

**Référendum :** consultation des citoyens sur un projet de loi ou de Constitution ; les citoyens répondent par oui ou par non à la question posée (voir p. 172, 174, 177, 182, 382.

**Régime parlementaire :** régime dans lequel le gouvernement est responsable devant l'Assemblée nationale qui peut le renverser (voir p. 182).

**Régime totalitaire :** régime politique dans lequel l'État impose une idéologie officielle, utilise la violence et veut tout contrôler (population, économie, information, culture…) (voir p. 40, 49).

**Région :** territoire administratif intermédiaire situé entre l'échelle locale et l'échelle nationale. Collectivité territoriale depuis 1982, elle est dirigée par un conseil régional (voir p. 280).

**Régions ultrapériphériques (RUP) :** elles font partie intégrante de l'UE et bénéficient du même statut (zone euro, élections au Parlement…) (voir p. 336).

**République démocratique allemande (RDA), République fédérale d'Allemagne (RFA) :** les deux pays issus de la partition de l'Allemagne en 1949. La RDA est alliée de l'URSS, la RFA des États-Unis (voir p. 94).

**Résidence secondaire :** logement utilisé pour les week-ends, les loisirs ou les vacances.

**Résistance :** pendant la Seconde Guerre mondiale, action menée en France et dans le monde pour lutter contre l'occupation allemande de la France et le régime de Vichy (voir p. 82, 85, 86).

**Résistance civile :** pendant la Seconde Guerre mondiale, actions résistantes non armées (voir p. 62).

**Réserve militaire :** elle comprend la réserve opérationnelle (citoyens volontaires, qui s'impliquent temporairement dans une unité militaire) et la réserve citoyenne (citoyens volontaires, qui contribuent, dans la société, au renforcement du lien armée-nation et promeuvent l'esprit de défense) (voir p. 392).

**Revenu minimum d'insertion (RMI) :** instauré en 1988 en France, il garantit des ressources minimales aux personnes à faibles revenus (voir p. 197).

**Révolution nationale :** idéologie du régime de Vichy fondée sur la devise « Travail, famille, patrie » et qui rompt avec les principes républicains de liberté, d'égalité et de fraternité (voir p. 77, 86).

**Rideau de fer :** expression désignant pendant la guerre froide la frontière qui coupe l'Europe en deux, d'un côté les pays libres du bloc de l'Ouest et de l'autre les pays communistes du bloc de l'Est (voir p. 94, 98, 104).

## S

**Scrutin majoritaire uninominal :** mode d'élection dans lequel les électeurs votent pour un seul candidat. Est élu le candidat qui a recueilli le plus de voix au second tour (voir p. 182).

**Sécurité sociale :** système public de protection sociale contre les risques liés à la précarité, à la maladie et à la vieillesse (voir p. 156, 160).

**Sérigraphie :** technique d'impression basée sur le principe du pochoir ; elle permet une création et une impression rapides et, par de forts contrastes de couleurs, attire facilement l'attention (voir p. 199).

**Service du travail obligatoire (STO) :** pendant la Seconde Guerre mondiale, mobilisation des hommes français entre 20 et 23 ans pour travailler dans les entreprises allemandes (voir p. 74, 86).

**Services :** activité économique sans transformation de matière (voir p. 244).

**Solde commercial :** différence entre la valeur des exportations et celle des importations (voir p. 338).

**Solde migratoire :** différence entre le nombre de personnes qui sont entrées sur le territoire et le nombre de personnes qui en sont sorties au cours d'une année (voir p. 190).

**Souveraineté nationale :** le pouvoir politique appartient à la nation, c'est-à-dire à l'ensemble des citoyens (voir p. 382).

**Syndicat :** association qui défend les intérêts professionnels de ses adhérents. Son représentant dans l'entreprise est le délégué syndical (voir p. 360).

## T

**Talibans :** membres d'un mouvement islamiste qui dirige l'Afghanistan à partir de 1996, jusqu'à l'arrivée des États-Unis en 2001. Ils ont caché Ben Laden et abrité des camps d'entraînement d'al-Qaida (voir p. 145).

**Taux de chômage :** proportion de chômeurs rapportée à la population active totale (voir p. 197).

**Technopole :** métropole ayant une forte concentration d'activités de haute technologie (voir p. 230).

**Technopôle/Pôle de compétitivité :** entreprises, universités, laboratoires de recherche réunis sur un même territoire pour innover (voir p. 230).

**Territoire :** espace vécu et approprié par ses habitants (voir p. 280).

**Territoires ultramarins :** territoires français situés en dehors du continent européen (voir p. 303).

**Terrorisme :** ensemble des actions violentes (attentats, assassinats, etc.) visant à terroriser la population pour fragiliser un gouvernement, un État (voir p. 142, 148).

**Tiers Monde :** ensemble de pays souvent issus de la décolonisation qui ont en commun un faible niveau de développement et cherchent à s'affirmer sur la scène internationale (voir p. 112, 118, 121).

**Traité de Versailles :** traité de paix signé le 28 juin 1919 entre l'Allemagne et les Alliés. Il est vécu par les Allemands comme injuste et humiliant car ils sont jugés seuls responsables du déclenchement de la guerre (voir p. 39).

**Tranchée :** pendant la Première Guerre mondiale, fossé protégé par des barbelés dans lequel les soldats vivent et combattent (voir p. 20, 31).

**Trente Glorieuses :** expression qui désigne la période de forte croissance économique que connaissent les pays occidentaux entre 1945 et 1975 (voir p. 190).

**Tourisme vert :** tourisme durable centré sur la découverte de la nature, les activités de plein air et le respect de l'environnement (voir p. 261).

## V et Z

**Viêt-minh :** ligue pour l'indépendance du Viêtnam fondée par le communiste Hô Chí Minh en 1941 pour combattre les colonisateurs français (voir p. 116).

**Zone économique exclusive (ZEE) :** espace maritime sur lequel un État possède des droits d'exploitation et d'usage des ressources. Une ZEE s'étend jusqu'à 370 km d'un littoral, voire 648 km en cas d'extension (voir p. 294, 336, 338).

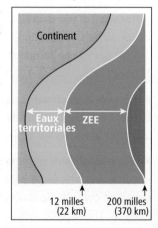

# Crédits photographiques

**Couverture** : **h** : S-F/Shutterstock (Agence Rudy Ricciotti) ; **b** : AGIP/Rue des Archives.

**14-15 :** Photo Josse/Leemage ; **16 :** Neurdein/Roger-Viollet ; **17, reprise 33d :** J. L. Charmet/Archives Bordas ; **20 :** Tallandier/Rue des Archives ;
**21 :** Topfoto/Roger-Viollet ; **22 :** The Royal Mint Museum, Liantrisant/Bridgeman Images ; **23h, reprise 33g :** Haeckel Coll./Ullstein Bild/Roger-Viollet ;
**23b, reprise 31hd :** Coll. Kharbine-Tapabor ;
**24 :** Jacques Moreau/Archives Larousse/Bridgeman Images ; **25hg, hm, bg, bd :** Yazid Medmoun/Cg80 – Historial de la Grande Guerre, Péronne (Somme) ;
**25hd :** Emilie Combier, Musée de l'Armée/Dist. RMN-Grand Palais ; **27 :** INMA/Gamma-Rapho ;
**28 :** Archive Photos/ Adoc-Photos ; **29, reprise 31b :** Photo Josse/Leemage ; **31hd :** H. Josse/Archives Larbor ;
**35 :** Gérard Blot/Mucem/ Dist. RMN-Grand Palais ;
**36 :** Gaston Paris/Roger-Viollet ; **37 :** Heinrich Hoffmann/ Roger-Viollet ; **38g, reprise 49g :** FineArtImages/ Leemage ; **38m, reprise 49m :** G. Tomsich/Archives Larbor ; **38d, reprise 49d :** Coll. Archives Larbor ; **40 :** Archives Charmet/ Bridgeman Images ; **41, reprise 51hg :** Everett/ Rue des Archives ; **42 :** Coll. Archives Larbor ; **43 :** Ullstein Bild/ Akg-Images ; **44 :** Image BSB/BPK, Berlin, Dist. RMN-Grand Palais ; **45 :** Niedersächsisches Landesarchiv, Staatsarchiv Aurich ; **46 :** Archives Charmet/ Bridgeman Images ; **47h :** Süddeutsche Zeitung/Rue des Archives ; **47b, reprise 51hd :** Coll. Kharbine-Tapabor ; **52 :** BPK, Berlin, Dist. RMN-Grand Palais ; **54, reprise 67bd :** Coll. Archives Nathan ; **55, reprise 4h, 67g :** Peter Newark Military Archive/ Bridgeman Images ; **58 :** Laski Diffusion/Getty ; **59, reprise 67hd, 69g :** Universal History Archive/Getty ; **60 :** Bilderwelt/ Roger-Viollet ;
**61 :** Coll. Archives Nathan ; **62, reprise 69d :** Museum of Danish Resistance 1940-45, Copenhague ; **63 :** Dmitri Kessel/ The Life Picture Collection/ Getty ; **64, reprise 69m :** Galerie Bilderwelt/Getty ; **65 :** William Manning/Alamy/ Photo12 ; **71 :** Mirrorpix/ Bridgeman Images ;
**72 :** Coll. IM/ Kharbine-Tapabor ; **73 :** Keystone/ Gamma-Rapho ; **75g, reprise 87mg, 89h :** Roger-Viollet ; **75d, reprise 88b, 89bg :** Keystone/Gamma-Rapho ;
**76 :** Selva/Leemage ; **77 :** Coll. Archives Larbor ;
**78h :** Lapi/Roger-Viollet ; **78b :** Archives départementales d'Eure et Loir, FRAD28-106W2 ;
**79 :** The Granger Collection/Rue des Archives ; **81h :** Coll. Archives Larbor ; **81b :** Tallandier/Bridgeman Images ; **81 :** Lapi/Roger-Viollet ; **82h, reprise 75m, 87d, 88h, 89bd :** Coll. Archives Larbor ; **82b :** AFP ;
**84g, reprise 87md :** PVDE/Rue des Archives ;
**84d :** Bibliothèque nationale de France, Paris ;
**85 :** Photo Etienne George/CNC-DA Films-October Films-Pricel/Coll. Christophe L ; **87g :** Roger-Viollet ;
**91 :** H. Josse/Archives Larbor ;
**92 :** By permission of The National Library of Wales © Solo Syndication, London ; **93 :** David Pollack/Corbis © Adagp, Paris 2016 ; **97g :** © Solo Syndication, London ; **97d :** AGIP/ Rue des Archives ; **98, reprise 105b :** Ullstein Bild/ Roger-Viollet ; **99h, reprise 105mh :** Coll. Archives Larbor ; **99b, reprise 107 :** Pool/ Gamma-Rapho ; **101 :** Caricadoc ; **102hg :** MGM-United Artists/The Kobal Collection ;
**102hd, reprise 4b :** MGM-United Artists/Coll. Christophe L ; **102b :** Coll. Archives Larbor ; **103hg :** MGM-United Artists/ Coll. Christophe L ; **103hd :** Gabriel Polsky Productions/Coll. Christophe L ; **105h :** Coll. Archives Larbor ; **105mb :** Everett/Rue des Archives ; **109 :** Plantu ; **110, reprise 121g :** Keystone/Gamma-Rapho ; **111, reprise 122d :** Coll. Kharbine-Tapabor ; **114 :** Keystone/Gamma-Rapho ; **115, reprise 121d :** Bettmann/Corbis ; **117 :** Coll. Jean-Claude Labbé/Gamma-Rapho ; **119 :** Bettmann/Corbis **120h, reprise 122g :** Baron/Hulton Archive/Getty ; **120m :** Dinodia/Hulton Archive/Getty ; **120b :** Stan Wayman/The Life Picture Collection/Getty ; **124 :** Tallandier/Rue des Archives ;
**126 :** Fritz Behrendt ; **127 :** Sean Gallup/Getty/AFP ;
**129h :** Nick_Nick/Shutterstock ; **129m :** Jorisvo/ Shutterstock ; **129b :** Christian Creutz/ Union Européenne 2015 – Source Parlement Européen ;
**130h, reprise 134h :** A. Gesgon/CIRIP ; **130b, reprise 134b :** Banque Centrale Européenne/ Coll. Archives Larbor ;
**131 :** CIDEM ; **133 :** Christian Lambiotte/Communauté Européenne, Service Audiovisuel ;
**137 :** A. Gesgon/CIRIP ; **138 :** Tyler Hicks/ The New York Times-Redux/Réa ; **139, reprise 149bg :** Jerry Lampen/ Reuters ; **142g, reprise 149mb, 151g :** Sean Adair/Reuters ; **142d :** Courrier International ; **143 :** Roberto Machado-NOA/ Light Rocket/Getty ; **145h, reprise 149bd, 151m :** Fabrizio Bensch/Reuters ; **145b :** Bryan Denton/The New York Times-Redux/Réa ; **146, reprise 151d :** Hervé Pinel ;
**147 :** Per-Anders Pettersson/Cosmos ; **149h :** M. Stewart/ Camerapress/ Gamma-Rapho ; **149mh :** Muneyoshi Someya/AP/Sipa ;
**152 :** Kelly Günther/The New York Times-Redux/Réa ; **154 :** US Army/DPA/AFP ; **155, reprise 5 :** Coll. Kharbine-Tapabor ; **156h, reprise 165g :** Coll. Archives Larbor ; **156m :** Keystone/ Gamma-Rapho ; **156b :** TERRE 264-5917 © ECPAD/ France/ Photographe inconnu,1944 ; **158h :** INA ; **158b :** Lapi/ Roger-Viollet ; **159h :** Le Progrès de Lyon/Sipa ; **159b :** AGIP/ Rue des Archives ; **161h, reprise 165d, 167g :** L'Illustration ; **161b, reprise 167hd :** LMORIN/Médiathèque Renault ; **162h, reprise 165m :** A. Gesgon/CIRIP ; **162b, reprise 167bd :** Agence Interpress/Bibliothèque Marguerite Durand/ Roger-Viollet ; **163 :** Miguel Medina/AFP ; **168 :** Archives Charmet/Bridgeman Images ; **170, reprise 183m, 185mbg :** Raymond Darolle/Corbis Sygma ; **171hg, reprise 175hg, 185hd :** La Documentation Française, photo Jean Marie Marcel ; **171hd :** La Documentation Française, photo François Pagès/Paris-Match ;
**171bg :** La Documentation Française, photo Jacques-Henri Lartique ; **171bd, reprise 180h, 185hg :** La Documentation Française, photo Gisèle Freund ;
**172 :** Frédéric Legrand-Comeo/Shutterstock ; **173hg :** Ludovic/Réa ; **173hd :** Pixarno/Fotolia ; **173bg :** Meunierd/ Shutterstock ; **173bd :** Giancarlo Liguori/Shutterstock ; **174, reprise 183h :** AP/Sipa ; **175d :** A. Gesgon/CIRIP ; **176 :** Coll. Dixmier/Kharbine-Tapabor © Adagp, Paris 2016 ; **177, reprise 185bd :** A. Gesgon/CIRIP ; **178h :** Dalmas/Sipa ; **178b :** AFP ; **179h, reprise 185mhd, 185bg :** Daniel Janin/ AFP ; **179b :** Plantu ; **180b :** Bianchetti/Leemage ; **181h, reprise 185mbd :** François Lehr/Gamma-Rapho ; **181b :** Caricadoc ; **186 :** AFP ; **188 :** Dominique Berretty/ Gamma-Rapho ; **189 :** Jean-Pierre Rey/Gamma-Rapho ;
**192 :** AGIP/Rue des Archives ; **193h, reprise 203m :** Michel Causse/Gamma-Rapho ; **193bg :** AFP ; **193bd :** Coll. Dixmier/ Kharbine-Tapabor ; **194, reprise 203d :** Gérard Bloncourt/ Rue des Archives ; **195 :** Bibliothèque municipale de Lyon, photo de Marcelle Vallet, P0701 002BIS N108 C408 ; **196g, reprise 201g, 203g :** Gérard Bloncourt/Rue des Archives ;
**196d :** Jacques Chevry/INA/AFP ; **197 :** Alexis Duclos/ Gamma-Rapho ; **198 :** Bibliothèque nationale de France, Paris ; **199hg, reprise 201m :** Sipa ; **199hm :** Bibliothèque nationale de France, Paris ; **199hd :** Coll. Archives Larbor ;
**199b, reprise 201d :** Jean Gaumy/Gamma-Rapho **206-207** NOVAPIX/ NASA ; **208 g** SCIENCES HUMAINES ; **208 d** DCOM/La Métro/Grenoble-Alpes Métropole ; **209 bas** Jura Tourisme/Photo GODIN Stéphane ; **209 d** Population & Avenir ; **209 ht g** APCA/Agence Linéal – G. Porzani – Fotolia ; **210** CIT'IMAGES/Xavier Testelin ; **211** HEMIS/ Matthieu Colin ; **213 bas** HEMIS/Franck Guiziou ; **213 ht** HEMIS/Pierre Jacques ; **213 m** ENTRE CIEL TERRE ET MER ; **214 bas** GRAND LYON LA METROPOLE ; **214 ht** HEMIS/Pierre Jacques ; **215** GAMMA RAPHO/Planet Observer/ IGN ;
**217** Air-images. net/Ph. Guignard ; **219** Google Maps ; **225 d** SHUTTERSTOCK/Semmick Photo ; **225 g** MAXPPP/PQR/ Ouest France/F. Laguet ; **225 m** PHOTO12.COM/ ALAMY/ Westend61 GmbH ; **226** © Métropole de Lyon ; **228** Nantes Métropole ; **229** ONLY France/ANA-Rollinger ; **230 bas** © 1996-2016 Ubisoft Entertainment. All Rights Reserved. Rayman, the character of Rayman, Ubisoft and the Ubisoft logo are trademarks of Ubisoft Entertainment in the U.S. and France. ; **230 ht** Patrice Blot ; **233 bas** d REA/Lydie Lecarpentier ; **233 bas g** PHOTOBLOT. COM/V. Joncheray ;
**233 ht d** REA/Laurent Grandguillot ;
**233 ht g** REA/Fred Marvaux ; **234 ht** REA/Stéphane Leitenberger ; **235 bas** SHUTTERSTOCK/ Smereka ;
**235 ht** Extraits de données BDORTHO © IGN – Autorisation n° 80-1606 ; **237 bas** d GETTY IMAGES/Patrick Aventurier ;
**237 bas g** LOOK AT SCIENCES/Pierre Marchal ; **237 ht d** HEMIS/Jean-Daniel Sudres ; **237 ht g** REA/Laurent Granguillot ; **238 bas** Astérix – Obélix/© 2016 Les Editions Albert René/Goscinny-Uderzo. Conception/ Réalisation : Havas, Paris. Athom Studio/Agent : Pell Mell. Exécution : Free-Lance's l'Agence. Grévin & Compagnie SA ; **238 ht** BOCCON-GIBOD Jérôme ; **239** BOCCON-GIBOD Jérôme ;
**241 bas d** COLIN MATTHIEU/Divergence ; **241 bas g** SHUTTERSTOCK/EQRoy ; **241 ht d** Oceanopolis ;
**241 ht g** SHUTTERSTOCK/ Lena Serditova ; **243 bas** Synergie ; **243 ht** © DGC Communication. Campagne produite par le conseil départemental de la Manche pour le salon international de l'agriculture, 2012. ;
**247 d** MAXPPP/PQR/L'Alsace/Thierry Gachon ; **247 g** AFP/ Boris Horvat ; **247 m** AFP/Jean-Sébastien Evrard ; **250** PHOTOBLOT. COM/Philippe Frutier ; **251** Source dispositif CyberCantal Télécentres, Conseil départemental du Cantal ;
**252** HEMIS/ Christian Guy ; **253** HEMIS/Pierre Jacques ; **254** Office du Tourisme Val d'Isère/Photo Andyparant. com ; **255** Office du Tourisme Val d'Isère/Photo Andyparant. com ; **257 bas** HEMIS/Francis Cormon ; **257 ht** © Comité Régional du Tourisme Limousin/Photo Shutterstock/Piotr Wawrzyniuk ;
**259 bas** d HEMIS/Denis Bringard ;
**259 bas g** HEMIS/Alamy/Martin Humby ; **259 ht d** HEMIS/ Sylvain Sonnet ; **259 ht g** ONLY France/Robert Palomba ; **263 d** HEMIS/Francis Cormon ; **263 g** HEMIS/Christian Guy ; **263 m** Office du Tourisme Val d'Isère/Photo Andyparant. com ;**264** © Michel Muret ; **266** HEMIS/Michel Cavalier/ © ADAGP, Paris 2016 ; **267** HEMIS/ Alamy/ Emmanuel Lattes/ © ADAGP, Paris 2016 ; **268 d** Population & Avenir ; **268 g** Département du Tarn/Photo Ludovic Cabrita ; **269 bas** Syndicat du sucre de la Réunion ; **269 d** Mémorial ACTe et G. ARICIQUE ; **270 bas d** MAXPPP/PQR/ Le Progrès/ Philippe Juste ; **270 bas g** MAXPPP/ PQR/ Le Progrès/ Philippe Juste ; **270 ht d** MAXPPP/PQR/Le Progrès/Philippe Juste ; **270 ht g** MAXPPP/PQR/ Le Progrès/Philippe Juste ; **271** HEMIS/Mathieu Colin ; **273** AFP/Nicolas Tucat ;
**274** © EPA Bordeaux Euratlantique ; **275** © Duthilleul architecte/illustrateur : A. Barnard ; 277 CGET ; **287** JARRY Sébastien ; **288** JARRY Sébastien ; **289** JARRY Sébastien ; **290** © www.desailespourlouest.fr ; **291** www.acipa-ndl.fr ; **292** HEMIS/Alamy/Manfred Gottschalk ; **293** EDITIONS SOLARIS/Pierre Alain Pantz ; **297** SAGAPHOTO/Didier Forray ; **298 bas** NATURIMAGES/ Guillaume Feuillet ;
**298 ht** Port Autonome de la Guadeloupe ;
**301** © Lavigne Cheron Architectes ; **305** d AFP/Richard Bouhet ; **305 g** HEMIS/ Alamy/ Michael Dwyer ;
**305 m** SHUTTERSTOCK/ BlueOrange Studio ;
**307** Direction artistique : Aryas Abdollahi, Marie Bourgois, Manon Guenard, Alice Labat ; **308 d** ALTERNATIVES ECONOMIQUES ; **308 g** Razel Magazine ; **309 d** Population & Avenir ; **309 g** Europa ;
**310** Getty Images France/Ullstein bild ; **311** COMMISSION EUROPEENNE ; **312 bas** d AFP/ Phanie/ Voisin ;
**313** COMMISSION EUROPEENNE ; **314 bas d** HEMIS/Alamy/ Emilio Ferrer ; **314 bas g** HEMIS/Francis Leroy ; **316 g** HEMIS/Alamy/Melba Photo Agency ;
**317** MAXPPP/ PQR/ L'Indépendant ; **318** © Mission Opérationnelle Transfrontalière ; **325** SHUTTERSTOCK/ Defotoberg ; **326** © www.nicolasvadot.com ;
**328** © European Union Naval Force Somalia – Operation Atalanta ; **329** CHRISTOPHE L ;
**330** REUTERS/Caren Firouz ; **332** MEDECINS SANS FRONTIERES/Lexie Cole ; **334** REA/ITH-AIRBUS US ; **335** AFP/ ImagineChina/ He Jinwen ; **340** REA/ITH - Airbus US ; **344** COLLECTION CHRISTOPHE L © Studio 37/La Petite Reine/La Classe Américaine/JD Prod ; **345** COLLECTION CHRISTOPHE L ; **348 bas** Conseil départemental de la Vendée ;
**348 ht** Conseil départemental de la Côte-d'Or ;
**349** Ville de Toulouse/Les Jeunes Européens ;
**350** BIS/© Archives Larbor ; **351** Collection KHARBINE-TAPABOR IM ; **352** bas g BIS/© Archives Larbor ; **352 ht d** Archives municipales de Cosne-Cours-sur-Loire ; **352 ht g** BIS/© Archives Larbor ;
**353** MAIRIE DE PARIS ; **354** MINISTERE DE L'EDUCATION NATIONALE ; **355** MINISTERE DE L'EDUCATION NATIONALE ;
**356 d** FOTOLIA/Uclus ;
**356 g** FOTOLIA/Kurhan ; **357** Sydo, Société de conseil en pédagogie ; **358 bas** LA POSTE/Nicolas Vial ;
**358 ht d** COMMISSION EUROPEENNE ; **358 ht g** INA/France 3 ; **360** AFP/Lionel Bonaventure ; **361 bas** HAZGUI Laurent/ Divergence ; **361 ht** MAXPPP/IP3 Press/Matthieu Cugnot ; **363** INA/France 3 ; **364** MINISTERE DE LA JUSTICE ; **366** AFP ; **366 bas d** INA ; **367** Ville de Montpellier ; **368** BIS/© Archives Larbor ; **370** Néologis/Géraldine Aresteanu ; **371 bas** INA/France 3 Midi Pyrénées ; **371 ht** REA/Denis Allard ; **371 m** AFP/Thomas Samson ; **372 -373** Librairie Le feu Follet/S. Pandolfi/© ADAGP, Paris 2016 ; **372 bas** GAMMA RAPHO/ Keystone/ L'Humanité ; **374** Service Civique ; **376 bas** INA/France 2 ; **376 ht d** LE MONDE ; **376 ht g** 20 Minutes France SAS ; **376 ht m** MEDIAPART ; **378** TELERAMA ; **379** AMNESTY INTERNATIONAL ;
**380 bas** EELV ; **380 ht** INA/France 2 ; **381 bas** MAIRIE DE PARIS ; **388 bas** BFMTV ; **388 ht** CIRFA 94 ;
**389** SIPA PRESS/Chamussy ; **390 bas** SIPA PRESS/ Nicolas Chauveau ; **390 d** MINISTERE de la DEFENSE ; **390 ht g** MINISTERE de la DEFENSE ; **391 bas** MINISTERE de la DEFENSE ; **391 ht** AFP/Win McNamee ; **394 bas** MAXPPP/ PQR/Le Parisien/Mathieu de Martignac ; **397 bas** AFP/Joel Saget ; **397 ht** MARINE NATIONALE ; **398 bas** d SIPA PRESS/ Haley ; **398 bas g** GUILHOT Alain/Divergence ; **398 ht** 123RF Limited/Oleg Pidodnya ; **399 d** SIPA PRESS/AP ; **399 g** ANNIE LAMBERT ; **401** MINISTERE de la DEFENSE ; **402 ht** ECPAD ; **403** Armée de Terre – avec l'aimable autorisation de S. Descatoire ; **404** PLANTU

Libération de Paris, août 1944 :
femmes et soldats américains
devant la tour Eiffel.

Vue du Vieux-Port de Marseille, 2016.
On distingue le Fort Saint-Jean, le MuCEM
(musée des civilisations de l'Europe et de la
Méditerranée ; architecte : Rudy Ricciotti)
et, en arrière-plan, la cathédrale
Sainte-Marie-Majeure.

**Édition :** Séverine Bulan, avec l'aide de Juliette Sauty, Morgane Guilhem, Alexandre Antolin
et de toute l'équipe des sciences humaines

**Conception graphique de l'intérieur :** Frédéric Jély

**Conception graphique de la couverture :** Véronique Lefebvre

**Mise en pages :** Adeline Calame

**Iconographie :** Électron libre (Valérie Delchambre) et Maryse Hubert

**Cartographie :** Légendes cartographie (Frédéric Miotto et Marie-Sophie Putfin),
AFDEC (chapitres 12 et 15)

**Frises et schémas :** Renaud Scapin

**Relecture :** Marjolaine Revel et Stéphanie Girardot

# ATLAS

## Le langage cartographique

### Les figurés de surface (ou plages colorées)

→ Utilisés pour des informations **qui s'étendent dans l'espace** : peuplement, IDH, régions industrielles...

Le choix de la couleur doit, dans la mesure du possible, être cohérent avec l'information représentée.

• *Hiérarchisation des informations* : on fait varier l'intensité de la couleur. On peut aussi choisir des hachures et faire varier leur direction, l'épaisseur des traits...

• *Exemples :*

| | Espaces industriels | | Espaces touristiques |
| Espaces touristiques | | |

**Des espaces productifs en pleine mutation**

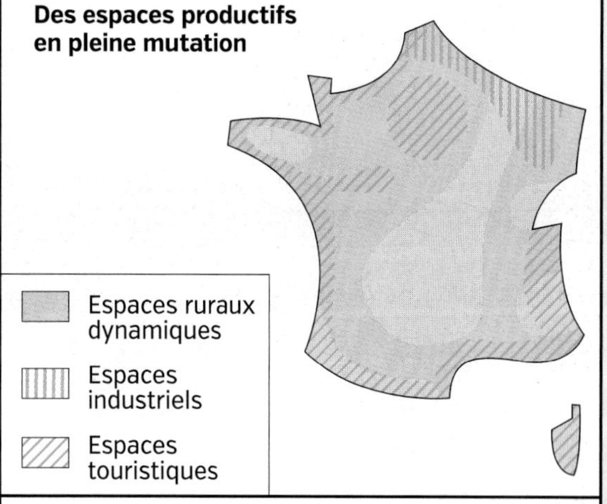

Espaces ruraux dynamiques
Espaces industriels
Espaces touristiques

### Les figurés ponctuels

→ Utilisés pour des informations **dont la localisation est ponctuelle :** villes, ports, technopôles...

• *Exemples :*

● Métropoles ▲ Aéroport ◆ Pôles de l'innovation

• *Hiérarchisation des informations :* on fait varier la taille des figurés.

● Plus de 10 million d'habitants

● De 500 000 à 1 million d'habitants

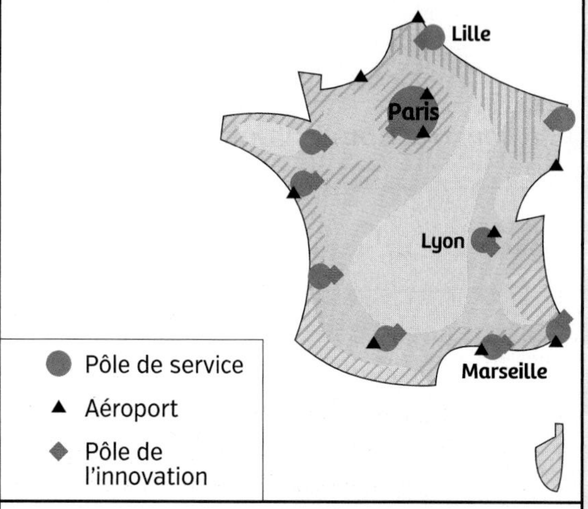

Lille
Paris
Lyon
Marseille

● Pôle de service
▲ Aéroport
◆ Pôle de l'innovation

### Les figurés linéaires

- Les **traits** pour représenter les réseaux de communication ou les limites (frontières) ;

- Les **flèches** pour représenter les flux, les échanges, les dynamiques ...

• *Exemples :*

── Axes de communication

⟷ Échanges avec le reste du monde

• *Hiérarchisation des informations :* on fait varier l'épaisseur des traits ou des flèches.

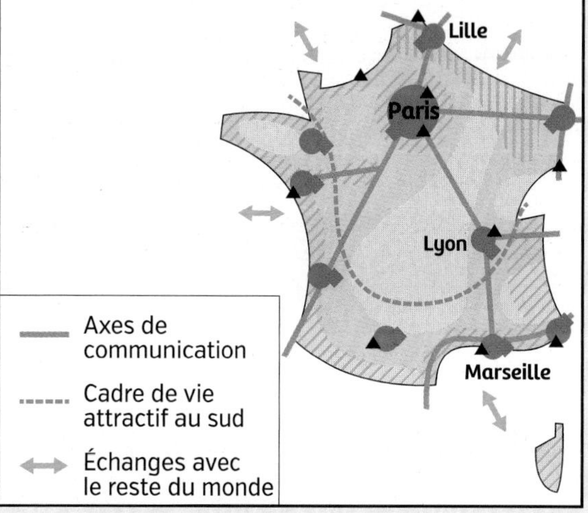

Lille
Paris
Lyon
Marseille

── Axes de communication
---- Cadre de vie attractif au sud
⟷ Échanges avec le reste du monde

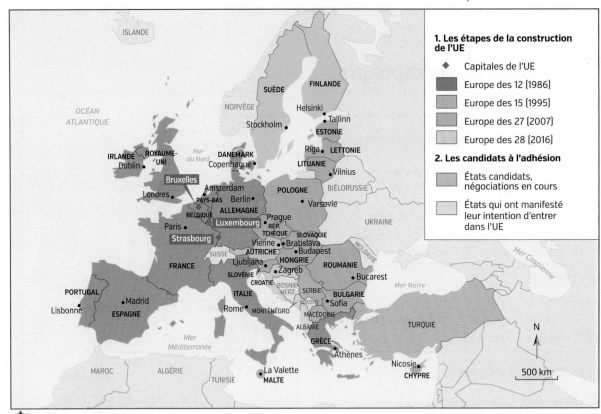

**1** La construction de l'Union européenne

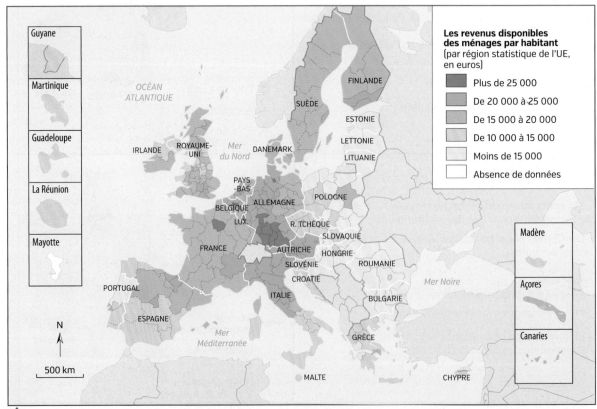

**2** Les inégalités de revenus dans l'Union européenne

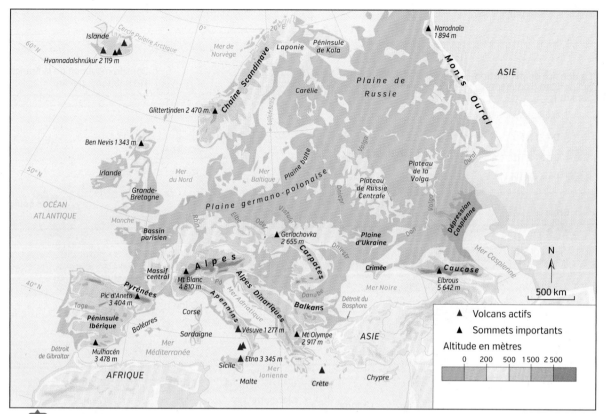

**3** Le relief de l'Europe

Légende :
▲ Volcans actifs
▲ Sommets importants
Altitude en mètres
0   200   500   1500   2500

500 km

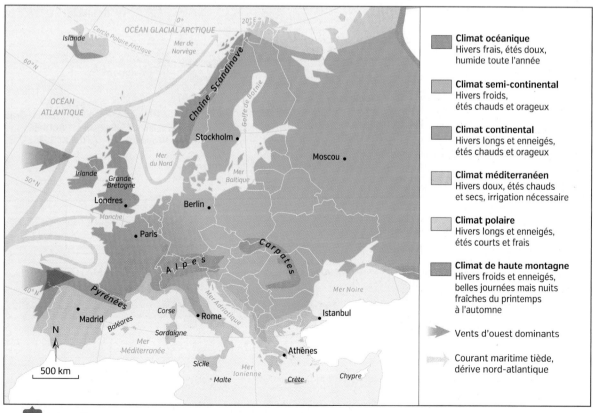

**4** Les climats en Europe

Légende :
**Climat océanique**
Hivers frais, étés doux, humide toute l'année

**Climat semi-continental**
Hivers froids, étés chauds et orageux

**Climat continental**
Hivers longs et enneigés, étés chauds et orageux

**Climat méditerranéen**
Hivers doux, étés chauds et secs, irrigation nécessaire

**Climat polaire**
Hivers longs et enneigés, étés courts et frais

**Climat de haute montagne**
Hivers froids et enneigés, belles journées mais nuits fraîches du printemps à l'automne

➤ Vents d'ouest dominants
➤ Courant maritime tiède, dérive nord-atlantique

500 km

# Les densités de population en France

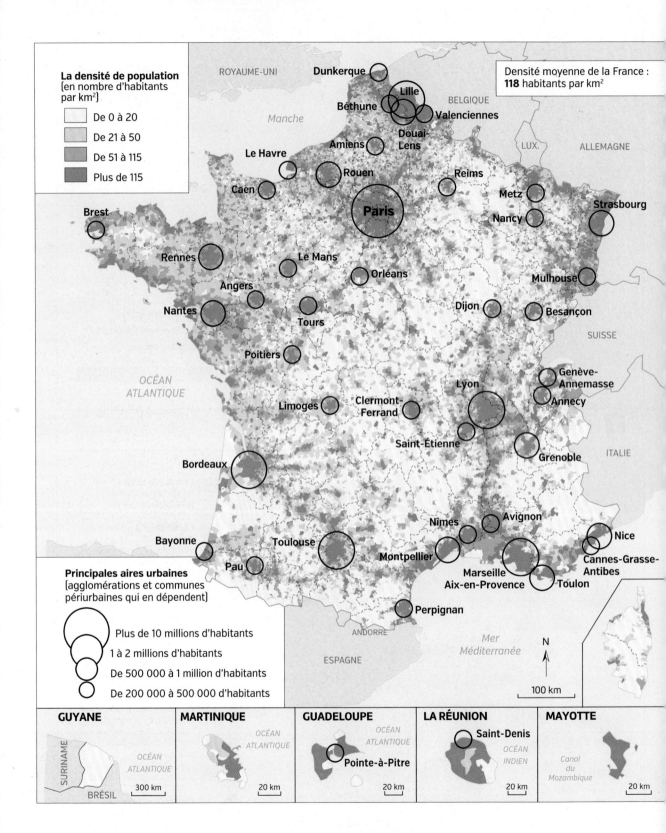

La densité de population
(en nombre d'habitants par km²)

De 0 à 20
De 21 à 50
De 51 à 115
Plus de 115

Densité moyenne de la France :
**118** habitants par km²

ROYAUME-UNI

Dunkerque
Lille
Béthune
Valenciennes
Douai-Lens
BELGIQUE
LUX.
ALLEMAGNE
Manche
Le Havre
Amiens
Rouen
Reims
Metz
Nancy
Strasbourg
Caen
Paris
Brest
Mulhouse
Rennes
Le Mans
Orléans
Dijon
Besançon
SUISSE
Angers
Nantes
Tours
Poitiers
OCÉAN
ATLANTIQUE
Limoges
Clermont-Ferrand
Lyon
Genève-Annemasse
Annecy
ITALIE
Saint-Étienne
Grenoble
Bordeaux
Nîmes
Avignon
Nice
Bayonne
Toulouse
Montpellier
Marseille
Aix-en-Provence
Cannes-Grasse-Antibes
Toulon
Pau
Perpignan
ANDORRE
ESPAGNE
Mer
Méditerranée
N
100 km

**Principales aires urbaines**
(agglomérations et communes
périurbaines qui en dépendent)

Plus de 10 millions d'habitants
1 à 2 millions d'habitants
De 500 000 à 1 million d'habitants
De 200 000 à 500 000 d'habitants

| GUYANE | MARTINIQUE | GUADELOUPE | LA RÉUNION | MAYOTTE |
|---|---|---|---|---|
| SURINAME / BRÉSIL / OCÉAN ATLANTIQUE / 300 km | OCÉAN ATLANTIQUE / 20 km | OCÉAN ATLANTIQUE / Pointe-à-Pitre / 20 km | Saint-Denis / OCÉAN INDIEN / 20 km | Canal du Mozambique / 20 km |

N° d'éditeur: 10264885 – Keygraphic – mai 2020
Achevé d'imprimer par Bona SpA en Italie

MIXTE
Papier issu de
sources responsables
FSC® C022030

Le papier de cet ouvrage est composé de fibres
naturelles, renouvelables, fabriquées à partir de bois
provenant de forêts gérées de manière responsables.

# Le relief de la France

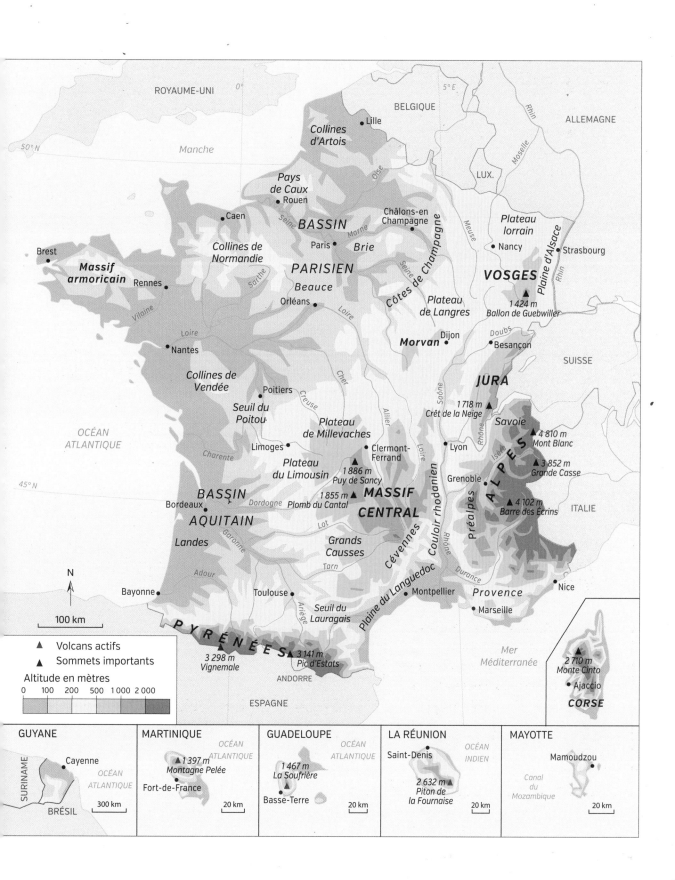

ROYAUME-UNI

BELGIQUE

ALLEMAGNE

Manche

LUX.

Lille

Collines
d'Artois

Pays
de Caux

Rouen

Caen

BASSIN

Châlons-en
Champagne

Plateau
lorrain

Nancy

Strasbourg

Brest

Paris

Brie

Massif
armoricain

Rennes

Collines de
Normandie

PARISIEN

VOSGES

1 424 m
Ballon de Guebwiller

Beauce

Orléans

Plateau
de Langres

Morvan

Dijon

Besançon

SUISSE

Nantes

Collines de
Vendée

JURA

Poitiers

1 718 m
Crêt de la Neige

Savoie

Seuil du
Poitou

Plateau
de Millevaches

4 810 m
Mont Blanc

OCÉAN
ATLANTIQUE

Limoges

Clermont-
Ferrand

Lyon

3 852 m
Grande Casse

Plateau
du Limousin

1 886 m
Puy de Sancy

Grenoble

A L P E S

BASSIN

1 855 m
Plomb du Cantal

MASSIF

Bordeaux

CENTRAL

4 102 m
Barre des Écrins

ITALIE

AQUITAIN

Landes

Grands
Causses

Cévennes

Provence

Nice

Bayonne

Toulouse

Seuil du
Lauragais

Plaine du Languedoc

Montpellier

Marseille

P Y R É N É E S

Mer
Méditerranée

3 298 m
Vignemale

3 141 m
Pic d'Estats

2 710 m
Monte Cinto

ANDORRE

ESPAGNE

Ajaccio

CORSE

N

100 km

▲ Volcans actifs
▲ Sommets importants
Altitude en mètres
0   100   200   500   1 000  2 000

| GUYANE | MARTINIQUE | GUADELOUPE | LA RÉUNION | MAYOTTE |
|---|---|---|---|---|
| Cayenne | ▲ 1 397 m Montagne Pelée | 1 467 m La Soufrière | Saint-Denis | Mamoudzou |
| OCÉAN ATLANTIQUE | OCÉAN ATLANTIQUE | OCÉAN ATLANTIQUE | OCÉAN INDIEN | Canal du Mozambique |
| SURINAME | Fort-de-France | Basse-Terre | 2 632 m Piton de la Fournaise | |
| BRÉSIL | 300 km | 20 km | 20 km | 20 km |

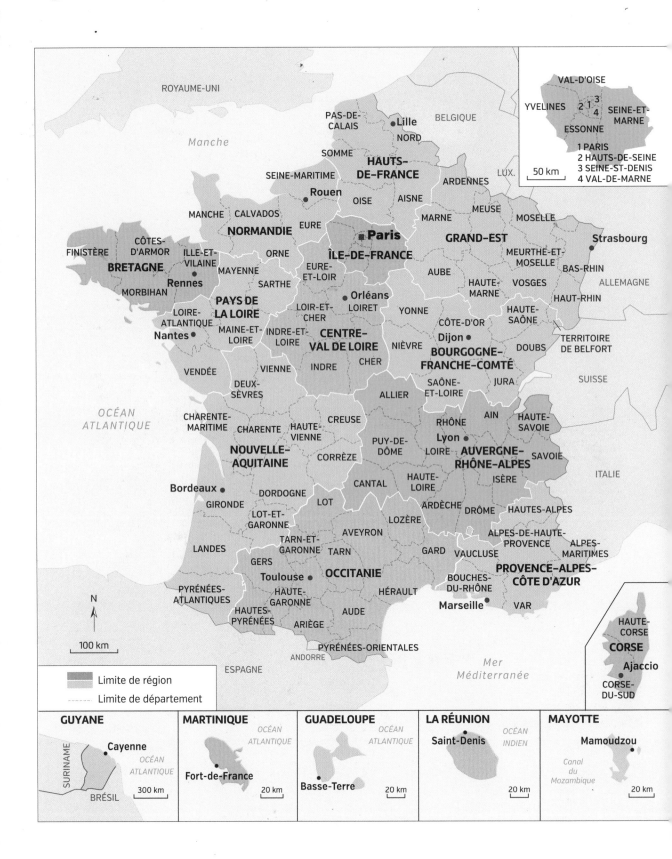

ROYAUME-UNI

*Manche*

VAL-D'OISE
YVELINES  2 1 3  SEINE-ET-
                4  MARNE
ESSONNE
1 PARIS
2 HAUTS-DE-SEINE
3 SEINE-ST-DENIS
50 km  4 VAL-DE-MARNE

PAS-DE-
CALAIS    Lille
          NORD    BELGIQUE
SOMME
HAUTS-
DE-FRANCE          LUX.
SEINE-MARITIME    ARDENNES
Rouen    OISE   AISNE
MANCHE  CALVADOS        MARNE  MEUSE  MOSELLE
NORMANDIE  EURE        Paris   GRAND-EST      Strasbourg
CÔTES-                 ÎLE-DE-FRANCE   MEURTHE-ET-
D'ARMOR  ILLE-ET-  ORNE              MOSELLE  BAS-RHIN
FINISTÈRE  VILAINE  MAYENNE  EURE-   AUBE  HAUTE-  VOSGES  ALLEMAGNE
BRETAGNE          ET-LOIR         MARNE  HAUT-RHIN
Rennes  SARTHE                    HAUTE-
MORBIHAN  PAYS DE  LOIR-ET-  Orléans  SAÔNE  TERRITOIRE
LOIRE-  LA LOIRE  CHER  LOIRET  YONNE       DE BELFORT
ATLANTIQUE  MAINE-ET-  INDRE-ET-  CENTRE-  CÔTE-D'OR  Dijon  DOUBS
Nantes  LOIRE  LOIRE  VAL DE LOIRE  NIÈVRE  BOURGOGNE-  SUISSE
VENDÉE  VIENNE  INDRE  CHER      FRANCHE-COMTÉ
DEUX-            SAÔNE-  JURA
SÈVRES  CREUSE   ALLIER  ET-LOIRE
OCÉAN  CHARENTE-         AIN  HAUTE-
ATLANTIQUE  MARITIME  CHARENTE  HAUTE-  PUY-DE-  RHÔNE  SAVOIE
VIENNE  DÔME  Lyon
NOUVELLE-  CORRÈZE      LOIRE  AUVERGNE-  SAVOIE
AQUITAINE      CANTAL  HAUTE-  RHÔNE-ALPES  ITALIE
Bordeaux  DORDOGNE      LOIRE  ISÈRE
GIRONDE  LOT  ARDÈCHE  DRÔME  HAUTES-ALPES
LOT-ET-      LOZÈRE
GARONNE  AVEYRON    ALPES-DE-HAUTE-  ALPES-
LANDES  TARN-ET-      GARD  PROVENCE  MARITIMES
GARONNE  TARN  VAUCLUSE  PROVENCE-ALPES-
GERS  OCCITANIE  BOUCHES-  CÔTE D'AZUR
Toulouse  HÉRAULT  DU-RHÔNE
N  PYRÉNÉES-  HAUTE-      Marseille  VAR
ATLANTIQUES  GARONNE  AUDE
HAUTES-            HAUTE-
PYRÉNÉES  ARIÈGE        CORSE
100 km          PYRÉNÉES-ORIENTALES  CORSE
ESPAGNE  ANDORRE        Mer  Ajaccio
Méditerranée  CORSE-
DU-SUD

Limite de région
Limite de département

| GUYANE | MARTINIQUE | GUADELOUPE | LA RÉUNION | MAYOTTE |
|---|---|---|---|---|
| Cayenne | OCÉAN ATLANTIQUE | OCÉAN ATLANTIQUE | Saint-Denis OCÉAN INDIEN | Mamoudzou |
| SURINAME OCÉAN ATLANTIQUE | Fort-de-France | Basse-Terre | | Canal du Mozambique |
| BRÉSIL 300 km | 20 km | 20 km | 20 km | 20 km |